2026年度版

TAC出版編集部 編著

国税専門官

国税専門A

科目別・テーマ別過去問題集

TAC出版

TAC PUBLISHING Group

はじめに

　近年就職環境が大きく変化している中で、まだまだ多くの若者が「やりがい」や「安定」を求めて公務員試験に挑戦しています。出題科目が非常に広範な公務員試験で効率的に学習を進めるためには、志望試験種の出題形式を的確に捉え、近年の出題傾向をつかむ必要があります。

　このシリーズは、受験先ごとに公務員試験の過去問演習を十分に行うために作られた問題集です。

　公務員試験対策は「過去問演習」なしに語ることはできません。試験ごとの出題傾向が劇的に変化することは稀であり、その試験の過去の出題を参考にすることで、試験本番に向けた対策をほぼカバーすることができるためです。

　また、過去問を眺めると、試験ごとに過去の出題分布がだいぶ異なっていることに気づきます。公務員試験対策を始めたばかりのころは、なるべく多くの受験先に対応できるよう幅広い範囲の知識をインプットしていくことが多いですが、ある程度念頭においた受験先が見えてきたら、その受験先の出題傾向を意識した対策が有効になります。

　本シリーズは、択一試験の出題を科目ごと、出題テーマごとに分類して配列した過去問題集です。このため、インプット学習と並行しながら少しずつ取り組むことができます。また、1冊取り組むことによって、受験先ごとの出題傾向を大まかにつかむことができるでしょう。

　公務員試験はいうまでもなく就職試験です。就職試験に臨む者は皆、人生における大きな岐路に立ち、その目的地であるゴールを目指しています。公務員として輝かしい一歩を踏み出すためには、合格というスタートラインが必要です。本シリーズを十分に活用された方々が、合格という人生のスタートラインに立ち、公務員として各方面で活躍されることを願ってやみません。

2024年11月　ＴＡＣ出版編集部

本書の特長と活用法

本書の特長 ～ 試験別学習の決定版書籍です！

⬤ 科目別・テーマ別に演習できる！

本書は国税専門官（国税専門A）採用試験における択一試験の過去問（2020～2023年度）から精選し、学習しやすいよう科目別・テーマ別に収載しています。科目学習中の受験者が、試験ごとの出題傾向をつかむのに最適な構成となっています。

※専門択一試験については、問題・解説とも主要科目のみ掲載しています。

⬤ TAC生の選択率・正答率つき！　丁寧でわかりやすい解説！

TAC生が受験した際のデータをもとに選択率・正答率を掲載しました。また、解答に加えて、初学者の方でもわかりやすい、丁寧な解説を掲載しています。実際に問題を解き、間違ったときはもちろん、正解だったときでも、しっかりと解説を確認することで、知識を確固たるものにすることができます。

⬤ 最新年度の問題も巻末に収録！　抜き取り式冊子なので使いやすい！

最新の2024年度の問題・解説は巻末にまとめて収録しており、抜き取って使用することができます。本試験の制限時間を参考にチャレンジすることで、本試験を意識した実戦形式でのトレーニングが可能です。

⬤ 受験ガイド・合格者の体験記を掲載！

受験資格や受験手続の概要をまとめた「受験ガイド」を掲載しています。過去の採用予定数や最終合格者数といった受験データもまとめています。また、合格者に取材して得た合格体験記も掲載していますので、直前期の学習の参考にしてください（合格者の氏名は仮名で掲載していることがあります）。

⬤ 記述式試験の模範答案も閲覧可能！

2015～2024年度の記述式試験について、問題と答案例をWeb上でダウンロード利用できます。詳しくはご案内ページをご確認ください。

問題・解説ページの見方

問題

●科目名　　●出題テーマ

●出題詳細
出題年度と種目、問題番号を示しています。
法改正対応等のために一部改めている問題には㊙と記しています。

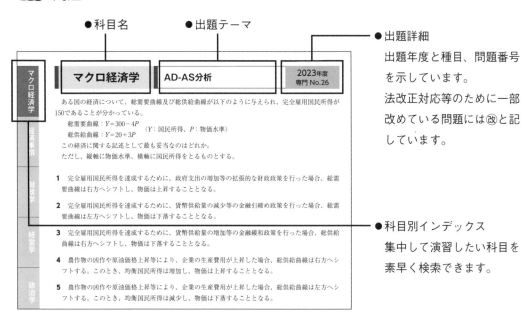

| マクロ経済学 | AD-AS分析 | 2023年度 専門 No.26 |

ある国の経済について、総需要曲線及び総供給曲線が以下のように与えられ、完全雇用国民所得が150であることが分かっている。
　総需要曲線：$Y = 300 - 4P$
　総供給曲線：$Y = 20 + 3P$　　（Y：国民所得、P：物価水準）
この経済に関する記述として最も妥当なのはどれか。
ただし、縦軸に物価水準、横軸に国民所得をとるものとする。

1　完全雇用国民所得を達成するために、政府支出の増加等の拡張的な財政政策を行った場合、総需要曲線は右方へシフトし、物価は上昇することとなる。

2　完全雇用国民所得を達成するために、貨幣供給量の減少等の金融引締め政策を行った場合、総需要曲線は左方へシフトし、物価は下落することとなる。

3　完全雇用国民所得を達成するために、貨幣供給量の増加等の金融緩和政策を行った場合、総供給曲線は右方へシフトし、物価は下落することとなる。

4　農作物の凶作や原油価格上昇等により、企業の生産費用が上昇した場合、総供給曲線は右方へシフトする。このとき、均衡国民所得は増加し、物価は上昇することとなる。

5　農作物の凶作や原油価格上昇等により、企業の生産費用が上昇した場合、総供給曲線は左方へシフトする。このとき、均衡国民所得は減少し、物価は下落することとなる。

●科目別インデックス
集中して演習したい科目を素早く検索できます。

解説

●正答番号

●TAC生の正答率・選択率
実施当時の報告に基づいて、TAC受験生の正答率および問題選択率を掲載しています。問題の難易度の目安にしてください。

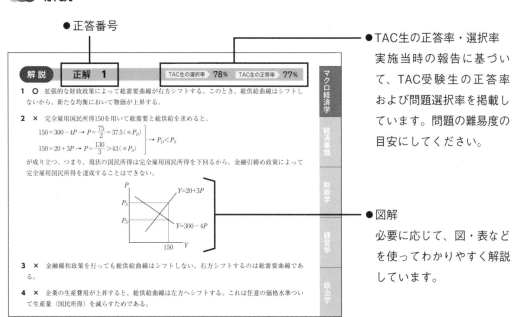

解説　　**正解　1**　　　　| TAC生の選択率　78% | TAC生の正答率　77% |

1　○　拡張的な財政政策によって総需要曲線が右方シフトする。このとき、総供給曲線はシフトしないから、新たな均衡において物価が上昇する。

2　×　完全雇用国民所得150を用いて総需要と総供給を求めると、
$$150 = 300 - 4P \rightarrow P = \frac{75}{2} = 37.5 (\equiv P_D)$$
$$150 = 20 + 3P \rightarrow P = \frac{130}{3} > 43 (\equiv P_S)$$
　　　　$\left. \right\} \rightarrow P_D < P_S$

が成り立つ。つまり、現状の国民所得は完全雇用国民所得を下回るから、金融引締め政策によって完全雇用国民所得を達成することはできない。

3　×　金融緩和政策を行っても総供給曲線はシフトしない。右方シフトするのは総需要曲線である。

4　×　企業の生産費用が上昇すると、総供給曲線は左方へシフトする。これは任意の価格水準ついて生産量（国民所得）を減らすためである。

●図解
必要に応じて、図・表などを使ってわかりやすく解説しています。

V

国税専門官（国税専門Ａ）受験ガイド

(1) 国税専門官（国税専門Ａ）試験とは

　　国税専門官とは、国税調査官・国税徴収官・国税査察官の総称で、税務のスペシャリストとして法律、経済、会計等の専門的知識を駆使し、次のような事務を行います。

　　国税調査官：適正な納税申告が行われているかどうかの調査・検査を行うとともに、申告に関する指導などを行う。

　　国税徴収官：滞納税金の督促や滞納処分を行うとともに、納税に関する指導などを行う。

　　国税査察官：裁判官から令状を受け、悪質な脱税嫌疑者に対して家宅捜索等の強制調査を行い、刑事犯として告発するまでの一貫した職務に従事する。

(2) 受験資格＆申込み方法

　　2024年度の試験では、1994年4月2日から2003年4月1日までに生まれた方が受験可能でした。

　　受験申込はインターネットを通じて行います。

(3) 試験日程＆採用になるまで

　　2024年度の国税専門官試験は、以下の日程で実施されました。

　　申込みから最終合格までの流れ

	日　程
申　込　期　間	2月22日（木）〜3月25日（月）
第 1 次 試 験 日	5月26日（日）
第1次合格発表日	6月18日（火）
第 2 次 試 験 日	6月24日（月）〜7月5日（金）
最 終 合 格 発 表 日	8月13日（火）

（4）試験内容

第1次試験は筆記試験で、①基礎能力試験（択一式・110分）、②専門試験（択一式・140分）、③専門試験（記述式・80分）が行われます。第2次試験は人物試験（個別面接）、身体検査が行われます。なお、人物試験の参考とするために、性格検査も行われます。

第1次試験の出題内訳（2024年度）は以下のとおりです。なお、このうち専門試験（択一式）については、2025年度の試験より変更が発表されています。

●基礎能力試験（択一式）

一般知能分野						一般知識分野	
文章理解		数的処理				時事	情報
現代文	英文	判断推理	空間把握	数的推理	資料解釈		
6	4	6	1	4	3	5	1

●専門試験（択一式）［2025年度以降］

必須解答		選択必須（5科目中4科目以上）					選択			
民法・商法	会計学	民法・商法	会計学	憲法・行政法	経済学	英語	財政学	経営学	政治学・社会学・社会事情	商業英語
2	2	6	6	6	6	6	6	6	6	6

※本書では、上記出題科目のうち、「英語」、「商業英語」の掲載を割愛しています。

なお、基礎能力試験は全問必須解答です。専門試験は民法・商法2問、会計学2問が必須解答、「選択必須」の5科目のうち4科目以上を選択して解答し、残りを「選択必須」と「選択」のうちから設問単位で選択して計40問解答します。

以上の受験についての情報は、必ず募集要項等により確認してください。

（5）実施状況

年度	採用予定数	申込者数	受験者数	1次合格者数	最終合格者数	合格倍率
2024年度	約1,000	11,761	8,321	5,704	3,251	2.6
2023年度	約1,000	13,618	9,555	5,511	3,127	3.1
2022年度	約1,330	14,867	11,098	7,283	4,106	2.7
2021年度	約1,500	13,163	9,733	7,415	4,193	2.3
2020年度	約1,350	14,131	－	7,189	3,903	3.6

※2020年度以前は受験者数が不明なため、申込者数を基準に合格倍率を示しています。

合格体験記

<ruby>亀<rt>かめ</rt></ruby><ruby>田<rt>だ</rt></ruby> <ruby>典<rt>のり</rt></ruby><ruby>幸<rt>ゆき</rt></ruby> さん

2023年度　国税専門官、国家一般職、特別区Ⅰ類合格

スペシャリストとして多くの人に役立つことから国税専門官志望に

　もともとIT関係の仕事に勤めていた私は、専門的なスキルを身につけることに興味がありました。公務員の中でも国税専門官という仕事は専門性もあり、より多くの人の役に立つ、とても魅力的な職業でした。試しにTACの資料を取り寄せ、合格者の体験記を見てみたところ、私と同じ既卒の方が何人も合格しているのが掲載されており、私も国税専門官を目指してみようと決めました。

数的処理は自分の解けるジャンルを確実に、
専門試験はじっくり時間をかけて得点力アップ

　基礎能力試験対策にはとても苦労した印象があります。出題の多くを占める数的処理は何度解いても新しい問題では時間がかかり、答えることができない状態でした。そのため見たことがある解答可能な問題だけはできるだけ落とさないようにしようと、できる問題を何度も繰り返しました。

　専門試験に関しては暗記することがほとんどだと思いますので、いかに時間をかけるかで決まると考えていました。試験本番でも時間が足りなくなることを考える必要がないので、普段過去問を解くときもゆっくり時間をかけて解説を読み、確実に覚えていくようにしました。理解できないことが出てきたときは、よく理解していなくても解説と正しい記述をまるごと覚えるようなつもりで取り組んでいきました。その結果、専門試験では併願先も含めてすべて8割以上得点できたので、間違っていなかったと思います。

専門記述はできれば年明けぐらいから着手しよう

　専門記述の対策は、憲法をメインに進めていきました。一つの科目に絞って挑むのはよくないという意見を耳にしたので社会学と会計学も少し手を出してみたのですが正直手が回らず、本当に少しさわった程度で終わりました。

　私が受験した年の憲法は難易度がそこまで高くなかったので書くことができましたが、全く手も足も出ないようなテーマが出題されていたら専門記述では得点が望めないことになってしまいますから、いま考えると危ない橋を渡っていた気がしています。

　こうなった原因は専門記述対策を始めるのが遅かったことにあると思うので、できれば年明けくらいから始めるとよいと思いました。

大事なのはモチベーション管理

　試験勉強を進めていく上で最も大切なことは、モチベーションの維持にあると感じました。私は生活費を得るために週4回ほどアルバイトに時間を割いており、当時はもっと学習時間がほしいと

考えていたのですが、振り返るといい気分転換になっていたと思います。例えば学生さんであれば、試験勉強の合間に息抜きで半日か1日くらい遊びに行くことがあると思いますが、私の場合はアルバイトの時間がその気分転換の役割を果たしていたと思います。とはいえ、アルバイトをする必要がなかったらその時間は遊ぶことに充てていたと思われ、もう少し楽に試験期間を過ごせたとも思います。

　これから受験する方には学習以外の時間をうまく設けて、モチベーションを管理してみてほしいです。

　上記のとおり直前期においても生活のためアルバイトの勤務日数は減らせなかったのですが、午前のみの勤務にしてもらって午後は学習時間を確保しました。

　右のスケジュール例では一応時間で区切っていますが、この時間は目安で、時間ではなく量のノルマを毎日決めて問題集に取り組んでいました。気を付けていた点としては、学習する科目が偏らないようまんべんなく、2日間ですべての科目に触れるようにしていたことと、本来の時間どおりに解けた場合に時間の余裕ができるような形でスケジュールを組むようにしていたことです。案外1日に何回かは解けていたは

■直前期の1日のスケジュール例
7：00〜8：00	朝食
8：00〜13：00	アルバイト
13：00〜14：00	昼食、雑用
14：00〜15：00	数的処理、一般知識
15：00〜15：30	憲法
15：30〜16：00	ミクロ経済学
16：00〜18：00	行政法
18：00〜19：00	政治学
19：00〜21：00	社会学
21：00〜22：00	行政法
22：00〜23：00	夕食、雑用
23：00〜24：00	論文
24：00〜25：00	専門記述

ずの問題でも、わからなくなったり調べたりする機会が出てくるので、そのために時間を残しておくようにしました。

想定問答づくりは大事だけれど、細かく想定しすぎず面接練習を重視

　面接対策としては、できるだけ想定質問を考えてその回答を作っていきました。気を付けていた点としては回答している人物に一貫性が出るような内容にすることです。細かい質問を想定していては切りがないと感じたので、大まかな問いに対する方向性を決めて、あとは友人や練習に付き合ってくれる方と練習を繰り返しました。

　最も簡単にできる、大きな声でのはっきりとした挨拶とはきはきした話し方は練習しておいて損がないと思っています。

受験生へのメッセージ

　公務員試験をひととおり経験し、不安との闘いが常にあると感じました。ネットや知り合いから様々なネガティブな噂を聞くこともあると思いますが、自分のやり方と自分が本当に信頼できると考える方のアドバイスだけを信じて、ほかはすべて無視してもいいと思います。例えばせっかくの休憩時間に、勉強のことで不安になって気持ちよく過ごせないのはとてももったいないです。

　といっても、私もそれほどうまく切り替えることはできなかったので、多かれ少なかれ不安はつきまとうものだと思いますし、周りの受験生もみんなそうです。その中でも不安にできるだけ引っ張られずモチベーションを維持していくには、やはりネガティブなノイズを消していくことが大事だと思います。私のメッセージもただ運よく受かっただけの一受験生の戯言にすぎないので、少しも気にせずご自身の納得できる勉強法で頑張ってください。応援しています。

合格体験記

高橋 里奈 さん
（たかはし りな）

2022年度　国税専門官、裁判所一般職、国家一般職合格

正義感と専門性を持って仕事がしたい、と決めた国税専門官志望

　小さいころから長くクラシックバレエを続けてきたこともあってか、就職に当たって漠然と、一つのことを極めていける専門職に就きたいと考えていました。

　大学2年生の秋ごろに公務員志望を決めた当初から国税専門官に漠然と魅力を感じていたのですが、志望のきっかけは大学3年時のインターンシップです。座談会で接した職員の方々がみな、仕事に対する信念や自分なりのスタンスを持っていて、プロだなと感じました。また、若い女の人が活躍しているのがシンプルにかっこいいなと思いました。話を聞いていて、自分も優しさの中に芯のある、正義感を貫ける強い人になりたいと思いました。

　国税専門官は法律に基づき、悪質な滞納者にも立ち向かっていく厳しい仕事です。そしてだからこそ職員がかっこいいのかなと思います。税務を極めるスペシャリストでもあるので、いま思えば小さいころ「クラシックバレエを極めたい」と思っていた自分の、ものごととの向き合い方とも合っていたような気がします。

苦手科目の克服：とにかく量をこなすしかない！

　私は文章理解の英文が苦手でした。大学受験以来英語にほぼ触れていなかったので、まず語彙を補うことから始め（Z会の『速読英単語』がおすすめです）、間を空けないように過去問を毎日1問は解いていました。また、現代文・英文合計で11問とかなりの出題があるので、週に一度、現代文と英文を集中して解くことにしていました。

　民法は覚える量が多くて苦戦したので、間違えたところを記録するノートを作っていました。どの科目でもそうですが、苦手に感じる科目は特に、単元ごとのインプット→その範囲を過去問でアウトプット、という流れが重要です。最終的に苦手意識を克服できたのは勉強量だと思います。毎日過去問を解く時間を設け、最終的には7周しました。

　一方、比較的得意だったのが数的処理と経済学です。中学、高校での数学が得意だった人は、数的処理のうち数的推理で得点が稼げると思います。数的推理が苦手でも判断推理、資料解釈を得点源にできると有利だと思います。経済学は知識を問う科目（政治学など）のように、過去問で触れたことのない問題が本番で出題されることがほとんどなく、満点を狙える科目だと思います。

専門記述、メインは会計学・予備は憲法がおすすめ

　記述対策のメインは会計学にしました。他の科目と比べて難易度が低い傾向があるのと、択一で8問出題のある会計学を得意にできるので、志望度が高い人にはおすすめです。会計学は分野が限られているため、30テーマほど準備すればほとんどカバーできます。模試までに10テーマ、4月までに10テーマ、5月中に10テーマと区切っていくことでモチベーションを保つことができました。

　ただ、近年変則的な出題もあったため、対策範囲外の出題に備えて憲法を用意していました。ど

の試験種でも出題があり、択一対策で学習していることが多いと思うので、予備として使いやすいと思います。憲法は出題確率の高い10テーマほどを暗記し、それ以外は択一対策で補いました。

答案構成を覚える工夫として、声に出して読んでいました。声に出すと実際に文章を書くときもすらすらキーワードが出てきたので、おすすめです。また、ほとんどの学習は机に向かって問題を解くものなので、その合間のいい気分転換にもなります。覚えるべきキーワードをオレンジで、助詞を黒でノートに写し、赤シートで隠しながら読み上げていました。

直前期の過ごし方

数的処理、文章理解、経済学は毎日午前中に触れることで、実力を落とさないことを目標にしていました。英語は特に苦手で嫌いだったので、一日のはじめに、早く終わらせることをルーティーンにしていました。

暗記科目は直前期でもまだ伸びるので、4月・5月からが勝負だと思います。間を空けすぎなければ実力が落ちたりしないので、3日に1回くらいにしていました。

5月は専門記述に力を入れていたので、時間を多めに取るようにしていました。

■直前期の1日のスケジュール例
9:00〜10:00	英単語・現代文・英文
10:00〜11:00	数的処理
11:00〜12:30	経済学
12:30〜14:00	昼食・休憩
14:00〜15:00	民法
15:00〜16:00	経営学
16:00〜17:00	社会学
17:00〜19:00	夕食・休憩
19:00〜20:00	記述のノート作り
20:00〜21:00	記述の音読
21:00〜23:00	入浴など
23:00	就寝

面接対策、基本事項はしっかり準備、ただ想定外の質問にも柔軟に

私は受験仲間どうしで面接練習をしていたのですが、人の面接を見ていいところを取り入れられ、面接官役を務めると面接官の気持ちがわかります。また、模擬面接を通して、自分のくせを知ることができたので、本番でも気を付けられたと思います。

面接カードの内容についてはどういう意図で書いたのかを答えられるように準備しておき、そのおかげでスムーズに答えられました。また、予想していた質問（ストレス耐性、体力はあるか等）にも、自信をもって答えることができました。ただ実際の面接では想定外の質問もあります。友人に聞くと、志望動機以外同じ質問がなかったので、面接の流れをすべて想定するのは難しいと思います。

ストレス耐性を見るためにいじわるな質問をされるというイメージがあるかもしれませんが、私が受けた面接は会話のような感じで、堅苦しい雰囲気もなかったです。面接時間は短いので、「はきはき笑顔で明るく」といった印象点も大きいのではないかと思います。説明会や税務署訪問に積極的に参加していると、志望度をアピールできると思います。

自信を持つには、裏付けになる量をこなすしかない！

公務員試験は相対評価の試験なので、他の人より少しでもいい点を取ることが重要です。みんなが8時間勉強しているなら、自分は8時間15分勉強する、宿題で過去問1周と言われたら自分は2周解くなど、少しでも他の人と差をつけようと意識していました。少しの違いでも長く続ければ大きな差になりますし、何よりここまでやったから大丈夫という自信にもなります。

ただ公務員試験は長丁場で、頑張れる日ばかりではないと思います。そんなときは少し休憩して、また頑張れるときに頑張って、自分のペースで公務員試験を乗り越えて下さい。応援しています。

合格体験記

喜古 悠月香 さん
（きこ ゆづか）

2021年度　国税専門官、国家一般職、特別区、神奈川県庁合格

公務員のイメージを裏切ってくれた国税専門官

　大学2年生の秋ごろから漠然と、卒業後にどんな仕事に就きたいか考えるようになりました。自分が福祉社会学科に所属していたこともあり、人の役に立つ公務員という仕事に興味を持ちました。

　当時の私にとって"公務員"という仕事は、おとなしく黙々と必要な仕事をこなしていくようなイメージだったのですが、大学で行われていた国税専門官の説明会に参加したことをきっかけに、国税専門官の活発なイメージが自分の性格に合いそうだと感じ、だんだん惹かれていきました。

苦手な暗記科目、耳をつかって対策してみた

　実際に学習を始めたのは大学2年生（2019年）の12月でした。4月になるまでは数的処理だけを学習していたので、最初の4か月くらいは助走期間といった位置づけかなと思います。

　端的にいうと、私は暗記科目がとても苦手でした。例えば基礎能力試験でいえば、数的処理と文章理解を除いた一般知識系の科目はすべて、この暗記科目にあたることになります。数的処理や文章理解も得意と胸を張れるほどではないのですが、最低限の点数を確保できる程度ではありました。

　その苦手な暗記科目の対策なのですが、耳から情報を得ることが得意だった私は、録音したものを聴くという暗記法を行っていました。具体的には、人物とキーワードの組合せや、なかなか覚えられない部分を音読して録音し、それを移動時間や食事の際に聴く、という工夫をしていました。私の場合はそうすることで効果的に暗記ができましたし、録音する行為もそれを聴く行為も暗記の助けになり、特に聴く時間はスキマ時間でもよかったため、効率もよかったと思います。またこの方法は、このあと説明する専門記述等の答案構成を頭に入れるのにも有効でした。

入念な択一対策が専門記述につながる

　専門記述は憲法で書くと決め、それ以外の科目は対策しませんでした。そのかわり1科目にしぼる分、幅広い論点に対応できなければいけないと考え、約30論点ほどは答案を書けるように準備していました。また、答案構成を頭に入れるときは、出る可能性が高い論点はほぼ丸暗記のつもりで取り組み、比較的可能性が低いものはキーワードだけ覚える、といった具合にメリハリをつけていました。

　当たり前のことではあるのですが、専門記述に取り組む前に、その科目を択一対策としてしっかり消化しておくことが大事です。例えば、択一対策で過去問を解いていると、十分に理解していなくても正解できることがあります。しかし、正解・不正解という結果だけに一喜一憂するのではなく、自分が正しい判断基準で正誤を判定できたのか、解説をよく読んで理解を深めておくことが重要です。択一試験では、「正しい」か「誤り」かを判断するだけで済みますが、専門記述ではそう

判断する根拠を、自分で正しく説明できなければなりません。

専門記述に使うことになるかもしれない、と思われる科目については、記述対策まで見据えて深い理解をするように心がけることで、結果的に択一の点数も安定しますし、直前期に専門記述対策をするタイミングでも焦らずに済むと思います。

直前期の過ごし方

左のページにも書いたとおり私は暗記が苦手だったため、暗記科目は直前で詰め込むという方法で学習を行っていました。そのため、暗記科目以外の科目は前もってある程度目途をつけておき、直前期には暗記にほとんどの時間を割けるようにしていました。

1日という単位で切り取ってみると、数的処理と文章理解に2時間、専門科目（主要5科目の問題演習）に3時間、その他暗記科目に5時間という時間配分です。

数的処理は問題ジャンルごとに1問ずつ、文章理解は現代文と英文を1問ずつこなします。専門科目は日替わりですが、1週間で全科目の概ね全範囲を網羅するようにしていました。また、自習室などで暗記科目に取り組む際は、

■直前期の1日のスケジュール例
8:00	起床
8:00～9:00	朝食・その他
9:00～11:00	数的処理・文章理解
11:00～12:00	一般知識
12:00～13:00	昼食
13:00～14:00	一般知識
14:00～15:00	専門の過去問演習
15:00～16:00	専門インプット（暗記）
16:00～16:30	休憩
16:30～18:30	専門の過去問演習
18:30～19:30	専門インプット（暗記）
19:30～21:00	夕食・その他
21:00～22:00	専門インプット（暗記）
22:00～23:00	復習
23:00～24:00	就寝準備など
24:00	就寝

テキストを読む時間が多くて飽きてしまうため、専門科目の問題演習と交互に取り組んでいました。

面接試験対策

過去の受験生からの情報提供に触れる機会があり、本番の面接がどのような流れで進んでいくか、質問の展開も含めて大まかに把握できていたので、当日戸惑うことはほとんどありませんでした。

また、事前にさまざまな友人とローテーションで面接練習を行っていたのですが、交替で面接官役を務めると、相手の面接カードや発言内容を聴いて、それに反応する形で質問を重ねる、という思考を経験します。これをやってみたことで、面接官の立場だったらどういう部分が掘り下げやすいかがわかるようになりました。そこで自分自身の面接カードやアピール内容を改めて振り返り、面接官が詳しく質問しそうなところを自分自身で問い直すという、厚みのある対策ができました。この作業のおかげで、ほとんどの質問にスムーズに回答できました。

ただそれでも、実際の面接を経験した感想は、「練習以上の実力は出ない」ということに尽きます。本番は質問に答えることで精いっぱいになってしまうので、特に所作や姿勢等、形式的な振る舞いは体に染みつくまで練習をしたほうがよいと思います。

おわりに

公務員試験はこれまでの受験に比べて、1人で取り組む部分も多いため、自分自身の意思の強さが問われると思います。学習を続ける中で、不安に感じてしまうことや辞めたくなるようなこともあると思います。しかし、そんなときは周りに相談したり、「なぜ自分は公務員になりたいと思ったのか」ともう一度考え直してみたりしてください。

公務員試験は、受験生をとても平等に評価してくれる採用試験です。ほかの条件ではなく、最後まで頑張った人が必ず合格します。ぜひ自分を信じて、最後まで頑張ってください。

CONTENTS

基礎能力科目

現代文 内容合致

次の文の内容と合致するものとして最も妥当なのはどれか。

　現在とか過去という概念は決して現実のものではなく、観察者の見方の中では単なる抽象的なものにすぎない。それは事実上この上級概念のもとで個々の出来事の中から選ばれたものであって、観察者の立場でまとめられたものにすぎない。しかし現在と過去の出来事を認識し、証明する場合には基本的な違いがある。現在の個々の事実の観察の際にはそれはすでに過去に転化しており、その具体的な形では繰り返しができず、起こらなかったとすることもできない。しかし現在の探求に際しては多くの場合、この点は括弧に入れることができる。しかし過去の研究の際にはそうはいかない。

　過ぎ去った出来事はもはやリアルには存在しておらず、極めて限られた場合しか繰り返されない。歴史的な出来事はひとたび演じ終わるともはや存在していないが、しかしリアルな痕跡を残している。一つには歴史史料という形で、他方では影響という形で。歴史家の仕事は他の社会科学者の仕事とは根本的に異なっている。社会科学者の研究では対象がリアルに存在しており、そのために歴史を歴史社会学に置き換えることは不可能である。通時態*では影響は決定的な役割を担う。それは過去の形成に強制的にかかわっている。歴史は今日しばしば主張されているように、そのときどきの過去のイメージではない。それは過去と直接に結びついている。過去はみな二つの局面で現れる。過ぎ去ったものの変わらない形と、そのときどきに現在的な必ず変わる形との二つである。

　歴史家は芸術家と違って史料に依拠している。史料の解釈によってある事実が証明できるか、誤りとされるかだからである。すでに見たように過去は一方で史料から読み取ることができる。他方でそれは影響を残す。しかし第二の流れ、つまり過去の像がそれによって作られている第二の流れが無視されている。過去が生き残っているということは歴史学においては必然的に大きな役割を果たして来た。この点が全く注目されてこなかった。

　史料に基づいてのみ客観的に変わらない過去の像が再構成されるという考え方の結果、研究が進むとますます過去の正しい像に近づくことができるという信仰が生み出された。この考え方は無意識のうちに過去の第二の像、影響を括弧に入れ、物事の上に立つという歴史学の幻想を養ってきた。つまり力によることなく出来事の経過を観察し、歴史の再構成に努力しているという幻想である。

（注）＊通時態：現象の時間的な変化を問題にすること。

1　過去の出来事が残した痕跡を史料ではなく影響という面から重点的に研究することで、過去の概念を客観的なものとしてまとめることができる。

2　過去の出来事は過去においては現在であったため、その時点では歴史を歴史社会学に置き換えることは可能であった。

3　過去の出来事が残した歴史への影響が顧みられてこなかった原因として、過去の像の再構成は、史料に基づいて行わなければならないという考え方があったことが挙げられる。

4　史料は過去の出来事を変わらない形で残しており、その客観性の中で、過去は当時の姿を保ったまま生き残ることができる。

5　史料に依拠することなく、歴史が現在に残している過去の像を観察し続けることで、歴史を再構成することができる。

解説　　**正解　3**　　　TAC生の正答率　**74%**

1　×　筆者は第3段落〜第4段落で、史料のみをもとに研究をすれば「過去の正しい像に近づくことができるという信仰」があることや、「過去の第二の像」＝「影響」が無視されていることを批判しているが、選択肢にある「影響という面」から研究すれば「過去の概念を客観的なものとしてまとめることができる」ということまでは述べていない。

2　×　第2段落では、「歴史家の仕事は他の社会科学者の仕事とは」異なっており、「社会科学者の研究では対象がリアルに存在して」いるから「歴史を歴史社会学に置き換えることは不可能」とされている。選択肢にあるような「過去の出来事は過去においては現在であった」ため、その時点では「歴史を歴史社会学に置き換えることは可能であった」という記述は本文にない。

3　○　第4段落では、「過去の第二の像」（選択肢の「過去の出来事が残した歴史への影響」）が括弧に入れられていたのは「史料に基づいてのみ…過去の正しい像に近づくことができる」という考え方によるとされており、選択肢にある「過去の出来事が残した歴史への影響が顧みられてこなかった」のは「過去の像の再構成は、史料に基づいて行われなければならないという考え方」によるという記述と合致する。

4　×　**1**の解説で見たように、筆者は第3段落〜第4段落において、史料のみをもとに研究をすれば「過去の正しい像に近づくことができるという信仰」を批判している。一方、選択肢は、史料の「客観性」によって「過去は当時の姿を保ったまま生き残ることができる」というように、史料のみをもとにした研究を肯定する内容になっており、筆者の主張と異なる。

5　×　**1**の解説で見たように、第3段落〜第4段落で筆者が批判しているのは、「過去の第二の像」＝「影響」を無視して史料のみをもとに研究することである（史料を研究すること自体は否定していない）。一方、選択肢では、「史料に依拠することなく」というように史料自体が否定されており、本文と食い違う。

現代文	内容合致	2023年度 基礎能力 No.2

次の文の内容と合致するものとして最も妥当なのはどれか。

　人の間と書いて「人間」というくらいですから、もともと人間は共同的本質を帯びていると考えられます。その本質が目に見える形で直接現実の人間関係として具体化されたあり方が、かつてのムラ的共同体なわけです。そこでは、つながりをものすごく緊密にして、とにかく「一緒にいる、一緒でいる」ということがとても大事に考えられていたわけです。

　「みんな同じ」ということをとりわけ大切にする感じ方、考え方をここでは同質性の重視と呼びましょう。そして共同性という人間的本質が「同質性」をとりわけ強調されて現実化される性質を持つ場合、「同質的共同性」というキーワードを用いることにします。伝統的なムラ社会のようなところでは、従来望ましいと考えられてきた人間関係のあり方です。

　しかし、現代社会において人間の共同性は、一方でとても抽象的な形で、直接的でなく間接的、媒介的な性質を帯びてますます広がっています。

　みなさんはあまりお気づきになっていないかもしれませんが、「貨幣（＝お金)」に媒介された人間関係がそれです。貨幣が社会全体に浸透しているということは、じつは人間の共同性がなくなって、みんなバラバラになってしまったのではなく、目に見えない間接的な形で人間の共同的本質が世界規模に拡散したと考えた方が正確です。

　それが「グローバル化」ということの意味です。

　貨幣とは、共同性という人間的本質が、抽象的な形で具現化したものと理解することができます。これを「抽象的共同性」と言い表すことができるでしょう。

　だって、私たちが着ているジャケットはお隣の国、中国の名も知らない誰かが縫製したものかもしれませんし、今飲んだコーヒーの豆は地球の裏側のブラジルからいろいろな人の手を介して運ばれてきたものかもしれません。

　個人が経済的に自立するというのは、貨幣を媒介することによって、世界レベルで他者たちの活動へ依存するということと表裏一体なのです。生活の基盤をつくる人びとの〈つながり〉が、直接的に目に見える人たちへの直接的依存関係から、貨幣と物を媒介にして目に見えない多くの人たちへの間接的依存関係へと変質したのです。これが現代の共同性の実現の一方のあり方です。

　そして一方で、こうした生活基盤の成立によって、家族関係や友人関係といった身近な他者との関係において親しさや暖かさを純粋に求める時間的余裕や意識のあり方（＝よりプライベートな関係や活動を大切にするなど）が可能になっているのです。

　しかし現代社会におけるこうした共同性の二重の成り立ちにきちんと対応するしかたで、人びとの精神的構えが出来上がっていないのが現状なのではないでしょうか。

1 伝統的なムラ社会において望ましいとされてきた「同質的共同性」は、人間の共同的本質である人びとのつながりを抽象的かつ間接的な形で具現化したものと理解できる。

2 「グローバル化」によって人間の共同性がなくなり、人びとの精神的支えが失われた現代では、「みんな同じ」であることをとりわけ大切にする同質性の重視がより一層強調されている。

3 貨幣を媒介することによって、世界の人びとの活動へ依存しながらも個人が経済的に自立したことで、共同性の二重の成り立ちにきちんと対応する構えが出来上がった。

4 現代社会においては、「抽象的共同性」という人間関係のあり方によって、身近な他者との関係において親しさや暖かさを純粋に求める時間的余裕をもつことが可能になった。

5 現代の人びとは、世界規模に拡散した共同的本質が直接的な形で目に見えているにもかかわらず、貨幣に媒介された人間関係が広がっていることに気づいていない。

解説　　**正解　4**　　　　　　　　　TAC生の正答率　**94%**

1　×　第3段落〜第4段落では、「抽象的な形」で「間接的」に広がっている「人間の共同性」は「『貨幣（＝お金）』に媒介された人間関係」だとされている。一方、選択肢では「人びとのつながりを抽象的かつ間接的な形で具現化したもの」は「伝統的なムラ社会において望ましいとされてきた『同質的共同性』」だとされており、本文と食い違う。

2　×　筆者は第4段落〜第5段落において、「グローバル化」の意味とは「間接的な形で人間の共同的本質が世界規模に拡散した」ことだと述べている。しかし、選択肢では「『グローバル化』によって人間の共同性がなくなり」とされており、筆者の主張とは異なっている。

3　×　選択肢では、貨幣の媒介で「世界の人びとの活動へ依存しながらも個人が経済的に自立したこと」によって「共同性の二重の成り立ち」への対応の構えができたと述べられている。一方、本文の最終段落では「共同性の二重の成り立ちにきちんと対応するしかたで、人びとの精神的構えが出来上がっていないのが現状」なのではないかとされており、本文と食い違う。

4　○　第9段落では、「こうした生活基盤」（＝第6段落の「抽象的共同性」、第8段落の「間接的依存関係」）の成立によって「親しさや暖かさを純粋に求める時間的余裕」などができたと述べられている。「抽象的共同性」によって「身近な他者との関係において…時間的余裕をもつことが可能になった」という選択肢の記述と合致する。

5　×　第4段落では、現代社会で世界規模に拡散した「人間の共同的本質」は「目に見えない間接的」なものだとされている。一方、選択肢では、現代において「世界規模に拡散した共同的本質」は「直接的な形で目に見えている」とされており、本文の内容とは異なる。

次の文の内容と合致するものとして最も妥当なのはどれか。

　ひとは、すべての情報を入手してから、万全の決断をしたいと思っている。だが、すべての情報が手に入ったならば、それは唯一の合理的解決が見えているときで、決断するまでもないであろう。すべての情報を入手したいと主張するのは、むしろ決断したくないと主張することに等しいのである。

　そのようなことをいうと、決まって口出しをしてくる学者たちがいる。

　──そのときの判断の正しさを決めるのは、どのようなものか。その正しさの根拠は何か。

　人間はもともと利己的な存在であって、自己保存と生殖のために欲望を満たすのだ。いや、共感というものがあるからこそひとを助けるために危険を冒すのだ。いや、良心にたちかえりさえすればなすべきことはおのずから決まってくるのだ。いや、理性があるかぎりにおいて、絶対的な規範に従うよりほかはないのだ。いや……

　そうした議論をしはじめる学者たちに対しては、わたしは「それは倫理学的にいえばうかつである」といいたい。なぜなら、そうした議論は、事情が切羽詰っていない穏便なときに、理論的に考察する結果として生じるのであるが、実践における真実は、不可避的にそうした議論を虚しくさせることであろう。

　そうした議論では、各人がそれぞれなすべきことについての理論を通じて行動を決定すると考えているが、倫理的なことがらに関しては、われわれはときとともに、状況に応じて判断が変わっていくということを知っていなければならない。認識された状況に従って理論が判断を与えるのではなく、状況が差向けてくる意味に対して直接判断が生じてくる。そこでは、状況の持分とわたしの持分を区別することすらできないだろう。

　行動が出来事のなかに見つけだされて物語られる論理と、出来事のなかでひとがなす行動の論理とのあいだには、本質的な差異が潜んでいる。その差異を跳越えて、生きられた行動と語られた行動を同一化（同定）することができるのは、行動しつつある本人だけである。はたで観察している理論家には、そもそもそうした差異は、看てとることすらできないであろう。

　理論的であろうとして状況を余計に混乱させるひともいるが、理論とは、一般にひとがなす行動の理論であれ、なすべきとされる行動の理論であれ、状況を大雑把に整理して、そこで可能な判断を、人間がどうでなければならないかの宗教的前提をふまえて一般化したものにすぎない。ひとが切羽詰った状況の瞬間に立会うときには、そうした理論は脇において、（動物が最大限の行動をするように）だれしも自分に可能な最大限の思考をするに違いない。

　この「最大限」というところに、赤線でも引いてもらいたい。そのようなときには、自分の判断が正しいかどうかということよりも、むしろ、自分がどのような人間なのかが賭けられてしまう。思考はわたしの行動であり、わたしの自由な意識によってではなく、わたしの存在によって生じるのだからである。

1 　優柔不断なひとはあらゆる情報を得てから判断しようとするが、決断力のあるひとは少ない情報からも正しい根拠をもって論理的に判断できるものである。

2 　学者たちが平穏な環境において理論的に考察した意見は、個別の状況や個々の人間を緻密に整理して分析した結果に基づいており、学問的価値が高い。

3 　倫理的な事象においては、状況に応じて判断が変わっていくことがあり、また、行動の当事者と観察者とでは看てとることが異なっている。

4 　自分に可能な最大限の思考は、各人がそれぞれなすべきことについての絶対的な規範を脇におき、出来事を別の観点から理性的、客観的に捉え直すことで生まれる。

5 　落ち着いて物事を考える時間もないほどの切羽詰った状況においてこそ、そのひとの本来の人間性があらわれるものであり、普段の言動だけで他者の人間性を決めつけてはいけない。

解　説　　**正解　3**　　　　　　　　　　　　　TAC生の正答率 **87%**

1　**×**　筆者は第1段落で「すべての情報を入手したいと主張するのは、むしろ決断したくないと主張することに等しい」とは述べているが、選択肢のような「優柔不断なひとはあらゆる情報を得てから判断しようとする」、「決断力のあるひとは少ない情報からも…判断できる」という比較には触れていない。

2　**×**　選択肢の「学者たちが平穏な環境において理論的に考察した意見」は、第5段落の「事情が切羽詰っていない穏便なときに、理論的に考察する結果として生じる」議論と同義である。同段落には、そうした議論（意見）は「実践における真実」によって虚しくさせられるとある。選択肢では、そうした議論（意見）は「個別の状況や個々の人間を緻密に整理して分析した結果に基づいており、学問的価値が高い」とされているが、そうした記述は本文にない。

3　**○**　選択肢前半の「倫理的な事象においては、…判断が変わっていくことがあり」は、第6段落の「倫理的なことがらに関しては、…判断が変わっていく」と同義である。また選択肢後半の「行動の当事者と観察者とでは看てとることが異なっている」も、第7段落の内容を言い換えてまとめた記述として妥当である。

4　**×**　第8段落では、「自分に可能な最大限の思考」とは「ひとが切羽詰った状況の瞬間に立会うとき」に、行動の理論を脇において行われるものだとされている。一方、選択肢では、「自分に可能な最大限の思考」は「出来事を別の観点から理性的、客観的に捉え直すことで生まれる」とされているが、そうしたことには本文では触れられていない。

5　**×**　第8段落～第9段落では、「切羽詰った状況」においてなされる「最大限の思考」は「わたしの行動」であって、「わたしの自由な意識」ではなく「わたしの存在によって生じる」とされているが、選択肢にある「普段の言動だけで他者の人間性を決めつけてはいけない」ということについての記述は本文にない。

| 現代文 | 内容合致 | 2023年度 基礎能力 No.4 |

次の文の内容と合致するものとして最も妥当なのはどれか。

　生体を構成している分子は、すべて高速で分解され、食物として摂取した分子と置き換えられている。身体のあらゆる組織や細胞の中身はこうして常に作り変えられ、更新され続けているのである。

　だから、私たちの身体は分子的な実体としては、数ヵ月前の自分とはまったく別物になっている。分子は環境からやってきて、いっとき、淀みとしての私たちを作り出し、次の瞬間にはまた環境へと解き放たれていく。

　つまり、環境は常に私たちの身体の中を通り抜けている。いや「通り抜ける」という表現も正確ではない。なぜなら、そこには分子が「通り過ぎる」べき容れ物があったわけではなく、ここで容れ物と呼んでいる私たちの身体自体も「通り過ぎつつある」分子が、一時的に形作っているにすぎないからである。

　つまり、そこにあるのは、流れそのものでしかない。その流れの中で、私たちの身体は変わりつつ、かろうじて一定の状態を保っている。その流れ自体が「生きている」ということなのである。シェーンハイマーは、この生命の特異的なありようをダイナミック・ステイト（動的な状態）と呼んだ。私はこの概念をさらに拡張し、生命の均衡の重要性をより強調するため「動的平衡」と訳したい。英語で記せばdynamic equilibrium（equi＝等しい、librium＝天秤）となる。

　ここで私たちは改めて「生命とは何か？」という問いに答えることができる。「生命とは動的平衡にあるシステムである」という回答である。

　そして、ここにはもう一つの重要な啓示がある。それは可変的でサスティナブル（永続的）を特徴とする生命というシステムは、その物質的構造基盤、つまり構成分子そのものに依存しているのではなく、その流れがもたらす「効果」であるということだ。生命現象とは構造ではなく「効果」なのである。

　サスティナブルであることを考えるとき、これは多くのことを示唆してくれる。サスティナブルなものは常に動いている。その動きは「流れ」、もしくは環境との大循環の輪の中にある。サスティナブルは流れながらも、環境とのあいだに一定の平衡状態を保っている。

1　私たちの身体は静的なパーツから成る分子の集合体であるが、各分子は、置き換わる速度と部位に違いがあるものの、すべて高速で分解され、食物として摂取した分子と置き換えられている。

2　シェーンハイマーは、環境からやってきた分子が、容れ物としての私たちの身体自体を強固に形作っていることに着目して、これをダイナミック・ステイトと呼んだ。

3　動的平衡とは、個体としての生命が、外界と隔てられた実体として存在するために、その物質的構造基盤を環境に適合させて、分子レベルで安定的な状態を保つことである。

4　生命とは何かという問いかけに対して、私たちは生命の均衡の重要性を強調する必要があるが、生命の均衡を維持するためには、静的な均衡と同等に、動的な均衡を重視しなければならない。

5　サスティナブルなものは、動きながら常に自分を作り変えて、環境とのあいだに一定の平衡状態を保っている。

解 説　　**正解 5**　　TAC生の正答率 94%

1 ✕　第2段落では「分子は環境からやってきて、…また環境へと解き放たれていく」、第3段落では「私たちの身体自体も『通り過ぎつつある』分子が、一時的に形作っているにすぎない」などというように、本文において身体や分子は動的なものとして説明されている。一方、選択肢では、「私たちの身体は静的なパーツから成る分子の集合体」とされており、本文と異なる。

2 ✕　第4段落では、「この生命の特異的なありよう」＝「そこにあるのは、流れそのものでしかない。…かろうじて一定の状態を保っている」という「流れ」を、シェーンハイマーは「ダイナミック・ステイト」と呼んだとされている。しかし選択肢では、「ダイナミック・ステイト」とは分子が「私たちの身体自体を強固に形作っていること」だと述べられており、本文と食い違う。

3 ✕　筆者は、第4段落において、流れの中で「私たちの身体は変わりつつ、かろうじて一定の状態を保っている」という「ダイナミック・ステイト」の概念をさらに拡張させたことを「動的平衡」と呼んでいる。一方、選択肢では、「個体としての生命が、…分子レベルで安定的な状態を保つこと」が「動的平衡」だとされており、本文と異なる。

4 ✕　筆者は、第5段落において「生命とは動的平衡にあるシステムである」と述べているのみである。「生命の均衡を維持する」ために「静的な均衡と同時に、動的な均衡を重視しなければならない」などという選択肢の内容に関しては、本文では触れられていない。

5 〇　第7段落では、「サスティナブルなものは常に動いて」おり、「その動きは『流れ』、もしくは環境との大循環の輪の中にある」と述べられている。選択肢前半の「サスティナブルなものは、動きながら常に自分を作り変えて」は、この第7段落の内容を言い換えた記述として妥当である。選択肢後半も、同段落の「環境とのあいだに一定の平衡状態を保っている」と同じである。

次の文の内容と合致するものとして最も妥当なのはどれか。

多くの人にとって、はやぶさ2のような探査ミッションの面白さは、その成果というよりも、困難に遭遇し、それに打ち勝とうとした挑戦のプロセスにあるだろう。私もどちらかというとそういう質だ。しかし、そのことと、はやぶさ2が真に科学に貢献したかどうかは別だ。

私は「挑戦」には2つの種類がある、と思う。ひとつは「制約への挑戦」、もうひとつは「未知への挑戦」だ。この2つはまったく違う類のものだ。前者は、人類の叡智を結集すれば原理的には実現できることを、お金や人員、時間が限られた中で如何に効果的・効率的に行うかということだ。言い換えると、実学上の挑戦とも言えよう。それに対して後者は、そもそも原理がわからないような目標を如何に達成するか、知らない世界をどのように既知の世界に変えるかだ。こちらは人類の根源的な好奇心に応えるものだ。そして、基礎科学を前進させるのは、この「未知への挑戦」の方だ。未知への挑戦は人類共通の価値を高めるものだから、世界の科学者がはやぶさ2を通じて一丸となり、はやぶさ2の成果を世界が称賛した。

はやぶさ2の第2回目の着陸を、JAXAは一度躊躇した。本当は2度着陸を行うことがどれだけ高い価値をもたらすか知っているのに。科学者は、2回目の着陸点の二択を迫られたとき、当初地下物質が少ないが安全上無難なS01点に行きたいと希望した。本当はC01点の価値が遥かに高いことを知っていたのに。どちらも、はやぶさ2をとりまく「制約」を勘案して、最高の価値を追い求めることに歯止めをかけたのだ。着陸を2回やることなど、世界中どこもやったことがないから、このような「未知への挑戦」は退くも進むも、間違いとは言えない。

しかし、はやぶさ2は最終的には、2回目の着陸をC01点という最高の場所に対して実行し成功させた。「未知への挑戦」を最高の形で成し遂げたのだ。実は、宇宙科学ミッションの歴史においても、真の科学的欲求に忠実に応えられることはそうそうない。何かしら妥協が入る。だから、着陸のような大変な難局で、制約を打破し、真の科学的欲求を引き出し、ディスカウントなしで「未知への挑戦」を完遂したことの価値はとても大きいのだ。

ここでは2回目の着陸の例を挙げたが、はやぶさ2のリュウグウでの活動は、このような未知への挑戦の成功が光る場面がたくさんあった。

組織も人も、常に現実のしがらみに縛られている。それが真の挑戦を妨げる。そのしがらみを用意周到にとり去り、「あ、われわれは真の挑戦をしてもいいんだ」と思える状態に持っていった。そして挑戦し、成功した。このように真の「未知への挑戦」への入り口をこじ開けて見せたことが、科学技術への大きな貢献ではないかと思う。

1 人々は常に現実のしがらみに縛られているため、はやぶさ2のような探査ミッションにおいては、成果よりも「制約への挑戦」のプロセスに面白さを感じる。

2 大変な難局において、人類の叡智を結集し、実学上の挑戦を完遂したからこそ、はやぶさ2の成果を世界が称賛した。

3 はやぶさ2の探査ミッションにおいて、JAXAが様々な制約を勘案する中、科学者は常に「未知への挑戦」を訴えた。

4 真の挑戦とは人類の根源的な好奇心に応えるものであり、妥協せずに挑戦し、成功させることは、宇宙科学ミッションにおいてもそれほどない。

5 はやぶさ2の科学技術への貢献は、「未知への挑戦」を試みた点にあり、基礎科学を前進させるためには、いかなる場合も「制約への挑戦」にとどまることがあってはならない。

解説　　**正解　4**　　　　　　　　　　　　　TAC生の正答率▶ **72%**

1 ✕　選択肢では「成果よりも『制約への挑戦』のプロセスに面白さを感じる」とされている。一方第1段落には「困難に遭遇し、それに打ち勝とうとした挑戦のプロセス」が「面白さ」だとある。この「困難に遭遇し、それに打ち勝とうとした挑戦のプロセス」は「はやぶさ2の挑戦」、つまり「未知への挑戦」を指すため、選択肢の記述とは食い違う。

2 ✕　第4段落では、はやぶさ2は「『未知への挑戦』を最高の形で成し遂げた」と述べられているが、選択肢では、はやぶさ2は「実学上の挑戦を完遂した」とされている。筆者は第2段落において「実学上の挑戦」を「制約への挑戦」と同一のものとしているため、選択肢の記述と本文の内容は異なっている。

3 ✕　選択肢には、JAXAは「様々な制約を勘案」したが、科学者は「『未知への挑戦』を訴えた」とある。一方第3段落では、JAXAと科学者のどちらも「はやぶさ2をとりまく『制約』を勘案して、最高の価値を追い求めることに歯止めをかけた」とされており、選択肢の記述とは食い違う。

4 ◯　第6段落では「真の挑戦」は「未知への挑戦」、第2段落では「未知への挑戦」は「人類の根源的な好奇心に応えるもの」であるとそれぞれ述べられており、本文のこれらの内容は選択肢前半の「真の挑戦とは人類の根源的な好奇心に応えるものであり」と合致する。選択肢後半の「妥協せずに挑戦し、…それほどない」は、第4段落の「実は、…そうそうない」と同義である。

5 ✕　筆者は、第2段落において挑戦には「制約への挑戦」と「未知への挑戦」があることや「未知への挑戦」は「基礎科学を前進させる」こと、第3段落以降においてはやぶさ2が未知への挑戦を成し遂げたことなどについて述べているが、選択肢の「いかなる場合も…あってはならない」ということには触れていない。

次の文の内容と合致するものとして最も妥当なのはどれか。

　現代日本の庶民に広く愛されている俳句をはじめとする言葉芸術、あるいは言葉の遊びの殆どは、すでに江戸時代に高度な発達をとげていたものなのです。

　私がなぜこのような「言葉を楽しむ庶民の詩的創作活動」をとりわけ高く評価するかと言うと、人間が本来的に持つ向上心や所有欲、他者に対する競争心や敵愾心（てきがいしん）を、鎖国であるがために通常の国家のように国外にその捌け口を求めることが出来ず、さりとて唯でさえ狭隘（きょうあい）で全てが限られている日本の国内では、どうにも処理のしようがないとき、これらの欲望のヴェクトルの向かう方向を、結果的に外でなく内へ、大でなく小へと転換させ、新しい無限の精神的な地平を人々に開くことに成功していると考えるからです。

　というのは何よりも言葉を素材とする遊びや詩作行為は、何一つ特別の道具も広い場所もいらず、しかも地位身分を越えて誰でもがそれに主体的な行為者として参加でき、そこで仲間と互いに競うこともできるという理想的な省エネ的型の、しかも人間だけができる自己充足的な活動と言えるからです。

　このような活動が、今すでに始まっている「俳句」の国際普及の例のようにこれから次々と世界に広まることは、地球全体が鎖国の江戸時代とまさに同じ仕組みの、フロンティア消滅の閉鎖世界となりかけていて、これからは人間活動の使用エネルギー総量をなんとか減らし、活動の規模を縮小させる必要に迫られているだけに、きわめて有効な余暇の使い方なのです。

　目新しいものを常に欲しがるという発展向上を求める気持ち、他人と少しでも差をつけたいという競争心そのものは、人間が生まれつきの本能ではなく大脳の知的な働きによって生きることを宿命として持っている生物である以上、人間の本性そのものに深く根ざしている性質です。従って、これを無理に抑圧しようとする贅沢禁止令のような改革は絶対に長続きしません。しかしこの自然な人間的欲求を、地球の安定的存続をできる限り妨げない方向にむけて満足させることは充分に可能だということをはっきり証明したのが、私の見る限り、これまで誰も指摘したことのない鎖国の江戸時代の今日的意義なのです。

1　他者に対する競争心や敵愾心は、鎖国の江戸時代を経たことで人間の本性そのものに深く根ざした性質となり、更に欲望のヴェクトルの向かう方向に進んでいった。

2　江戸時代に発達した「言葉を楽しむ庶民の詩的創作活動」は、自然な人間的欲求を、地球の安定的存続をできる限り妨げない方向にむけて満足させることを可能とした。

3　俳句に触れることで、人間が本来持っている所有欲などの感情を縮小することができ、それらの感情は発展向上を求める感情へと昇華される。

4　誰でも主体的な行為者として参加でき、そこで仲間と互いに競うこともできる省エネ的型の活動は、大脳の知的な働きにより、自己充足的な活動となる。

5　国外に欲求の捌け口を求めることができる時代であれば、贅沢禁止令のような改革は長続きすることが可能であるが、それができなかった鎖国の江戸時代は、今日の日本の姿を投影している。

解 説 **正解 2**

1 **×** 第5段落では、人間が大脳によって生きている以上、競争心は「人間の本性そのものに深く根ざしている性質です」とされている。選択肢は「競争心や敵愾心」が江戸時代の鎖国によって「人間の本性そのものに深く根ざした性質となり、…進んでいった」という内容になっているが、そうしたことについては本文で述べられていない。

2 **〇** 本文では、第2段落にある「言葉を楽しむ庶民の詩的創作活動」が発達していた江戸時代の今日的意義として、第5段落において「自然な人間的欲求を、…満足させることは充分に可能」だと証明したことが挙げられている。これは、江戸時代の「言葉を楽しむ庶民の詩的創作活動」が「自然な人間的欲求を、…満足させることを可能とした」という選択肢の記述と合致する。

3 **×** 第2段落では、「言葉を楽しむ庶民の詩的創作活動」は向上心や所有欲などを「外でなく内へ、大でなく小へと」転換させ、「新しい無限の精神的な地平を人々に開く」とされている。選択肢には、俳句によって縮小された「所有欲など」の感情が「発展向上を求める感情へと昇華される」とあるが、そうした記述は本文にない。

4 **×** 選択肢にある「大脳」について、本文では第5段落において「目新しいものを…競争心」は「大脳の知的な働きによって…深く根ざしている性質」だ、などといったことが述べられているのみである。選択肢にあるような、「誰でも…省エネ的型の活動」が大脳によって「自己充足的」になるという関係については触れられていない。

5 **×** 「贅沢禁止令」について、第5段落では「絶対に長続きしません」とされているのみで、筆者は「国外に…長続きすることが可能である」という選択肢のようなことは述べていない。また筆者は「鎖国の江戸時代の今日的意義」のことは取り上げているが、選択肢にある「それができなかった鎖国の江戸時代は、今日の日本の姿を投影している」ということには触れていない。

次の文の内容と合致するものとして最も妥当なのはどれか。

　ものを知るには、三つの方法がある。それは「分ける」と「つかむ」と「さとる」とである。
　第一の「分ける」というのは、対象物を順次分解していって、その最終端末のエレメントがすべてわかれば、それで全体がわかったとみなす分析的な理解の仕方である。これはヨーロッパ的な考え方で、われわれが明治以降受けてきた教育は、すべてこれであった。分けるという字と、分かるという字が同じなのもそのためであろうし、解明という字が使われているのは、分解すれば明らかになるという思想が根底にあったからである。
　一方、東洋では、これに対して「つかむ」という考え方をする。これは分析式とは逆の方向のもので、はじめにまず、ものを全体としてとらえ、必要に応じて細部をおさえていくというやり方である。日本では古くから、この総合的なつかむというとらえ方が得意で、わが国の文化も芸術も、ほとんどこれを基礎にしてできあがってきたといってよい。
　三番目の「さとる」というのは、分けるとつかむを組み合わせ、しかも、一段次元の高いところから理解しようとする方法である。古来、高僧たちが修行の目標としたのは、これであった。ヨーロッパ的分析法も、その最終のねらいがここにあることはいうまでもないが、ただ入口が東洋とはちがうのである。
　それはちょうど、どちらも富士山の頂上をねらっているのに、一方は駿河口から、一方は甲州口から登ろうとしているのと同じようなものである。日本はずっと甲州口から登っていたのに、明治のはじめに急きょ駿河口の道に乗り換えたのであった。
　ところでいま、日本の文明が突き当たっている壁は、明治以来100年の間、分析的な方法をとって急速度で進んできたが、そのために起こったいくつかの矛盾を、どのようにして軌道修正するかというところにある、といってよかろう。それにはまず、ベクトルの方向を逆転させ、もういちど「つかむ」という総合的な思考方式のよさを、再認識する必要がある。
　そのことを医学の分野にたとえていうなら、分析的な西洋医学に対して、総合的な漢方医学のよさが再認識されようとしていることと似ている。さらにまた、ここ10年来やかましく叫ばれている公害問題をとりあげれば、その意味はもっとはっきりしてくる。
　科学技術の急速な進歩は、分析的な研究方法の成果であったことはまちがいない。だが、分析的な方法を進めるには、その途中で本質的でないものを切り捨てていかなくてはならない。その「非本質的なもの」として切り捨てられた因子が積み重なって、公害となり、ついに環境を破壊するようになって、われわれに強い反省を迫っているのである。

1 さとるは、分けるとつかむの両方を組み合わせて初めて至る境地であり、さとるに至るためには、本質的でないものを切り捨てることが特に重要と考えられている。

2 わが国においてもヨーロッパにおいても、一段次元の高いところから理解し、時代の変化にも柔軟に対応できる人材を育成する教育が重視されてきた。

3 分解すれば明らかになるという思想を根底にもつことは、ものを知ることには役立つが、文化や芸術の基礎を作ることには適していない。

4 われわれは、明治時代以降、ものを知る方法をヨーロッパ的な考え方に変えてきたが、ものを全体としてとらえる総合的な思考方式のよさを改めて認識する必要がある。

5 われわれは、分析的な研究方法を重視した結果、公害問題が引き起こされてしまったことを反省し、本質的なものを切り捨てない思考方式に軌道修正する必要がある。

解説　　**正解　4**　　　　　TAC生の正答率 **91%**

1 ×　第8段落では、「本質的でない」として切り捨てられたものが「積み重なって、公害となり…迫っているのである」と述べられている。選択肢では、「さとる」ために重要なのは「本質的でないものを切り捨てること」だとされているが、そうした記述は本文にはない。

2 ×　わが国（東洋）やヨーロッパについては第2段落～第4段落に記述があるが、そこでは「分ける」がヨーロッパ的、「つかむ」が東洋的であること、東洋もヨーロッパも「さとる」を目指していたことなどが述べられているのみである。わが国もヨーロッパも「時代の変化にも…教育が重視されてきた」という選択肢のような記述は、本文にはない。

3 ×　「文化や芸術」については、第3段落で「わが国の文化も芸術も」、「つかむ」という考え方が基礎になっているとされているのみである。選択肢の「分解すれば…根底にもつこと」が「文化や芸術の基礎を作ることには適していない」ということについては、本文では触れられていない。

4 ○　第2段落では「われわれが明治以降受けてきた教育」は「分ける」というヨーロッパ的考え方だとされており、これは選択肢前半の「われわれは、…変えてきた」と合致する。また選択肢後半の「ものを全体として…必要がある」は、「『つかむ』という…再認識する必要がある」という第6段落の記述と同義である。

5 ×　選択肢前半の「分析的な…反省し」は、第8段落の「だが、分析的な…反省を迫っているのである」と似たような記述になっているが、選択肢後半が誤りである。筆者は第6段落において「『つかむ』という総合的な思考方式のよさを、再認識する必要がある」としているが、選択肢のように「本質的な…軌道修正する必要がある」とまでは述べていない。

現代文	内容合致	2022年度 基礎能力 No.4

次の文の内容と合致するものとして最も妥当なのはどれか。

　プログラム評価は、複合する社会問題の解決をめざす社会プログラムの目的が適切に達成されているのか、また達成するための方法・手段が適切であるのかを、体系的かつ科学的に明らかにする評価アプローチである。その評価は、プログラムを取り巻く政治的・組織的環境に対応し、プログラムにとって有益な情報を提供するべく設計される必要がある。

《中　略》

　評価デザインとは、評価調査において、どの集団を取り上げるのか、集団内のいくつのユニットに対し調査を実施するのか、そのユニットをどのような方法で選択し、どのような時間間隔でデータを収集し、調査結果をどのように比較するのかといった設計全体をさす。評価設問が評価をとおして何を知りたいのかといった評価のコンテンツに関連することであれば、評価デザインは評価調査の構造に関するものであるということができる。

　評価デザインが重視される最大の理由は、プログラム実施後におきた出来事が、プログラムに起因するのか、それともプログラムとは関係なく発生したのかに関する疑問に適切に答える必要があるからである。特に社会課題の解決をめざすプログラムでは、社会的・政治的な関心が高まるなかで、そのプログラムの効果など評価に関する信頼できる情報が有用であり、そのためにはよく考慮された評価デザインを選択するに勝ることはない。よくデザインされた評価の結果には異論を挟みにくく、社会的には評価結果の活用を促す作用が期待できる。

　このような科学的な立場からの評価デザインに対して、現実的な側面から評価デザインが問われることがある。プログラム評価の実施には、さまざまな種類の資源が必要になる。評価活動に従事する人材、評価の専門知識、また評価に関わる資金、そして時間である。厳格な評価を実施しようとすれば、さまざまな資源を総動員して大きなコストをかけて実施することになる。これに対して、速やかに一定の知見をえることが求められる場合は、特に時間面では短時間に、最小限のコストをかけて実施しなければならない。このように、これらの兼ね合いに基づいて、評価デザインが決められる側面も考慮する必要がある。

　さらには、評価対象であるプログラムは、社会的構成物であり、多くの利害関係者や政治的状況の影響を受ける。前述した資源の制約に加えて、評価者は、評価知見の妥当性・科学性を確保するための現実的な評価デザインの検討と、評価結果を関係者にタイムリーに提供し活用を促す手続きをバランスよく進めていかなければならない。現実世界の評価は、評価の目的、プログラムの性質、政治的・社会的文脈に左右される。その際、科学的な立場から最善のデザインでなくとも、利害関係者と合意形成が可能な「まあ十分」な評価デザインを提案することが求められるであろう。

1 　社会課題の解決をめざす評価デザインにおいては、よく考慮された評価デザインに勝るものはなく、その評価結果の説得力によって、利害関係者と合意を形成することができる。

2 　評価デザインは、何を評価するかという評価の内容に関することであり、特に現実世界の評価は、その結果に異論を挟みにくく、副次的に評価結果の活用を促進する作用がある。

3 　プログラム評価では、政治的・社会的文脈を評価設問にできる「まあ十分」な評価デザインが用いられやすいが、この評価手法ではプログラムの効果に関する情報が少なくなる。

4 　プログラムが社会的構成物であるのと同様に、プログラム評価も社会的構成物であり、利害関係者の様々な思惑が混在するため、数量的に結果を示すことができない。

5 　資金や時間といった資源の兼ね合いで、科学的な立場から最善の評価デザインではなく、現実的な側面を考慮した評価デザインが選択されることがある。

解 説　　**正解　5**　　　　　TAC生の正答率　**88%**

1　✕　選択肢前半の「社会課題の…勝るものはなく」は、第3段落の「特に社会課題の…勝ることはない」と同義だが、選択肢後半が誤り。同段落では「よくデザインされた評価の結果」について「異論を挟みにくく、…期待できる」とされているのみで、選択肢の「その評価結果の…合意を形成することができる」という内容は本文にない。

2　✕　「現実世界の評価」については、第5段落で「評価の目的、…提案することが求められるであろう」と述べられており、選択肢のように「現実世界の評価は、その結果に異論を挟みにくく」などとされているわけではない。筆者が異論を挟みにくいとしているのは、第3段落にあるとおり「よくデザインされた評価の結果」である。

3　✕　第5段落には、現実世界の評価は「政治的・社会的文脈」などに左右され、その際「『まあ十分』な評価デザイン」の提案が求められるとある。一方選択肢では「政治的・社会的文脈を評価設問にできる『まあ十分』な評価デザイン」の手法では「プログラムの効果に関する情報が少なくなる」とされているが、そうした内容は本文にない。

4　✕　第5段落では、プログラムが「社会的構成物であり、多くの利害関係者や政治的状況の影響を受ける」と述べられている。選択肢では、プログラムと同様にプログラム評価も「社会的構成物であり…示すことができない」とされているが、そうした共通点については、本文では触れられていない。

5　〇　選択肢の「科学的な立場から…選択されることがある」は、第4段落の「このような科学的な…問われることがある」と同義である。また、その理由として「資金や時間といった資源の兼ね合い」が選択肢で挙げられているが、それも同段落の「プログラム評価の実施には、…考慮する必要がある」をまとめたものである。

現代文

英文

判断推理

空間把握

数的推理

資料解釈

時事

物理

化学

次の文の内容と合致するものとして最も妥当なのはどれか。

　元素という名前はもともと、それ以上分解できない要素となる物質、という意味です。私たちが身の回りで目にする物質は、いろいろな元素やその化合物で成り立っています。例えば水はH_2Oと書かれる通り、水素と酸素の化合物です。空気は窒素分子N_2と酸素分子O_2などが混ざった気体です。私たちを含む生命にとって、炭素は重要な元素です。炭素があるおかげで高度な生命活動ができるといっても過言ではありません。

　では、これらの元素はいったいどこから来ているのかと考えたことはあるでしょうか。なぜ、このように多様な元素ができたのでしょうか。それがわかれば、この世界の謎が少し解けることになります。

　驚かれるかもしれませんが、ビッグバン宇宙論を使うと、この謎をほぼ解くことができます。

　これら多様な元素は、宇宙のはじめから存在していたわけではありません。現代物理学では、元素といえども、それ以上分解できない粒子ではありません。元素はさらに小さな素粒子に分解できます。宇宙のはじめには、そういう素粒子しか存在していませんでした。宇宙が膨張して進化する過程で、素粒子を材料にして元素が作られます。それは宇宙が始まってからわずか数分間の出来事でした。

《中　略》

　ビッグバンによって水素やヘリウムを中心とする簡単な元素が実際にできたことを確かめるには、まだ宇宙の初期の状態をとどめている場所を探して、そこにある元素の種類と量を調べる必要があります。星の中で作られた重い元素は超新星爆発などによって宇宙空間にばらまかれるため、その付近の宇宙空間は重い元素で汚染されます。そのような汚染の進んでいない宇宙の場所を探すことにより、宇宙初期の状態を推定します。

　そのような場所を実際に調べてみると、まさにビッグバン宇宙論で計算される初期の元素の比率が観測されます。これはビッグバンがあったという証拠にもなりますが、さらに重要なことがあります。

　その重要なこととは、ビッグバンで作られる元素の相対的な存在比率と元素全体の総量に関係があり、その関係を理論的に計算できることです。つまり、元素の相対的な存在比率を調べることで、この宇宙に総量としてどれくらいの元素が存在しているのかを推定できるようになります。昔の宇宙の痕跡を探して宇宙全体を調べる、まさに宇宙の考古学といえる方法です。

1 　元素とは、それ以上分解できない要素となる物質のことであり、この元素の性質を利用して宇宙の初期の状態を調査することができる。

2 　元素の中でも、炭素は、高度な生命活動に必要なものであり、また、ビッグバン宇宙論の解明においても重要な役割を担っている。

3 　宇宙の初期の状態をとどめている場所とそうではない場所の、元素の相対的な存在比率を比較することで、多様な元素の生成時期を特定することができる。

4 　重い元素による汚染が進んでいない宇宙空間の元素の種類と量を調べることで、宇宙の初期における元素の相対的な存在比率が観測され、宇宙全体の元素の総量を推定できる。

5 　超新星爆発の観測から、宇宙の始まりにおけるビッグバンを推定する人類の営みは、まさに宇宙の考古学といえる手法である。

解 説　　**正解　4**　　　　　　　　　　　　　　　TAC生の正答率　**93%**

1　**×**　第5段落では、「ビッグバンによって…元素が実際にできたことを確かめる」ために「宇宙の初期の状態をとどめている場所を探して、そこにある元素の種類と量を調べる必要がある」などと述べられている。選択肢には「元素の性質を利用して宇宙の初期の状態を調査することができる」とあるが、そのことについての記述は本文にはない。

2　**×**　選択肢の「炭素」について、第1段落では「私たちを含む生命にとって、炭素は重要な元素です」などとされているのみである。炭素が「ビッグバン宇宙論の解明においても重要な役割を担っている」という選択肢の記述のようなことには、本文では触れられていない。

3　**×**　第5段落〜第7段落では、「宇宙の初期の状態をとどめている場所」を調べることで、「この宇宙に総量としてどれくらいの元素が存在しているのか」の推定ができるとされている。選択肢にある「元素の相対的な存在比率を比較すること」や、それによって「多様な元素の生成時期を特定する」という内容は、本文では述べられていない。

4　**○**　前半部分の記述は、第5段落〜第6段落の「宇宙の初期の状態をとどめている場所」を調べることで「初期の元素の比率が観測されます」という部分と同義である。また、それによって「宇宙全体の元素の総量を推定できる」ということも、第7段落の記述と合致する。

5　**×**　選択肢の「超新星爆発」については、第5段落で「星の中で作られた…重い元素で汚染されます」という部分で触れられているのみである。本文では選択肢にあるような「超新星爆発の観測」によるビッグバン推定については触れられていない。

次の文の内容と合致するものとして最も妥当なのはどれか。

　治安管理は子どもから大人まで、全世代を一体化させてくれる、防犯という名のエンターテインメントだ。それは、街の安全というスローガンのもとにかたちづくられる、「新しいコミュニティ」のあり方にほかならない。治安への意志が住民たちを結束させ、しかもそこで行われる活動が日々の「生きがい」という、何にも替え難い快楽を与えているのだ。

　かくして、全国各地で、子どもから老人まで世代を越えた住民同士が、和気あいあいとした雰囲気のなかで治安管理に邁進している。間違いなく人びとはいま、防犯活動を楽しんでいる。わたしたちの社会が抱え込んだ怪物がもたらす不安、これをエンターテインメントとして消費しようとしているのだ。

　だが、このような快楽のあり方は、楽しげな見かけとは裏腹にきわめて罪深い。

　現在の不安と快楽との結びつきはあまりにいびつだ。

　一方でメディアを騒がす凶悪犯罪者を怪物として恐怖し、また身近にみかける不審者に脅威を覚えながら、他方ではそこから生まれる不安を打ち消そうと、エンターテインメントとして防犯活動に勤しんでいる。

　確かに、人びとはこう嘆いている。犯罪など気にせず暮らしていた長閑な日常、子どもたちが無邪気に公園で遊ぶ牧歌的な風景は、もはや遠い過去になってしまったと。

　だが、犯罪者への恐怖を培養土に快楽を育て上げ、不審者はいないかと虎視眈々としているならば、あるいは根拠なき不安を解消するために、地域を治安管理でもって覆い尽くそうとするならば、かつての長閑な日常を破壊しているのは、ほかならぬわたしたち自身ではないか。

　わたしたちはいま、怪物すらも活用して、日々の快楽の源としてしまった。防犯活動に従事する住民たちにとって、地域を徘徊する不審者は、小さな怪物たちにほかならない。めったにお目にはかかれない凶悪犯罪者の代わりに、不審者たちに怯えてみせているのだ。

　そのような社会に名前をつけるとするならば、ふさわしいのは「ホラーハウス」という名であろう。暗闇からいつなんどき脅かされ、襲われるかわからないホラーハウスの興奮が、そして恐怖を前に心をひとつに肩を寄せ合う快楽が、まさにいま社会を席巻しつつあるのだ。

1 わたしたちは、犯罪者や不審者に抱く不安を原動力に、エンターテインメントとして防犯活動に勤しんでいる。しかし、そうしたわたしたち自身が、犯罪などを気にせずに暮らしていた日常を破壊している。

2 治安管理はエンターテインメントと化し、長閑な日常を破壊する怪物を活用して、暗闇から襲われる興奮と身を寄せ合う快楽を楽しむホラーハウスのような社会を作り上げている。

3 めったにいない凶悪犯罪者の代わりに、小さな怪物である不審者を虎視眈々と探すわたしたちは、一見すると楽しげに治安管理に勤しんでいるが、その裏には怪物を生み出した罪悪感がある。

4 犯罪者や不審者に怯える住民たちは、その恐怖や不安を打ち消そうと、治安管理でもって地域を覆い尽くし、かつての日常を失うことと引換えに安全を手にしている。

5 本来は、犯罪者への恐怖や不審者への不安によって、地域の住民たちの治安への意志が高まるが、不安と快楽の結びつきがいびつな現在においては、治安への意志の高まりによって犯罪者や不審者が生み出されている。

解説　　**正解　1**　　TAC生の正答率 **76%**

1 ○　選択肢前半の「わたしたちは…勤しんでいる」は、第5段落の「一方で…勤しんでいる」と同義である。選択肢後半の「しかし…破壊している」も、第7段落の「だが、…ほかならぬわたしたち自身ではないか」を言い換えた記述になっている。

2 ✕　第5段落などに見られるように、筆者は「怪物」を「凶悪犯罪者」と同義のものとしているため、この肢では「長閑な日常を破壊する」のは凶悪犯罪者だとされていることになる。しかし、第7段落には「長閑な日常を破壊しているのは、ほかならぬわたしたち自身」とあり、選択肢の内容とは食い違う。

3 ✕　選択肢の「怪物」について、本文では第5段落において「一方で…恐怖し」、第8段落において「わたしたちはいま、…快楽の源としてしまった」などと述べられているのみである。選択肢にある「その裏には怪物を生み出した罪悪感がある」ということに関しては、本文では言及されていない。

4 ✕　第7段落には、不安解消のために「地域を治安管理でもって覆い尽くそうとするならば、かつての長閑な日常を破壊しているのは」わたしたちだとある。一方選択肢には、不安解消のために「治安管理でもって地域を覆い尽くし、かつての日常を失うことと引換えに安全を手にしている」とあり、本文と食い違う。

5 ✕　筆者は第5段落において「一方で…脅威を覚えながら、他方では…防犯活動に勤しんでいる」ことや、第7段落において「だが、…ほかならぬわたしたち自身ではないか」ということなどを述べているのであって、選択肢にある「治安への意志の高まりによって犯罪者や不審者が生み出されている」ということには触れていない。

現代文 | 内容合致

次の文の内容と合致するものとして最も妥当なのはどれか。

　ミニマルアートもコンセプチュアルアートも、鑑賞者の自意識を掻き立てることにおいて共通している。自意識を高める作用は現代アート共通の傾向だから当然といえば当然だ。ただし両者には大きな違いがある。ミニマルアートの場合は、作品の知覚的性質を通して実感することで自意識昂進が生ずる。現実に作品の前で鑑賞者自ら時間を過ごし、空間を共有し、自分の知覚のあり方と世界観の変化を実感してみないことには、作品を鑑賞したとは言えない。ただ噂を聞いたのでは得られない経験がものをいう。対してコンセプチュアルアートの場合は、当該作品がつくられた、発表された、認められたという事実そのものによって自意識昂進が引き起こされる。作品に実際に接しても接しなくても、まったく同じ効果が得られるのだ。

　逆に言えば、特定のミニマルアートの経験は、経験者が未経験者に鑑賞経験をそのまま伝達することはできない。コンセプチュアルアートの経験は、経験者が未経験者に趣旨を述べてやるだけで、鑑賞の全容を論理的に伝達することができる。

　ミニマルアートを観て刺激される自意識は、「芸術表現の可能性」「芸術経験の開放性」さらには「自分と芸術作品との関係」を問い直す種類の自意識である。個別的・特殊的な自意識ということだ。芸術作品とその芸術性が成立していることは前提であって、そのうえで自分にとっての芸術鑑賞の位置、あるいは逆に芸術鑑賞における自分の立ち位置、その意義や含意を知覚的に実感しなおすような自意識である。

　他方、コンセプチュアルアートが刺激する自意識は、一般的・抽象的だ。芸術作品や芸術性の成立条件を疑い、何かを芸術として見るとはどういうことか、を抽象的に問い直させる種類のメタ鑑賞者的意識である。コンセプチュアルアートに触れることは、芸術哲学の論文を読むようなものだ。そこで吟味されるのは個別の鑑賞体験ではなく、一般的な芸術概念である。「彫刻って何だろう」「アニメって何だろう」「芸術と非芸術って区別できるのか」という理論的反省へと導かれる体験なのである。

1 自身と芸術作品との関係を問い直した上で、ミニマルアートによって掻き立てられた自意識を論理的に説明できれば、他者にミニマルアートの経験を伝達し、個別的・特殊的な自意識を刺激し、芸術鑑賞の意義を問い直させることができる。

2 コンセプチュアルアートは、その作品だけでは、芸術として成立しているとは言えない。芸術とは何なのだろうかといったメタ鑑賞者的意識を掻き立てられた鑑賞者の存在があって初めて作品として成立し、非芸術から芸術に昇華したことになる。

3 自意識を高める作用は現代アートに共通であり、ミニマルアートやコンセプチュアルアートが現代アートであるためには、作品そのものの鑑賞によって、鑑賞者に自意識昂進を引き起こさせ、メタ鑑賞者的意識を生じさせる必要がある。

4 ミニマルアートは、作品と鑑賞者の関係性を超えて、芸術という抽象概念と自身の距離感についての自意識を昂進させる。他方、コンセプチュアルアートは、作品と鑑賞者の関係性を深め、自分自身を内省するような自意識を昂進させる。

5 現代アートにおいては、芸術作品とその芸術性の成立を必ずしも前提としていないものもある。作品によっては、鑑賞者が現実にその作品の前で自ら時間を過ごさずとも、鑑賞者の自意識を刺激することができる。

解説　　**正解 5**　　　　　　　　　TAC生の正答率 **83%**

1 ✕　第2段落では、「経験者が未経験者に趣旨を述べてやるだけで、鑑賞の全容を論理的に伝達することができる」のはコンセプチュアルアートだと述べられている。選択肢では「他者にミニマルアートの経験を伝達」できるとされているが、そうしたミニマルアートについての記述は本文にはない。

2 ✕　コンセプチュアルアートについて、本文第1段落には「当該作品がつくられた、…という事実そのものによって自意識昂進が引き起こされる」、第4段落には「コンセプチュアルアートが刺激する自意識は、…メタ鑑賞者的意識である」などとする記述があるが、筆者は選択肢の「その作品だけでは、芸術として成立しているとは言えない」などということについては触れていない。

3 ✕　第4段落では、コンセプチュアルアートが「メタ鑑賞者的意識」を刺激するのだと述べられている。一方選択肢ではそうする必要があるのはミニマルアートとコンセプチュアルアート両方だとされており、本文と食い違う。

4 ✕　本文第3段落では、ミニマルアートが「『自分と芸術作品との関係』を問い直す種類の自意識」を刺激することなどが述べられている。しかし、ミニマルアートは「作品と鑑賞者の関係性を超えて」、コンセプチュアルアートは「作品と鑑賞者の関係性を深め」といった選択肢のような記述は本文にはない。

5 〇　選択肢の記述は、第4段落の「芸術作品や芸術性の成立条件を疑い」や第1段落の「当該作品がつくられた、…という事実そのものによって自意識昂進が引き起こされる」というコンセプチュアルアート（現代アートの一つ）についての記述と同義である。

次の文の内容と合致するものとして最も妥当なのはどれか。

　創作版画を創始し、日本創作版画協会の会長となったのが山本鼎であった。彼は版画の革新だけでなく、農閑期の農民に工芸品を制作させる農民美術運動や自由画教育運動を推進したことで知られる。自由画教育とは、それまで手本を模写させていた臨画教育に対し、子どもに感じたまま自由に描かせる美術教育である。

　子どもの感性や個性を伸ばす自由画教育は、大正デモクラシーの民主的な風潮の下で歓迎され、山本鼎の活躍した信州からやがて日本中に広がった。その理念は戦時中を経て戦後に継承され、現在の学習指導要領にも明瞭に残っている。日本の美術教育にもっとも大きな影響を及ぼした思想であったといってよく、一見、子どもの自主性や創造性を伸ばす理想的な理念のように思われる。

　しかし、こうした考えは同時に日本の美術に負の効果をもたらしてしまったのではなかろうか。山本は、自然という最良の手本さえあればよいと述べているが、子どもはいくら自由に描けと言われても困惑するものである。もちろん、与えられた臨画用の教科書を写すだけでは大した意味はないが、古今の名画を模写する経験は、子どもの技術や鑑賞眼を養うことにもなる。現在の美術教育において模写はほとんどなされないが、書道と同じく、手本から入らなければ技術も習得できず、自分の様式も確立できない。想像や個性はいつも模倣から生まれるのだ。

　また、個性ばかりを尊重すれば、学ぶことを軽視しがちとなる。つまり、美術というものは自由に作ればよいのであって、作品を鑑賞するときも自分の感性だけで見ればよいという姿勢に結びつく。しかも先進国では例外的なことに、日本の学校教育の中には、美術作品をどのように見るかを教える「美術史」という科目がない。そのため、美術というものは好き嫌いで見ればよく、色や形の美しさを感じるだけでよいという誤解が社会に蔓延してしまった。

　美術とはそのような趣味的なものではなく、文字と同じく、感性だけでなく、知性に働きかけるものでもある。作品の意味や機能、作者や注文者の意図などの知識があれば、鑑賞を深めることができるのだ。

　日本の美術環境には、こうした技術軽視と知識軽視の伝統が息づいており、それが日本の現代美術がふるわない要因になっていると私は思っている。

1　山本鼎は、子どもの自主性や創造性を伸ばすことを理想としていた自由画教育の成功を出発点として、創作版画や農民美術運動を新たに展開した。

2　名画とされる手本を真似て描くことは、技術の習得や鑑賞眼の育成につながるが、現在の美術教育では、そういう経験をさせることがほとんどない。

3　現代の日本の学校教育は、美術教育に代表されるように、個性を尊重することを重視しすぎており、基礎的な事柄を学ぶことを過小評価する傾向にある。

4　大正デモクラシー以降に導入された「美術史」という科目によって、美術鑑賞は感覚的に行うべきであるという間違った認識が社会に広まった。

5　日本の現代美術がふるわない原因は、作者が独創的で個性的な作品を追求する余り、鑑賞する側の理解が追い付かないことにある。

解 説 **正解 2**

1 ✕ 第1段落では、山本が「版画の革新」、「農民美術運動や自由画教育運動」の推進をしたことが述べられているのみである。選択肢では、山本が「自由画教育の成功を出発点として、創作版画や農民美術運動を新たに展開した」とされているが、そうした記述は本文にはない。

2 〇 選択肢前半の「名画とされる手本を真似て描くことは、…つながる」は、第3段落の「古今の名画を模写する経験は、…養うことにもなる」と同義である。また選択肢後半の「現在の美術教育では、…ほとんどない」は、同段落の「現在の美術教育において模写はほとんどなされない」を言い換えた記述である。

3 ✕ 選択肢の「日本の学校教育」について、筆者は第4段落において「日本の学校教育の中には、…『美術史』という科目がない」と述べているのみである。選択肢では「現代の日本の学校教育は、美術教育に代表されるように」と述べられているが、そうした「日本の学校教育」全体についての記述は本文にはない。

4 ✕ 筆者は第4段落で、「日本の学校教育の中には、…『美術史』という科目がない」と述べている。一方選択肢は、「『美術史』という科目によって、…認識が社会に広まった」、つまり日本に「美術史」という科目があるという内容になっており、本文と食い違う。

5 ✕ 第6段落では、「日本の現代美術がふるわない要因」として「日本の美術環境には、こうした技術軽視と知識軽視の伝統が息づいて」いることが挙げられている。選択肢では、「作者が独創的で個性的な作品を追求する余り、鑑賞する側の理解が追い付かないこと」が原因として挙げられているが、そうしたことについての記述は本文にはない。

現代文

内容合致

次の文の内容と合致するものとして最も妥当なのはどれか。

筆順とは、過去の長い時間に漢字を書いてきたあいだに定着した慣習にすぎない。もともと文字は紙の上に鉛筆やボールペンで書くものと決まっていたわけではない。石碑や山の岩壁にノミで文字を刻みつける場合や、木版の上にナイフで漢字を彫りこむ場合などでは、紙に毛筆で書くときとはちがった書き方がおこなわれて当然である。さらにまた近年では漢字のまじった文章を横書きで書くこともよくあるが、縦書きと横書きでは手の動きがことなるから、これまで縦書きでの書き方を基準に考えられてきた筆順が、横書きの動きにあわせて変化してもいっこうに不思議ではない。

《中　略》

筆順はもともと楷書や行書あるいは草書など、書体によりことなっていたもので、またおなじ書体であっても何とおりかの書き方があって、統一されたものではなかった。しかし学校で子どもたちに漢字の書き方を指導するうえでの混乱がないようにとの配慮から、筆順の基準となるものが考えられ、それが昭和33年（1958）に文部省から「筆順指導の手びき」という名前で発表された。これははじめ政府の内部文書として作られたものだったそうだが、しかしほかに同様の著述がなく、さらに文部省の名前を冠して出たものだから、いつのまにか絶対的に正しいものと認識され、いまでは筆順に関する規範とされるようになった。

ただしこの「手びき」の前書きには「ここに取りあげなかった筆順についても、これを誤りとするものでもなく、また否定しようとするものでもない」と書かれているから、あくまでも漢字の書き方を指導する際の便宜の一つと考えるべきものにすぎない。文部科学省が制定した教科用図書検定基準では、筆順は「一般に通用している常識的なもの」によることとされていて、「手びき」にあるとおりに教えなさいとはひと言も書かれていないのだ。

要するに筆順とは、その漢字を書くときにもっとも書きやすく、また見栄えよく書けるようにおのずから決まる順序にすぎない。大多数の人は右利きだから、世間で認定される筆順は右利きの者に書きやすいようになっているが、左利きの人には当然それとことなった筆順があってしかるべきである。

1 漢字は、正しい筆順とは異なる書き方であっても、結果的にその漢字を判読できるのであれば、文字として成り立っている。

2 紙に漢字を書くのではなく、石碑や岩壁に漢字を刻み付けたり、木版に漢字を彫り込んだりしていた時代に、様々な筆順が考え出された。

3 学校では「筆順指導の手びき」に厳密にのっとった指導が行われており、それ以外の書き方は認められないことがよくある。

4 学校における漢字の書き方の指導に混乱を生じさせないために作られた「筆順指導の手びき」が、後に筆順に関する絶対的な基準と考えられるようになった。

5 世間で認定される筆順には、右利きの者が書きやすいものと左利きの者が書きやすいものとが混在している。

解 説　　**正解　4**　　　　　　　　　　TAC生の正答率　**88%**

1　✕　筆者が本文で主張しているのは、第4段落における「要するに筆順とは、…順序にすぎない」などということである。正しい筆順とは異なっても「結果的にその漢字を判読できるのであれば、文字として成り立っている」という選択肢のようなことは、本文では述べられていない。

2　✕　第1段落では、もともと字は紙に書くと決まっていたのではなく、石碑に刻む場合や木版に彫り込む場合などによって、紙に書くときと「ちがった書き方がおこなわれて当然」とされている。「紙に漢字を書くのではなく、…彫り込んだりしていた時代に、様々な筆順が考え出された」という選択肢のようなことは、本文では述べられていない。

3　✕　「筆順指導の手びき」に関しては第2段落〜第3段落に記述があるが、そこでは「これははじめ…いまでは筆順に関する規範とされるようになった」、「ただし…便宜の一つと考えるべきものにすぎない」などといったことが述べられているのみである。選択肢にある「それ以外の書き方は認められないことがよくある」などということに関しては、本文では触れられていない。

4　◯　選択肢前半の「学校における…『筆順指導の手びき』」は、第2段落の「しかし学校で…『筆順指導の手びき』という名前で発表された」と同じ内容である。また選択肢後半の「後に…絶対的な基準と考えられるようになった」は、同段落の「いつのまにか…規範とされるようになった」と同義である。

5　✕　第4段落では、「世間で認定される筆順」は「大多数」である右利きの人にとって書きやすいようになっており、それとはことなる左利き向けの筆順があってしかるべきだと述べられている。一方選択肢では「右利きの者が書きやすいものと左利きの者が書きやすいものとが混在している」とされており、本文と食い違う。

現代文	内容合致	2020年度 基礎能力 No.2

次の文の内容と合致するものとして最も妥当なのはどれか。

　哲学教育の実践は、点数や資格といった目に見える形で測定可能な知識や技術の修得ではなく、「やってみたことがある」という意味における経験の蓄積を通じた習慣の形成を目的として行なわれるものである。そして、哲学教育を通じて期待される「哲学の効き目」を整理しておくなら、それはおよそ次のようなものになるであろう。

　まず、哲学教育の実践は、教室での議論から始まるものである。書斎のなかにおける単独者の孤独な思索ではなく、複数の人間が参加する開かれた言説的討論の場所／アゴラにおいて、お手本となる「外の思考」をみずから試みに実践してみること。そのことから哲学の第一歩は始まる。

　また、教室における哲学的言説の応酬は、次のような規則に従って遂行されるのでなければならない。すなわち、聞きなじみのない異質な言説であっても、それらがただ「耳障りである」ことを理由として排除されることがあってはならず、そのすべてが真剣な考慮の対象として取り上げられるのでなければならない。そういった規則である。

　これらの練習は、大学の教室における補助輪つきの状態から始まるものであってよいだろう。クリーンでわかりやすい正解と思われる言葉でも、正当な吟味の結果として懐疑的な評価を受ける可能性があるということ。そして、反対に、わかりづらく、通常であればノイズとして排除の対象とされがちな言葉であっても、かならず誰かが受け止め、真剣な検討の対象とされる準備ができているということ。そういった哲学の規則が浸透した環境へと継続的に身をなじませることを通じて、外の思考へと開かれた生活態度が育まれるのである。

　また、ここで重要なのは、以上のような過程を通じて「哲学の器量」を修得した「市民」たちは、どこにでも移動していくことができるという点である。

　たとえば、少人数の身内から構成される演習室の授業で身につけた度胸を踏み台に、三百人の大教室で最初に手を挙げて「わかりませんでした」と宣言し、質問をぶつけてみることができるようになるということ。次に、もう少し大きな一歩を踏み出して、教室を離れたウェブ上のネットワークや地域の集まりで、「ちょっと待って」の一声を上げることができるようになるということ。このように、哲学の習慣を備えた「器」たちがさまざまな場所に移動していくことで、哲学の規則を備えた討論の場所／アゴラがさまざまな場所へと拡散していくきっかけとなる。わたしたちは、この点にも哲学の大きな社会的存在意義を見出すことができるのではないだろうか。

1 哲学的な思考は、書斎の中における孤独な思索から生まれるのではなく、思索の結果を開かれた言説的討論の場所において実践して初めて生まれるものである。

2 言説的討論の場所においては、聞きなじみのない異質な言説にこそ「哲学の器量」が含まれており、耳障りであることを理由に排除するべきではない。

3 大学の教室で行われる哲学教育によって身に付けた外の思考に対する開かれた生活態度は、教室の外にも拡散可能であり、そこに哲学の社会的存在意義を見いだすことができる。

4 哲学教育は、教室を離れたウェブ上のネットワークや地域の集まりでも異論を唱えられるような度胸を身に付けることを目的としている。

5 大学の教室で哲学的言説の応酬を行った者たちは、大学の外の様々な場所において、市民たちにその実践を求めていくことが重要である。

解説　　　**正解　3**　　　　　　　　　　TAC生の正答率 **76%**

1 ✕　第2段落では、哲学の第一歩は「開かれた言説的討論の場所／アゴラにおいて、お手本となる『外の思考』をみずから試しに実践してみること」だとされている。一方選択肢では、「開かれた言説的討論の場所」において「思索の結果」を実践することで初めて哲学的な思考が生まれるとされており、食い違う。

2 ✕　第4段落〜第5段落では、わかりやすい言葉でも「懐疑的な評価を受ける可能性がある」、そしてわかりづらい言葉でも「かならず誰かが受け止め、真剣な検討の対象とされる準備ができている」という環境になじむことで「哲学の器量」を修得できるとされている。本文では、選択肢のように「聞きなじみのない異質な言説にこそ『哲学の器量』が含まれており」とされているのではない。

3 〇　選択肢前半の「大学の教室で…開かれた生活態度」は、第4段落の「大学の教室」の環境で「外の思考へと開かれた生活態度が育まれる」と同義である。選択肢後半の「教室の外にも…見いだすことができる」は、「哲学の習慣を備えた『器』たちがさまざまな場所に…拡散していくきっかけと」なり、そしてそこに「哲学の大きな社会的存在意義を見出すことができる」という第6段落と合致する。

4 ✕　選択肢の「度胸」については第6段落に記述がある。しかし第1段落や第6段落では、哲学教育の目的（哲学の社会的存在意義）は「『やってみたことがある』という…習慣の形成」、「哲学の習慣を備えた『器』たちが…拡散していくきっかけとなる」ことだとされている。筆者は、「度胸を身に付ける」こと自体を哲学教育の目的としているのではない。

5 ✕　第6段落では、「哲学の習慣を備えた『器』たち」がさまざまな場所に移動し、「哲学の規則を備えた討論の場所／アゴラ」が拡散するきっかけになることが「哲学の大きな社会的存在意義」だとされている。選択肢にある「市民たちにその実践を求めていくこと」については、本文では触れられていない。

次の文の内容と合致するものとして最も妥当なのはどれか。

　数学の面白さの源泉とはなんだろうか。もちろん、さまざまな問題を考えて結論に到達することです。その結論が興味深いもので、かつ、その解答に至る証明が今まで誰も考えていないものだったら、専門の数学者はそれを論文として発表し、多くの数学者によってその正しさが検証されます。検証の過程ではサグレドがいうように、論理がとても大切な役割を果たすはずです。論理的な誤りがあれば、残念ながら証明は間違いです。ところで、子どもたちが出会う証明問題はすでに結論が正しいことは分かっていますから、そこでは正しい結論に向けて、出発点（仮定）からどのように論理の連鎖を紡いでいくのかが問題となります。しかし、専門の数学者は、正しい結論に向けて、論理をつなげて行くわけではありません。では、数学者たちはやみくもに論理を操り、そこで到達した結論を定理として発表しているのでしょうか。もちろんそうではありません。

　ここに問題の核心があるのです。数学者は正しい結論に向けて論理を操っているのではない、そうではなくて、数学者は自分が正しいと確信している結論に向けて論理を操っています。自分には正しいと「分かって」いる結論を、論理の鎖ですでに正しいことが証明されている知識と結びつけようとしています。数学者にはどうしてその結論が正しいと「分かって」いるのでしょうか。

　それまでの数学的経験と学んできた数学の知識を土台にした想像力が、その結論が正しいことは間違いがないと数学者個人に告げています。彼や彼女はその結論が正しいことを演繹論理による証明を通して知っているわけではありません。演繹論理で証明された判断を合理的判断というなら、証明以前の数学者の判断は合理的判断ではありません。そうではなく、その結論が正しいことを想像力を通して知っているという意味で、数学者の判断は直感的判断です。数学の新しい発見の原動力は想像力にこそあると思います。数学の面白さは、それまでの経験や知識の枠組みを超えて、想像力で新しい定理、つまり数学者にとって正しいと確信できる事実を発見し、それが正しいことを証明していくこと、そして、その過程において、今までとは違った新しい証明方法を開拓していくことなのです。

1　数学者は、他人が書いた論文を検証する際、その結論が正しいことは「分かって」いるため、論文の結論よりもその証明の論理的妥当性を検証している。

2　帰納法は合理性に乏しく、新しい定理の証明には不十分であるため、数学者は演繹論理を駆使して自分の求める結論を導いている。

3　数学者は、演繹論理による証明を経なくても、数学におけるそれまでの経験と知識を土台にした想像力を通して、自分が考えている結論が正しいと思っている。

4　数学者の直感的判断は、今までの自身の数学的知識と経験によって演繹的に正しいとされているが、論文として発表されていない点において、それはまだ合理的判断ではない。

5　新しい定理は、数学者が直感的判断を合理的判断に変えていく過程で副産物的に生じるものであるため、狙って発見できるものではない。

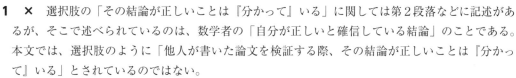

解説　　**正解　3**　　　　　　　　　　　　　　　　　　　TAC生の正答率　**93%**

1　✕　　選択肢の「その結論が正しいことは『分かって』いる」に関しては第2段落などに記述があるが、そこで述べられているのは、数学者の「自分が正しいと確信している結論」のことである。本文では、選択肢のように「他人が書いた論文を検証する際、その結論が正しいことは『分かって』いる」とされているのではない。

2　✕　　第3段落では、数学者は「その結論が正しいことを演繹論理による証明を通して知っているわけではありません」などといったことが述べられている。筆者は、「帰納法」が「新しい定理の証明には不十分」だから「数学者は演繹論理を駆使して自分の求める結論を導いている」という選択肢のような関係には触れていない。

3　〇　　選択肢は、第3段落の「それまでの数学的経験と学んできた数学の知識を土台にした想像力が、その結論が正しいことは間違いがないと数学者個人に告げています」、数学者が「その結論が正しいことを演繹論理による証明を通して知っているわけではありません」といった記述をまとめた内容になっている。

4　✕　　第3段落では、「演繹論理で証明された判断を合理的判断というなら、証明以前の数学者の判断は合理的判断ではありません」ということが述べられている。選択肢の「数学者の直感的判断は、今までの自身の数学的知識と経験によって演繹的に正しいとされている」という記述とは食い違う。

5　✕　　筆者は第3段落で「新しい定理」に関して、「数学の面白さは、…新しい証明方法を開拓していくことなのです」などといったことを述べているのみである。新しい定理が「直感的判断を合理的判断に変えていく過程で副産物的に生じるもの」で、「狙って発見できるものではない」という選択肢のような記述は、本文にはない。

現代文

英文

判断推理

空間把握

数的推理

資料解釈

時事

物理

化学

現代文　　内容合致

次の文の内容と合致するものとして最も妥当なのはどれか。

　ウェーバーの議論は、一義的な「the合理性」を前提にせず、むしろそれを相対化するところに特徴がある。ある立場から見て合理的なものも、別の合理性の基準からすれば非合理になる。戦争で勝つという基準における合理性は、その他多くの基準での合理性と対立する。また戦時におけるナショナルなユニットへの献身は、ボーダーを越えていく隣人愛と真っ向から衝突する。こうした複数の基準の食い違いに目をつぶり、自らの立場の基準でのみ話をし続けると、その合理性が独善的に他の合理性を損なうことになる。

　もちろんテロは卑劣な悪である。したがって悪いことは悪いとしっかりいわなければならないというのも正しい。しかし悪と戦うと称する側が徹底的に敵を殲滅（せんめつ）しようとするとき、それが別の意味での悪を生み出すということはないだろうか。敵に対するこのような向き合い方は相互のコミュニケーションの可能性を断ち、「敵」をさらなる暴力に追い込むことにもなるかもしれない。ウェーバーは複数の合理性概念を駆使することで、複数の悪の加減を議論できるようにした。「責任倫理」と「信条倫理」という有名な対概念は、こうした合理性論の一つの展開である。彼にとっては、悪を世の中からすっかり取り除くことは不可能であり、「悪さ加減」を相対的に少なくしようとすることが彼の倫理的な要求となる。

　特定の、それなりに筋の通った考え方（「合理性」）をもつ仲間以外とのコミュニケーションが、近年ますます難しくなっている。とりわけネットの世界では、集団的な分極化が起きやすく、それは「サイバー・カスケード」と呼ばれる。敵対する人たちは嘘つきで、事実を捏造していると、相互に非難し合う。自分たちの立場の論理的整合性が高まればそれだけ、つまりその意味での合理性が高まればその分だけ、違う立場の声は「非合理」なノイズにしか聞こえなくなる。そしてそうしたノイズを消すことが「正しい」ことに思えてくる。このような言論状況を考えると、現代の悪は、自分の合理性の基準でしか語らない、あるいは語れないということに宿る、といえる。官僚制的な行政は、つねに一定の「合理性」に準拠しようとするし、それに対する「説明責任」も求められる。しかし、ある基準で「合理的」であれば、それで責任が果たせているというわけではない。「合理的」であればあるほど、それによって踏みにじられるものが出てくる。ウェーバーによる複数の合理性の議論はこうした意味での悪に光を当てる。

1　ある集団が「the合理性」に依拠すると、別の基準に依拠する集団に不寛容になるという現代の悪に陥り、集団間の分極化を加速させてしまうことがある。

2　ウェーバーは、合理性概念を相対化することを通じて、戦時中にナショナルなユニットが敵を殲滅してしまうという「悪」を隣人愛との調和によって防ごうとした。

3　合理性の複数性を前提として、責任倫理と信条倫理という対概念により、正しい合理性と悪い合理性を峻別(しゅんべつ)することができる。

4　サイバー・カスケードの状況下では、敵対する集団どうしは、相手が事実を歪曲しねつ造しているという事実を相互に非難し合うことにより、自分たちの論理的整合性が揺らぐことになる。

5　官僚制的な行政は、立場の違う人たちの集団に対しても説明責任を果たすために、自らの立場に立って、自らの言葉で説明しなければならない。

解説　　**正解　1**　　　　　　　　　　　　　TAC生の正答率　**84%**

1　**○**　選択肢は、自分たちの立場の合理性（「the合理性」）が高まると「違う立場の声は『非合理』なノイズにしか聞こえなく」なり、「そうしたノイズを消すことが『正しい』ことに思えてくる」こと（「集団間の分極化」）、そうした点が「現代の悪」であることなどを述べている第3段落と合致する。

2　**✕**　選択肢の「隣人愛」については第1段落に記述があるが、そこでは「また戦時における…隣人愛と真っ向から衝突する」というように、ある合理性と他の合理性の対立の例として挙げられている。本文には、選択肢のような「戦時中に…『悪』と隣人愛の調和」については触れられていない。

3　**✕**　第2段落では、ウェーバーが「複数の合理性概念」によって「複数の悪の加減を議論できるようにした」こと、その議論の一つが「『責任倫理』と『信条倫理』」の対概念であることが述べられている。本文では、選択肢のように、その対概念によって「正しい合理性と悪い合理性を峻別することができる」とされているのではない。

4　**✕**　「サイバー・カスケード」について、第3段落では「敵対する人たちは嘘つきで、事実を捏造していると、相互に非難し合う」とされており、選択肢前半の「サイバー・カスケードの状況下では、…非難し合う」と同義である。しかし本文では、それによって「自分たちの論理的整合性が揺らぐ」ということには触れられていない。

5　**✕**　第3段落では「官僚制的な行政」について、「つねに一定の『合理性』に準拠しようとするし、それに対する『説明責任』も求められる」が、「ある基準で『合理的』であれば、…踏みにじられるものが出てくる」とされているのみである。「官僚制的な行政」が「自らの立場に立って、自らの言葉で説明しなければならない」ということは、本文では述べられていない。

次の☐☐☐の文の後に、A〜Eを並べ替えて続けると意味の通った文章になるが、その順序として最も妥当なのはどれか。

　経済学者ジョン・ガルブレイスは、20世紀半ば、1958年に著した『ゆたかな社会』でこんなことを述べている。

　現代人は自分が何をしたいのかを自分で意識することができなくなってしまっている。広告やセールスマンの言葉によって組み立てられてはじめて自分の欲望がはっきりするのだ。自分が欲しいものが何であるのかを広告屋に教えてもらうというこのような事態は、19世紀の初めなら思いもよらぬことであったに違いない。

　経済は消費者の需要によって動いているし動くべきであるとする「消費者主権」という考えが長く経済学を支配していたがために、自分の考えは経済学者たちから強い抵抗にあったとガルブレイスは述べている。

A　ガルブレイスによれば、そんなものは経済学者の思い込みにすぎない。だからこう指摘したのである。高度消費社会——彼の言う「ゆたかな社会」——においては、供給が需要に先行している。

B　いまとなってはガルブレイスの主張はだれの目にも明らかである。消費者のなかで欲望が自由に決定されるなどとはだれも信じてはいない。欲望は生産に依存する。生産は生産によって満たされるべき欲望を作り出す。

C　いや、それどころか、供給側が需要を操作している。

D　つまり、消費者が何かを必要としているという事実（需要）が最初にあり、それを生産者が感知してモノを生産する（供給）、これこそが経済の基礎であると考えられていたというわけだ。

E　つまり、生産者が消費者に「あなたが欲しいのはこれなんですよ」と語りかけ、それを買わせるようにしている、と。

1　A→B→E→C→D

2　A→D→C→B→E

3　B→C→E→A→D

4　D→A→C→E→B

5　D→E→A→B→C

解 説　　**正解　4**　　　　　　　　　　TAC生の正答率　**87％**

　D冒頭には「つまり」とあるので、Dの前には「需要」をもとに「供給」があるということに関係する文が入ることになる。

　1ではC→Dとされているが、これでは「供給側が需要を操作している」こと（C）＝「需要」をもとに「供給」があること（D）という流れになり、矛盾してしまう。

　2と**3**にはA→Dがあるが、これも「供給が需要に先行している」こと（A）＝「需要」をもとに「供給」があること（D）という順になってしまい、不自然である。

　次に、Aには「そんなものは経済学者の思い込みにすぎない」、「供給が需要に先行している」とあるので、Aの前には「供給が需要に先行している」とは異なる「経済学者の思い込み」について述べた文が入ることがわかる。

　5にはE→Aの順があるが、これでは「生産者が消費者に…買わせるようにしている」こと、つまり「供給が需要に先行している」ことが「経済学者の思い込み」であるという流れになってしまい、矛盾する。

　4は、冒頭の文の「経済学者たちから」の「強い抵抗」についてDで「つまり」と受けて「需要」をもとに「供給」があるという経済学者たちの思考を説明し、A→C→Eでガルブレイスの「供給が需要に先行している」などの主張を掘り下げ、Bでその主張が「いまとなってはガルブレイスの主張は誰の目にも明らかである」という現状を述べるという自然な流れである。

　以上のように、**4**のD→A→C→E→Bが最も妥当である。

現代文	文章整序	2022年度 基礎能力 No.6

次の［　　　］の文の後に、A〜Eを並べ替えて続けると意味の通った文章になるが、その順序として最も妥当なのはどれか。

> 時間の長さを測ろうとすれば、そこに何らかの区切れを入れるしかない。この長さとあの長さを測って比較しようとすれば、その区切れは共通のものでなくてはならない。

A　けれども、それは私たちの側の都合による。このような身体を持って行動する私たち人間種の都合によるのである。

B　もちろん、それは天体現象を考慮した上のことになるが、とにかく、私たちが生活の上で時間を測るやり方は、変更せざるを得ないはずである。

C　時間は、そんなふうに扱われないと、私たちの生活を大変困らせる。人との待ち合わせひとつできない。

D　その時、一時間の長さは、私たちには一週間にも感じられる。そうなると、時計の目盛りもカレンダーの日割りも、作り替えないと不便ということになる。

E　たとえば、人間が鉄砲玉のように速く歩けるとしよう。走れば、その何倍も速く移動できるとする。鉄砲玉なんかは、ずいぶんゆっくりした速さで飛んでくるように見えるだろう。秒刻みになっている時計の文字盤は、私たちには大雑把過ぎることになるだろう。

1　A→C→B→E→D

2　A→D→B→E→C

3　C→A→E→D→B

4　C→D→E→B→A

5　E→C→D→B→A

解 説　　正解　**3**　　　　　　　　TAC生の正答率　**83%**

1の順だと、時間の長さを測る区切れは共通でなくてはならないが、それは人間の都合だ（冒頭の文、A）→時間はそのように扱われないと生活を困らせる（C）と述べた後に、突然「私たちが生活の上で時間を測るやり方は、変更せざるを得ない」というBが入ることになるため意味が通らない。

2には冒頭の文→A→Dがある。Dの前には、どういう時に「一時間の長さは、私たちには一週間にも感じられる」のかという条件が入ると考えられる。しかし冒頭の文→Aは、時間の長さを測る区切れは共通でなくてはならないが、それは人間の都合だという内容であり、条件には当てはまらない。

4には冒頭の文→C→Dがあるが、時間の長さを測る区切れは共通でなくてはならず、時間がそう扱われないと生活が困るという冒頭の文→Cの内容も、Dの「一時間の長さは、私たちには一週間にも感じられる」ことの条件として妥当でない。

5にはE→Cがある。人間が鉄砲玉のように速く歩ける場合、秒刻みの時計の文字盤は人間にとって大雑把過ぎるというEから、「時間は、そんなふうに扱われないと、私たちの生活を大変困らせる」というCにつなげるのは意味が通らない。

3は、時間の長さを測る区切れは共通でなくてはならず、時間がそう扱われないと生活を困らせる（冒頭の文→C）と提示し、だがそれは人間の都合だということをAで指摘した上でその例（人間が鉄砲玉のように速く歩けた場合）をEで挙げ、その例において「時計の目盛りもカレンダーの日割りも、作り替えないと不便」であること、「時間を測るやり方は、変更せざるを得ない」ということをD→Bで述べるという自然な流れである。

以上のように、C→A→E→D→B、すなわち**3**が妥当である。

現代文 | 文章整序

次の□□□と□□□の文の間のA～Eを並べ替えて続けると意味の通った文章になるが、その順序として最も妥当なのはどれか。

> かつて社会学者ピョトル・シュトムプカは、「進歩」概念の変質をとらえ、（歴史）プロセスに「進歩」が組み込まれたとき、そのプロセスの中で局面ごとに変化する「進歩」概念を分析の俎上にのせる必要がでてくると論じた。

A　禁物なのは、もっぱら「国家」や「国際組織」といった既存のモデルから逆算し、グローバル化や統合プロセスにおける「民主主義」「正統性」のあり方をあらかじめ確定してしまうことであろう。

B　同じことが「民主主義」や「正統性」にもいえるのではないだろうか。

C　そこでは、「進歩」として分析者が観念するもの自体が変化する中で、変わりゆく「進歩」を捕捉するという難しさが常につきまとう。

D　ここでは、単に分析対象が動き変化するだけでなく、対象を推しはかる尺度そのものが変化してゆく。

E　グローバル化や地域統合というプロセスの中に「民主主義」「正統性」が組み込まれたのち、刻々と変化するプロセスの中でそれ自体変化する「民主主義」「正統性」を捉えることが要請される。

> グローバル化の進展とともに、国民国家の自己制御能力が失われてゆくなかで、長い間ナショナルな政治空間を自明のものとしてきた「民主主義」「正統性」という概念自体、政治理論におけるシリアスな再検討が求められている。

1　C→A→D→B→E

2　C→B→E→D→A

3　C→E→D→B→A

4　D→B→E→C→A

5　D→E→A→B→C

解説　正解 2　　　

　1にはA→D→Bがあるが、この順だとA→Dで「民主主義」、「正統性」のことについて説明した後にBで「同じことが『民主主義』や『正統性』にもいえるのではないだろうか」と述べることになってしまい、不自然である。

　3にはE→D→Bがあるが、これだとE→Dで「民主主義」、「正統性」について述べた後にBで「同じことが『民主主義』や『正統性』にもいえるのではないだろうか」と述べることになり、**1**と同様に不自然である。

　4にはD→B→Eがある。D→Bは、分析対象が変化するだけでなく対象を推しはかる尺度も変化する→同じことが「民主主義」、「正統性」にもいえる、という流れである。しかしその直後のEでは、「民主主義」、「正統性」は変化するプロセスに組み込まれること、その中でそれ自体変化する「民主主義」、「正統性」を捉えなくてはならないことが述べられているのみで、対象を推しはかる尺度の変化には触れられていないため、D→B→Eとすると話の流れがおかしくなってしまう。

　5にはE→A→Bがあるが、これもE→Aで「民主主義」、「正統性」について述べた後にBで「同じことが『民主主義』や『正統性』にもいえるのではないだろうか」とする流れであり、**1**、**3**と同様に不自然である。

　2は、冒頭の文を受けてCで「進歩」を捕捉する難しさを挙げ、Bで「同じことが『民主主義』や『正統性』にもいえる」とし、Eで「民主主義」、「正統性」を捉えることがどう難しいのかを提示し、DではEで提示したことに関して「ここでは、…尺度そのものが変化してゆく」と説明し、Aで「もっぱら…確定してしまう」ことは禁物だと述べた上で最後の文につなぐという自然な流れである。

　以上のように、C→B→E→D→A、すなわち**2**が最も妥当である。

現代文　　文章整序

　次の□□□の文の後に、A～Eを並べ替えて続けると意味の通った文章になるが、その順序として最も妥当なのはどれか。

> 　古来よりアリストテレスをはじめとする哲学者たちは、笑いは人間に固有のものであると考えてきた。その固有性の一つに、笑いの創造的な側面がある。

A　また、新聞の４コマ漫画は本邦独自のスタイルであるが、これも４コマがそれぞれもっている起承転結と対応した視点の構造転換がおもしろさを生み出すフレームになっているのである。

B　たとえば、ケストラーは、笑いやユーモアを生みだす過程は芸術的な創造や科学的な発見とも関係があり、それは異次元結合という共通性をもつと述べている。

C　異次元結合によって、この転換がうまくいったときに創造に伴う喜びがエンタテインメントとして経験される。ジョークや落語におけるオチの理解やユーモアの理解にも同様のことがいえるだろう。

D　これは、双方ともに見かけ上両立しないものの見方の転換が求められるからであろうと考えられる。

E　結果が予測や期待と異なった場合にも、見方の転換が求められる。

1　A→B→C→D→E

2　A→D→B→C→E

3　B→A→C→E→D

4　B→C→D→E→A

5　B→D→E→C→A

　1と**2**は冒頭の文→Aとなっている。Aには「これも…視点の構造転換がおもしろさを生み出すフレームになっている」とあるので、Aの前にも「視点の構造転換」についての文が入るといえるが、冒頭の文では「視点の構造転換」には触れられていないため、冒頭の文→Aの順は不自然である。

　3は冒頭の文→B→Aとなっているが、Bでも「視点の構造転換」のことは述べられていない。よって**1**・**2**と同様の理由で、冒頭の文→B→Aという順は自然ではない。

　4には冒頭の文→B→Cがある。Cには「この転換」とあるが、冒頭の文でもBでも「転換」のことには触れられておらず、冒頭の文→B→Cの順も妥当とはいえない。

　5は、冒頭の文で述べていることの補強としてBでケストラーの説を挙げ、Dで「双方」（Bの「笑いやユーモア」と「芸術的な創造や科学的な発見」）に必要な「見方の転換」を提示し、Eではその他に「見方の転換」が求められることに触れ、Cで「（見方の）転換がうまくいったとき」のことと「ジョークや落語」という例を説明した上で、最後にAで4コマ漫画においても「視点の構造転換」がおもしろさにつながっていることを述べる、という無理のない流れとなる。

　以上のように、B→D→E→C→A、すなわち**5**が最も妥当である。

次の文の　　　に当てはまるものとして最も妥当なのはどれか。

　自然法則は、果たして人間とどこまで関係するのだろうか。もちろん、自然界の現象は人間が法則を発見するかどうかに関係なく生じているし、人工的な技術で自然法則そのものを変えられるわけではない。それでも、自然法則が自然に対する人間の認識を反映していることは確かなのである。アインシュタインは次のように述べている。

　「科学は法則のコレクションや、関係のない事実のカタログのようなものではない。　　　　　　　　　　　　　　」

　自然法則に神秘を感じると、それを「神の法則」と呼びたくなるかもしれない。しかし、いかなる法則も科学の進歩によって修正される可能性があるから、それは正しくない。もし地球以外の星に宇宙人（知的生命体）がいるならば、人間が発見してきた自然法則と同じものを見つけているのだろうか。そもそも、宇宙人の知性を司るものが仮に「脳」だとしても、それが人間のものと同じような構造と機能を持つとは限らないではないか。

　人間の脳は、地上の環境に適応していく進化の過程で、偶然の遺伝子変異を幾度となく伴って変化してきた。宇宙人は、人間とは全く異なる視点と思考で法則を発見している可能性がある。

1　科学は人間の知性による一つの産物であり、自由に創られた考え方や概念を伴うものだ。

2　科学は、神からも人間の認識からも切り離された自然法則の統合によって成立するものだ。

3　科学において、物理現象の生起は個々の観測者の立場によって相対的だが、物事の原因と結果の順番は絶対的だ。

4　科学は、誤りを全て堅固な真理によって無効にし、我々を万物の確知へと到達させてきた唯一のものだ。

5　科学は、人間が進化の過程で創造してきた、環境に適した自然法則の総体だ。

解 説　　**正解　1**　　　　　　　　　　　TAC生の正答率　37%

1　〇　第1段落では、「自然法則が自然に対する人間の認識を反映している」と述べられている。選択肢の「人間の知性による一つの産物であり、自由に創られた考え方や概念を伴う」という記述は、この第1段落の内容を言い換えたものだと考えられる。5つの選択肢の中では、**1**が空欄に入る記述として最も妥当である。

2　✕　選択肢では、「神からも人間の認識からも切り離された自然法則の統合」によって成り立つのが「科学」だとされている。一方第1段落では、**1**の解説で見たように「自然法則が自然に対する人間の認識を反映している」とされており、選択肢とは矛盾する。

3　✕　本文では、第1段落において「自然法則が自然に対する人間の認識を反映している」こと、第4段落において「宇宙人は、人間とは全く異なる視点と思考で法則を発見している可能性がある」などということが述べられているのみである。筆者は、選択肢の「物理現象の生起は個々の観測者の立場によって相対的だが、物事の原因と結果の順番は絶対的」ということには触れておらず、これを空欄に入れるのは不自然である。

4　✕　選択肢では、「誤りを全て堅固な真理によって無効にし、我々を万物の確知へと到達させてきた唯一のもの」が科学であるとされている。一方本文には、科学がそのようなものであるという記述はないため、この選択肢を空欄に入れるのは不自然である。

5　✕　第4段落では、「人間の脳」が「地上の環境に適応」しながら「偶然の遺伝子変異を幾度となく伴って変化してきた」とされている。選択肢の「環境に適した自然法則の総体」にあたることについては、本文では触れられていない。

| 現代文 | 空欄補充 | 2022年度 基礎能力 No.5 |

次の文の ◻︎ に当てはまるものとして最も妥当なのはどれか。

　春夏秋冬、季節ごとの祭に代表される種々の祭は、総じて、〈まれびと〉を迎えるのが元来の趣旨であり、そこで肝要なのは、来訪神たる〈まれびと〉が発する言葉に、これを迎える土地の精霊が答えるという対話儀礼である。対話とはいっても、ここでは、はっきり、上下の関係が定まっており、上に立つ〈まれびと〉が宣下するのがいわゆる祝詞であり、下に立つ精霊が奏上するのが賀詞であって、この対話こそが文学あるいは芸能の原型となる。文学にせよ、芸能にせよ、およそ文化の起源は、この異世界からやってきた神が発する呪言ないし祝言が、土地の精霊を仲介者として人々に伝えられていく、そのやりとりに始まるのだというのが、折口の文化観の根本だった。

《中　略》

　一方、〈もどき〉とは、この〈まれびと〉の到来を受けて、それを迎える土地の精霊が答礼する所作であり、〈まれびと〉の所作をまねるところから〈もどき〉と呼び慣わされる。その原型は、やはり、「翁」で、〈翁〉の舞いに続いて、その所作をまね、くりかえす三番叟であり、ここから派生して、能における〈して〉と〈わき〉というような組み合わせが生まれてくる。さらに下って、万歳における〈太夫〉と〈才蔵〉、現代漫才における〈ぼけ〉と〈つっこみ〉等にまで、この〈もどき〉の型は伝わっているだろう。まね、くりかえし、かけあいを基本パターンとして、やがて、そこに、機知、揶揄、誇張等の要素が盛り込まれ、滑稽な効果をもたらすようになるのである。また、能に対する狂言あるいは歌舞伎というように、芸能様式の分化発展、さらにいえば、和歌に対する連歌、俳句、狂歌や川柳といった詩歌など他の文化領域における分化発展にも、本格に対する変格という〈もどき〉の原理が働いていると、折口学の継承者である池田弥三郎などは指摘する。すなわち、訪問神と土地の精霊の対話から生まれた〈もどき〉こそが、日本文化生成発展のダイナミズムを生み出す基本要素となるのである。

　〈まれびと〉の言葉やふるまいを土地の精霊がまね、くりかえすというこうした神事が日本文化の起源となったことについて、折口は、異郷からやってきた〈まれびと〉の言葉やふるまいが、土地の一般人には理解できない象徴的なものであったために、これを、分かりやすく翻訳する必要から発生したのだと説く。つまり、日本文化の本質を、◻︎ ととらえる見方であり、それを、単なるものまねとして否定視するのではなく、創造、発展的エネルギーのあらわれとして評価するのである。

1　外からやってくる未知の文化を翻訳し、解釈し、国風化する文化

2　文化を翻訳して異世界に広める、通訳のような文化

3　様々な文化が入り混じった、国際色豊かで開放的な文化

4　対話の積み重ねにより発展した、穏やかで寛容な文化

5　精霊を畏怖の念をもって迎え、神として崇拝する文化

| 解 説 | 正解 1 | TAC生の正答率 81% |

1 ○ 選択肢前半の「外からやってくる未知の文化を翻訳し」は、第3段落の「折口は、…発生したのだと説く」をまとめた記述である。また選択肢後半の「解釈し、国風化する」は、〈まれびと〉（＝未知の文化）の所作をもとに能や万歳・現代漫才を生むなどした「日本文化生成発展のダイナミズムを生み出す基本要素」である〈もどき〉の作用を簡単に言い換えた言葉として妥当である。

2 ✕ 選択肢を空欄に入れると、「文化を翻訳して異世界に広める」ことが「日本文化の本質」ということになる。しかし本文第2段落～第3段落では、異郷からやってきた〈まれびと〉の所作などが日本文化の起源になったと述べられており、文化を「異世界に広める」という選択肢とは食い違う。

3 ✕ 2で見たように、本文では異郷からやってきた〈まれびと〉の所作などが日本文化の起源になったと述べられているが、日本文化が「様々な文化」をもとにした「国際色豊か」なものであるという記述はないため、この選択肢を空欄に入れると不自然になってしまう。

4 ✕ 選択肢の「対話」について、第1段落で〈まれびと〉と「土地の精霊」が「上下の関係」が定まった対話を行ったということは述べられている。しかし、日本文化の本質が「穏やかで寛容」であるという意味の記述は本文にないため、この選択肢を空欄に入れるのは妥当でない。

5 ✕ 第1段落では、異邦の神である〈まれびと〉を「土地の精霊」が迎えること、〈まれびと〉が上で「土地の精霊」が下であることが述べられている。一方この選択肢は「精霊」が畏怖をもって迎えられることで「神として崇拝」されるという内容であり、本文の記述とは異なる。

現代文	空欄補充	2021年度 基礎能力 No.5

次の文の　　　　に当てはまるものとして最も妥当なのはどれか。

　人類初の宇宙空間への人工衛星打ち上げから約60年が経過し、近年、宇宙空間を利用した技術は、様々な分野に活用されている。宇宙空間は、国家による領有は禁止されているものの、全ての国が自由に利用できることから、主要国は、宇宙利用を積極的に進めている。例えば、気象や陸・海域の観測に気象衛星などの地球観測衛星、インターネットや放送に通信・放送衛星、また、航空機や船舶の航法にGPSなどを構成する測位衛星が利用されるなど、社会、経済、科学分野など官民双方の重要インフラとして深く浸透している。

　安全保障の分野においても、主要国では、軍が宇宙空間に積極的に関与し、各種人工衛星を活用している。宇宙空間は、国境の概念がないことから、人工衛星を活用すれば、地球上のあらゆる地域の観測や通信、測位などが可能となる。このため主要国は、C4ISR*機能の強化などを目的として、軍事施設・目標偵察用の画像収集衛星、弾道ミサイルなどの発射を感知する早期警戒衛星、電波信号などを収集する電波収集衛星、各部隊間などの通信を仲介する通信衛星や、艦艇・航空機の測位・航法や武器システムの精度向上などに利用する測位衛星をはじめ、各種衛星の能力向上や打ち上げに努めている。このように、　　　　　　　　　　　　　　　　。

（注）＊「指揮、統制、通信、コンピュータ、情報、監視、偵察」という機能の総称

1　各国は宇宙空間において、自国の軍事的優位性を確保するための能力を急速に開発している

2　各国は宇宙空間の領有を目的に、宇宙空間での生活の機会を増やすとともに、徐々に軍備の増強を進めている

3　各国は宇宙機器産業の国際競争力強化を図るため、高性能小型衛星の技術実証や人工衛星による資源探査など宇宙利用の拡大に取り組んでいる

4　宇宙空間の利用は、主要国のみに制限されているものの、急激に増加している宇宙ゴミ（スペースデブリ）と人工衛星が衝突して衛星の機能が著しく損なわれる危険性が増大している

5　宇宙空間の安定的利用を確保するため、全ての国が協力して、宇宙システムの機能保障に関する取組を進めている

1　**○**　空欄の前には「このように」とあるので、空欄にはそれまでの内容をまとめたものが入ることになる。第2段落では、「主要国は、…打ち上げに努めている」といった、軍事面における衛星の活用例が挙げられている。そうした内容をまとめたものとして、この選択肢の記述は妥当である。

2　**×**　本文では、宇宙空間における各国の人工衛星の現状や活用法のことが説明されているのみである。この選択肢では、各国が「宇宙空間での生活の機会」の増加を図っていると述べられているが、そうしたことにあたる内容には、本文では触れられていない。

3　**×**　筆者は本文で宇宙空間における各国の人工衛星の現状や活用法を説明しているが、この選択肢にある「各国は宇宙機器産業の国際競争力強化を図るため」ということに関する記述は本文にはない。また、「高性能小型衛星…資源調査」といったことについても、本文では明言されていない。

4　**×**　この選択肢では「急激に増加している宇宙ゴミ（スペースデブリ）と人工衛星が衝突して衛星の機能が著しく損なわれる危険性が増大している」と述べられている。しかし本文では、そうした人工衛星にまつわる「危険性」については全く触れられていない。

5　**×**　本文では、主要国における人工衛星の現状・活用法が述べられているのみである。この選択肢には「全ての国が協力して、宇宙システムの機能保障に関する取組を進めている」と述べられているが、そうした国同士の「協力」については、本文では述べられていない。

現代文

英文

判断推理

空間把握

数的推理

資料解釈

時事

物理

化学

次の文の_____に当てはまるものとして最も妥当なのはどれか。

　ミクルホ＝マクライは、ロシア人にはめずらしく、太平洋の南の島々を調べた人だが、ある時、パプア島の言語を研究していて、一枚の木の葉を手にとって、これは何かとたずねて、その答えをノートに書き込んだ。次に、別の人に同じ葉っぱを示したところ、別の答えがかえってきた。このようにして、三人目、四人目、五人目と同じ質問をくり返したところ、その都度全部ちがった答えを得たという。

　あとで判明したところによれば、最初の人は、その葉っぱを生やしている木、二人目はその葉っぱの色である「緑色」、三人目以降は、「汚れている、使えない」などの意味を答えたという。聞かれた方にとっては、それが葉っぱであることは自明なので、まさか立派なおとなが、そんなばかばかしい質問をしているとは考えなかったのであろう。そこでよりくわしい属性を答えたのであろう。学問の発する問いが、ばかばかしくて、とてもつきあってはいられないという典型的な例であろうと思われる。

　そしてその答えがばらばらだったのは、それぞれの人の注目する点がみな異なっていたということになる。ここで示唆されていることは、_____という問題は、コミュニケーションの全体にかかわる複雑な問題で、ことばがそれ自体として、場面ぬきで自立することのむつかしさをよく示している。

1　人が何を話題にしているか

2　他言語をどのようにして習得するか

3　学問の発する問いがばからしく見えてしまう

4　コミュニケーションがすれちがいやすい

5　いかにして自明であることを確認するか

解説　　**正解　1**　　　　　　　　　　　　　　　TAC生の正答率　**71%**

1　○　この選択肢の「人が何を話題にしているか」は、第1段落〜第2段落の木の葉についての質問への答えのこと（空欄部の前の「その答えがばらばらだったのは、…みな異なっていたということ」）を言い換えた言葉として妥当である。また、この語句を空欄に入れることで、空欄部の後の「ことばがそれ自体として、…よく示している」という部分とのつながりも自然になる。

2　×　本文第1段落〜第2段落では、木の葉についてたずねた答えが人によって違っていたことが述べられており、第3段落の記述を借りて換言すれば「それぞれの人の注目する点がみな異なっていたということ」が主題になっている。筆者は、この選択肢のような「他言語をどのようにして習得するか」ということを問題にしているのではない。

3　×　「学問の発する問い」のばからしさについては、第2段落に記述がある。しかし前述したように、筆者が主題にしているのは第3段落にある「それぞれの人の注目する点がみな異なっていたということ」である。また、この語句を空欄に入れると、空欄部後の「ことばがそれ自体として、…よく示している」ということとのつながりが不自然になる。

4　×　第1段落〜第2段落では、木の葉についてたずねたところ人によって違う答えがかえってきたことが挙げられているが、それがミクルホ＝マクライの質問の意図とは異なっていたということなどは述べられていないため、それを「コミュニケーションがすれちがいやすい」としてしまうのは妥当ではない。

5　×　この選択肢の「自明」については第2段落に記述があるが、そこでは「それが葉っぱであることは自明なので、…考えなかったのであろう」とされているのみである。「いかにして自明であることを確認するか」という点については、本文では言及されていない。

次の文の内容と合致するものとして最も妥当なのはどれか。

Research published in 2016 led by the University of Oxford in collaboration with the Mexican Ministry of Health and the National Autonomous University of Mexico, showed that diabetes[1] was responsible for twice as many Mexican deaths as had previously thought, accounting for over a third of all deaths of those between 35 and 74 years old.

At the same time, University of Oxford modelling of the impact of health-related food taxation policies, conducted in collaboration with Reading University, showed that a 20% tax on sugary drinks could reduce the prevalence of obesity in adults in the UK by 1.3%.

Researchers engaged with policy makers throughout the research process and shared and discussed the implications of their findings, with a view to informing health policy.

In Mexico, discussion of research evidence with the Mexican Ministry of Health led to official recognition of diabetes and obesity as epidemiologic[2] emergencies, and the introduction of a wide range of health policies to tackle obesity including promoting healthy eating and physical activity, as well as the introduction of a sugary drinks tax.

The introduction of the tax in Mexico in turn influenced policy thinking in the UK, particularly the 2014 Public Health England proposal for a tax on high sugar foods and drinks. The proposal was discussed at the UK Parliamentary Health Select Committee's inquiry into childhood obesity in October 2015, with Professors Susan Jebb and Peter Scarborough presenting oral evidence to the committee. Building particularly on Oxford's evidence and policy engagement, the Committee recommended a sugary drinks tax in the UK in October 2015. The research also attracted extensive media attention and discussion and contributed to a significant change in public attitudes to sugary drinks taxes.

The Select Committee evidence and report, and increased public willingness to accept a sugar levy, led to increased political support for the proposal and the introduction of the UK Soft Drinks Industry Levy (SDIL) in March 2016.

An evaluation of the tax in Mexico shows that purchase of drinks attracting the tax fell by 7.6%, between 2014 and 2016. Models estimate this would lead to a reduction of nearly 200,000 cases of diabetes in the period 2013 to 2022. Further research by Oxford University indicates that the SDIL incentivised many manufacturers in the UK to reduce sugar in soft drinks, reducing population exposure to the health risks of liquid sugars.

（注）　[1] diabetes：糖尿病　　[2] epidemiologic：疫学的な

1 メキシコ国民の全死亡件数の３分の１を超える件数を対象としてオックスフォード大学等が調査した結果、糖尿病を理由とする死亡件数が以前の２倍に増加していることが判明した。

2 メキシコでは、保健省との議論を経て、健康的な食事や運動の促進及び糖分を多く含む飲料に対する課税など肥満に対する幅広い政策が導入されることとなった。

3 英国の議会で2015年に糖分を多く含む飲食料に対する課税の提案が議論された際、Jebb教授らはメキシコにおける歯科医療の観点から意見を述べた。

4 糖分を多く含む飲料に対する課税について、英国の国民からは理解を得られなかったが、国民へのメリットが大きいと考えられたことからSDILの導入が決まった。

5 メキシコでは、2014年から2016年の間に飲料に含まれる砂糖の量が7.6％減少した。また、SDILの影響により、英国の多くの製造業者が清涼飲料水の生産を減らすことが見込まれている。

解 説　　**正解　2**　　TAC生の正答率 **63%**

1　×　本文第1段落に、糖尿病は「35歳から74歳の死因の3分の1以上を占める」とあり、調査が「全死亡件数の3分の1を超える件数を対象」としたのではない。

2　○　本文全体の内容に合致する。

3　×　Jebb教授らが歯科医療の観点から意見を述べたという記述はどこにもない。

4　×　第5段落に「The research ... contributed to a significant change in public attitudes」とあり、これが「英国の国民からは理解を得られなかった」という選択肢の記述と矛盾する。

5　×　前半の記述は第7段落に認められるが、「英国の多くの製造業者が清涼飲料水の生産を減らすことが見込まれている」という記述はどこにもない。

[訳　文]

　オックスフォード大学がメキシコ保健省およびメキシコ国立自治大学と共同で2016年に発表した研究によると、糖尿病はメキシコ人の死亡原因においてこれまで考えられていた数の2倍の数の原因になっており、それは35歳から74歳の死因の3分の1以上を占める。

　同時に、レディング大学と共同で行われた健康関連食品税制の影響に関するオックスフォード大学のモデリングでは、砂糖入り飲料に20％の課税を行うことで英国成人の肥満率を1.3％減少させることができると示された。

　研究者たちは、研究過程のなかで常に政策立案者と関わり、保健政策への情報提供を視野に入れつつ、結果が示唆する重要性を共有し、議論した。

　メキシコでは、メキシコ保健省との研究結果についての議論を通して、糖尿病と肥満が疫学的な緊急事態であるとの公的な認識に至った。健康的な食事と身体活動の促進に加えて、砂糖入り飲料税の導入を含む、肥満に取り組むための幅広い保健政策が導入された。

　メキシコでの税導入は、続いて英国での政策の考え方、特に2014年のイングランド公衆衛生局による高糖質飲食物への課税案に影響を与えた。この提案は、2015年10月に英国議会保健特別委員会の小児肥満に関する調査において議論され、スーザン・ジェブ教授とピーター・スカボロー教授が委員会に口頭で主張の証拠となるものを提示した。特にオックスフォード大学によって示された証拠と政策への取り組みに基づき、委員会は2015年10月に英国における砂糖入り飲料税を勧告した。また、この調査はメディアによる広範囲の注目と議論を引き寄せ、砂糖入り飲料税に対する国民の態度を大きく変えることに貢献した。

　特別委員会が示した証拠と報告書、ならびに砂糖税を受け入れる国民の意欲の高まりによって、法案への政治的支持が高まり、2016年3月に英国清涼飲料産業税（SDIL）が導入された。

　メキシコにおける同税の評価は、2014年から2016年の間に同税を集める飲料の購入が7.6％減少したことを示している。複数の統計モデルは、これにより2013年から2022年の期間に糖尿病の症例が20万件近く減少すると推計している。オックスフォード大学のさらなる調査によれば、SDILが英国の多数のメーカーに清涼飲料の糖分を減らすインセンティブを与え、国民が液糖の健康リスクにさらされる機会を減らしたという。

［語　句］
account for ...：…を占める　　obesity：肥満　　tackle：（問題等に）取り組む、立ち向かう
in turn：順に　　contribute to ...：…に寄与する　　levy：徴税

次の文の内容と合致するものとして最も妥当なのはどれか。

The Seychelles and the Maldives are now jointly launching a new deep-sea scientific mission in the Indian Ocean that is focused on seamounts — large land-forms that rise from the ocean floor but don't reach the surface. Because of a limit in equipment and experts, there have not been any systematic biological surveys of this region at these depths before. Historically, this type of research has been near countries with better access to resources, such as those on the shores of the Atlantic and Pacific Oceans.

The mission of the "First Descent: Midnight Zone" is to understand what lives in the water, from the surface to the seabed. We also want to know how this changes from waters in the Seychelles to the Maldives.

This information will eventually be available on open access databases, building on the global knowledge of the deeper ocean for other scientists and policy makers. We hope that this information enables countries to understand how to manage their oceans better.

Our expedition is made up of scientists from many different disciplines who are coming together to document biological, physical and chemical parameters. This will provide us with valuable baseline data which can also be used to predict life in other sites that we couldn't explore.

The gear we will use ranges from traditional oceanographic technologies to newly developed equipment. For example we will use a multibeam echo-sounder — a type of sonar — to visualise the shape and depth of the seamounts. Sensors and water samplers will examine water columns — imagine columns of water from the surface of the ocean to the bottom. Neuston* nets — like a net between two floats — are used to sample zooplankton and microplastics in the "neuston layer", or top few centimetres of the ocean.

《中　略》

We are exploring six seamounts that were prioritised by stakeholders — such as government ministries — from the Seychelles and Maldives. Seamounts are interesting to explore because they are a hotspot for marine life. This is because they rise up from the seafloor and push deep, cold nutrient rich waters up around and over them to the surface. Also, because they're hard and sediment can't settle on the slopes and vertical surfaces, organisms can attach to them. In the deep sea the seabed is mostly rock, covered by a thick layer of sediment.

（注）＊neuston：水表生物

1 セーシェルとモルディブは共同で体系的な深海の調査を行うこととしており、こうした調査はこれまでに大西洋・太平洋沿岸の国付近で行われたことがある。

2 深海の調査については、それぞれの調査地点によって状況が異なるため、今回の調査で判明したデータを他の場所での研究に利用する場合には注意を要する。

3 今回の調査に携わる研究者は、事前に生物学、物理学、化学など幅広い科目の研修を受けてきており、各分野にまたがる問題を各自で解決することが期待されている。

4 今回の調査は、海山の形状や深さの測定、調査区域全体の海面の水質調査、網状の素材を用いた海底付近の生物の捕獲などを行うために、従来からの伝統的な機材のみを使用して行われる。

5 多くの海洋生物は海底から海面に向かっていく習性があり、また、海山は栄養豊富な堆積物に覆われて海洋生物が生息しやすいことから、研究者は海山の調査を価値あるものと考えている。

1　○　本文第1段落の記述に合致する。

2　×　本文第2段落〜第3段落において、今回の調査結果が公開されること、そのデータが他地域の調査にも有用であることが述べられている。

3　×　類似する記述は本文第4段落に認められるが、「幅広い科目の研修を受けてきており」といった内容や「各自で解決することが期待されている」という内容は本文中にはない。

4　×　「従来からの伝統的な機材のみを使用して行われる」という箇所が、本文第5段落第1文に矛盾する。

5　×　「海山は栄養豊富な堆積物に覆われて海洋生物が生息しやすい」という部分が、本文最終段落第4文に矛盾する。

[訳　文]

　セーシェルとモルディブが、インド洋の深海にある海山（海底から隆起しているが海面には達しない大きな地形）に焦点を当てた新しい深海科学の任務を共同で開始する。機材や専門家の数に限りがあったことから、これまでこの深さでの体系的な生物学的調査は行われてこなかった。歴史的には、この種の調査は、大西洋や太平洋の沿岸部など、資源により良くアクセスできる国々の近くで行われてきた。

　同任務「はじめての下降：真夜中の領域へ」は、海面から海底までに生息する生物を理解するためのものである。私たちはまた、セーシェルからモルディブまでの海中でこれがどのように変化するかを知ることを望んでいる。

　これらの情報は、最終的にはオープンアクセスのデータベースで利用可能になり、他の科学者や政策立案者らのために、深海に関する包括的な知を構築する。これらの情報によって、各国が自国の海洋をよりよく管理する方法を理解できるようになることを願っている。

　私たちの調査隊は、生物学的、物理学的、化学的パラメータを記録するために集まった、様々な分野の科学者で結成されている。これは、私たちが探索できなかった他の場所に生息する生命を予測するのにも使える、貴重な基本データを私たちに提供するだろう。

　使用する機材は、伝統的な海洋学の技術から新たに開発された装置まで多岐にわたる。例えば、海山の形や深さを可視化するために、ソナーの一種であるマルチビーム音響探査機を用いる。また、センサーや採水器によって、水柱──海面から海底までに達する水柱を想像してみてほしい──を調査する。ニューストンネット──ふたつの浮きの間に挟んだ網のようなもの──が、「ニューストン層」と呼ばれる海面数センチに存在する動物性プランクトンやマイクロプラスチックを採取するために使用される。

《中　略》

　私たちは、セーシェルとモルディブの省庁などの関係者が優先的に選んだ六つの海山を探査する。海山が探査対象として興味深いのは、海洋生物の密集地帯になっているからである。それは、海山が海床から隆起しており、深く冷たい栄養豊富な海水を周囲の海面に押し上げているからである。また、海山は硬く、その斜面や垂直面に堆積物が留まりえないため、生物が付着することがある。深海では、海床はほとんどが岩で、厚い堆積物の層に覆われている。

[語　句]

launch：開始する、着手する　　systematic：体系的　　policy maker：政策立案者

expedition：探検、調査　　gear：装備　　nutrient：栄養の

次の文の内容と合致するものとして最も妥当なのはどれか。

According to conventional wisdom, highly successful people have three things in common: motivation, ability, and opportunity. If we want to succeed, we need a combination of hard work, talent, and luck. The story of Danny Shader and David Hornik highlights a fourth ingredient, one that's critical but often neglected: success depends heavily on how we approach our interactions with other people. Every time we interact with another person at work, we have a choice to make: do we try to claim as much value as we can, or contribute value without worrying about what we receive in return?

As an organizational psychologist and Wharton professor, I've dedicated more than ten years of my professional life to studying these choices at organizations, and it turns out that they have staggering consequences for success. Over the past three decades, in a series of groundbreaking studies, social scientists have discovered that people differ dramatically in their preferences for reciprocity* — their desired mix of taking and giving. To shed some light on these preferences, let me introduce you to two kinds of people who fall at opposite ends of the reciprocity spectrum at work. I call them takers and givers.

Takers have a distinctive signature: they like to get more than they give. They tilt reciprocity in their own favor, putting their own interests ahead of others' needs. Takers believe that the world is a competitive, dog-eat-dog place.

《中　略》

If you're a taker, you help others strategically, when the benefits to you outweigh the personal costs. If you're a giver, you might use a different cost-benefit analysis: you help whenever the benefits to others exceed the personal costs. Alternatively, you might not think about the personal costs at all, helping others without expecting anything in return.

（注）＊ reciprocity：相互関係

1 大きな成功を収めるには、やる気、能力、チャンスといった要素よりも、人とどのように関わるかということの方が重要だと考えられている。

2 社会学者たちは、相互関係において、どのくらい与え、どのくらい受け取るのが望ましいと考えるかは、人によって全く異なることを発見した。

3 組織においては、同僚との競争に勝ち抜いていくことが求められ、競争において勝ち抜いた者が結果として能力が高いとみなされる傾向がある。

4 他者に与えるよりも、自分が他者からより多く受け取ろうとする人は、世の中は厳しい競争社会だと考えているだけでなく、他者に対して冷酷で非情な人間性を備えている。

5 相手からの見返りを期待することなく他者を助ける人は、自分自身の道徳的な価値観や宗教心に基づいて、どのように行動するかを決定している。

解説　　正解　**2**

1　×　第1段落では、「人とどのように関わるか」というのは第四の要素として挙げられてはいるが、やる気などの要素よりも重要という内容の記述は見られない。

2　○　第2段落の内容と合致している。

3　×　本文にはない内容の記述である。

4　×　「世の中は厳しい競争社会だと考えている」までは第3段落の内容と合致するが、「他者に対して冷酷で非情な人間性を備えている」という内容の記述は見られない。

5　×　最終段落に、見返りを期待せずに他者を助けることについての記述があるが、「自分自身の道徳的な価値観や宗教心に基づいて、どのように行動するかを決定している」とは述べられていない。

［訳　文］

　従来の常識によれば、大きな成功を収めている人には、やる気、能力、機会という三つの共通点があるといいます。成功したければ、努力と才能と運の組み合わせが必要です。Danny ShaderとDavid Hornikの話では、重要でありながらもしばしば無視される第四の要素が強調されています。成功は、他者との関わり方に大きく依存しています。職場で他者とやり取りするたびに、私たちには選択の自由があります。できる限り多くの対価を主張しようとしますか。それとも見返りを気にせずに価値を提供しますか。

　組織心理学者であり、ウォートン大学の教授でもある私は、組織におけるこれらの選択の研究に専門家としての人生を10年以上捧げてきましたが、これらの選択は成功のために驚異的な結果をもたらすことが判明しました。過去30年以上にわたり、一連の画期的な研究の中で社会科学者たちは、相互関係（奪うことと与えることの望ましい組み合わせ）においてどのような関係を好むかについては人によって劇的に異なることを発見してきました。このような好みに光を当てるために、職場での相互関係のスペクトルの両端にある二種類の人々を紹介します。私は彼らを「奪う者」と「与える者」と呼びます。

　「奪う者」には与える以上のものを得ることを好むという独特の特徴があります。彼らは他者のニーズよりも自分の利益を優先して、相互関係を自分に有利に運びます。「奪う者」は、世界は食うか食われるかの競争の場であると信じています。

《中　略》

　もしあなたが「奪う者」ならば、自分の利益が個人的なコストを上回るときに、戦略的に他者を助けます。「与える者」であれば、他者の利益が個人的なコストを上回るときはいつでも人を助けるという別の費用便益分析を使用するかもしれません。あるいは、見返りを期待せずに他者を助けて、個人的なコストを全く考えないこともあるかもしれません。

［語　句］

dog-eat-dog：食うか食われるかの、激烈な競争

英文　内容合致

次の文の内容と合致するものとして最も妥当なのはどれか。

Beneath the timber roof of a traditional marae[1] meeting house at Wellington High School, dozens of students watch entranced as a play performed entirely in the Maori language unfolds.

Many only understand a smattering of the indigenous language, but pick up emotional cues from the performers. Some are close to tears as the production ends.

It is a scene that, actor Eds Eramiha says, would have been difficult to imagine as recently as two decades ago. "Attitudes have changed immensely," he said. "When I was at school, te reo[2] Maori was not held in high value, it was not spoken."

Te reo was banned in schools for much of the 20th century, which — combined with the urbanization of rural Maori — meant that by the 1980s, only 20 percent of indigenous New Zealanders were fluent in the language. An official report published in 2010 warned the language was on the verge of extinction.

The contrast with today is striking. The language is enjoying a surge in popularity among New Zealanders — Maori or otherwise. Te reo courses are booked out at community colleges, while bands, poets and rappers perform using the language.

Te reo words such as kai (food), ka pai (congratulations) and mana (prestige) have entered everyday usage. Even the way New Zealanders define themselves has taken on a te reo tone, with an increasing number preferring to use Aotearoa rather than New Zealand.

Prime Minister Jacinda Ardern chose to give her daughter Neve a Maori middle name — "Te Aroha" (Love) — when she was born in June.

Her government has set a target of having 1 million fluent te reo speakers by 2040. With the Maori comprising only 15 percent of New Zealand's 4.5 million population, that would mean many non-Maoris adopting the language.

（注）[1] marae：マラエ、マオリ族の集会所　　[2] te reo：マオリ語

1　ウェリントン高校にある集会所で上演された芝居はマオリ語で行われたが、多くの高校生はマオリ語をほぼ理解することができ、芝居に感動して目を潤ませる者がいた。

2　約20年前からマオリ語は重要視されてきており、芝居の演者は高校で学んだマオリ語をいかして演技をすることができた。

3　マオリ族の都市化が進んだこともあり、先住民の間でも、マオリ語を流暢に話せる者が少数派となり、マオリ語が消滅の危機に直面しているという政府報告が出された。

4　政府は、マオリ語を普及させるために、日常会話に採り入れるよう啓発を行っているが、国民のマオリ語への関心はいまだ薄い。

5　政府は、2040年までに国民の15％がマオリ語を流暢に話せるようにするという目標を掲げている。

解 説　　**正解　3**　　　　　　　　　　　TAC生の正答率　**73%**

1　×　「多くの高校生はマオリ語をほぼ理解することができ」という箇所が誤り。第2段落で、多くの人は一部の土着語しか理解していないと述べられている。

2　×　第3段落には、20年前の学校ではマオリ語の価値は高くなく、話されていなかったと述べられている。

3　○　第4段落の内容と合致している。

4　×　最終段落に、政府がマオリ語を使える人を増やそうとしていることは述べられているが、その普及方法については言及していない。第5段落には、ニュージーランドの人々の中でマオリ語の人気が急上昇しているとあり、また第6段落には、日常的にマオリ語の単語が使われていることも述べられている。

5　×　最終段落には、ニュージーランドの人口の15%をマオリ族が占めているとある。政府が目標としているのは100万人にすることである。人口450万人のうち100万人は15%ではない。

[訳　文]

　ウェリントン高校にある伝統的なマラエの集会所の木の屋根の下で、何十人もの生徒がマオリ語で行われている演劇が繰り広げられるのをうっとりして見ています。

　多くの人は、土着語のごく一部しか理解していないが、出演者から感情的な合図を拾います。中には、作品が終わると涙ぐむ人もいます。

　俳優のEds Eramihaによれば、20年前には考えられないようなシーンだといいます。「姿勢は大きく変わりました」と彼は言いました。「私が学校にいた頃、マオリ語は高い価値を持つと思われていなかったし、話されませんでした」

　マオリ語は、20世紀のほとんどの期間学校で禁止されていましたが、マオリ族の都市化と相まって、1980年代には、ニュージーランド先住民の20%しか流暢に話すことができなくなっていました。2010年に発表された政府報告では、この言語は絶滅の危機に瀕していると警告されています。

　今日とは対照的です。マオリ語はマオリ族やその他の人などニュージーランドの人々の間で人気が急上昇しています。マオリ語のコースはコミュニティカレッジですべて予約済みで、バンドや詩人、ラッパーがマオリ語を使ってパフォーマンスをしています。

　kai（食べ物）、ka pai（おめでとう）、mana（名声）などの単語が日常的に使用されています。ニュージーランド人が自分自身を定義する方法でさえ、ニュージーランドではなくアオテアロアを使用することを好む人が増えてきており、マオリ語を使う傾向になってきています。

　Jacinda Ardern首相は、娘のNeveが6月に生まれたときに「Te Araha（愛）」というマオリ語のミドルネームをつけました。

　彼女の政府は、2040年までにマオリ語を流暢に話せる人を100万人にすることを目標に掲げています。ニュージーランドの人口450万人のうちマオリ族が占める割合はわずか15%であるため、多くのマオリ族でない人たちがマオリ語を採用することを意味します。

[語　句]

extinction：絶滅　　Aotearoa：マオリ語でニュージーランドのこと

次の □ の文の後に、ア～エを並べ替えて続けると意味の通った文章になるが、その順序として最も妥当なのはどれか。

> J. Calvin Coffey was conducting research a number of years ago when he made an astounding[*1] discovery : An observation by Leonardo da Vinci, circa 1508, confirmed a theory he was trying to validate. Coffey studies the mesentery[*2], a fan-shaped structure that connects the small and large intestines[*3] to the back wall of the abdomen[*4].

ア　But while performing an increasing number of colorectal[*5] surgeries, Coffey had begun to suspect that the mesentery was one continuous organ.

イ　Coffey remembers the moment distinctly. Initially, he glanced at it and turned away. Then he looked again. "I was absolutely astonished at what I saw," he says. "It correlated exactly with what we were seeing. It's just an absolute masterpiece."

ウ　Since the publication of *Gray's Anatomy* in 1858 (then called *Anatomy : Descriptive and Surgical*), students have been taught that the mesentery is composed of several separate structures.

エ　As he and his colleagues homed in on the structure's anatomy to prove this hypothesis, Coffey found a drawing by Leonard depicting the mesentery as an uninterrupted structure.

（注）　[*1]astounding：びっくり仰天させるような　[*2]mesentery：腸間膜　[*3]intestine：腸
　　　　[*4]abdomen：腹腔　[*5]colorectal：結腸直腸の

1　イ→エ→ア→ウ

2　ウ→ア→エ→イ

3　ウ→イ→ア→エ

4　エ→ア→ウ→イ

5　エ→ウ→イ→ア

解説　　**正解 2**　　TAC生の正答率 **44%**

アに逆接の接続詞「But」があることに着目し、その主節である「Coffey had begun to suspect that the mesentery was one continuous organ」から、コフィーが腸間膜が「一つの連続した臓器」と疑い始めたことを確認する。逆接の接続詞の前後では文意が反対になるはずであるから、選択肢の順にしたがってエ→ア、ウ→ア、イ→アの流れを確認すると、ウの記述「... students have been taught that the mesentery is composed of several separate structures（学生たちは腸間膜がいくつかの別々の構造からなることを教えられてきた）」という記述が、アと対をなしていることが理解できる。これにより、ウ→アの流れがほぼ確実なものとして捉えられ、**2**が正解であることが推測できる。

確認のため、イの「the moment（その時）」という語に着目する。**2**のとおり、エ→イの流れであるとすれば、the momentが「コフィーがレオナルド・ダ・ヴィンチの絵を発見した時」になり、イ全体の記述が意味をなすことになる。

以上により、**2**を正解として導く。

[訳　文]

> J.カルヴィン・コフィーは、何年も前に研究を行っていたとき、驚くべき発見をした。1508年頃のレオナルド・ダ・ヴィンチによる観察が、彼が証明しようとしていた理論を裏付けたのである。コフィーは、小腸と大腸を腹腔の後壁につなぐ扇状の構造物である腸間膜を研究している。

ウ　1858年出版のグレイ著の『解剖学』（当時の名称は『記述的・外科的解剖学』）以来ずっと、学生たちは腸間膜がいくつかの別々の構造からなることを教えられてきた。

ア　しかし、結腸直腸の手術を行うことが増えるにつれ、コフィーは腸間膜が一つの連続した臓器なのではないかと思い始めた。

エ　彼とその仲間が、この仮説を証明するため、その臓器の解剖学的構造に着目したところ、コフィーは、腸間膜を途切れることのない構造として描いたレオナルド・ダ・ヴィンチの絵を発見した。

イ　コフィーはその時のことをはっきりと覚えている。まず、彼はそれに少しだけ目をやり、視線を外した。その後、再び見直した。彼は、「目にしたものにまったく仰天しました」「それは、私たちが目にしているものと完全に相関していたのです。まさに傑作です」と述べている。

[語　句]
conduct：実行する　　observation：観察　　validate：証明する　　continuous：連続した
be composed of：…からなる

現代文／英文／判断推理／空間把握／数的推理／資料解釈／時事／物理／化学

英文　文章整序

次の□□□の文の後に、ア〜エを並べ替えて続けると意味の通った文章になるが、その順序として最も妥当なのはどれか。

"Technological innovation has made major inroads into financial services, which has implications for payments and their key role for financial inclusion. While fintech[*1] can support improved access to safe transaction accounts and encourage their frequent use, it is not a panacea[*2] and there are risks that need to be managed," according to a Chair of the Committee.

ア　It can also make services more efficient and lower market entry barriers.

イ　However, these benefits bring risks in terms of operational and cyber resilience, protection of customer funds, data protection and privacy, digital exclusion and market concentration.

ウ　Fintech can contribute to improved design of transaction accounts and payment products, make them ubiquitously accessible with enhanced user experience and awareness.

エ　If not adequately managed, these risks could undermine financial inclusion, the report cautions.

（注）[*1]fintech：フィンテック、金融と情報技術を融合した新サービス

　　　[*2]panacea：万能薬

1　ア→イ→エ→ウ

2　ア→ウ→イ→エ

3　ウ→ア→イ→エ

4　ウ→イ→ア→エ

5　ウ→エ→ア→イ

解説 **正解 3**

まず、枠内文に続く文としてアとウのいずれが適切かを検討する。アであるとすると、最初の指示代名詞「it」が指すものが枠内文中にはっきり見出せず、また、「also」も何に対して付加しているのかがわかりにくい。一方、アの文中の「it」がFintechであるとすれば文意が成立することが同時に推測され、Fintechのメリットを述べたウの文に続くとすれば、アの文中にある「it」も「also」も意味を成すことがわかる。これにより、最初の文がウ、そしてそれにアが続くことが推測される。ウ→アの流れが最初にくるのは**3**だけである。

念のためそれ以降の流れを見ると、Fintechのメリットを述べたウ→アの流れに「However」と逆接してFintechの「risk」を列挙したイの文が続き、それらを「these risks」として受けたエの文がさらに続いており、**3**が正解であることが確認される。

[訳 文]

> 「技術革新は金融サービスに大きく進出したが、そのことは、決済と決済が金融包摂に果たす重要な役割にも影響を与えている。フィンテックが安全な取引口座へのより良いアクセスを支え、その頻繁な利用を促しうる一方で、それは万能薬ではなく、管理されるべきリスクもある」と、同委員会の議長は言う。

ウ　フィンテックは、取引口座や決済商品の設計改善に寄与し、ユーザーの経験や認識を高めながら、至る所でそれらにアクセスできるようにする。

ア　それはまた、サービスをより効率化し、市場参入における障壁を下げることもありうる。

イ　しかしながら、こうしたメリットは、運営上・サイバー空間上の強靱性、顧客資金の保護、データの保護とプライバシー、デジタル化に取り残されたものの排除、市場の集中化、などの面でリスクをもたらす。

エ　適切に管理されなければ、これらのリスクは金融包摂を損なわせる可能性がある、と報告書は警告している。

[語 句]

inroad：進出　　financial inclusion：金融包摂　　transaction account：取引口座
lower：低くする　　resilience：強靱性　　adequately：適切に

次の文の￭￭￭￭に当てはまるものとして最も妥当なのはどれか。

With the pandemic far from over, now may not be the right time for leisure travel. But that doesn't mean trip planning is canceled too. There's some good news for globe-trotters: According to researchers, looking ahead to your next adventure could benefit your mental health. Even if you're not sure when that adventure will be.

《中　略》

Among the pandemic's many challenges: quarantine* measures greatly reduce our ability to create new experiences and connect with other people. And we're craving those connections and their social benefits more than ever.

Amit Kumar, now an assistant professor at the University of Texas at Austin, says that the social-distancing experiment the pandemic forced on us has emphasized how much humans — social animals that we are — need to be together. He even suggests replacing the phrase "social distancing" with "physical distancing," which better describes what we're now doing; after all, quarantine measures are designed to protect our physical well-being.

Managing emotional well-being is a different challenge. While we may not be as physically close to others as usual, we're still able to interact with each other socially through voice and video chats. But you still need something to talk about — and plans for the future can serve as the perfect talking points for enhancing social relationships.

Kumar's co-author Matthew Killingsworth, now a senior fellow at the Wharton School at the University of Pennsylvania, says ￭￭￭￭￭￭￭￭￭￭￭￭￭￭￭￭.

"As humans, we spend a lot of our mental lives living in the future," says Killingsworth, whose work centers on understanding the nature and causes of human happiness. "Our future-mindedness can be a source of joy if we know good things are coming, and travel is an especially good thing to have to look forward to."

（注）＊quarantine：隔離

1 travel plans need to be canceled due to the pandemic

2 quarantine measures improve our ability to connect with other people

3 trip-planning encourages an optimistic outlook

4 managing emotional well-being is necessary to come the pandemic to an end

5 our future-mindedness should be driven by human happiness

| 解 説 | 正解 **3** | | TAC生の正答率 **29%** |

1 ✕ 「パンデミックのために旅行計画を中止しなければならない」の意。本文全体の内容に完全に矛盾する。

2 ✕ 「防疫措置は、人とつながる能力を向上させる」の意。特に第2段落の内容に矛盾する。

3 〇 「旅行の計画を立てることは、楽観的な見通しを促す」の意。本文全体ならびに最終段落のキリングスワース氏自身の言葉と合致する。

4 ✕ 「感情的な幸福を管理することが、パンデミックを終息させるために必要である」の意。本文全体の内容に矛盾するし、常識的にもおかしな記述である。

5 ✕ 「私たちの未来志向は、人間の幸福によって駆り立てられるはずである」の意。本文最終段落でキリングスワース氏は「未来志向は喜びの源になりえます」と述べているのであって、幸福によって未来志向になると主張しているのではない。

[訳 文]

パンデミック終息には程遠いなか、今はレジャー旅行に適した時期でないかもしれない。しかし、だからといって旅行を計画することも中止になるというわけではない。世界旅行の愛好者に朗報がある。研究者によると、次の冒険のことを考えていると、精神衛生上よい影響がありうるという。たとえその冒険がいつになるかわからなくても、である。

《中 略》

パンデミックがもたらす多くの困難の中でも、隔離措置は、私たちが新しい体験をしたり、人とつながったりする能力を大きく低下させる。私たちはかつてないほど、人とのつながりやそこから得られる社会的恩恵を求めている。

テキサス大学オースティン校のアミット・クマール准教授は、パンデミックによって余儀なくされたソーシャルディスタンスという実験は、社会的動物であるところの私たち人間が、いかに一緒にいなければならないかを強調した、と述べる。同氏はまた、「社会的距離を置く」という言葉を、現在行われていることをよりよく表す、「身体的距離を置く」という言葉で言い換えることも提案している。結局のところ、隔離措置は私たちの身体的健康を保護するよう設計されている。

感情面での健康を管理することは、また別の課題である。普段のように他人との距離を縮めることはできないかもしれないが、音声やビデオチャットで社会的に相互交流することはできる。しかし、それでもなお、会話すべき内容が必要だ。今後の予定について話すことは、社会的関係を強化するための絶好の話題として役立つだろう。

クマールの共著者で、現在はペンシルバニア大学ウォートンスクールの上級研究員であるマシュー・キリングスワースは旅行の計画を立てることは、楽観的な見通しを促すと述べる。

「人間として、私たちは精神生活の多くの時間を未来に生きることに費やしています」と、キリングスワースは述べる。彼の作品は、人間の幸福の本質と原因についての理解を中心としている。「良いことが起こるとわかっていれば、未来志向は喜びの源になりえます。特に旅行は、楽しみにせねばならない、特に良いことです」。

[語 句]

crave：切望する　　interact：相互交流する　　future-mindedness：未来志向

現代文
英文
判断推理
空間把握
数的推理
資料解釈
時事
物理
化学

　ある学校の生徒を対象に、スマートウォッチ、パソコン、AIスピーカー、携帯電話の4機器についての所有状況を調査した。次のことが分かっているとき、パソコンを所有しているがスマートウォッチを所有していない生徒の人数として最も妥当なのはどれか。

○　スマートウォッチとAIスピーカーのどちらか1機器又は両方の機器を所有している生徒は、必ずパソコンを所有している。

○　パソコンを所有している生徒は必ず携帯電話を所有している。

○　1機器のみを所有している生徒の人数と、2機器のみを所有している生徒の人数と、3機器のみを所有している生徒の人数と、4機器全てを所有している生徒の人数は、全て同じであった。

○　携帯電話を所有している生徒は100人であった。

○　携帯電話を所有していない生徒は10人で、AIスピーカーを所有していない生徒は80人であった。

1　15人

2　20人

3　25人

4　30人

5　35人

解 説　　**正解　4**　　

1つ目の条件と2つ目の条件をベン図で表すと、次のようになる。

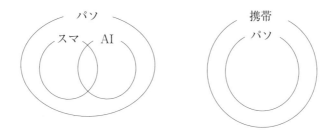

これらを一つにまとめると、次のようになり、さらに4つ目と5つ目の条件を書き入れる。調査した人数は100＋10＝110［人］であり、5つ目の条件からAIスピーカーを所有している人数は110－80＝30［人］となる。

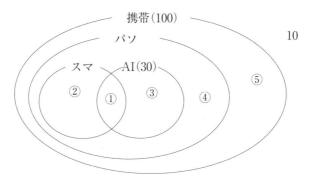

3つ目の条件について、1機器のみを所有しているのは図の⑤、2機器のみを所有しているのは図の④、3機器のみを所有しているのは図の②と③、4機器全てを所有しているのは図の①で、これらの合計が100人であるから、1〜4機器所有しているのはそれぞれ100÷4＝25［人］ずつとなる。①＋③＝30より、③は5人で、これにより②は20人となる。

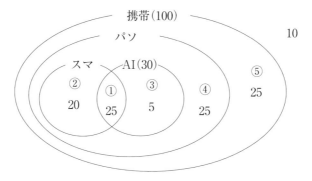

以上より、パソコンを所有しているがスマートウォッチを所有していないのは、③＋④＝5＋25＝30［人］であるので、正解は**4**である。

　ある部署の職員30人の勤務形態について、次のことが分かっているとき、確実にいえるものとして最も妥当なのはどれか。

　ただし、利用できるのは、フレックスタイム、テレワーク、勤務時間短縮の3種類であり、これらは併用でき、全ての職員が少なくともいずれか一つは利用しているものとする。

○　フレックスタイムを利用していない全ての職員は、テレワークを利用している。
○　勤務時間短縮を利用している職員は、9人である。
○　テレワークを利用していない職員は、4人である。
○　フレックスタイムと勤務時間短縮の両方を利用している職員は、4人である。
○　3種類全てを利用している職員は、2人である。

1　勤務時間短縮を利用せず、テレワークを利用している職員は、19人である。

2　勤務時間短縮のみを利用している職員は、フレックスタイムのみを利用している職員より多い。

3　フレックスタイムとテレワークの両方を利用している職員は、7人である。

4　テレワークと勤務時間短縮の両方を利用している職員は、3人である。

5　フレックスタイムのみを利用している職員は、4人である。

　条件をベン図で整理すると図1のようになる。なお、1つ目の条件より、全ての職員はフレックスタイムまたはテレワークを利用しているから、勤務時間短縮のみ利用している職員は0人であり、3つ目の条件より、テレワークを利用している職員は30−4＝26［人］である。

　図1より、フレックスタイムと勤務時間短縮の2種類のみを利用している職員は4−2＝2［人］で、テレワークと勤務時間短縮の2種類のみを利用している職員は9−4＝5［人］である。また、フレックスタイムのみを利用している職員は30−(26＋2)＝2［人］である。さらに、テレワークを利用しているが勤務時間短縮を利用していない職員は26−(2＋5)＝19［人］で、フレックスタイムとテレワークの2種類のみを利用している職員の人数をx［人］とおくと、テレワークのみを利用している職員の人数は19−x［人］とおける（図2）。それぞれの人数は0以上の整数なので、$x≧0$、$19−x≧0$より、$0≦x≦19$である。

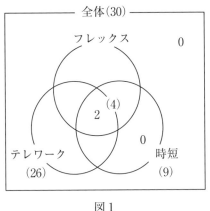
図1

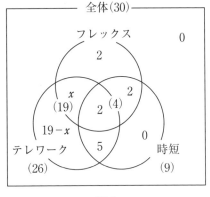
図2

1　○　勤務時間短縮を利用せず、テレワークを利用しているのは19人である。

2　×　勤務時間短縮のみを利用している職員は0人、フレックスタイムのみを利用している職員は2人である。

3　×　フレックスタイムとテレワークの両方を利用している職員は$x＋2$［人］で、具体的な人数は不明である。

4　×　テレワークと勤務時間短縮の両方を利用している職員は2＋5＝7［人］である。

5　×　フレックスタイムのみを利用している職員は2人である。

　ある研究者がある地域の複数の民族について調査した結果、「ある民族に祭りがあれば、そこには文字があるか又は楽器がある。」ということが分かった。ここで、この調査結果を基に、「ある民族に祭りがあれば、そこには伝統がある。」ということを証明するためには、次のうちではどれがいえればよいか。

1　ある民族に文字がなく、かつ、楽器がなければ、そこには伝統がない。

2　ある民族に文字がなく、かつ、楽器がなければ、そこには祭りがない。

3　ある民族に文字があり、かつ、楽器があれば、そこには伝統がある。

4　ある民族に伝統がなければ、そこには文字がなく、かつ、楽器がない。

5　ある民族に伝統がなければ、そこには文字がないか又は楽器がない。

解 説　　**正解　4**　　　　　　　　　　　　　　TAC生の正答率　**71%**

　調査結果を記号化すると、「祭り→文字∨楽器」と表せる。これをもとに、「祭り→伝統」を証明するには、「文字∨楽器→伝統」…①が言えればよい。①の対偶を取り、ド・モルガンの法則を用いると、「$\overline{伝統}$→$\overline{文字}$∧$\overline{楽器}$」…②であり、②を文章に直せば、「伝統がなければ、文字がなく、かつ、楽器がない」である。よって、正解は**4**である。

判断推理	命題	2020年度 基礎能力 No.12

あるサークルのメンバーに、行ったことがある国について尋ねたところ、次のことが分かった。このとき、論理的に確実にいえるのはどれか。

○　米国に行ったことがある者は、英国とロシアに行ったことがある。
○　英国に行ったことがある者は、中国に行ったことがある。

1　英国に行ったことがあるが、米国に行ったことがない者は、ロシアに行ったことがある。

2　ロシアに行ったことがあるが、米国に行ったことがない者は、中国に行ったことがある。

3　ロシアと中国に行ったことがある者は、英国に行ったことがある。

4　中国に行ったことがないが、ロシアに行ったことがある者は、英国に行ったことがある。

5　中国に行ったことがあるが、ロシアに行ったことがない者は、米国に行ったことがない。

4か国それぞれに行ったことがあるかないかを全パターン書き表すと、次のように2×2×2×2＝16［パターン］があることになる。

	米	英	ロ	中			米	英	ロ	中
①	○	○	○	○		⑨	×	○	○	○
②	○	○	○	×		⑩	×	○	○	×
③	○	○	×	○		⑪	×	○	×	○
④	○	○	×	×		⑫	×	○	×	×
⑤	○	×	○	○		⑬	×	×	○	○
⑥	○	×	○	×		⑭	×	×	○	×
⑦	○	×	×	○		⑮	×	×	×	○
⑧	○	×	×	×		⑯	×	×	×	×

このうち、1つ目の条件より、米国に行ったことがある者で、英国とロシアの少なくとも一方に行ったことがない者はいないから、③、④、⑤、⑥、⑦、⑧は除外される。また、2つ目の条件より、英国に行ったことがある者で、中国に行ったことがない者はいないから、②、④、⑩、⑫は除外される。よって、あり得るのは次の7パターンとなる。

	米	英	ロ	中
①	○	○	○	○
⑨	×	○	○	○
⑪	×	○	×	○
⑬	×	×	○	○
⑭	×	×	○	×
⑮	×	×	×	○
⑯	×	×	×	×

1　**×**　英国に行ったことがあるが、米国に行ったことがない者は⑨、⑪だが、⑪はロシアに行ったことがない。

2　**×**　ロシアに行ったことがあるが、米国に行ったことがない者は⑨、⑬、⑭だが、⑭は中国に行ったことがない。

3　**×**　ロシアと中国に行ったことがある者は①、⑨、⑬だが、⑬は英国に行ったことがない。

4　**×**　中国に行ったことがないが、ロシアに行ったことがある者は⑭だが、⑭は英国に行ったことがない。

5　**○**　中国に行ったことがあるが、ロシアに行ったことがない者は⑪、⑮で、どちらも米国に行ったことがない。

判断推理 | 対応関係

　ある日、A～Fの6人がそれぞれX、Y、Zの三つの公園のうちのいずれか一つに行った。公園には、シバザクラ、チューリップ、ツツジ、ポピー、マーガレットのうちいずれか2種類又は3種類の花が咲いており、咲いている花が2種類以上同じである公園はなかった。次のことが分かっているとき、確実にいえるのはどれか。

　ただし、A～Fは、行った公園内にある全ての花を見たものとする。

○　AはY公園に行き、3種類の花を見た。そのうち1種類はポピーであった。

○　DとEはX公園に行き、2種類の花を見た。見た花が2種類であった者は、DとEのみであった。

○　チューリップを見なかった者は、Cのみであった。

○　シバザクラを見た者は3人であり、マーガレットを見た者も3人であった。

1　Bは、シバザクラとツツジを見た。

2　Cは、ツツジとポピーを見た。

3　Eは、シバザクラもポピーも見なかった。

4　Fは、ポピーもマーガレットも見なかった。

5　ツツジを見た者は3人であった。

解　説　　　**正解　2**　　　　　　　　　　TAC生の正答率　**57%**

　以下のような対応表を書いて考えていく。ただし、花は頭文字のみに略記して表す。

　A～Fは、行った公園内にあるすべての花を見たので、2つ目の条件より、X公園に行ったのはD、Eのみであり、3つ目の条件より、Cが行った公園はXでもYでもなくZであり、Z公園に行ったのはCのみである。ここまでを反映させると表1になる。

表1	X	Y	Z	シ	チ	ツ	ポ	マ	○の数
A	×	○	×		○		○		3
B	×	○	×		○				3
C	×	×	○		×				3
D	○	×	×		○				2
E	○	×	×		○				2
F	×	○	×		○				3
○の数	2	3	1	3	5			3	16

　シバザクラを見た3人はY公園に行ったA、B、Fの3人かX公園とZ公園に行ったC、D、Eの3人のいずれかである。これで場合分けをする。

(i) シバザクラを見た3人がY公園に行ったA、B、Fの3人の場合

A、B、Fの見た花が決まり、マーガレットを見た3人はC、D、Eである。よって、この場合は表2のようになる。

表2	X	Y	Z	シ	チ	ツ	ポ	マ	○の数
A	×	○	×	○	○	×	○	×	3
B	×	○	×	○	○	×	○	×	3
C	×	×	○	×	×	○	○	○	3
D	○	×	×	×	○	×	×	○	2
E	○	×	×	×	○	×	×	○	2
F	×	○	×	○	○	×	○	×	3
○の数	2	3	1	3	5	1	4	3	16

(ii) シバザクラを見た3人がX公園とZ公園に行ったC、D、Eの3人の場合

C、D、Eの見た花が決まり、マーガレットを見た3人はA、B、Fである。よって、この場合は表3のようになる。

表3	X	Y	Z	シ	チ	ツ	ポ	マ	○の数
A	×	○	×	×	○	×	○	○	3
B	×	○	×	×	○	×	○	○	3
C	×	×	○	○	×	○	○	×	3
D	○	×	×	○	○	×	×	×	2
E	○	×	×	○	○	×	×	×	2
F	×	○	×	×	○	×	○	○	3
○の数	2	3	1	3	5	1	4	3	16

表2、表3より、正解は**2**である。

　A～Dの4人の園児が、ひらがな1文字の書かれたカードを3枚ずつ持っており、それは、Aは「た」、「ぬ」、「き」、Bは「ね」、「ず」、「み」、Cは「き」、「つ」、「ね」、Dは「こ」、「あ」、「ら」であった。この状態から、以下のルールでゲームを行った。

[ルール]
・4人は2組のペアを作ってじゃんけんをする。
・じゃんけんで勝った園児が負けた園児からカードを1枚受け取る。
・じゃんけんであいこの場合は、勝負が決まるまでじゃんけんを繰り返す。
・両方のペアの勝負が決まったら、1回戦終了とする。
・2回戦以降は、連続して同じ相手とならないようにペアを変えて行う。
・手持ちのカードが0枚の状況でじゃんけんに負けた園児が出たらゲームを終了する。

　これを4回戦まで終えたときの状況が次のとおりであるとき、確実にいえることとして最も妥当なのはどれか。

○　Aは3勝1敗で、現在5枚のカードを持っている。そのうち1枚は「ら」である。
○　Bは3勝1敗で、現在5枚のカードを持っている。そのうち1枚は「こ」である。
○　Cは1勝3敗で、現在1枚のカードを持っている。2回戦で負けて「つ」のカードを渡し、4回戦で勝って「た」のカードを受け取った。
○　「た」のカードを持っている園児は、A→D→B→Cの順番にかわった。

1　Aが「ら」のカードを受け取ったのは、3回戦である。

2　Bが「こ」のカードを受け取ったのは、1回戦である。

3　Cは、4回戦を終えるまでに、他の3人に1回ずつ負けた。

4　Dが「た」のカードを受け取ったのは、1回戦である。

5　4回戦を終えたときに文字が同じカードを2枚所有しているのは、2人である。

解 説　　正解　**2**

　各回戦の対戦ペア、勝敗、受け渡しのカードを、表にして整理する。3つ目の条件より、Cが唯一勝ったのは4回戦で4つ目の条件よりBから「た」のカードを受け取ったから、4回戦の相手はBとなる。Bは、4回戦以外はすべて勝っている（表1）。

表1	1回戦			2回戦			3回戦			4回戦		
	相手	勝敗	カード	相手	勝敗	カード	相手	勝敗	カード	相手	勝敗	カード
A										D		
B		○			○			○		C	×	「た」
C		×			×	「つ」		×		B	○	「た」
D										A		

　勝敗に注目すると、Aの1敗はDに負けたことによるもので、Cの1勝はBに勝ったことによるものである。Bの4回戦終了後に所持している「こ」について、AはBに負けてなく、CはDに勝っていないので、「こ」がDから他の誰かに渡りBに渡ったのではなく、BはDに勝って「こ」を受け取っていることになる。また、4つ目の条件より、DからBに「た」のカードが移動しているから、BはDに勝って「た」も受け取っている。以上より、BはDと2回対戦しており、連続して対戦はしないから、1回戦と3回戦で対戦したことになる。1回戦の前の時点では「た」はAが持っているから、「た」のカードを受け取ったのは3回戦で、1回戦では「こ」のカードを受け取ったことになる（表2）。

表2	1回戦			2回戦			3回戦			4回戦		
	相手	勝敗	カード	相手	勝敗	カード	相手	勝敗	カード	相手	勝敗	カード
A	C	○					C	○		D		
B	D	○	「こ」		○		D	○	「た」	C	×	「た」
C	A	×			×	「つ」	A	×		B	○	「た」
D	B	×	「こ」				B	×	「た」	A		

　表2と4つ目の条件より、Aは2回戦でDに負け、「た」を渡したことになる。Aの1敗は2回戦で、4回戦では勝ったことになる。Aが「ら」を受け取る可能性があるのは4回戦だけである（表3）。1回戦と3回戦でAはCに勝ち、それぞれ「き」と「ね」を受け取っているが、どちらを1回戦で受け取ったかは不明である。

表3	1回戦			2回戦			3回戦			4回戦		
	相手	勝敗	カード	相手	勝敗	カード	相手	勝敗	カード	相手	勝敗	カード
A	C	○		D	×	「た」	C	○		D	○	「ら」
B	D	○	「こ」	C	○	「つ」	D	○	「た」	C	×	「た」
C	A	×		B	×	「つ」	A	×		B	○	「た」
D	B	×	「こ」	A	○	「た」	B	×	「た」	A	×	「ら」

　よって、表3より正解は**2**である。

判断推理　　対応関係

　ある劇場では、ある年の４月から９月まで古典芸能鑑賞会を行い、能、狂言、歌舞伎、文楽、落語、講談のいずれか一つを月替わりで公演した。この間、Ａ～Ｄの４人が、それぞれ三つの古典芸能を鑑賞した。次のことが分かっているとき、確実にいえるものとして最も妥当なのはどれか。

○　毎月２人が鑑賞し、その２人の組合せは毎月異なっていた。
○　３か月連続して鑑賞した者はいなかった。
○　Ａは、狂言を鑑賞し、講談をＢと鑑賞した。
○　Ｂは、能をＣと鑑賞した。
○　Ｃは、６月に鑑賞し、別の月に歌舞伎をＤと鑑賞した。
○　Ｄは、落語を鑑賞した翌月に、狂言を鑑賞した。
○　８月は文楽を公演した。

1　４月は能を公演した。

2　５月は落語を公演した。

3　６月は講談を公演した。

4　７月は狂言を公演した。

5　９月は歌舞伎を公演した。

1つ目の条件より、まず、各人が鑑賞した古典芸能を考える。3つ目～6つ目の条件を表に書き入れると、表1のようになる。

表1	能	狂言	歌舞伎	文楽	落語	講談	計
A	×	○	×			○	3
B	○	×	×			○	3
C	○	×	○			×	3
D	×	○	○	×	○	×	3

表1と1つ目の条件より、DはAと狂言、Cと歌舞伎を鑑賞しているから、Dと落語を鑑賞したのはBであり、残る文楽はAとCが鑑賞したことになる（表2）。

表2	能	狂言	歌舞伎	文楽	落語	講談	計
A	×	○	×	○	×	○	3
B	○	×	×	×	○	○	3
C	○	×	○	○	×	×	3
D	×	○	○	×	○	×	3

次に、それぞれの古典芸能が公演された月を考える。5つ目の条件よりCは6月に鑑賞しており、7つ目の条件より8月は文楽が公演されている。Cは6月、8月に鑑賞しているので、2つ目の条件より7月には鑑賞していない。また、6つ目の条件について、Cは落語と狂言のどちらも鑑賞していないので、落語が4月、狂言が5月に公演されたことになる（表3）。

表3	4月 落語	5月 狂言	6月	7月	8月 文楽	9月
A	×	○			○	
B	○	×			×	
C	×	×	○	×	○	
D	○	○			×	

Cは文楽の他、能と歌舞伎を鑑賞しているが、5つ目の条件より6月に能、9月に歌舞伎を鑑賞したことになる。残る7月に公演されたのは講談となる（表4）。

表4	4月 落語	5月 狂言	6月 能	7月 講談	8月 文楽	9月 歌舞伎
A	×	○	×	○	○	×
B	○	×	○	○	×	×
C	×	×	○	×	○	○
D	○	○	×	×	×	○

よって、表4より正解は**5**である。

判断推理　　対応関係

　ある学校の料理部にはA～Dの4人が所属しており、各人が作った料理の人気投票を行った。料理は全部で6品あり、2人が1品ずつ、残りの2人が2品ずつ料理を作り、各人3票を自分以外の人が作った料理に投票した。次のことが分かっているとき、確実にいえるのはどれか。

　ただし、同一の料理に2票以上投票した者はいないものとする。

○　A～Dのそれぞれについて得票数の合計をみると、互いに異なり、最多の人は6票で最少の人は1票であった。

○　AはB、C、Dが作った料理に投票した。

○　CはDが作った料理に投票したが、DはCが作った料理には投票しなかった。

○　得票数が0票の料理はCが作った料理であった。

1　Aは1品だけ料理を作った。

2　BはC、Dが作った料理に投票した。

3　Cが作った料理の得票数の合計は2票であった。

4　DはBが作った料理には投票しなかった。

5　Dが作った料理の得票数の合計は3票であった。

解説　正解　**5**

　各人3票ずつ投票しているから、投票数の合計は4×3＝12［票］である。4人の得票数は互いに異なり、最多得票が6票、最少得票が1票であるから、残りの2人の得票数の合計は12－（6＋1）＝5［票］で、これを満たす組合せは3票と2票のみである。

　次に、6票得た人物を考える。1品での得票数は、最多でも自分を除く3人が1票ずつを入れた3票であるから、6票を得たということは2品作り、かつ、2品とも他の3人が1票ずつ入れたことになる。2つ目の条件より、B、C、DはAから1票ずつしか投票されていないから、2品作り、かつ、2品とも他の3人が1票ずつ入れた可能性があるのはAのみである。また、4つ目の条件より、Cが1品のみ作った場合の得票数は0票となるので、Cは2品作ったことになる。以上をまとめると、表1のようになる。

表1

人＼品	A	A	B	C	C	D	投票数
A			○	○	×	○	3
B	○	○					3
C	○	○					3
D	○	○					3
得票数	6						12

　4つ目の条件より、Cが作った料理の一方は得票数0票である。また、3つ目の条件を加えると、CはDが作った料理に投票しているから、Bが作った料理に投票しておらず、DはCが作った料理に投票していないから、Bが作った料理に投票したことになる。Bの得票数は2票となり、Dの得票数は2以上だから3票で、残るCの得票数は1票となる（表2）。

表2

人＼品	A	A	B	C	C	D	投票数
A			○	○	×	○	3
B	○	○		×	×	○	3
C	○	○	×			○	3
D	○	○	○	×	×		3
得票数	6		2	1		3	12

以上より、正解は**5**である。

判断推理　対応関係

　「0」の入力に対して正常な出力が得られて、「1」の入力に対してエラーが出力される回路と、「1」の入力に対して正常な出力が得られて、「0」の入力に対してエラーが出力される回路がある。回路はA～Eの全部で五つあり、各回路を4回操作し、そのときの入力が表のとおりであったとき、1回目は四つ、2回目は二つ、3回目は二つ、4回目は二つの正常な出力が得られた。このとき、確実にいえるものとして最も妥当なのはどれか。

	A回路	B回路	C回路	D回路	E回路
1回目	0	0	1	0	1
2回目	1	1	1	0	1
3回目	1	1	0	1	1
4回目	1	1	0	0	0

1　「1」の入力に対して正常な出力が得られる回路は、三つ以上ある。

2　「0」の入力に対して正常な出力が得られる回路は、三つのみである。

3　A回路とD回路は、「0」の入力に対して正常な出力が得られる。

4　C回路とE回路は、「1」の入力に対して正常な出力が得られる。

5　B回路は「0」の入力に対して、D回路は「1」の入力に対して正常な出力が得られる。

　正常な出力を得られることを○、エラーが出力されることを×で表す。1回目と2回目の入力では、A回路とB回路のみ入力値を変更したが、その結果、1回目は○が四つだったのが2回目には○が二つに減少しているので、2回目のA回路とB回路は×であったことがわかる。よって、A回路とB回路は、0の入力が○、1の入力が×となる（表1）。

3	A回路		B回路		C回路	D回路		E回路		○の数
1回目	0	○	0	○	1	0		1		4
2回目	1	×	1	×	1	0		1		2
3回目	1	×	1	×	0	1		1		2
4回目	1	×	1	×	0	0		0		2
○の数	1		1							10

　○の総数は10で、A回路とB回路はそれぞれ1つだから、C回路、D回路、E回路の○の数の合計は8つとなる。C回路は0、1のどちらの入力が○であっても○の数は2つとなる。よって、D回路、E回路の○の数の合計は6つであり、それぞれ3回入力しているのが○となるから、D回路は0の入力、E回路は1の入力が○となる（表2）。

表2	A回路		B回路		C回路	D回路		E回路		○の数
1回目	0	○	0	○	1	0	○	1	○	4
2回目	1	×	1	×	1	0	○	1	○	2
3回目	1	×	1	×	0	1	×	1	○	2
4回目	1	×	1	×	0	0	○	0	×	2
○の数	1		1		2	3		3		10

　表2より、1回目のA回路、B回路、D回路、E回路はいずれも○だから、C回路は×となり、C回路は0の入力が○、1の入力が×となる（表3）。

表3	A回路		B回路		C回路		D回路		E回路		○の数
1回目	0	○	0	○	1	×	0	○	1	○	4
2回目	1	×	1	×	1	×	0	○	1	○	2
3回目	1	×	1	×	0	○	1	×	1	○	2
4回目	1	×	1	×	0	○	0	○	0	×	2
○の数	1		1		2		3		3		10

　よって、表3より正解は**3**である。

判断推理　　対応関係

A〜Dの4人は、それぞれ一つのプレゼントを持ち寄り、交換会を行った。交換は、1回ごとに、4人の中からくじ引きで選ばれた2人が、それぞれその時点で持っているプレゼントを交換するという形で行われた。

くじ引きで選ばれた2人のうちの1人は、1回目の交換ではA、2回目の交換ではB、3回目の交換ではCであった。この3回の交換が終わったところ、BとCの2人は最初に各自が持ち寄ったプレゼントを持っていた。このとき、確実にいえるのはどれか。

1　1回目の交換において、AはCと交換を行った。

2　1回目の交換において、Aと交換を行った可能性のある人は、3人のうち2人である。

3　2回目の交換において、BはDと交換を行った。

4　3回目の交換において、CはBと交換を行った。

5　1回目、2回目、3回目の交換において、Dと交換を行った人はいなかった。

交換前のA〜Dのプレゼントをそれぞれ1〜4の数字で表し、4人が持っているプレゼントを左から順に（A，B，C，D）＝（1，2，3，4）のように表す。数字の置かれた位置が人を表しており、交換前（スタート時点）は（1，2，3，4）である。

3回目の交換後（終了時点）はB、Cがスタート時点と同じプレゼントを持っていたので、$(x, 2, 3, y)$と表せる。ただし、x，yは1または4が重複せず対応する。奇数回の交換後、スタートと同じである（1，2，3，4）にはなりえないので、$x = 4$，$y = 1$であり、終了時点は（4，2，3，1）である。

以下では、各回の交換を矢印（→）で表して、3回の交換を上から下へ流れ図を描いて考える。ただし、図中の網掛けの数字は、問題の条件にある、くじ引きで選ばれた2人のうちの1人の位置を表す。また、①〜③は1回目の交換でAと交換した相手がそれぞれB、C、Dの場合をスタート時点から起算したが、④〜⑥は3回目の交換でCと交換した相手がA、B、Dの場合を終了時点から逆算して書き出している（図1）。

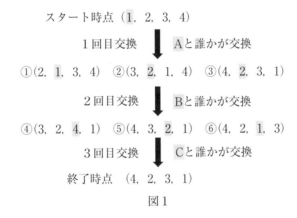

図1

①〜③から④〜⑥への2回目の交換で起こりえる場合を考える。①の場合、Bの2をAまたはCまたはDと交換するが、交換後④〜⑥になりえない。②の場合、Bの2をAまたはCまたはDと交換するが、交換後④〜⑥になりえない。③の場合、Bの2をAまたはCまたはDと交換するが、Cと交換すれば交換後⑤になる。よって、この場合しかありえず、3回の交換の様子は図2のようになる。

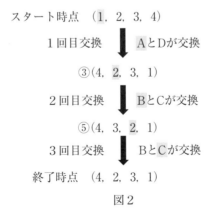

図2

よって、正解は**4**である。

A〜Fの6チームによって図のようなバレーボールのトーナメント戦が行われた。その結果について、次のことが分かっているとき、確実にいえるものとして最も妥当なのはどれか。

○　試合数が3回のチームは、1チームのみであった。
○　優勝したチームの試合数は2回であった。
○　Aチームは、自身にとっての2試合目で負けた。
○　BチームとCチームは、どちらも最初の試合で負けた。
○　Dチームの初戦の相手はEチームであり、その試合はEチームにとっての2試合目であった。

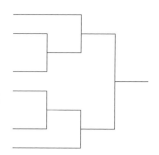

1　Aチームは、1試合目でCチームと対戦した。

2　Bチームは、1試合目でAチームと対戦した。

3　Dチームは、Bチームとも対戦し、優勝した。

4　Eチームは、Fチームとも対戦し、準優勝した。

5　Fチームは、Aチームとも対戦し、準優勝した。

解 説　　**正解　4**　　　　　　　　　　　TAC生の正答率　**80%**

　説明上、トーナメント図の各チームの配置場所を①～⑥とする。2つ目の条件より、優勝したチームは①または⑥だが、上下を入れ替えても同じであるので、優勝したチームを①として考える。1つ目の条件より、試合数が3回のチームが1チームあるが、このチームは1回戦から参加して、決勝戦まで進んだことになる。これに当てはまるのは④または⑤だが、入れ替えても同じであるので、決勝戦まで進んだチームを④とする。④は、決勝戦で①に負けたことになる（図1）。

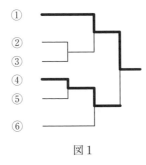

図1

　3つ目の条件について、自身の2試合目で負けた可能性があるのは②または③のみである。②と③は入れ替えても同じであるので、②をAチームとする。Aチームは1試合目に勝ち、2試合目に①に負けたことになる。5つ目の条件について、2試合以上行っているのは②の他は①と④であるが、Eが①の場合、2試合目の相手の④は初戦とはならない。よって、Eは④で、2試合目の相手である⑥がDとなる（図2）。

　4つ目の条件より、BとCは③または⑤となるが、それぞれどちらかは不明である。残るFが①となる（図3）。

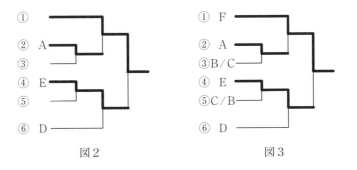

図2　　　　　　　　　　　　　　　　図3

　よって、図3より正解は**4**である。

判断推理 | 順序関係

　A〜Eの5人の生徒が立候補して、生徒会の選挙が行われた。5人が全生徒の前で1人ずつ順番に演説した後、投票が行われ、得票数の多い生徒から順番に3人が生徒会長、副会長、書記に当選した。演説の順番及び選挙の得票数について、次のことが分かっているとき、確実にいえるものとして最も妥当なのはどれか。

　ただし、投票は1人1票とする。

○　Dは1番目に演説した。

○　AはEの直後に演説した。

○　Cは書記に当選した。

○　3番目に演説した生徒の得票数は、全生徒数の半分を超えていた。

○　当選した生徒の直前及び直後に演説した生徒がいた場合、それらの生徒は当選しなかった。

1　Aは生徒会長に当選した。

2　Bは当選しなかった。

3　Cの得票数はDよりも多かった。

4　Dは当選しなかった。

5　Eの得票数はBよりも少なかった。

演説順と何に当選したかを表に整理する。1つ目と4つ目の条件を書き入れると表1のようになる。なお、1人1票で、得票数が全生徒の半分（＝50%）を超えていた場合、得票数が1位となるのが確定するので、3番目に演説した生徒は会長に当選したことになる。

表1	1	2	3	4	5
人	D				
当選			会長		

5つ目の条件より、2番目と4番目に演説した人は当選しなかったことになる。このことと3つ目の条件より、Cは5番目に演説しており、Dは副会長に当選したことになる（表2）。

表2	1	2	3	4	5
人	D				C
当選	副会長	×	会長	×	書記

2つ目の条件より、A、B、Eの演説順は表3、表4の2通りが考えられる。

表3	1	2	3	4	5
人	D	E	A	B	C
当選	副会長	×	会長	×	書記

表4	1	2	3	4	5
人	D	B	E	A	C
当選	副会長	×	会長	×	書記

よって、表3、表4より、正解は**2**である。

判断推理	順序関係	2020年度 基礎能力 No.14

　あるコンサートにはA～Eの5グループが順番に出演することになっていたが、直前になって出演順が変更となった。各グループの出演順について次のことが分かっているとき、確実にいえるのはどれか。

○　Aの出演順は、変更前後で同じであった。

○　Bの変更後の出演順は、変更前より遅くなった。

○　Cの変更後の出演順は、Aの直前であった。

○　Dの変更後の出演順は、4番目以降であった。

○　Eの出演順は、変更前はAの直前であったが、変更後はAの直後であった。

○　変更前に4番目に出演することになっていたグループは、1番目か2番目の出演となった。

1　Aの出演順は、4番目であった。

2　Bの変更前の出演順は、3番目であった。

3　Cの変更前の出演順は、1番目であった。

4　Dの変更後の出演順は、5番目であった。

5　Eの変更後の出演順は、2番目であった。

解　説　　**正解　2**　　　TAC生の正答率　**86%**

　変更前を上の段、変更後を下の段とした表に整理する。3つ目と5つ目の条件より、変更後はC、A、Eの順で連続して出演している。また、2つ目と4つ目の条件より、変更後に1番目に出演したのはBでもDでもないから、変更後に1番目に出演したのはCとなる。このことと1つ目と5つ目の条件も考慮すると表1のようになる。

表1	1番目	2番目	3番目	4番目	5番目
変更前	E	A			
変更後	C	A	E		

　表1と6つ目の条件より、変更前に4番目に出演することになっていたのはCであり、このことと2つ目の条件より、Bの変更前は3番目となる。Dの変更前は残る5番目であるが、変更後の4番目と5番目がそれぞれBとDのどちらであるかは不明である（表2）。

表2	1番目	2番目	3番目	4番目	5番目
変更前	E	A	B	C	D
変更後	C	A	E	B/D	D/B

　したがって、表2より正解は**2**である。

ある会社が、1室の多目的ホールをA～Eの各人に1度ずつ貸し出した。6月1日（月）から貸出しを始め、貸出期間が終了した日の翌日に別の人に貸し出すことを繰り返したところ、最後の人の貸出期間終了日は6月28日（日）であった。A～Eへの貸出状況について、次のことが分かっているとき、貸し出した順番として最も妥当なのはどれか。

○ 貸出期間開始日は、全て、月曜日か金曜日のいずれかであった。
○ Aの貸出期間開始日は月曜日で、貸出期間は最も長く、11日間であった。
○ Bへの貸出期間は2番目に長く、貸し出したのはCの次であった。
○ Dへの貸出期間は4日間であった。
○ Eに貸し出したのは、Aよりも前であった。

1 C→B→D→E→A

2 C→B→E→A→D

3 D→C→B→E→A

4 D→E→A→C→B

5 E→D→A→C→B

解 説　　**正解 4**　　　　　TAC生の正答率 **70%**

貸出期間開始日は月曜日か金曜日、貸出期間終了日は木曜日か日曜日である。2つ目の条件より最長の貸出期間は11日間であるから、A～Eの5人の貸出期間は、①月曜日から木曜日の4日間、②月曜日から翌週木曜日の11日間、③月曜日から翌週日曜日の7日間、④金曜日から翌週日曜日の3日間、⑤金曜日から翌々週日曜日の10日間、⑥金曜日から翌週木曜日の7日間、のいずれかとなる。貸出期間は、3、4、7、10、11日間のいずれかで、このうちAが11日間、Dが4日間だから、残りの3人の貸出期間の合計は28－(11＋4)＝13[日間]となる。3、4、7、10、11のうち3つの数で合計が13になるのは(7，3，3)の組合せだけであり、3つ目の条件より、Bが7日間、CとEがそれぞれ3日間だったことになる。

それぞれの貸出期間の曜日に注目すると、A＝11日間（月曜日～木曜日）、CおよびE＝3日間（金曜日～日曜日）、D＝4日間（月曜日～木曜日）で、3つ目の条件よりBはCの次であるから、B＝7日間（月曜日～日曜日）となる。6月1日（月）が貸出期間開始日の可能性があるのは、曜日で見るとA、B、Dのいずれかであるが、5つ目の条件よりAの貸出順はEより後、3つ目の条件よりBの貸出順はCより後であるから、最初の6月1日（月）が貸出期間開始日だったのはDとなる。また、6月28日（日）が貸出期間終了日の可能性があるのは、曜日で見るとB、C、Eのいずれかであるが、3つ目の条件よりCの貸出順はBより前、5つ目の条件よりEの貸出順はAより前であるから、最後の6月28日（日）が貸出期間終了日だったのはBとなる。貸出期間の順番としては、Dが1番目、Bが5番目で、Bの直前の4番目がCで、EはAよりも前だから、Eが2番目、Aが3番目となる。以上より、正解は**4**である。

判断推理	順序関係	2022年度 基礎能力 No.16

あるクラスの生徒たちが長距離走を行った。長距離走のコースは、学校の校門とB地点を往復するもので、具体的には、出発地点の学校の校門を生徒たちが同時に出て、A地点を経由してB地点で折り返し、再びA地点を通り、ゴール地点である学校の校門まで走る。

この長距離走において、生徒Xの状況は以下のとおりであった。このとき、ゴール地点における、生徒Xの順位として最も妥当なのはどれか。

ただし、A地点、B地点及びゴール地点において、2人以上が同時に通過又は到着することはなかったものとする。

○　出発地点の校門から往路のA地点までの間に、誰ともすれ違わなかった。

○　往路のA地点から折り返し地点のB地点までの間に、すれ違ったのは9人で、追い抜かれたのは3人であったが、誰も追い抜かなかった。

○　折り返し地点のB地点から復路のA地点までの間に、すれ違ったのは5人で、追い抜かれたのは4人であったが、誰も追い抜かなかった。

○　復路のA地点からゴール地点の校門までの間に、すれ違ったのは1人で、追い抜いたのは2人であったが、誰にも追い抜かれなかった。

1　12位

2　13位

3　14位

4　15位

5　16位

解 説　　**正解　1**　　TAC生の正答率　32%

折り返し地点を基準に考えると、Xは折り返し地点までに9人とすれ違ったので、折り返し地点では自分より前に9人いたことになる。よって、折り返した時点でのXの順位は10位である。

折り返し後、Xは4人に追い抜かれ、2人を追い抜いたから、順位変動は＋4－2＝＋2で、2つ順位を下げてゴールしたことになる。

よって、Xのゴール地点での順位は12位であるから、正解は**1**である。

図Iに示す座席配置の乗用車に乗って、A〜Fの6人が行楽地に移動した。運転席に座ったのはA、Bの2人のみであった。移動途中にパーキングエリアで一度休憩をして、その際に運転席を含む席を何人かが交代した。休憩前と休憩後の6人の座った位置について次のことが分かっているとき、確実にいえることとして最も妥当なのはどれか。

ただし、前後の席及び隣の席とは、図Ⅱに示すとおりとする。

［休憩前］

・Cの前にBが座っていた。

・Eの前にFが座っていた。

［休憩後］

・Aは3列目の真ん中に座っていた。

・Dの隣にFが座っていた。

・2人が休憩前と同じ席に座っていた。

1 休憩前には、Dは3列目に座っていた。

2 休憩後には、CはAの隣に座っていた。

3 休憩前も休憩後も助手席に座った者はいなかった。

4 休憩前も休憩後も同じ席に座っていた2人は、CとEである。

5 休憩前も休憩後も同じ席に座っていた2人のうちの1人は、Fである。

図I

図Ⅱ

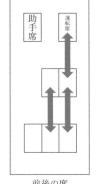
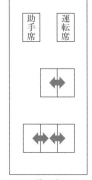

前後の席　　　　　隣の席

解説　　　**正解　5**　　　TAC生の正答率 **77%**

　問題文中の条件および、休憩後の1つ目の条件より、休憩前の運転席はA、休憩後の運転席がBとなる（図1）。

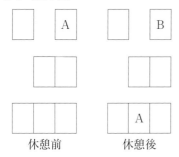

休憩前　　　　休憩後

図1

　休憩前の条件より、B、Cの座る位置とF、Eの座る位置はそれぞれ2列目、3列目の中央もしくは右側のどちらかであるので、場合分けをする。

(i)　2列目、3列目の中央にB、Cが座っていた場合

　図2のようになる。休憩後の3つ目の条件について、A、B、Cは休憩前後で同じ席に座っていた可能性がないので、同じ席に座っていたのはD、E、Fのうちの2人である。さらに、休憩後の2つ目の条件より、休憩後のDとFは2列目に座っていたことになるので、Dが休憩前後で同じ席に座っていた可能性もない。よって、休憩前後で同じ席に座っていたのはEとFであり、休憩後のAの前にDが座っていたことになる。休憩前のDの席、休憩後のCの席がそれぞれどちらであったかは不明である（図3）。

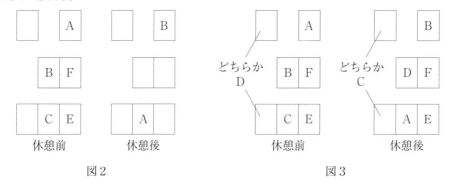

休憩前　　　　休憩後　　　　　　　　休憩前　　　　　　休憩後

図2　　　　　　　　　　　　　　図3

(ii)　2列目、3列目の中央にF、Eが座っていた場合

　図4のようになる。休憩後の3つ目の条件について、A、B、Eは休憩前後で同じ席に座っていた可能性がないので、同じ席に座っていたのはC、D、Fのうちの2人である。さらに、休憩後の2つ目の条件より、休憩後のDとFは2列目に座っていたことになるので、Dが休憩前後で同じ席に座っていた可能性もない。よって、休憩前後で同じ席に座っていたのはCとFであり、休憩後のCの前にDが座っていたことになる。休憩前のDの席、休憩後のEの席がそれぞれどちらであったかは不明である（図5）。

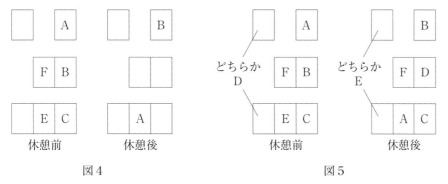

休憩前   休憩後   休憩前   休憩後

図4   図5

よって、図3、図5より正解は**5**である。

判断推理	位置関係	2023年度 基礎能力 No.15

　図は、ある音楽大学における学生寮の1区画であり、A〜Fの全部で6部屋から成る。2022年度は、トランペット、フルート、ヴァイオリン、チェロのそれぞれの楽器の専攻者と指揮の専攻者の計5名が入寮し、1部屋は空室であったが、2023年度は、新たに声楽の専攻者1名が入寮し、一部の者は部屋を移動した。次のことが分かっているとき、確実にいえるのはどれか。

　ただし、部屋の移動は2023年度初めの一度だけであり、2022年度から2023年度にかけて退寮した者はいなかった。また、1部屋に1名が入室するものとする。

　なお、Aの向かいはDだけを指し、Aの隣はBだけを指し、AとBは隣どうしである。

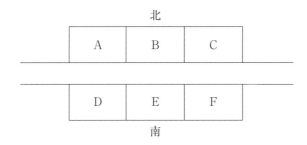

〈2022年度〉

○　ヴァイオリン専攻者の部屋は南側であり、空室の隣であった。

○　空室の向かいはフルート専攻者の部屋であった。

○　指揮専攻者の両隣はトランペット専攻者とフルート専攻者の部屋であった。

〈2023年度〉

○　ヴァイオリン専攻者は部屋の移動がなかった。

○　ヴァイオリン専攻者の部屋の向かいは、トランペット、フルート、チェロの専攻者の部屋ではない。

○　トランペット専攻者は向かいの部屋に移動した。

○　フルート専攻者は空室に移動した。

1　2022年度における空室はFであった。

2　部屋の移動がなかったのは2名である。

3　2023年度における声楽専攻者の部屋と指揮専攻者の部屋は隣どうしである。

4　トランペット専攻者はAからDに移動した。

5　2023年度におけるチェロ専攻者の部屋は南側である。

解 説　　**正解　3**　　　　　　　　　　TAC生の正答率　**83%**

以下のような表を書いて考えていく。ただし、表の上行が北側、下行が南側を表し、専攻者の専攻名は頭文字のみに略記して表す。

2022年度は、1つ目の条件から空室は南側にあり、2つ目の条件と合わせれば、フルート専攻者の部屋は北側にある。よって、3つ目の条件までを反映すると、表1のようになる。

表1　　　　【2022】

ト/フ	指	フ/ト
チ/空	ヴ	空/チ

2023年度は表1をもとに、4つ目、6つ目、7つ目の条件を反映すれば、表2のようになる。

表2　　　　【2023】

A	B	C
ト/フ	ヴ	フ/ト

5つ目の条件より、チェロ専攻者の部屋はAまたはCである。チェロ専攻者の部屋がAのとき、残る声楽専攻者と指揮専攻者の部屋はBとCであり、チェロ専攻者の部屋がCのとき、残る声楽専攻者と指揮専攻者の部屋はAとBである。いずれの場合も声楽専攻者の部屋と指揮専攻者の部屋は隣どうしである。よって、正解は**3**である。

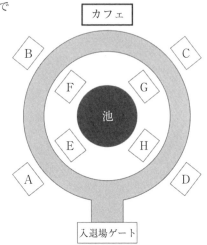

図のように、エリアA〜Hが歩道（図の灰色部分）を挟んでいる動物園があり、A〜Hの全てのエリアに互いに異なる動物が1種類ずついる。

Pは、この動物園に午前に入場し、時計回りで一周して正午に退場した。Qは、この動物園に午後に入場し、歩道を反時計回りで半周したところでカフェで休憩した。Qは、夕方になってからカフェを出て、歩道の残りを半周して退場した。次のことが分かっているとき、確実にいえるのはどれか。

ただし、動物のうち何種かは夜行性であり、夕方から閉園までの間には必ず見ることができるが、それ以外の時間には見ることができない。また、夜行性ではない動物はいつでも必ず見ることができる。

○　Pが見た動物はアルパカ、キリン、クジャク、シマウマ、チーターの5種であり、Pは退場する直前に、右手にチーター、左手にクジャクを見た。また、他のエリアについては、歩道を挟んで向かい合ったエリアのうち片方のエリアの動物しか見られなかった。

○　Qが見た動物はアルパカ、キリン、クジャク、シマウマ、チーター、フクロウ、ムササビの7種であり、Qはカフェを出て歩道を歩き始めてすぐに、右手にムササビ、左手にアルパカを見た。

○　池側のエリアにいる動物のうち2種は夜行性であった。

1　Aのエリアにはシマウマがいる。

2　Eのエリアにはフクロウがいる。

3　Gのエリアには夜行性ではない動物がいる。

4　A、D、E、Hのエリアにいる動物のうち2種は夜行性である。

5　もしQが同様の行動を時計回りでとったとしても、見ることができた動物は全部で7種である。

解説　**正解　2**　　　　　　　　　　　　TAC生の正答率　**62%**

　問題文と1つ目の条件より、Hはチーター、Dはクジャクである。また、「AとE、BとF、Cと
Gについて、それぞれどちらか一方にアルパカ、キリン、シマウマのいずれか、もう一方に夜行性の
動物がいた…①」ことになる。問題文と2つ目の条件より、Fはアルパカ、Bはムササビである。ま
た、Pが見ていないことから、ムササビは夜行性である（図1；夜行性は黒塗り）。

　3つ目の条件について、アルパカとチーターは夜行性ではないから、EとGが夜行性の動物とな
る。これと①より、AとCがそれぞれキリンかシマウマのいずれかであることもわかる。2つ目の条
件よりQが見たもう1種はフクロウであり、これはPが見ていないから夜行性であるが、夕方以降に
見たことになるので、Eがフクロウである（図2）。

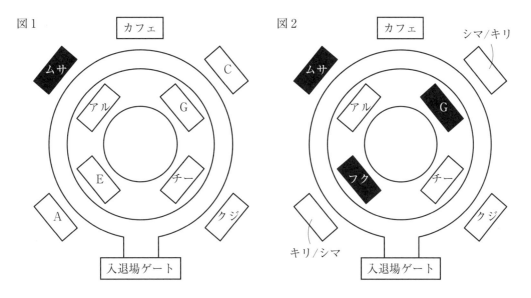

したがって、図2より正解は**2**である。

現代文 英文 判断推理 空間把握 数的推理 資料解釈 時事 物理 化学

図のような16区画の花壇があり、四隅の区画には2年間ともバラとツツジを植え、それ以外の12区画には、6種類の植物を1種類につき2区画ずつ植える2年間の計画を立てた。次のことが分かっているとき、確実にいえるのはどれか。

ただし、隣接する区画とは、上下左右のいずれかで接している区画をいい、例えば、Dに隣接する区画はA、C、E、Hで、左下のツツジに隣接する区画はG、Kである。また、1区画に同時に2種類以上の植物を植えることはない。

バラ	A	B	バラ
C	D	E	F
G	H	I	J
ツツジ	K	L	ツツジ

○ 6種類の植物は、カンナ、キク、ヒマワリ、スミレ、ダリア、ユリである。

○ 6種類のいずれの植物も、同時に同じ種類を隣接する区画に植えない。

○ 6種類のいずれの植物も、1年目と2年目で同じ区画に植えない。

○ カンナは、1年目の1区画をKに、2年目の1区画をLに植える。

○ スミレは、2年ともD、E、H、Iの中から2区画に植え、1年目の1区画をDに植える。

○ キクとダリアは共に、2年とも2区画をバラに隣接する区画に植える。

○ ユリは、2年とも2区画をツツジに隣接する区画に植える。

1 1年目には、Bにキク、Jにヒマワリを植える。

2 1年目には、Eにスミレ、Lにユリを植える。

3 2年目には、Dにユリ、Jにカンナを植える。

4 2年目には、Fにダリア、Gにカンナを植える。

5 Hには、1年目にヒマワリ、2年目にスミレを植える。

解説　　正解　5　　　TAC生の正答率　58%

　5つ目の条件について、2つ目の条件を考えると、1年目のスミレはDとI、3つ目の条件を考えると、2年目のスミレはEとHに植えることになる。これと、4つ目の条件より、表1のようになる。

表1　　1年目

バラ	A	B	バラ
C	スミレ	E	F
G	H	スミレ	J
ツツジ	カンナ	L	ツツジ

2年目

バラ	A	B	バラ
C	D	スミレ	F
G	スミレ	I	J
ツツジ	K	カンナ	ツツジ

　6つ目の条件より、キクとダリアを植える合計4区画は、1年目、2年目ともにA、B、C、Fの4区画であり、この4区画にはキクとダリア以外を植えることはない（表2：表は順不同）。

表2　　1年目

バラ	キ/ダ	キ/ダ	バラ
キ/ダ	スミレ	E	キ/ダ
G	H	スミレ	J
ツツジ	カンナ	L	ツツジ

2年目

バラ	キ/ダ	キ/ダ	バラ
キ/ダ	D	スミレ	キ/ダ
G	スミレ	I	J
ツツジ	K	カンナ	ツツジ

　7つ目の条件より、ユリは、1年目はG、J、Lのうち2区画、2年目はG、J、Kのうち2区画に植えるが、1年目にGとJに植えると、3つ目の条件を満たせなくなるので、1年目の1区画はLに植えることになる。同様に考えると、2年目の1区画はKに植えることになる。1年目の残りのE、G、H、Jの4区画には、カンナ、ユリ、ヒマワリ（2区画）のいずれかを植えるが、ユリはGまたはJで、Kにカンナを植えるから、Hに植えるのはヒマワリとなる。同様に考えると、2年目のIに植えるのはヒマワリとなる（表3）。1年目と2年目それぞれの残る3区画に、カンナ、ユリ、ヒマワリのいずれを植えるかは不明である。

表3　　1年目

バラ	キ/ダ	キ/ダ	バラ
キ/ダ	スミレ	E	キ/ダ
G	ヒマワリ	スミレ	J
ツツジ	カンナ	ユリ	ツツジ

2年目

バラ	キ/ダ	キ/ダ	バラ
キ/ダ	D	スミレ	キ/ダ
G	スミレ	ヒマワリ	J
ツツジ	ユリ	カンナ	ツツジ

　以上より、正解は**5**である。

判断推理　位置関係

A～Fの6人で図のように円形に並んだ五つの椅子を取り合うゲームを行う。ゲームは続けて2回行い、ゲームに参加する人数、椅子の数は途中で変えないものとする。

なお、このゲームのルールとして、2回目では1回目に座った椅子及びその両隣の椅子には座ることはできず、ゲームの結果において空席の椅子はないものとする。

1回目、2回目の結果について、次のア～オのことが分かっているとき、2回目に座れなかったのはFに確定するという。オの□□□□に入るものとして最も妥当なのは、次のうちではどれか。

〈1回目の結果〉

ア　Aは、椅子に座れなかった。

イ　Bが座った椅子は、Dが座った椅子の隣ではなく、Fが座った椅子の隣だった。

〈2回目の結果〉

ウ　Aは、Dが1回目に座った椅子に座った。

エ　Dは、Cが1回目に座った椅子に座った。

オ　□□□□□□□□□□□□□□□□□□□□□□□□□□

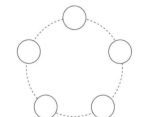

1　Aは、Eが1回目に座った椅子の隣の椅子に座った。

2　Bは、Aと隣どうしの椅子に座った。

3　Cは、Fが1回目に座った椅子に座った。

4　Dは、Eと隣どうしの椅子に座った。

5　Eは、Bが1回目に座った椅子に座った。

解説　　**正解　2**　　TAC生の正答率　**50%**

五つの椅子を図1のように1～5とする。1回目にDが座った椅子を1とすると、条件ウより、1の椅子には2回目にAが座ったことになる。また、条件アより、1回目に椅子に座っていないのはAである。条件イより、1回目にBが座った椅子は3または4だが、座席が左右対称で、左右に関する条件がないので、左右を考慮する必要はない。よって、1回目にBが座った椅子を4として考える（図2）。

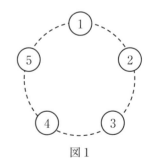

図1

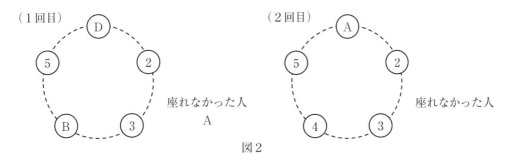

（1回目）D 5 2 B 3　座れなかった人 A

（2回目）A 5 2 4 3　座れなかった人

図2

条件エについて、2回目にDが座った椅子は、1回目にDが座った椅子の隣である2および5でなく、1回目にBが座った4でもないから、3である。1回目にCが座った椅子も3であり、このことと条件イより、1回目にFが座った椅子は5で、残る2の椅子にEが座ったことになる（図3）。

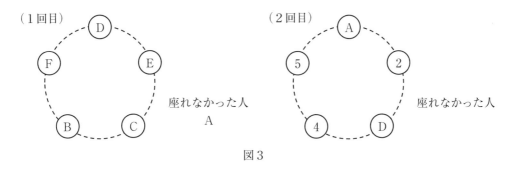

（1回目）D F E B C　座れなかった人 A

（2回目）A 5 2 4 D　座れなかった人

図3

2回目に4の椅子に座ったのは、1回目に4の椅子に座ったB、4の椅子の隣に座ったCおよびFではないから、Eとなる。さらに、2回目に5の椅子に座ったのは、1回目に5の椅子に座ったF、5の椅子の隣に座ったBではないから、Cとなる。よって、2回目は、BとFのうちの一方が2の椅子に座り、一方は座れなかったことになる（図4）。

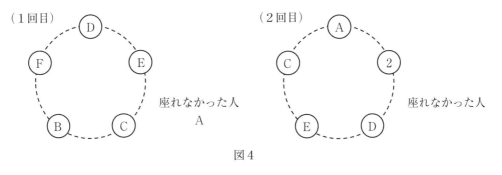

（1回目）D F E B C　座れなかった人 A

（2回目）A C 2 E D　座れなかった人

図4

このとき、座れなかったのがFに確定するためには、Bが2の椅子に座ったことがわかればよい。選択肢の中で、Bが2の椅子に座ったといえるのは**2**のみである。

したがって、正解は**2**である。

判断推理 ｜ 操作手順

図のフローチャートにおいて、A＝52、B＝39のとき、Rの値はいくつか。

ただし、X←Aは変数XにAの値を代入することを表し、Y％Xは変数Yを変数Xで割った余りを表している。

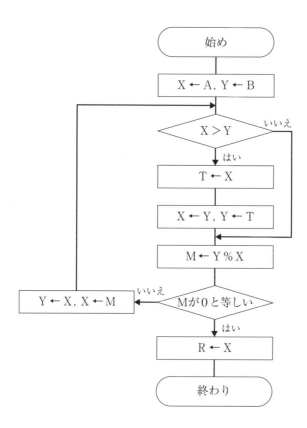

1 13

2 15

3 17

4 19

5 21

解説　　**正解　1**　　　　　　　　　　　　　　TAC生の正答率 ▶ **45%**

　与えられたフローチャートに初期値である、A＝52、B＝39を代入し、指定された手順通りに数値を書き込んでいく。

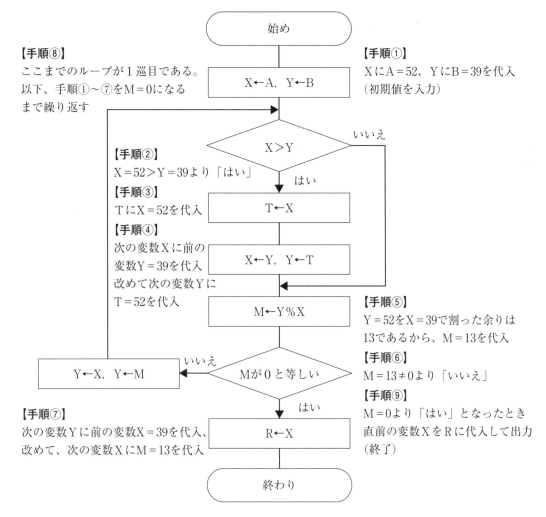

【手順⑧】
ここまでのループが1巡目である。以下、手順①～⑦をM＝0になるまで繰り返す

【手順①】
XにA＝52、YにB＝39を代入（初期値を入力）

始め

X←A，Y←B

【手順②】
X＝52＞Y＝39より「はい」

X＞Y　　いいえ

【手順③】
TにX＝52を代入

はい

T←X

【手順④】
次の変数Xに前の変数Y＝39を代入改めて次の変数YにT＝52を代入

X←Y，Y←T

M←Y％X

【手順⑤】
Y＝52をX＝39で割った余りは13であるから、M＝13を代入

Y←X，Y←M　　いいえ

Mが0と等しい

【手順⑥】
M＝13≠0より「いいえ」

【手順⑨】
M＝0より「はい」となったとき直前の変数XをRに代入して出力（終了）

【手順⑦】
次の変数Yに前の変数X＝39を代入、改めて、次の変数にM＝13を代入

はい

R←X

終わり

　2巡目の手順⑤でY＝39、X＝13のときM＝0となり、手順⑨で「はい」となり、R＝X＝13を出力して終了する。よって、正解は**1**である。

　なお、このフローチャート（プログラム）はユークリッドの互除法であり、初期値である52と39の最大公約数13を求める手続きである。

現代文

英文

判断推理

空間把握

数的推理

資料解釈

時事

物理

化学

　図のように、四つのマス目があり、そのマス目にはそれぞれ表と裏を区別できるカードが1枚ずつ置いてある。そのマス目の任意の場所に、白・黒の2色に変化する駒を一つ置き、以下のルールに従って、カードの表裏、駒の色、駒の位置についての操作を行い、これを「1回」とし、順次、これを繰り返す。カードへの操作は、<u>操作する前の駒の下にあるカード</u>に対して行う。

　ただし、駒の行き先が四つのマス目の範囲を越える場合には、操作を終了するものとする。

図

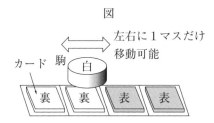

左右に1マスだけ
移動可能

カード　駒　白

裏　裏　表　表

［ルール］

駒の色	カードが表の場合			カードが裏の場合		
	カードへの 操作	駒の色の 変化	駒の位置の 移動	カードへの 操作	駒の色の 変化	駒の位置の 移動
白	裏にする	黒にする	右に1マス 移動する	表にする	変化せず	右に1マス 移動する
黒	操作せず	白にする	左に1マス 移動する	操作せず	変化せず	移動せず

　いま、四つのマス目の上にあるカードの何枚かをひっくり返して、図で示している表裏の配置を変更した。そして、いずれか1枚のカードの上に、白又は黒どちらかの色の駒を一つ置き、ルールに従って2回操作を行った。その結果、1回目と2回目のいずれの操作後もカードの表裏、駒の色、駒の位置のうち少なくとも一つが変わった。

　2回目の操作の後、カードの表裏の配置は左から「表表裏裏」、駒の色は黒、駒の位置は左から4番目のマス目の上であった。

　このとき、1回目の操作を行う前の、「左から2番目のカードの表裏」と「駒の位置」の組合せとして最も妥当なのはどれか。

	左から2番目の カードの表裏	駒の位置
1	表	左から2番目のマス目の上
2	表	左から3番目のマス目の上
3	裏	左から1番目のマス目の上
4	裏	左から2番目のマス目の上
5	裏	左から3番目のマス目の上

2回目の操作後からさかのぼって考える。

問題の条件より、カードの表裏、駒の色、駒の位置のうち少なくとも一つが変わったことから、2回目の操作前に（駒の色，カードの表裏）が（黒，裏）であったことはあり得ない。また、2回目の操作後に駒が右端にあることから、駒の位置を「左に1マス移動する」の（黒，表）であったこともあり得ない。よって、（白，表）または（白，裏）のどちらかであるが、操作後に駒の色が黒になっていることから、駒の色を「黒にする」の（白，表）であったことになる。よって、（2回目の操作前）＝（1回目の操作後）のカードの表裏の配置は左から「表表表裏」、駒の色は白、駒の位置は左から3番目のマスの上であったことになる（表1）。

操作前				
1回目操作後			白	
	表	表	表	裏
2回目操作後				黒
	表	表	裏	裏

表1

2回目と同様、1回目の操作時が（駒の色，カードの表裏）が（黒，裏）であったことはあり得ない。残る3通りについて、それぞれ検証する。

1回目の操作時が（白，表）の場合、操作後の駒の色が黒になるので、矛盾する。

1回目の操作時が（白，裏）の場合、操作前の駒の色は変化していないから白、駒の位置は左から2番目のマスの上で、このカードを裏から表にしたことになる。これは矛盾しない（表2）。

1回目の操作時が（黒，表）の場合、操作前の駒の色は黒、駒の位置は左から4番目のマスの上で、このカードは操作しないから表のままである。表1より、1回目の操作後の左から4番目のマスのカードは裏であるから、この場合は矛盾する。

操作前		白		
	表	裏	表	裏
1回目操作後			白	
	表	表	表	裏
2回目操作後				黒
	表	表	裏	裏

表2

よって、表2より正解は**4**である。

ある正多面体から図Ⅰの展開図で示される立体を複数個切り落とすと、図Ⅱの、面が正方形と正三角形で構成されている立体になる。元の正多面体の種類と切り落とした立体の数の組合せとして最も妥当なのは、次のうちではどれか。

図Ⅰ

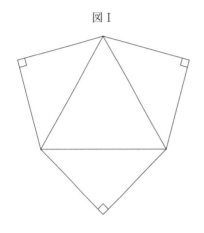

図Ⅱ

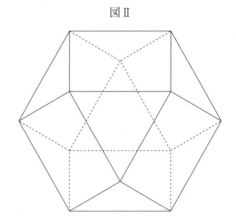

	元の正多面体	切り落とした立体の数
1	正六面体	6 個
2	正六面体	8 個
3	正八面体	4 個
4	正八面体	6 個
5	正八面体	8 個

　図Ⅰの展開図を組み立てると、次の図のような三角錐ができる。このうち、切断面は図Ⅱの立体の構成面にもある正三角形であり、図の●で示した頂点は、元の正多面体にあった頂点である。

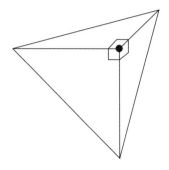

　これにより、元の正多面体の1つの面の1つの内角は90°であるから、元の正多面体は面が正方形で構成されている正六面体となる。図Ⅱには切断面となる正三角形が8個あるので、切り落とした立体も8個である。

　以上より、正解は**2**である。

空間把握　　展開図

　図のような三面のみに模様のある正十二面体の展開図として最も妥当なのは次のうちではどれか。

　ただし、展開図中の点線は、山折りになっていた辺を示す。

1

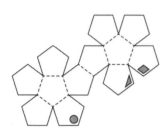

2

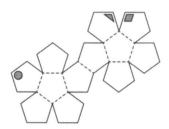

3

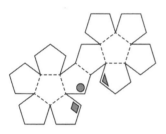

4

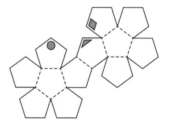

5

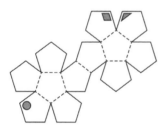

　見取図をみると、模様のある三面について、模様の部分を面の上にしたとき、四角の模様の面の右上の辺と三角の模様の面の左上の辺（A）、三角の模様の面の右上の辺と丸の模様の面の左上の辺（B）、丸の模様の面の右上の辺と四角の模様の面の左上の辺（C）、がそれぞれ重なっている。正十二面体の展開図で外周のうち36°開いている2辺は、立体を組み立てると重なることを利用し、辺の重なりに矛盾がないかを考える。

　2と**4**は、36°開いていて重なるのが、三角の模様の面の右上の辺と四角の模様の面の左上の辺であるから不適である。

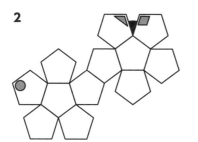 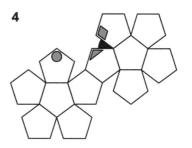

　3は、36°開いていて重なるのが、三角の模様の面の右上の辺と模様のない面の辺であり、**5**は、36°開いていて重なるのが、丸の模様の面の右上の辺と模様のない面の辺であるから、それぞれ不適である。

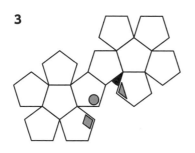 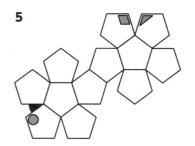

　したがって、消去法より正解は**1**である。

空間把握　サイコロ　2023年度 基礎能力 No.19

向かい合っている面の目の数の和が７であり、図Ⅰのような目の配置のサイコロがある。このサイコロを六つ用意し図Ⅱのように置き、さらに、Ａの面には４、Ｂの面には６、Ｃの面には５、Ｄの面には２、Ｅの面には１、Ｆの面には３の目の数となるように置くとする。

このとき、二つのサイコロが面で接する箇所は五つあるが、いずれの箇所も接している面どうしの目の数が異なるようにサイコロを置く場合、接している10枚の面の目の数の合計は最大でいくつになるか。

図Ⅰ

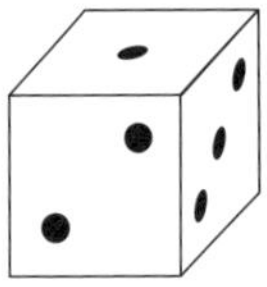

図Ⅱ

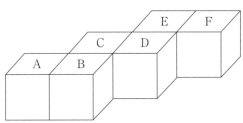

1　50

2　51

3　52

4　53

5　54

解説　正解　**1**　

A～Fの面のあるサイコロをそれぞれa～fとする。図Ⅰ（向かい合う面の和が7であることを反映したもの）および図Ⅱ（面A～Fに与えられた数値を書きこんだもの）の五面図は下の図1および図2のようになる。

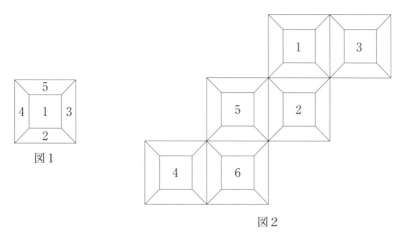

図1

図2

隣接するサイコロと接する面の目の数の合計を最大にしたいので、なるべく大きな目の数をもつ面が接するように図2に書き込んでいく。aとfには隣接するサイコロと接する面が1面しかなく、上面はそれぞれ4と3であり、底面もそれぞれ3と4なので、aもfも接する面に6を配置できる。また、bの上面とeの底面に6があるため、bとeの隣接するサイコロと接する2面には6が配置できないが、次に大きな5とその次に大きな4は配置できる。同様に、cの上面とdの底面に5があるため、cとdの隣接するサイコロと接する2面には5が配置できないが、最大の6とその次に大きな4は配置できる。以上を踏まえて、隣接するサイコロと接する面に目の数を配置すれば図3のようになる。

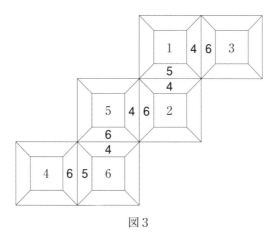

図3

接する面の目の数の和の最大値は6＋5＋4＋6＋4＋6＋4＋5＋4＋6＝50である。よって、正解は**1**である。

平面上に円板があり、この円板を真上から見ると、図のように見える。円板は、中心Oを軸として、一定の速度で矢印の方向に1時間に1回転している。いま、円板の直径AB上を、点Aから出発して1時間かけて一定の速度で点Bまで進む点Pがある。円板を真上から見たとき、点Pの軌跡として最も妥当なのはどれか。

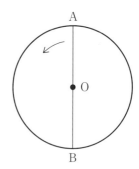

1

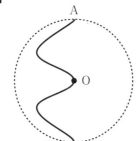

2

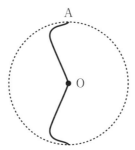

3

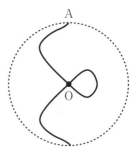

4

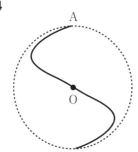

5

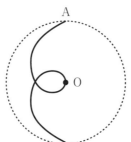

116

　図1のように円板の置かれた平面（網掛け部分）に、出発時のAの位置から反時計回りに「分」の目盛りを入れて考える。

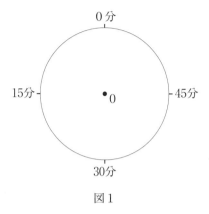

図1

　出発時、Aは0分の目盛りにあり、Bは30分の目盛りにある。このとき、点PはAにいる。1時間に1回転するので、出発から15分後、Aは15分の目盛りにあり、Bは45分の目盛りにある。Pは1時間かけてAからBへ移動するので、このときPはAからBへ向かって直径の$\frac{1}{4}$進んだ位置にいる。出発から30分後、Aは30分の目盛りにあり、Bは0分の目盛りにある。このときPはAからBへ向かって直径の$\frac{1}{2}$進んだ位置、すなわち中心Oにいる。出発から45分後、Aは45分の目盛りにあり、Bは15分の目盛りにある。このときPはAからBへ向かって直径の$\frac{3}{4}$進んだ位置にいる。出発から60分後、Aは0分の目盛りに戻り、Bは30分の目盛りに戻る。このときPはAからBへ向かって直径だけ進んだ位置、すなわちBにいる。

　この4つの時点のPの位置を図1に書き入れたものが図2である。

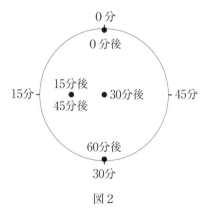

図2

15分後および45分後の位置より、消去法を用いれば、正解は**5**である。

空間把握 | 軌跡

　図のような半径5cm、高さ15cmの円柱の側面に、2本の脚の間の距離が5cmのコンパスを使って「円」を描く。この円柱の側面を展開したとき、その側面に描かれている図の概形として最も妥当なのは次のうちではどれか。

1

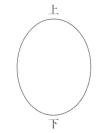

2

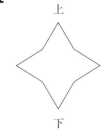

3

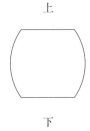

4

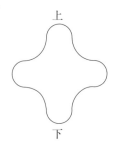

5

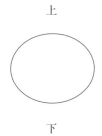

　以下の図1のように、この立体の側面に点Aをとる。このとき、点Aからコンパスを使って上側に円を描くとき、5cm真上の位置（点B）を通る弧を描くことになる。弧は点Bから円柱の下側へ向かい、点Bから真横に線が描かれることはない。よって、**3**は不適である。

　次に、図2のように平面図から考える。点Aからこの円柱の底面と水平方向に、円柱の側面に弧を描くと、描く半径は5cmであるので、点Cを通る弧を描くことになる。図2より、弧ACの長さは線分ACの長さよりも長いので、展開したときの概形として、左右の幅が上下の幅よりも長くなる。よって、左右の幅より上下の幅の方が長い**1**および、同じ長さである**2**、**4**は不適である。

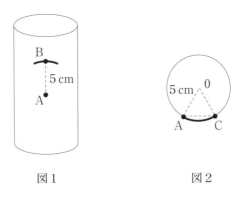

図1　　　　　　　　　　図2

　したがって、消去法より正解は**5**である。

空間把握 ｜ 軌跡

　図Ⅰのように、半径 a の円Оに外接する半径 b の円О′ がある。円Оの円周に沿って円О′ を滑らないように矢印の向きに回転させ、円О′ 上の点Pが元の位置に戻ったとき、点Pの軌跡は図Ⅱのようになった。このとき、a と b の長さの比はいくらか。

図Ⅰ

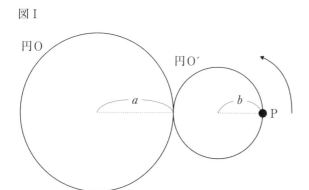

図Ⅱ

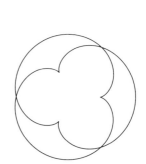

$a\ \ b$

1　$2 : 3$

2　$3 : 1$

3　$3 : 2$

4　$3 : 4$

5　$5 : 3$

　　点Pが円Oの中心に最も近づくのは、円Oの円周と接したときである。よって、図Ⅱにおける円O の位置は、次の図のようになる。

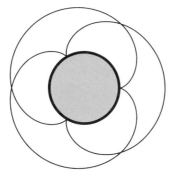

　　図より、元の位置に戻るまでに円O′は円Oを2周したことになるので、円O′は円Oの円周を（a $\times 2 \times \pi$）$\times 2 = 4\pi a$だけ移動したことになる。また、点Pが円Oの円周に接してから次に接するまで、 円O′は自分自身の円周分だけ移動するが、2周する間に点Pは円Oの円周と3回接している。 よって、接してから次に接するまでの移動距離は$4\pi a \div 3 = \dfrac{4}{3}\pi a$で、これが円O′の円周の長さの $b \times 2 \times \pi = 2\pi b$と等しくなる。$\dfrac{4}{3}\pi a = 2\pi b$を整理すると$b = \dfrac{2}{3}a$で、$a : b = 1 : \dfrac{2}{3} = 3 : 2$が成り立つ。

　　よって、正解は**3**である。

空間把握 | 平面構成

　図のような模様が描かれた透明のシートがある。このシートを同じ大きさの4枚の正方形のシートに分割し、分割した4枚のシートを全て裏返した。このとき、裏返した4枚のシートの模様について、**あり得ない**ものとして最も妥当なのはどれか。

　ただし、回転させたシートは同一のものとみなす。

図

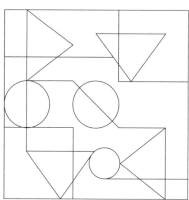

1
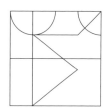

2
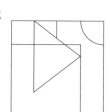

3
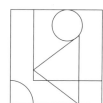

4
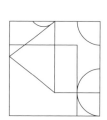

5
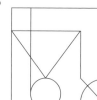

解 説　　**正解　3**　　　　　　　　　　　　TAC生の正答率　**82%**

　図を4分割すると、下図の色付き部分のように、小円の大部分が含まれるのは右下のシートのみである。この小円は、三角形の頂点と接しており、この位置関係はシートを裏返しても同じである。選択肢のうち、小円の大部分が含まれているシートは、**3**と**5**であるが、**5**の小円は三角形の頂点の1点のみと接しているのに対し、**3**の小円は三角形の一辺と接しているので、この模様はあり得ない。

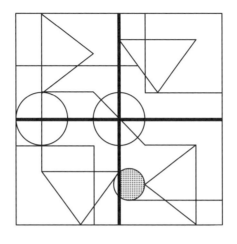

　したがって、正解は**3**である。

空間把握　　平面構成

　図Ⅰの図柄アをイのように隙間なく並べると、ウのような規則的な模様ができる。これと同様に、隙間なく並べることによって、図Ⅱの模様になる図柄は、A～Eのうちではどれか。

　ただし、並べるときは、図柄を回転させたり裏返したりしないものとする。

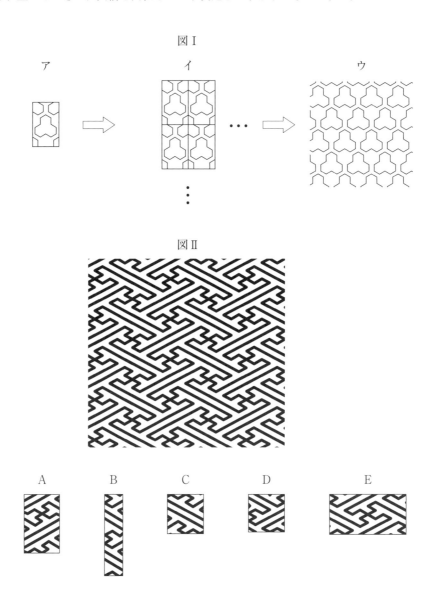

1 A

2 B

3 C

4 D

5 E

解 説　　**正解　5**　　　　　　　　　　　TAC生の正答率　**56%**

　図Ⅱの一部分に注目し、同じ模様がどのようにできているかを確認する。

　次の図のXY上の模様をみると、2つの○で囲まれた部分が同じ模様であり、隙間なく並べて図Ⅱの模様にするには、並べる図柄の横の長さが、この2つの○の幅以上にある必要がある。

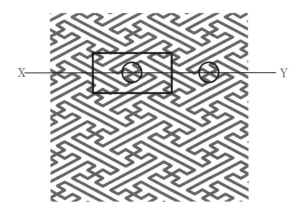

　これを満たすのはEだけなので、正解は**5**である。なお、Eは上の図の長方形部分である。

　ある会社の社員は、本社からある工場へ鉄道を使って出張している。往復乗車券の料金は、インターネットの予約サイトで購入すると、駅の窓口で購入する場合と比べて、<u>1割引き</u>となるが、別途、<u>社員1人ごとに</u>月会費が掛かる。ある人がある月に往復乗車券を全く購入しなかった場合には、その月の月会費は無料となるが、ある人がある月に往復乗車券を1枚以上購入した場合には、購入枚数にかかわらずその月の月会費は定額の料金となる。

　社員3人が出張し、その回数の合計が8回であった月において、各社員が自身の分の全ての往復乗車券を予約サイトで購入したところ、料金の合計は駅の窓口で購入した場合より180円高くなった。また、社員5人が出張し、その回数の合計が20回の月において、同様に各社員が自身の分の往復乗車券を予約サイトで購入したところ、料金の合計は駅の窓口で購入した場合より300円安くなった。

　社員4人が出張する月において、各社員が自身の分の全ての往復乗車券を予約サイトで購入するとき、料金の合計が駅の窓口で購入した場合より安くなるのに最低限必要な4人合計の出張回数は何回か。

　ただし、出張は全て日帰りで、駅の窓口、予約サイトにかかわらず、往復乗車券は出張者が自身の分を出張当日に購入するものとする。

1 13回

2 14回

3 15回

4 16回

5 17回

　往復乗車券を駅の窓口で購入した場合の料金をx[円]とおくと、インターネットの予約サイトで購入したときの料金は$\frac{9}{10}x$[円]とおける。また、予約サイトの月会費を1人当たりy[円]とおく。

　3人が出張し、その回数の合計が8回であった月において、各社員が自身の分の全ての往復乗車券を予約サイトで購入した場合の料金の合計は、$\frac{9}{10}x \times 8 + 3y$[円]である。これが駅の窓口で購入した場合より180円高くなったことから、$\frac{9}{10}x \times 8 + 3y = x \times 8 + 180$…①が成り立つ。

　また、5人が出張し、その回数の合計が20回であった月において、各社員が自身の分の全ての往復乗車券を予約サイトで購入した場合の料金の合計は、$\frac{9}{10}x \times 20 + 5y$[円]である。これが駅の窓口で購入した場合より300円安くなったことから、$\frac{9}{10}x \times 20 + 5y = x \times 20 - 300$…②が成り立つ。

　①、②を連立させて解くと、$x = 900$、$y = 300$となる。

　4人が出張し、その回数の合計がn回であった月において、各社員が自身の分の全ての往復乗車券を予約サイトで購入した場合の料金の合計は、$\frac{9}{10} \times 900 \times n + 4 \times 300$円である。これが駅の窓口で購入した場合より安くなるとき、$\frac{9}{10} \times 900 \times n + 4 \times 300 < 900 \times n$を満たす。これを整理すると$13\frac{1}{3} < n$となるから、満たす最小の整数は$n = 14$である。

　よって、最低限必要な出張回数は14回となるので、正解は**2**である。

現代文

英文

判断推理

空間把握

数的推理

資料解釈

時事

物理

化学

数的推理 | 方程式

あるパン屋では、パンを毎日同じ数だけ作り、その日のうちに売り切っている。昨日は、200円で24個販売したところで半額に値下げして、全て売り切った。今日は、200円で全体の $\frac{3}{8}$ を販売したところで150円に値下げし、残りが全体の $\frac{1}{8}$ になったところで100円に値下げして、全て売り切った。昨日半額で販売した数と今日150円で販売した数が同じであったとき、昨日と今日の売上げの差は何円か。

1　300円

2　400円

3　500円

4　600円

5　700円

解説　　正解　**4**

毎日作っているパンの個数を x [個]とおく。昨日は200円で24個販売し、100円で残りの $(x-24)$ [個]を販売したことになる。今日は200円で $\frac{3}{8}x$ [個]販売し、100円で $\frac{1}{8}x$ [個]販売したことから、150円で販売したのは $x-\left(\frac{3}{8}x+\frac{1}{8}x\right)=\frac{1}{2}x$ [個]である。昨日100円で販売した個数と、今日150円で販売した個数が同じであるから、$x-24=\frac{1}{2}x$ が成り立ち、これを解くと $x=48$ [個]となる。

よって、昨日の売上げは $200\times24+100\times24=7200$ [円]、今日の売上げは $200\times18+150\times24+100\times6=7800$ [円]で、その差は $7800-7200=600$ [円]であるから、正解は **4** である。

数的推理　　割合

A、B、Cの三つのアパートの家賃について、次のことが分かっているとき、Aの家賃はいくらか。

○　A、B、Cの三つのアパートの家賃は、それぞれ異なる金額である。

○　Aの家賃は、Bの家賃にCの家賃の$\frac{1}{3}$を加えた金額に等しい。

○　Bの家賃は、Cの家賃にAの家賃の$\frac{1}{3}$を加えた金額に等しい。

○　Cの家賃は、20,000円にBの家賃の$\frac{1}{3}$を加えた金額に等しい。

1　78,000円

2　84,000円

3　90,000円

4　96,000円

5　102,000円

解説　　正解　3　　TAC生の正答率　71%

A、B、Cの家賃をそれぞれx、y、zとおく。ただし、これらの単位はすべて「円」である。2つ目～4つ目の条件を式で表せば、それぞれ次の①～③となる。

$x = y + z \times \frac{1}{3} \cdots ①$

$y = z + x \times \frac{1}{3} \cdots ②$

$z = 20000 + y \times \frac{1}{3} \cdots ③$

①、②よりxを消去して整理すれば、$y = \frac{5}{3}z$である。これを③に代入すれば、$z = 45000[$円$]$、$y = 75000[$円$]$を得る。この結果を①に代入すれば、$x = 90000[$円$]$となる。

よって、正解は**3**である。

| 数的推理 | 割合 | 2022年度
基礎能力 No.21 |

ある牧場では、ヒツジとヤギの2種類の家畜を飼育しており、屋外ではヒツジの数はヤギの数の5倍で、2種類の家畜の合計は1,000匹未満であった。また、屋内でもこの2種類の家畜を飼育しており、ヒツジの数はヤギの数のちょうど$\frac{1}{4}$であった。

いま、屋内で飼育している2種類の家畜を全て屋外に出して、以前から屋外で飼育している家畜に合流させることとした。その結果、2種類の家畜の合計は1,000匹を超え、ヒツジの数はヤギの数の4倍となった。このとき、当初、屋内で飼育していたヒツジの数として最も妥当なのはどれか。

1 10匹

2 11匹

3 12匹

4 13匹

5 14匹

解 説 　　**正解 2** 　　TAC生の正答率 **43%**

屋外のヤギの数をxとおくと、ヒツジの数は$5x$とおける。条件より$x+5x<1000$…①である。

また、屋内のヒツジの数がヤギの数の$\frac{1}{4}$ということは、ヤギの数がヒツジの数の4倍であるから、屋内のヒツジの数をyとおくと、ヤギの数は$4y$とおける。屋内と屋外の2種類の家畜の合計が1,000匹を超えていることから$x+5x+y+4y>1000$…②となる。また、ヒツジの合計は$5x+y$、ヤギの合計は$x+4y$で、ヒツジの数はヤギの数の4倍であるから、$5x+y=(x+4y)\times4$…③が成り立つ。③を整理すると$x=15y$となり、これを①、②に代入すると、①は$90y<1000$となるので、整理して$y<11\frac{1}{9}$、②は$95y>1000$となるので、整理して$y>10\frac{50}{95}$となる。不等式をともに満たす自然数yは$y=11$のみである。

よって、正解は**2**である。

　ある学校にはA、B、Cの3組で合計100人の生徒が在籍しており、これらの生徒に対し、試験を2回実施した。1回目の試験において、100人全員が受験したところ、A組とB組では同じ人数の生徒が合格し、C組では生徒全員が不合格であった。その結果、1回目の試験で不合格であった生徒の人数比は、A組：B組：C組＝1：2：4であった。

　2回目の試験において、1回目の試験で不合格であった生徒を対象とし、対象者全員が受験したところ、A組では受験した生徒の80％が、B組では受験した生徒の90％が、C組では生徒全員が合格した。その結果、2回目の試験で不合格であった生徒は、A組とB組合計4人であった。

　このとき、A組で2回目の試験で合格した生徒は、A組の生徒全員の何％を占めているか。

1　32％

2　34％

3　36％

4　38％

5　40％

解 説　　**正解　1**　　TAC生の正答率　**45％**

　1回目にA組とB組で合格した人数をそれぞれx［人］、A組、B組、C組で不合格だった人数をそれぞれk［人］、$2k$［人］、$4k$［人］とおく（表1）。A組の2回目の合格者はk［人］の80％だから$k \times \dfrac{8}{10} = \dfrac{4}{5}k$［人］で、不合格者は$k - \dfrac{4}{5}k = \dfrac{1}{5}k$［人］、B組の2回目の合格者は$2k$［人］の90％だから$2k \times \dfrac{9}{10} = \dfrac{9}{5}k$［人］で、不合格者は$2k - \dfrac{9}{5}k = \dfrac{1}{5}k$［人］である（表2）。

表1		A	B	C
1回目	合格	x	x	0
	不合格	k	$2k$	$4k$
2回目	合格			
	不合格			

表2		A	B	C
1回目	合格	x	x	0
	不合格	k	$2k$	$4k$
2回目	合格	$\dfrac{4}{5}k$	$\dfrac{5}{9}k$	$4k$
	不合格	$\dfrac{1}{5}k$	$\dfrac{1}{5}k$	0

　2回目の試験で不合格だった生徒の合計が4人であったことから$\dfrac{1}{5}k + \dfrac{1}{5}k = 4$が成り立ち、これを解くと$k = 10$となる。よって、1回目で不合格だった生徒は$10 + 20 + 40 = 70$［人］で、1回目で合格した生徒は$100 - 70 = 30$［人］となるから、$x + x = 30$より$x = 15$［人］となる。

　したがって、A組の生徒全員は$15 + 10 = 25$［人］で、A組で2回目の試験で合格した生徒は$\dfrac{4}{5} \times 10 = 8$［人］であり、割合は$\dfrac{8}{25} \times 100 = 32$％であるから、正解は**1**である。

数的推理	平均	2021年度 基礎能力 No.24

　ある学生が８月の１か月間、数学の夏期講習を受講した。この学生が申し込んだプランでは、任意参加の数学の理解度チェックテストが１日１回実施され、学生は最大で31回受けることができる。

　この学生が受けた理解度チェックテストの点数はそれぞれ異なっており、最も点数の高かった回と最も点数の低かった回の点数差は、ちょうど56点であった。また、この学生が受けた全ての理解度チェックテストの点数について、最も点数の高かった回を除いた場合の平均点は54.7点、最も点数の低かった回を除いた場合の平均点は57.5点であった。このとき、この学生が受けた理解度チェックテストの回数は何回か。

1　15回

2　17回

3　19回

4　21回

5　23回

解説　　　**正解　4**　　　TAC生の正答率　**62%**

　最も点数が高かった回の点数をx［点］とすると、最も点数が低かった回の点数は$(x-56)$［点］とおける。また、この学生が受けた理解度チェックテストの回数をy［回］として、この学生が受けた理解度チェックテストの点数の総和を考える。

　最も点数の高かった回を除いた場合の平均点が54.7点だったことから、点数の総和は、

$$54.7 \times (y-1) + x ［点］ \quad \cdots\cdots①$$

と表せる。また、最も点数の低かった回を除いた場合の平均点が57.5点だったことから、点数の総和は、

$$57.5 \times (y-1) + (x-56) ［点］ \quad \cdots\cdots②$$

と表せる。①＝②であるから、

$$54.7 \times (y-1) + x = 57.5 \times (y-1) + (x-56)$$

が成り立ち、これを整理すると$2.8(y-1)=56$となり、解くと$y=21$［回］となる。

　したがって、正解は**4**である。

数的推理	濃度	2021年度 基礎能力 No.21

濃度の異なる2種類の食塩水A、Bがある。いま、AとBを1：2の割合で混ぜたところ濃度10％の食塩水ができ、AとBを2：1の割合で混ぜたところ濃度15％の食塩水ができた。このとき、Bの濃度はいくらか。

1　5％

2　10％

3　15％

4　20％

5　25％

解説　　　**正解　1**　　　TAC生の正答率　**69％**

食塩水Aの濃度をx％、食塩水Bの濃度をy％とする。AとBを1：2で混ぜたところ濃度10％の食塩水ができたことについて、混ぜた量をそれぞれ$k\,[\text{g}]$、$2k\,[\text{g}]$とすると、食塩の量の式として、

$$\frac{x}{100} \times k + \frac{y}{100} \times 2k = \frac{10}{100} \times 3k$$

が成り立ち、これを整理すると、

$$x + 2y = 30 \qquad \cdots\cdots ①$$

となる。同様に、AとBを2：1で混ぜたところ濃度15％の食塩水ができたことについて、混ぜた量をそれぞれ$2m\,[\text{g}]$、$m\,[\text{g}]$とすると、食塩の量の式として、

$$\frac{x}{100} \times 2m + \frac{y}{100} \times m = \frac{15}{100} \times 3m$$

が成り立ち、これを整理すると、

$$2x + y = 45 \qquad \cdots\cdots ②$$

となる。

①、②を連立させて解くと、$x = 20$％、$y = 5$％となるので、正解は**1**である。

数的推理　期待値

Aは100万円の元金を有しており、これを株式投資か債券投資のいずれか一方で１年間、運用することを考えている。

株式投資については、１年後に元金が25万円増加するか15万円減少するかのいずれかであると仮定する。なお、１年後に株式投資で、増加する確率や減少する確率については分かっていない。一方、債券投資については、元金に対して１年間で確実に10％の利子が付くと仮定する。

Aが、１年後に、株式投資により得られる金額の期待値が債券投資により得られる金額を上回れば株式投資を選択するとした場合、株式投資を選択するのは、株式投資により元金が増加する確率が、次のうち、最低限いくらより大きいと予想するときか。

1 62.5％

2 65.0％

3 67.5％

4 70.0％

5 72.5％

解説　正解　1　TAC生の正答率 52％

債券投資の場合、１年後に100％の確率で100万円の10％である10万円を得られることになる。よって、100万円を債券投資で運用したときに得られる金額の期待値は、＋10[万円]×100％ ＝ ＋10[万円]である。

株式投資において、１年後に元金が25万円増加する確率をx％とすると、15万円減少する確率は$(100-x)$％である。このとき、100万円を株式投資で運用したときに得られる金額の期待値は、＋25[万円]×x％ －15[万円]×$(100-x)$％である。

株式投資により得られる金額の期待値が債券投資により得られる金額を上回るということは、以下の式が成り立つことになる。

$+25 \times x\% - 15 \times (100-x)\% > +10$

$+40 \times x\% - 15 > +10$

$+40 \times \dfrac{x}{100} > +25$

$x > 62.5$

よって、株式投資を選択するのは、元金が増加する確率が62.5％より大きいときであるから、正解は**1**である。

数的推理 | 整数

あるバスターミナルでは、A路線はa分間隔で、B路線はb分間隔で、C路線はc分間隔でそれぞれバスが発車している。この三つの路線については、7時ちょうどに同時にバスが発車してから、次に同時に発車するのは同日の13時25分である。三つの路線のうち、運転間隔の最も長いものと最も短いものとの運転間隔の差は何分か。

ただし、a、b、cはいずれも30より小さい異なる正の整数とする。

1　6分

2　7分

3　8分

4　9分

5　10分

解説　　正解　1　　　　　TAC生の正答率　61%

7時ちょうどに同時にバスが発車してから、次に同時に発車する同日の13時25分までに6時間25分=385[分間]ある。a、b、cは正の整数であるから、385はa、b、cの最小公倍数である。よって、a、b、cは385の約数であり、条件より、いずれも30より小さい異なる正の整数である。

385を素因数分解すると、$385 = 5^1 \times 7^1 \times 11^1$であり、正の約数は$2 \times 2 \times 2$の8個ある。これを小さい順に列記すると、1、5、7、11、35、55、77、385であるが、a、b、cとして条件を満たすのは1、5、7、11である。385がa、b、cの最小公倍数になるには少なくとも、素因数5、7、11を含まなければならず、これがa、b、cを満たす3数である。

運転間隔の最も長いものと最も短いものとの差は、この3数の最大値と最小値の差であり、これは$11 - 5 = 6$[分]である。よって、正解は**1**である。

x、yは、$x<y$の大小関係にある自然数（1以上の整数）であり、$\dfrac{1}{x}+\dfrac{1}{y}=\dfrac{7}{10}$であるとき、$x$と$y$の値を次のような方法で求めることができる。

$x<y$の大小関係から$\dfrac{1}{x}>\dfrac{1}{y}$であるため、$\dfrac{2}{x}>\dfrac{7}{10}$であることが分かる。

よって、$x\leqq2$であることが分かり、これから$x=2$、$y=5$が導き出せる。

いま、a、b、cは、$a<b<c$の大小関係にある自然数であり、$\dfrac{1}{a}+\dfrac{1}{b}+\dfrac{1}{c}=\dfrac{9}{10}$である。このとき、$c$の値はいくらか。

1 　9

2 　12

3 　15

4 　18

5 　21

解 説　　　**正解　3**　　　TAC生の正答率　**61%**

問題の条件より、a、b、cは$a<b<c$の大小関係にある自然数で、$\dfrac{1}{a}+\dfrac{1}{a}+\dfrac{1}{a}>\dfrac{1}{a}+\dfrac{1}{b}+\dfrac{1}{c}=\dfrac{9}{10}$であり、整理すると$\dfrac{1}{a}>\dfrac{3}{10}\Leftrightarrow a<\dfrac{10}{3}$となる。これを満たす自然数$a$の値は$a=1\sim3$である。

（ⅰ）　$a=1$のとき

$\dfrac{1}{a}=1>\dfrac{9}{10}$となり、満たす自然数$b$、$c$の値がないので、不適である。

（ⅱ）　$a=2$のとき

$\dfrac{1}{2}+\dfrac{1}{b}+\dfrac{1}{c}=\dfrac{9}{10}$を整理すると$\dfrac{1}{b}+\dfrac{1}{c}=\dfrac{2}{5}$となる。同様に考えると、$b<c$の大小関係から$\dfrac{1}{b}+\dfrac{1}{b}>\dfrac{1}{b}+\dfrac{1}{c}=\dfrac{2}{5}$であり、整理すると$\dfrac{1}{b}>\dfrac{1}{5}$となるが、$a<b$より、これを満たす自然数$b$の値は$b=3,4$である。$b=3$のとき、$\dfrac{1}{3}+\dfrac{1}{c}=\dfrac{2}{5}$より$c=15$となり、これは条件を満たす。$b=4$のとき、$\dfrac{1}{4}+\dfrac{1}{c}=\dfrac{2}{5}$より$c=\dfrac{20}{3}$となり、$c$が自然数とならないので不適である。

（ⅲ）　$a=3$のとき

$a<b<c$であるから、$\dfrac{1}{a}+\dfrac{1}{b}+\dfrac{1}{c}$の最大値は、$b=4$、$c=5$のときの$\dfrac{1}{3}+\dfrac{1}{4}+\dfrac{1}{5}=\dfrac{47}{60}$となる。$\dfrac{47}{60}<\dfrac{9}{10}$より、$\dfrac{1}{a}+\dfrac{1}{b}+\dfrac{1}{c}=\dfrac{9}{10}$とならないから、この場合は不適である。

以上より、$a=2$、$b=3$、$c=15$であるから、正解は**3**である。

2022以下の自然数のうち、4で割ると3余り、かつ、11で割ると5余る数は何個あるか。

1 44個

2 45個

3 46個

4 47個

5 48個

解 説　　**正解　3**　　　TAC生の正答率　**50%**

条件を満たす自然数をxとおく。

4で割ると3余る自然数は順に、3，7，11，15，19，23，27，31，35，39，43，…である（…①）。

11で割ると5余る自然数は順に、5，16，27，38，…である（…②）。

①、②に共通する最小の自然数xは27で、①は4ずつ、②は11ずつ増加するから、最小公倍数の44ずつ増加すると①、②に共通して現れる。よって、$x = 44 \times a + 27$と表すことができる（aは0以上の整数）。

xは2022以下の自然数であるから、$x = 44 \times a + 27$より$1 \leqq 44 \times a + 27 \leqq 2022$を満たす。整理すると$-\dfrac{26}{44} \leqq a \leqq 45\dfrac{15}{44}$で、満たす整数$a$は0から45までの46個あり、それに対応する$x$も46個ある。

したがって、正解は**3**である。

数的推理　　規則性

　　ある会社では、社員全員が参加する式典を開催することとなった。式典の会場では、当初、図Ⅰのように各列12人分の座席が用意され、最前列の左端の座席から社員番号順に着席することとなっていた。しかし、座席の間隔を空けることとなり、実際には図Ⅱのように各列7人分の座席が用意され、最前列の左端の座席から社員番号順に着席した。

　　次のことが分かっているとき、社員Aの社員番号の一の位の数字はいくつか。

○　社員には1、2、3、…と順番に社員番号が一つずつ振られており、欠番はなかった。

○　Aの実際の座席の列は、Aの当初の座席の列よりも2列後ろであった。

○　Aの実際の座席の列の左端からの位置（左から当該座席まで数えたその列の座席数）は、Aの当初の座席の列の左端からの位置のちょうど半分であった。

図Ⅰ（当初）

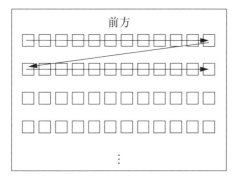

図Ⅱ（実際）

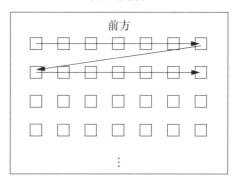

1　0

2　2

3　4

4　6

5　8

解　説　　　正解　**2**

　　最前列からm列目、左端からn列目の座席を(m, n)と表す。当初の座席を(m, n)とすれば、条件より、実際の座席は$\left(m+2, \dfrac{n}{2}\right)$と表せる。ただし、$n$は偶数であり、$n = 2, 4, \cdots, 12$まで取り得ることに注意する。

　　Aの社員番号をxとすれば、$x = 12m + n = 7(m+2) + \dfrac{n}{2}$であるから、整理すると$10m + n = 28 \cdots$①となる。$n$の取り得る範囲に注意すれば、$m = 2$しかなく、このとき①より$n = 8$である。したがって、$x = 12m + n = 12 \times 2 + 8 = 32$であり、社員番号の一の位は2である。よって、正解は**2**である。

数的推理　規則性

1から10までの整数をそれぞれ2020乗した。得られた10個の数値の一の位の数字は何種類あるか。

1 3種類

2 4種類

3 5種類

4 6種類

5 7種類

解説　正解　**2**　　　TAC生の正答率　41%

1は、何乗しても1である。

2は、$2 \times 2 = 4$で一の位は4、$4 \times 2 = 8$で一の位は8、$8 \times 2 = 16$で一の位は6、$6 \times 2 = 12$で一の位は2、$2 \times 2 = 4$で一の位は4と、2、4、8、6の4つがこの順で繰り返され、$2020 \div 4 = 505$で余りが出ないから、2の2020乗の一の位は4番目の6である。

3は、$3 \times 3 = 9$で一の位は9、$9 \times 3 = 27$で一の位は7、$7 \times 3 = 21$で一の位は1、$1 \times 3 = 3$で一の位は3、$3 \times 3 = 9$で一の位は9と、3、9、7、1の4つがこの順で繰り返され、$2020 \div 4 = 505$で余りが出ないから、3の2020乗の一の位は4番目の1である。

4は、$4 \times 4 = 16$で一の位は6、$6 \times 4 = 24$で一の位は4、$4 \times 4 = 16$で一の位は6と、4と6が交互に繰り返されるので、4の2020乗の一の位は偶数番目の6である。

5は、$5 \times 5 = 25$で一の位が5となるので、5の2020乗の一の位も5である。

6は、$6 \times 6 = 36$で一の位が6となるので、6の2020乗の一の位も6である。

7は、$7 \times 7 = 49$で一の位は9、$9 \times 7 = 63$で一の位は3、$3 \times 7 = 21$で一の位は1、$1 \times 7 = 7$で一の位は7、$7 \times 7 = 49$で一の位は9と、7、9、3、1の4つがこの順で繰り返され、$2020 \div 4 = 505$で余りが出ないから、7の2020乗の一の位は4番目の1である。

8は、$8 \times 8 = 64$で一の位は4、$4 \times 8 = 32$で一の位は32、$2 \times 8 = 16$で一の位は6、$6 \times 8 = 48$で一の位は8、$8 \times 8 = 64$で一の位は4と、8、4、2、6の4つがこの順で繰り返され、$2020 \div 4 = 505$で余りが出ないから、8の2020乗の一の位は4番目の6である。

9は、$9 \times 9 = 81$で一の位は1、$1 \times 9 = 9$で一の位は9、$9 \times 9 = 81$で一の位は1と、9と1が交互に繰り返されるので、9の2020乗の一の位は偶数番目の1である。

10は、$10 \times 10 = 100$で一の位が0となるので、10の2020乗の一の位も0である。

よって、一の位は0、1、5、6の4種類であるから、正解は**2**である。

数的推理 | 規則性

図Iのように、無限個の正六角形を用いて⑦～⑤の作業を行う。

⑦　正六角形を一つ置き、「1」の番号を付す。

④　「1」の番号を付した正六角形の周囲に正六角形を隙間なく並べ、その個数である「6」の番号を付す。

⑦　「6」の番号を付した正六角形の外側に正六角形を隙間なく並べ、その個数である「12」の番号を付す。

⑤　外側に正六角形を隙間なく並べ、その個数である番号を付す作業を繰り返す。

⑤の作業を繰り返していくと、図Ⅱのような、「30」の番号が付された正六角形が30個でき、これらの正六角形の周囲にある6個の正六角形全てにも、実際にはそれぞれ番号が付されている。これらの「30」の番号が付された30個の正六角形それぞれについて、周囲にある6個の正六角形に付された番号の数字の合計としてあり得るもののみを全て挙げているのはどれか。

図I

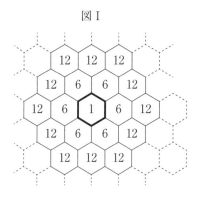

図Ⅱ

1　168

2　192

3　168，180

4　180，192

5　168，180，192

解 説　**正解　4**　　　　　　　　　　TAC生の正答率　**58%**

　図Ⅰより、「6」の番号を付した正六角形6個は正六角形状に並んでおり、このとき、正六角形の一辺に並んでいる「6」の個数は2個である。

　また、「12」の番号を付した正六角形12個は正六角形状に並んでおり、このとき、正六角形の一辺に並んでいる「12」の個数は3個である。

　さらに、「12」の番号を付した正六角形の外側に正六角形を隙間なく並べると、18個並ぶ。「18」の番号を付した正六角形18個は正六角形状に並んでおり、このとき、正六角形の一辺に並んでいる「18」の個数は4個である。

　同様に考えると、「18」の番号を付した正六角形の外側には「24」の番号を付した正六角形、その外側には「30」の番号を付した正六角形、その外側には「36」の番号を付した正六角形が並ぶことになる。

　正六角形状に並んだ「30」の番号を付した正六角形は、それぞれ2つの「30」の番号を付した正六角形と隣り合っており、その並び方は図1、2の2通り考えられる。図1の場合、内側で「24」の番号を付した正六角形が1つ、外側で「36」の番号を付した正六角形が3つ隣り合っており、図2の場合、内側で「24」の番号を付した正六角形が2つ、外側に「36」の番号を付した正六角形が2つ隣り合っている。

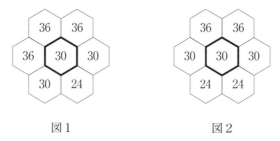

図1　　　　　　　　　　図2

　「30」の周囲にある6個の正六角形に付された番号の組合せはこの2通りであり、数字の合計は図1では$24+30\times2+36\times3=192$、図2では$24\times2+30\times2+36\times2=180$となるから、正解は**4**である。

　図のような0～9までの数字が一つずつ書かれたカードが多数ある。このカードは、透明な素材に一つの数字が書かれており、横方向に裏返しても、縦方向に裏返しても書かれた数字が透けて見える。例えば、0は縦方向に裏返しても横方向に裏返しても、数字として読むことができるが、3は縦方向に裏返したときだけ数字として読むことができる。

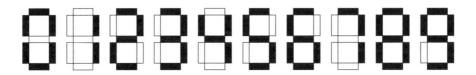

　いま、この透明なカード3枚を用いて100から999までの3桁の整数を900個作り、そのうち、百の位の数字が、十の位の数字と一の位の数字のいずれよりも大きい3桁の整数を全て取り出した。例えば、987、977、967は、いずれも百の位の数字が、十の位の数字や一の位の数字よりも大きいので、この条件を満たす整数である。

　取り出された3桁の整数のうち、それぞれの数字が書かれた3枚のカード全てを<u>縦方向に裏返した</u>とき、数字として読むことができて、3桁の整数として成立するのは何個あるか。

　ただし、裏返した後の3桁の整数は、百の位の数字が、十の位の数字や一の位の数字より大きくなくてもよい。

1　14個

2　30個

3　55個

4　91個

5　204個

解説 　正解 　**3** 　　　　　TAC生の正答率 **46%**

　図の0〜9のうち、縦方向に裏返したときに数字として読めるのは、0、1、2、3、5、8の6種類である。これらで構成され、百の位の数字が十の位の数字や一の位の数字より大きい3桁の整数の個数を考える。

　百の位の数字が8のとき、十の位と一の位に使える数字は0、1、2、3、5の5種類であるから、全部で5×5＝25[個]できる。

　百の位の数字が5のとき、十の位と一の位に使える数字は0、1、2、3の4種類であるから、全部で4×4＝16[個]できる。

　百の位の数字が3のとき、十の位と一の位に使える数字は0、1、2の3種類であるから、全部で3×3＝9[個]できる。

　百の位の数字が2のとき、十の位と一の位に使える数字は0、1の2種類であるから、全部で2×2＝4[個]できる。

　百の位の数字が1のとき、十の位と一の位に使える数字は0の1種類のみであるから、全部で1×1＝1[個]できる。

　百の位の数字が0のときは条件を満たさない。

　以上より、成立する個数は25＋16＋9＋4＋1＝55[個]であるので、正解は**3**である。

数的推理	場合の数	2023年度 基礎能力 No.13

　8枚のピザがあり、1人ずつ順に一つのサイコロを1回振り、それぞれ出た目の枚数だけピザを取っていくとき、3人目が出た目の枚数だけピザを取り終えたところで過不足なく全てのピザがなくなる場合のサイコロの目の出方は何通りあるか。なお、ここで使用するサイコロは、1〜6の異なる数字が各面に一つずつ書かれた立方体のことをいう。

1　18通り

2　21通り

3　24通り

4　27通り

5　30通り

解説　　正解　**2**　　

　1人目、2人目、3人目が振ったサイコロの出た目をそれぞれx、y、zとおく。このとき、x、y、z＝1、2、…、6であり、3人目が出た目の枚数だけピザを取り終えたところで過不足なくすべてのピザがなくなることから、(x, y, z)は$x+y+z=8$を満たす数の組であればよい。

　足して8になる1〜6の3数の組合せは$(1, 1, 6)$、$(1, 2, 5)$、$(1, 3, 4)$、$(2, 2, 4)$、$(2, 3, 3)$である。例えば$(1, 1, 6)$の場合、(x, y, z)には$(1, 1, 6)$以外に、順番を入れ替えた$(1, 6, 1)$、$(6, 1, 1)$が対応し、合わせて3通りの場合がある。この3通りは、$(1, 1, 6)$の並べ方を考えればよく、$\frac{3!}{2!1!}=3$[通り]と計算で求めることができる。このように求めていけば、$(1, 2, 5)$の場合は$3!=6$[通り]、$(1, 3, 4)$の場合は$3!=6$[通り]、$(2, 2, 4)$の場合は$\frac{3!}{2!1!}=3$[通り]、$(2, 3, 3)$の場合は$\frac{3!}{2!1!}=3$[通り]あり、全部で$3+6+6+3+3=21$[通り]である。

　よって、正解は**2**である。

図のように、1～9の数字が書かれた縦3列、横3列のマス目がある。いま、1～9の互いに異なる数字が一つずつ書かれた9個の玉が入っている箱の中から、玉を1個取り出し、取り出した玉に書かれた数字と同じ数字が書かれたマスを塗りつぶし、取り出した玉を箱に戻す。この操作を3回繰り返したとき、マスが二つのみ塗りつぶされる確率はいくらか。

1	2	3
4	5	6
7	8	9

1 $\dfrac{8}{81}$

2 $\dfrac{5}{27}$

3 $\dfrac{16}{81}$

4 $\dfrac{8}{27}$

5 $\dfrac{32}{81}$

解説　　**正解　4**　　TAC生の正答率 **50%**

1～9の数字から一つを3回選ぶとき、同じ数字が2回だけ選ばれる確率を求める。

1～9の数字から一つを3回選ぶとき、同じ数字が2回だけ選ばれる事象の余事象は、①3回とも同じ数字が選ばれる、②すべて異なる数字が選ばれる、の2パターンだから、求める選び方の総数は、（すべての選び方）－（①の選び方＋②の選び方）である。

1～9の数字から一つを3回選ぶときのすべての選び方は$9×9×9=729$[通り]ある。

①の3回とも同じ数字が選ばれるのは、数字が9種類あるから9通りある。

②のすべて異なる数字が選ばれるのは、2回目には1回目以外の数字、3回目には1回目、2回目以外の数字を選べばよいから、$9×8×7=504$[通り]ある。

よって、求める選び方の総数は$729-(9+504)=216$[通り]であり、その確率は$\dfrac{216}{729}=\dfrac{8}{27}$となるので、正解は**4**である。

[別　解]

1～9の数字から一つを3回選ぶとき、同じ数字が2回だけ選ばれる確率を求める。

数字を1回選ぶとき、特定のある数字が選ばれる確率は$\dfrac{1}{9}$、選ばれない確率は$\dfrac{8}{9}$で、3回のうちどの2回に選ばれてもよいから、特定のある数字が2回だけ選ばれる確率は${}_3C_2×\left(\dfrac{1}{9}\right)^2×\left(\dfrac{8}{9}\right)$で、1～9のうちどの数字が2回選ばれてもいいから、求める確率は${}_3C_2×\left(\dfrac{1}{9}\right)^2×\left(\dfrac{8}{9}\right)×9=\dfrac{3×8×9}{9^3}=\dfrac{8}{27}$となるので、正解は**4**である。

145

数的推理 | 確率

Aが持っている袋には、缶飲料が5本入っていて、その内訳は、コーヒーが3本、りんごジュースが2本である。また、Bが持っている袋には、缶飲料が4本入っていて、その内訳は、りんごジュースが2本、紅茶が2本である。

いま、Aが持っている袋の中から3本を取り出し、Bが持っている袋に入れて混ぜた後、Bが持っている袋から2本を取り出したとき、取り出した2本が同じ種類の缶飲料である確率はいくらか。

ただし、缶飲料の外側から種類は分からないものとし、どの缶飲料を取る確率も同じとする。

1 $\dfrac{1}{15}$

2 $\dfrac{2}{15}$

3 $\dfrac{1}{5}$

4 $\dfrac{4}{15}$

5 $\dfrac{1}{3}$

Aの持っている袋から取り出した3本の内訳は(i)コーヒー3本、(ii)コーヒー2本、りんごジュース1本、(iii)コーヒー1本、りんごジュース2本の場合がある。これで場合分けをする。

(i)　コーヒー3本をAの持っている袋から取り出す場合

　この確率は $\frac{_3C_3}{_5C_3} = \frac{1}{10}$ である。このとき、Bの持っている袋の缶飲料の内訳はコーヒー3本、りんごジュース2本、紅茶2本の計7本である。

　Bが持っている袋から取り出した2本が同じ種類の缶飲料であるのは、①コーヒー2本または②りんごジュース2本または③紅茶2本の場合であり、①～③の確率はそれぞれ、$\frac{_3C_2}{_7C_2} = \frac{3}{21}$、$\frac{_2C_2}{_7C_2} = \frac{1}{21}$、$\frac{_2C_2}{_7C_2} = \frac{1}{21}$ である。

　よって、(i)の場合、Bが持っている袋から取り出した2本が同じ種類の缶飲料である確率は、$\frac{1}{10} \times \left(\frac{3}{21} + \frac{1}{21} + \frac{1}{21} \right) = \frac{5}{210}$ である。

(ii)　コーヒー2本、りんごジュース1本をAの持っている袋から取り出す場合

　この確率は $\frac{_3C_2 \times _2C_1}{_5C_3} = \frac{6}{10}$ である。このとき、Bの持っている袋の缶飲料の内訳はコーヒー2本、りんごジュース3本、紅茶2本の計7本である。

　Bが持っている袋から取り出した2本が同じ種類の缶飲料であるのは、①コーヒー2本または②りんごジュース2本または③紅茶2本の場合であり、①～③の確率はそれぞれ、$\frac{_2C_2}{_7C_2} = \frac{1}{21}$、$\frac{_3C_2}{_7C_2} = \frac{3}{21}$、$\frac{_2C_2}{_7C_2} = \frac{1}{21}$ である。

　よって、(ii)の場合、Bが持っている袋から取り出した2本が同じ種類の缶飲料である確率は、$\frac{6}{10} \times \left(\frac{1}{21} + \frac{3}{21} + \frac{1}{21} \right) = \frac{30}{210}$ である。

(iii)　コーヒー1本、りんごジュース2本をAの持っている袋から取り出す場合

　この確率は $\frac{_3C_1 \times _2C_2}{_5C_3} = \frac{3}{10}$ である。このとき、Bの持っている袋の缶飲料の内訳はコーヒー1本、りんごジュース4本、紅茶2本の計7本である。

　Bが持っている袋から取り出した2本が同じ種類の缶飲料であるのは、①りんごジュース2本または②紅茶2本の場合であり、①、②の確率はそれぞれ、$\frac{_4C_2}{_7C_2} = \frac{6}{21}$、$\frac{_2C_2}{_7C_2} = \frac{1}{21}$ である。

　よって、(iii)の場合、Bが持っている袋から取り出した2本が同じ種類の缶飲料である確率は、$\frac{3}{10} \times \left(\frac{6}{21} + \frac{1}{21} \right) = \frac{21}{210}$ である。

　以上より、Bが持っている袋から取り出した2本が同じ種類の缶飲料である確率は(i)～(iii)の合計で、$\frac{5}{210} + \frac{30}{210} + \frac{21}{210} = \frac{4}{15}$ である。よって、正解は **4** である。

| 数的推理 | 確率 | 2020年度
基礎能力 No.23 |

テニスの大会の第1次予選において、A、Bの2人が最大で5回の試合を行い、どちらかが3勝した時点でそれ以上の試合は行わず、勝者は第2次予選に進むこととした。試合において、AがBに勝つ確率が$\frac{2}{3}$であり、BがAに勝つ確率が$\frac{1}{3}$であるとき、この2人が5回まで試合を行う確率はいくらか。

1 $\frac{14}{81}$

2 $\frac{8}{27}$

3 $\frac{10}{27}$

4 $\frac{32}{81}$

5 $\frac{37}{81}$

解 説　　**正解　2**　　　　　　　　　　TAC生の正答率 **66%**

5回まで試合を行うということは、4回まででAとBが2勝ずつしたことになる。4回でAとBが2勝ずつする場合の数は、A、A、B、Bの4つの並び方の総数と一致するから$\frac{4!}{2! \times 2!} = 6$[通り]であり、それぞれが起こる確率は$\left(\frac{2}{3}\right)^2 \times \left(\frac{1}{3}\right)^2 = \frac{4}{81}$である。

よって、求める確率は$\frac{4}{81} \times 6 = \frac{8}{27}$であるから、正解は**2**である。

数的推理　　平面図形

円に外接する正方形と、同じ円に内接する正三角形があるとき、正方形の面積は、正三角形の面積の何倍か。

1　$\dfrac{5}{2}$倍

2　$\dfrac{5\sqrt{3}}{3}$倍

3　3倍

4　$\dfrac{16\sqrt{3}}{9}$倍

5　$\dfrac{11\sqrt{2}}{5}$倍

解説　　正解　4

TAC生の正答率　61%

円の半径を1とする。

半径1の円に外接する正方形の1辺の長さは2であるので（図1）、正方形の面積は$2^2 = 4$となる。半径1の円に内接する正三角形の1つの頂点から、対辺に対して垂線を下ろす。正三角形の1つの頂点から引いた垂線と中線は一致するので、この線は正三角形の重心を通っていることになる。また、円は正三角形の外接円であり、正三角形の重心と外心は一致する。重心は中線を2：1に内分し、2の比にあたる側が外接円の半径であるから、垂線の長さは$1 + \dfrac{1}{2} = \dfrac{3}{2}$となる。正三角形の1辺の長さと垂線の長さの比は$2 : \sqrt{3}$だから、正三角形の1辺の長さを$a$とすると、$a : \dfrac{3}{2} = 2 : \sqrt{3}$となり、これを解くと$a = \sqrt{3}$となる（図2）。よって、正三角形の面積は$\dfrac{1}{2} \times \sqrt{3} \times \dfrac{3}{2} = \dfrac{3\sqrt{3}}{4}$となる。

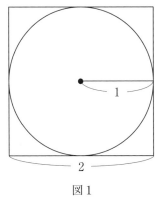

図1

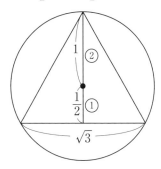

図2

よって、$4 \div \dfrac{3\sqrt{3}}{4} = \dfrac{16}{3\sqrt{3}} = \dfrac{16\sqrt{3}}{9}$より、正方形の面積は正三角形の$\dfrac{16\sqrt{3}}{9}$倍となるので、正解は**4**である。

数的推理 ｜ 平面図形

1,500m離れた 2 地点 A、 B と、山頂 P の角度を見ると、∠ABP＝45°、∠BAP＝105° であり、地点 A から山頂 P を見た仰角は30° であった。

山頂 P と地点 A の標高差PHはいくらか。

1 $500\sqrt{3}$ m

2 $750\sqrt{2}$ m

3 $750\sqrt{3}$ m

4 $750\sqrt{6}$ m

5 $1{,}000\sqrt{2}$ m

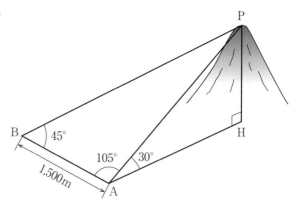

解 説　**正解 2**　

A から BP に下ろした垂線の足を Q とおくと、△ABQ は直角二等辺三角形であり、△ABP は下図のようになる。

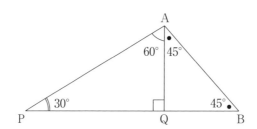

AB＝1500〔m〕であり、AQ：AB＝1：$\sqrt{2}$ より、AQ＝$\dfrac{1500}{\sqrt{2}}$〔m〕である。△APQ に着目すると、AP＝2AQ より、AP＝$1500\sqrt{2}$〔m〕である。

問題の見取り図において、△APH に着目すると、PH＝$\dfrac{1}{2}$AP＝$750\sqrt{2}$〔m〕である。よって、正解は **2** である。

高さhの円錐を底面と水平な面で切断したところ、新たにできた小さな円錐の体積は、切断前の円錐の体積の$\frac{1}{8}$であった。このとき、小さな円錐を取り除いた後に残る円錐台の高さとして正しいのはどれか。

1 $\frac{1}{4}h$

2 $\frac{1}{2}h$

3 $\frac{5}{8}h$

4 $\frac{3}{4}h$

5 $\frac{7}{8}h$

解説　　**正解　2**　　TAC生の正答率　42%

切断前の円錐と切断後にできた円錐は相似であり、体積比が$1:\frac{1}{8}=1^3:\left(\frac{1}{2}\right)^3$であるから、相似比は$1:\frac{1}{2}$である。よって、切断後にできた円錐の高さは$\frac{1}{2}h$であるから、残る円錐台の高さは$h-\frac{1}{2}h=\frac{1}{2}h$となる。

したがって、正解は**2**である。

資料解釈 | 実数の表

表は、2015～2019年における、我が国の輸出入総額と主要な貿易相手国別の輸出入額を示したものである。これからいえることとして最も妥当なのはどれか。

ただし、表にある8か国以外の貿易相手国については考えないものとする。

〔単位：100万米ドル〕

		2015年		2016年		2017年		2018年		2019年	
		輸出額	輸入額	輸出額	輸入額	輸出額	輸入額	輸出額	輸入額	輸出額	輸入額
	総額	624,874	625,568	644,932	606,924	698,097	671,474	738,201	748,218	705,640	720,895
主要な貿易相手国	米国	126,387	68,347	130,586	69,222	135,060	73,833	140,664	83,571	140,430	81,252
	中国	109,278	160,560	113,830	156,553	132,786	164,479	144,053	173,612	134,681	169,220
	韓国	44,019	26,807	46,235	25,020	53,308	28,127	52,482	32,112	46,269	29,626
	ドイツ	16,237	20,282	17,653	22,022	18,945	23,421	20,892	25,959	20,228	24,934
	オーストラリア	12,850	34,792	14,104	30,433	16,011	38,968	17,088	45,680	14,491	45,458
	ベトナム	12,531	15,141	12,990	16,238	15,054	18,531	16,435	21,120	16,484	22,475
	マレーシア	12,004	21,499	12,139	17,334	12,763	19,273	13,941	18,915	13,292	17,652
	インドネシア	11,539	19,754	11,328	18,215	13,394	19,826	15,793	21,578	13,982	18,147

1 国別輸出額の上位3か国の合計が輸出総額の5割を超える年はないが、国別輸入額の上位3か国の合計が輸入総額の5割を超える年はある。

2 2016～2019年についてみると、我が国の貿易収支が黒字となった年の国別輸出額は、全ての国において前年より増加している。

3 国別輸出額の下位3か国の合計が輸出総額に占める割合をみると、2017年から2019年にかけて毎年増加している。

4 我が国の中国に対する貿易収支は全ての年において赤字であるが、赤字額は毎年減少し続けている。

5 2017年における国別輸入額をみると、全ての国において前年より増加しており、このうち対前年増加率が最も大きいのは、オーストラリアである。

1 ✕　国別輸入額の上位３か国は、いずれの年も米国、中国、オーストラリアであり、すべて2018年の輸入額が最大となっている。2018年の輸入額の上位３か国の合計は、83,571＋173,612＋45,680＝302,863［100万米ドル］であり、輸入総額が302,863×2＝605,726［100万米ドル］のときに $\frac{302,863}{605,726}＝\frac{1}{2}$ でちょうど５割になる。すべての年で輸入総額（＝分母）は605,726［100万米ドル］以上であり、すべての年で輸入額の上位３か国の合計（＝分子）は302,863［100万米ドル］以下であるから、輸入額の上位３か国の合計が輸入総額の５割を超える年はない。

2 ✕　我が国の貿易収支が黒字となった年は、（輸出総額）＞（輸入総額）である2016年と2017年である。2016年のインドネシアをみると、2015年の輸出額が11,539［100万米ドル］に対し、2016年の輸出額は11,328［100万米ドル］と減少している。よって、全ての国において前年より増加してはいない。

3 ✕　2018年の国別輸出額の下位３か国の合計は、16,435＋13,941＋15,793＝46,169［100万米ドル］であるから、輸出総額に占める割合は $\frac{46,169}{738,201}$ であり、738,201の10％が約73,820で、５％が73,820÷2＝36,910で、１％が7,382で、６％が36,910＋7,382＝44,292だから、46,169の割合は６％より大きい。2019年の国別輸出額の下位３か国の合計は、14,491＋13,292＋13,982＝41,765［100万米ドル］であるから、輸出総額に占める割合は $\frac{41,765}{705,640}$ であり、705,640の10％が70,564で、５％が70,564÷2＝35,282で、１％が約7,056で、６％が35,282＋7,056＝42,338だから、41,765の割合は６％より小さい。よって、2018年から2019年にかけては割合が減少している。

4 ✕　我が国の中国に対する貿易赤字額は、2018年が173,612－144,053＝29,559［100万米ドル］であるのに対し、2019年は169,220－134,681＝34,539［100万米ドル］であるから、2019年は前年より赤字額が増加している。

5 〇　2017年の国別輸入額について、オーストラリアの対前年増加額は38,968－30,433＝8,535［100万米ドル］で、対前年増加率は $\frac{8,535}{30,433}$ となる。米国と中国は2016年の輸入額（＝分母）がオーストラリアより大きく、対前年増加額（＝分子）が米国は約4,600、中国は約7,900で、いずれもオーストラリアより小さいから、対前年増加率はオーストラリアより小さくなる。$\frac{8,535}{30,433}$ と、分母、分子をそれぞれ半分にした $\frac{4,267.5}{15,216.5}$ は同じ割合であるが、韓国、ドイツ、ベトナム、マレーシア、インドネシアの2016年の輸入額（＝分母）は15,216.5［100万米ドル］より大きく、対前年増加額（＝分子）は、韓国が約3,100、ドイツが約1,400、ベトナムが約2,300、マレーシアが約1,900、インドネシアが約1,600で、いずれも4,267.5より小さいから、対前年増加率はオーストラリアより小さくなる。よって、対前年増加率はオーストラリアが最も大きい。

資料解釈　　実数と割合の表

次は、20歳以上の人の睡眠の質の状況についてのある調査を行った際の質問とその結果を、男女別・年齢階級別に示したものである。これから確実にいえることとして最も妥当なのはどれか。

なお、複数回答のため、割合の合計が100％とならない。

問：睡眠の質についておたずねします。あなたはこの1ヶ月間に、次のようなことが週3回以上ありましたか。

(単位：人、％)

		年齢計	20～29歳	30～39歳	40～49歳	50～59歳	60～69歳	70歳以上
男性	人数	2,667	220	254	427	413	564	789
	寝付きにいつもより時間がかかった(％)	10.6	16.8	9.1	9.8	7.5	11.0	11.2
	夜間、睡眠途中に目が覚めて困った(％)	25.4	11.8	17.3	23.0	23.2	27.5	32.7
	起きようとする時刻よりも早く目が覚め、それ以上眠れなかった（％）	17.0	5.9	10.6	13.3	20.6	21.3	19.1
	睡眠時間が足りなかった（％）	17.3	32.3	26.8	25.3	21.8	10.8	8.1
	睡眠全体の質に満足できなかった（％）	21.6	28.6	25.2	26.9	27.1	19.1	14.4
	日中、眠気を感じた(％)	32.3	40.5	37.4	32.6	31.2	30.3	30.2
	上記のようなことはなかった（％）	31.9	27.3	33.5	29.0	28.8	33.3	34.9
女性	人数	3,035	225	298	468	480	606	958
	寝付きにいつもより時間がかかった(％)	16.8	21.3	18.1	9.6	12.5	15.5	21.7
	夜間、睡眠途中に目が覚めて困った(％)	25.9	17.3	25.2	19.2	23.5	25.9	32.6
	起きようとする時刻よりも早く目が覚め、それ以上眠れなかった（％）	15.6	7.1	10.7	8.5	12.9	17.3	22.9
	睡眠時間が足りなかった（％）	19.8	36.0	28.2	26.9	26.7	15.8	9.0
	睡眠全体の質に満足できなかった（％）	22.0	29.3	32.6	26.5	25.2	20.0	14.4
	日中、眠気を感じた(％)	36.9	46.7	43.0	42.1	39.6	32.2	31.9
	上記のようなことはなかった（％）	30.0	26.7	25.5	30.8	30.0	33.0	29.9

1 「寝付きにいつもより時間がかかった」と回答した人についてみると、70歳以上の男性の人数が、70歳以上の女性の人数の半数を超えている。

2 「睡眠時間が足りなかった」と回答した人についてみると、20歳以上の男性の合計人数が、20歳以上の女性の合計人数を上回っている。

3 20～29歳の女性について、「夜間、睡眠途中に目が覚めて困った」と「起きようとする時刻よりも早く目が覚め、それ以上眠れなかった」の両方に回答した人はいない。

4 「日中、眠気を感じた」と回答した人についてみると、40～49歳の男性の人数が、30～39歳の女性の人数を上回っている。

5 「睡眠全体の質に満足できなかった」と回答した50～69歳の男女の合計人数は、600人を超えている。

解説　　**正解　4**　　　　　　　　　TAC生の正答率　**78%**

1 ✕　「寝付きにいつもより時間がかかった」と回答した人についてみると、70歳以上の男性の人数は $789 \times 11.2\%$ であり、70歳以上の女性の人数は $958 \times 21.7\%$ である。$789 \times 11.2\% \times 2 = 789 \times 22.4\%$ は $800 \times 23\% = 184$ を下回るが、$958 \times 21.7\%$ は $950 \times 20\% = 190$ を上回り、70歳以上の男性の人数が70歳以上の女性の人数の半数を超えていない。

2 ✕　「睡眠時間が足りなかった」と回答した人についてみると、20歳以上の男性の合計人数は $2,667 \times 17.3\%$ であり、20歳以上の女性の合計人数は $3,085 \times 19.8\%$ である。実数も割合も女性の方が大きいので、20歳以上の男性の合計人数が女性の合計人数を上回っていない。

3 ✕　20～29歳の女性について、「夜間、睡眠途中に目が覚めて困った」と回答した人は $225 \times 17.3\%$ おり、「起きようとする時刻よりも早く目が覚め、それ以上眠れなかった」と回答した人は $225 \times 7.1\%$ いるが、この両方に回答した人がいないとはいえない。

4 〇　「日中、眠気を感じた」と回答した人についてみると、40～49歳の男性の人数は $427 \times 32.6\%$ であり、30～39歳の女性の人数は $298 \times 43.0\%$ である。427 の 30% は $42.7 \times 3 \fallingdotseq 128$、$427$ の 2% は $4.27 \times 2 \fallingdotseq 9$、$427$ の 0.6% は $0.427 \times 6 \fallingdotseq 3$ より、$427 \times 32.6\% \fallingdotseq 128 + 9 + 3 = 140$ である。298 の 40% は $29.8 \times 4 \fallingdotseq 119$、$298$ の 3% は $2.98 \times 3 \fallingdotseq 9$ より、$298 \times 43.0\% \fallingdotseq 119 + 9 = 128$ である。よって、40～49歳の男性の人数が30～39歳の女性の人数を上回っている。

5 ✕　「睡眠全体の質に満足できなかった」と回答した50～69歳の男女の合計人数は、$413 \times 27.1\% + 564 \times 19.1\% + 480 \times 25.2\% + 606 \times 20.0\%$ である。多く見積もって、$413 \times 30\% + 564 \times 20\% + 480 \times 30\% + 606 \times 20\%$ としても、$413 \times 30\% + 564 \times 20\% + 480 \times 30\% + 606 \times 20\% = (413 + 480) \times 30\% + (564 + 606) \times 20\% = 893 \times 30\% + 1170 \times 20\% = 267.9 + 234 = 501.9$ であり、600を超えていない。

　図は、ある年のある集団において、5〜17歳の各年齢別にむし歯の状況を示したものである。これからいえることとして最も妥当なのはどれか。

　ただし、この集団の各年齢の人数は同じであるものとする。

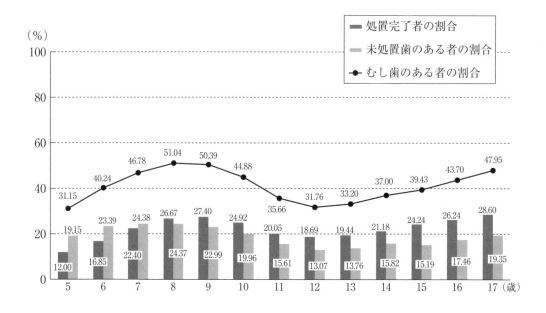

1　6〜17歳において、1歳下の年齢と比較してむし歯のある者の割合が大きい年齢では、未処置歯のある者の割合も同様に大きい。

2　むし歯のある者の割合について、1歳下の年齢と比較した場合の変化率をみると、16歳における変化率と17歳における変化率は等しい。

3　5〜17歳の各年齢におけるむし歯のある者の割合について、それらの平均をとると40％を上回る。

4　歯磨きを最も頻繁に行っている年齢は12歳で、最も行っていない年齢は8歳である。

5　12歳で未処置歯のある者の割合は、およそ4％である。

1　**×**　例えば8歳を見ると、7歳に比べ、むし歯のある者の割合は46.78%から51.04%に増加しているが、未処置歯のある者の割合は24.38%から24.37%に減少している。

2　**×**　15歳のむし歯のある者の割合は39.43%で、16歳のむし歯のある者の割合の15歳に対する増加量は$43.70 - 39.43 = 4.27$%だから、増加率は$\frac{4.27}{39.43}$である。39.43の10%は3.943だから、4.25の増加率は10%より大きい。一方、16歳のむし歯のある者の割合は43.70%で、17歳のむし歯のある者の割合の16歳に対する増加量は$47.95 - 43.70 = 4.25$%だから、増加率は$\frac{4.25}{43.70}$である。43.70の10%が4.37だから、4.25は10%より小さい。よって、変化率は等しくない。

3　**○**　5～17歳の各年齢のむし歯のある者の割合の平均が40%を上回るということは、5～17歳の13の年齢区分における各年齢のむし歯のある者の割合の総和が$40 \times 13 = 520$%を上回ることと同じである。5～17歳の13の年齢区分における各年齢のむし歯のある者の割合の総和は、小数点以下を切り捨てても$31 + 40 + 46 + 51 + 50 + 44 + 35 + 31 + 33 + 37 + 39 + 43 + 47 = 527$%だから、確実に520%を上回る。

4　**×**　この資料からは、歯磨きを行っているかどうかは読み取ることができないので、歯磨きを行っている割合を比較することはできない。

5　**×**　12歳で未処置歯のある者の割合は、13.07%である。

| 資料解釈 | 指数のグラフ | 2023年度
基礎能力 No.25 |

図は、A国〜P国の16か国における教育機関に対する教育支出額と、それを生徒一人当たりに換算した教育支出額について、2016年の数値を、2005年の数値を100とする指数でそれぞれ示したものである。これから確実にいえることとして最も妥当なのはどれか。

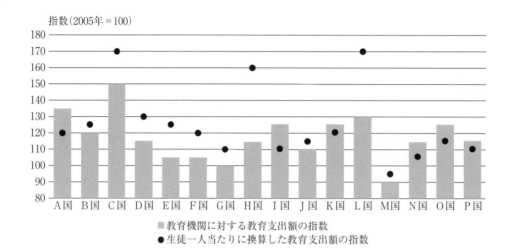

1 2005年と比較して2016年の生徒数が減少している国の数よりも、増加している国の数の方が多い。

2 2005年と比較した2016年の生徒数の減少割合（絶対値）をみると、M国よりL国の方が大きい。

3 2005年と比較して2016年の教育支出額は、全ての国において増加している。

4 A国では、2016年の生徒数は2005年と比較して3割以上増加している。

5 2016年の生徒一人当たりに換算した教育支出額をみると、G国よりC国の方が大きい。

解説 | **正解 2** | TAC生の正答率 **50%**

1 ✕ 　生徒数 $= \dfrac{\text{教育機関に対する教育支出額}}{\text{生徒一人当たりに換算した教育支出額}}$ で計算できる。2005年の教育機関に対する

教育支出額および生徒一人当たりに換算した教育支出額をそれぞれ a および b とすると、2005年の生

徒数は $\dfrac{a}{b}$ で表され、2016年の生徒数は $\dfrac{a}{b} \times \dfrac{\text{2016年の教育機関に対する教育支出額の指数}/100}{\text{2016年の生徒一人当たりに換算した教育支出額の指数}/100}$

で表されるため、2005年と比較して2016年の生徒数が増加している場合は、

$\dfrac{\text{2016年の教育機関に対する教育支出額の指数}}{\text{2016年の生徒一人当たりに換算した教育支出額の指数}}$ が1より大きければよい。すなわち、2016

年における教育機関に対する教育支出額の指数が同年の生徒一人当たりに換算した教育支出額の指

数より大きければよい。これを満たすのは16か国中、A、I、K、N、O、Pの6か国であり、増

加している国の数の方が多いとはいえない。

2 ◯ 　2005年と比較した2016年の生徒数の減少割合は $1 - \dfrac{\text{2016年の生徒数}}{\text{2005年の生徒数}}$ であり、**1** の説明より、

$\dfrac{\text{2016年の生徒数}}{\text{2005年の生徒数}} = \dfrac{\text{2016年の教育機関に対する教育支出額の指数}}{\text{2016年の生徒一人当たりに換算した教育支出額の指数}}$ であるから、M国とL国

について $1 - \dfrac{\text{2016年の教育機関に対する教育支出額の指数}}{\text{2016年の生徒一人当たりに換算した教育支出額の指数}}$ の値を比較する。M国は $1 - \dfrac{90}{95}$

$= \dfrac{5}{95}$、L国は $1 - \dfrac{130}{170} = \dfrac{40}{170} = \dfrac{20}{85}$ であり、分子が大きく分母が小さいL国の方が大きい。よって、

2005年と比較した2016年の生徒数の減少割合はM国よりL国の方が大きい。

3 ✕ 　M国は2016年における教育機関に対する教育支出額の指数が90で100を下回っており、2005
年と比較して増加していない。

4 ✕ 　2005年と比較した2016年の生徒数の増加の割合は $\dfrac{\text{2016年の生徒数}}{\text{2005年の生徒数}} - 1$ であり、**2** の説明よ

り、$\dfrac{\text{2016年の教育機関に対する教育支出額の指数}}{\text{2016年の生徒一人当たりに換算した教育支出額の指数}} - 1$ である。A国についてみると、この

値は $\dfrac{133}{120} - 1 = \dfrac{13}{120}$ であり、120の3割は36なので、$\dfrac{13}{120}$ は3割を上回っていない。

5 ✕ 　与えられた指数は2005年に対する2016年の相対値であり、C国、G国に関する具体的な実数
値も与えられていないため、2016年の生徒一人当たりに換算した教育支出額そのものの比較はでき
ない。

資料解釈	さまざまな資料	2022年度 基礎能力 No.27

図は、2009年度及び2019年度における、我が国の魚介類の生産・消費構造の変化を示したものである。これから確実にいえることとして最も妥当なのはどれか。

なお、四捨五入の関係により、合計が一致しない場合がある。

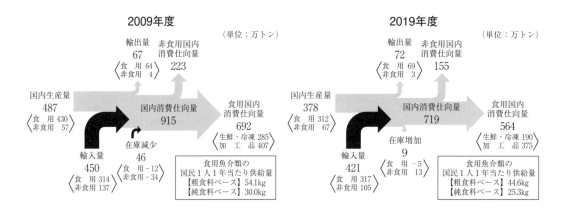

1 2009年度についてみると、国内消費仕向量に占める食用国内消費仕向量の割合は、80%を超えており、2019年度のそれより10ポイント以上高い。

2 2019年度についてみると、食用国内消費仕向量に占める加工品の割合は、50%を超えており、2009年度のそれより5ポイント以上高い。

3 2009年度に対する2019年度の食用魚介類の国民1人1年当たり供給量の減少率をみると、純食料ベースの方が粗食料ベースより大きいが、減少率は共に20%台（20%以上30%未満）である。

4 2009年度と2019年度とを比較すると、国内生産量に占める非食用の割合は、2009年度の方が大きいが、国内消費仕向量に占める非食用の割合は、2019年度の方が大きい。

5 2009年度と2019年度とを比較すると、国内生産量、輸入量、在庫の量はいずれも2019年度の方が少なく、また、2019年度の輸入量のうち80%以上を食用が占めている。

解 説　　**正解　2**　　　　　　　　　　　　　　　　　TAC生の正答率　**61**%

1　✕　2009年度の国内消費仕向量に占める食用国内消費仕向量の割合は$\frac{692}{915}$で、915の10%が91.5で、80%が91.5×8＝732であるから、692は80%を超えていない。

2　〇　2019年度の食用国内消費仕向量に占める加工品の割合は$\frac{375}{564}$で、564の10%が56.4で、60%が56.4×6＝338.4で、6%が約33.8で、66%が338.4＋33.8＝372.2であるから、375は66%より大きい。2009年度のそれの割合は$\frac{407}{692}$で、692の10%が69.2で、60%が69.2×6＝415.2であるから、407は60%より小さい。よって、2019年度の割合は2009年度の割合より少なくとも66－60＝6［ポイント］以上大きいので、2019年度の割合は50%を超えており、2009年度のそれより5ポイント以上高いといえる。

3　✕　2009年度に対する2019年度の食用魚介類の国民1人1年当たり供給量の減少率は、純食料ベースでは$\frac{30.0-25.3}{30.0}＝\frac{4.7}{30.0}$で、30.0の10%が3.0で、20%が3.0×2＝6.0であるから、4.7は20%より小さい。よって、純食料ベースの減少率は20%台ではない。

4　✕　国内生産量に占める非食用の割合は、2009年度が$\frac{57}{487}$で、2019年度が$\frac{67}{378}$である。2019年度の方が、分子が大きく、分母が小さいから、分数の値は大きい。よって、国内生産量に占める非食用の割合は、2009年度の方が大きくはない。

5　✕　2019年度の輸入量は421万トンで、そのうち食用は317万トンである。421の10%が42.1で、80%が42.1×8＝336.8であるから、317の割合は80%より小さい。よって、80%以上を食用が占めてはいない。

資料解釈 | 複数の資料

表Ⅰ、表Ⅱ及び図Ⅰはある国における「図書館」と「博物館」の施設数・職員数・利用者数を1999年から2017年まで3年ごとに7回調査した結果を、図Ⅱは2017年の「博物館」の利用者数の内訳を調査した結果を、それぞれ示したものである。これらから確実にいえることとして最も妥当なのはどれか。

表Ⅰ　「図書館」と「博物館」の施設数
（1999〜2017年）

（館）

年	図書館	博物館	美術館	美術館以外
1999	2,592	4,248	987	3,261
2002	2,742	4,491	1,034	3,457
2005	2,979	4,705	1,087	3,618
2008	3,165	4,857	1,101	3,756
2011	3,274	4,835	1,087	3,748
2014	3,331	4,816	1,064	3,752
2017	3,360	4,869	1,069	3,800

表Ⅱ　「図書館」と「博物館」の職員数
（1999〜2017年）

（人）

年	図書館	博物館	美術館	美術館以外
1999	24,844	26,661	8,577	18,084
2002	27,276	29,427	8,483	20,944
2005	30,660	30,597	9,437	21,160
2008	32,557	31,366	9,434	21,932
2011	36,269	32,870	9,881	22,989
2014	39,828	33,744	9,715	24,029
2017	41,336	36,067	10,182	25,885

図Ⅰ　「図書館」と「博物館」の利用者数
（1999〜2017年）

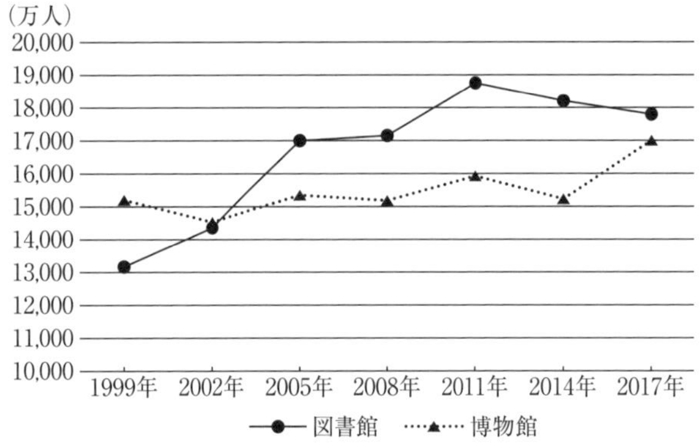

図Ⅱ　「博物館」の利用者数の内訳
（2017年）

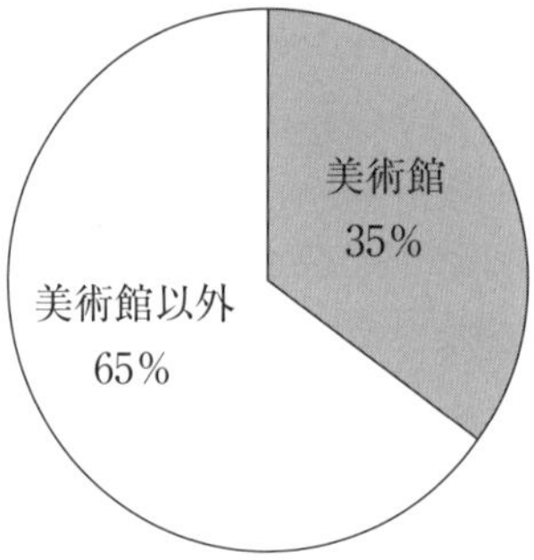

1 1999～2017年の施設数について、「博物館」に占める「美術館」の割合が20％以上となったのは、2回のみである。

2 1999年に対する2017年の職員数の増加率は、「図書館」と「博物館」のいずれにおいても50％以下である。

3 2002～2017年の「博物館」について、施設数が前回の調査結果より増加している全ての年において、利用者数も前回の調査結果より増加している。

4 1999年と2017年のそれぞれの年における1施設当たりの職員数は、「図書館」と「博物館」のいずれにおいても10人未満である。

5 2017年における「博物館」のうち、「美術館以外」の利用者数は、「美術館」の利用者数より4,000万人以上多い。

解 説　　**正解　5**　　　　　TAC生の正答率　**65%**

1 **×** 1999～2017年の施設数について、「博物館」に占める「美術館」の割合が20％以上になったのは、2回より多い。実際、2017年は4,869×20％＝486.9×2＜1,069より、「博物館」に占める「美術館」の割合が20％以上である。また、2014年および2011年も4,816×20％＝481.6×2＜1,064、4,835×20％＝483.5×2＜1,087より、「博物館」に占める「美術館」の割合が20％以上である。

2 **×** 「図書館」の職員数についてみると、1999年から2017年にかけて、24,844から41,336へ16,492増加しているので、1999年に対する2017年の「図書館」の職員数の増加率は$\frac{16,492}{24,844}$となるが、これは$\frac{1}{2}$より大きいので、50％以下でない。

3 **×** 2002～2017年の「博物館」について、施設数が前回の調査結果より増加している年は2002年、2005年、2008年、2017年の4回あるが、「博物館」の利用者数は2002年、2008年が前回の調査結果より減少している。

4 **×** 2017年における「図書館」1施設当たりの職員数は$\frac{41,336}{3,360}$であるが、41,336＞3,360×10＝33,600より、10人未満でない。

5 **○** 2017年における「博物館」のうち、「美術館以外」の利用者数は17,000×65％であり、「美術館」の利用者数は17,000×35％である。17,000×65％－17,000×35％＝17,000×（65％－35％）＝17,000×30％＝5,100（万人）より、「美術館以外」の利用者数は、「美術館」の利用者数より4,000万人以上多い。

現代文
英文
判断推理
空間把握
数的推理
資料解釈
時事
物理
化学

　表Ⅰは、我が国における木材需要量を、表Ⅱは、我が国における用材部門別需要量を示したものである。これらから確実にいえることとして最も妥当なのはどれか。

　ただし、自給率は、総需要量に占める国内生産の割合である。

　なお、四捨五入の関係により、合計が一致しない場合がある。

表Ⅰ　木材需要量（丸太換算）　　　　　　　　（単位：千m³）

	2000年	2009年	2018年
用材	99,263	63,210	73,184
燃料材（薪炭材）	940	1,047	9,020
しいたけ原木	803	543	274
合計	101,006	64,799	82,478

表Ⅱ　用材部門別需要量（丸太換算）　　　　（単位：自給率以外は千m³）

		2000年	2009年	2018年
製材用	総需要量	40,946	23,513	25,708
	国内生産	12,798	10,243	12,563
	輸入	28,148	13,270	13,145
パルプ・チップ用	総需要量	42,186	29,006	32,009
	国内生産	4,749	5,025	5,089
	輸入	37,437	23,981	26,920
合板用	総需要量	13,825	8,163	11,003
	国内生産	138	1,979	4,492
	輸入	13,687	6,184	6,511
その他用	総需要量	2,306	2,528	4,465
	国内生産	337	340	1,536
	輸入	1,969	2,188	2,930
合計	総需要量	99,263	63,210	73,184
	国内生産	18,022	17,587	23,680
	輸入	81,241	45,622	49,505
	自給率	18.2%	27.8%	32.4%

1 2000年、2009年、2018年のうち、木材需要量の合計に占める用材の割合が最も低いのは2009年である。

2 2010〜2018年の燃料材（薪炭材）の需要量の対前年増加率の9年間の平均は、100％を超えている。

3 用材のうち、パルプ・チップ用とその他用を合わせた総需要量をみると、2000年に対する2009年の減少率の絶対値は、2009年に対する2018年の増加率の絶対値より小さい。

4 用材のうち、製材用と合板用を合わせた自給率をみると、2000年、2009年、2018年の中で、4割を超えている年がある。

5 2000年と2018年の自給率を用材部門別にみると、四つの部門のうち、2018年の方が自給率が低い部門がある。

解説　　**正解　4**　　　TAC生の正答率　**70%**

1　✕　木材需要量の合計に占める用材の割合は、$\dfrac{用材}{木材需要量の合計}$ で求められる。2009年の割合は $\dfrac{63,210}{64,799}$ で、64,799の10%が約6,480で、90%が $64,799-6,480=58,319$ であるから、63,210は90%より大きい。2018年の割合は $\dfrac{73,184}{82,478}$ で、82,478の10%が約8,248で、90%が $82,478-8,248=74,230$ であるから、73,184は90%より小さい。よって、割合が最も低いのは2009年ではない。

2　✕　2010～2017年のデータがないので、9年間の対前年増加率の平均が100%を超えるかどうかは不明である。

3　✕　パルプ・チップ用とその他用を合わせた総需要量は、2000年が $42,186+2,306=44,492$［千m³］で、2009年が $29,006+2,528=31,534$［千m³］であり、減少量は $44,492-31,534=12,958$［千m³］であるから、減少率は $\dfrac{12,958}{44,492}$ である。44,492の10%が約4,449で、20%が $4,449\times2=8,898$ であるから、12,958は20%より大きい。一方、2009年は31,534千m³で、2018年が $32,009+4,465=36,474$［千m³］であり、増加量は $36,474-31,534=4,940$［千m³］であるから、増加率は $\dfrac{4,940}{31,534}$ である。31,534の10%が約3,153で、20%が $3,153\times2=6,306$ であるから、4,940は20%より小さい。よって、2000年に対する2009年の減少率の絶対値は、2009年に対する2018年の増加率の絶対値より小さくはない。

4　〇　自給率は $\dfrac{国内生産}{総需要量}$ で求められる。2018年の製材用と合板用を合わせた自給率は、$\dfrac{12,563+4,492}{25,708+11,003}=\dfrac{17,055}{36,711}$ で、36,711の1割が約3,671で、4割が $3,671\times4=14,684$ であるから、17,055は4割より大きい。よって、4割を超えている年がある。

5　✕　十の位を四捨五入した値で考える。製材用の自給率は2000年が $\dfrac{128}{409}$、2018年が $\dfrac{126}{257}$ で、分子がほぼ同じで、分母が2018年の方が小さいから、2018年の方が大きい。パルプ・チップ用の自給率は2000年が $\dfrac{47}{422}$、2018年が $\dfrac{51}{320}$ で、2018年の方が、分母が小さく、分子が大きいから、分数の値も大きい。合板用の自給率は2000年が $\dfrac{1}{138}$、2018年が $\dfrac{45}{110}$ で、2018年の方が、分母が小さく、分子が大きいから、分数の値も大きい。その他用の自給率は2000年が $\dfrac{3}{23}$、2018年が $\dfrac{15}{45}=\dfrac{1}{3}=\dfrac{3}{9}$ で、分子が同じで、分母が2018年の方が小さいから、2018年の方が大きい。よって、2018年の方が自給率が低い部門はない。

MEMO

現代文

英文

判断推理

空間把握

数的推理

資料解釈

時事

物理

化学

資料解釈	複数の資料	2022年度 基礎能力 No.26

　表は、ある国における食中毒発生件数について、2019年12月の病因物質別の件数を示したものであり、図は、当該発生件数について、2019年1〜12月の病因物質別対前月増減の推移を示したものである。これらから確実にいえることとして最も妥当なのはどれか。

表　病因物質別の食中毒発生件数（2019年12月）

病因物質	細　菌	ウイルス	寄生虫	化学物質	自然毒	合　計
件　数	26	29	32	0	4	91

図　食中毒発生件数の病因物質別対前月増減の推移（2019年1〜12月）

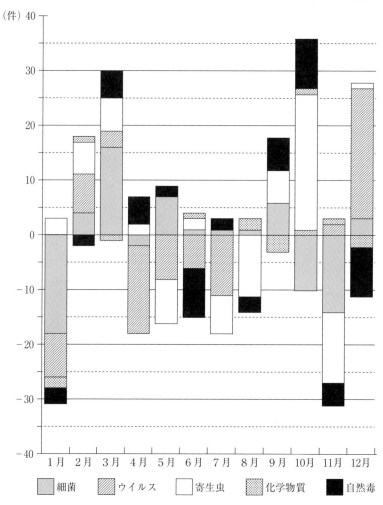

1 2018年12月の細菌による食中毒発生件数は、20件を下回っている。

2 2019年6〜9月の間、ウイルスによる食中毒発生件数は、0件である。

3 2019年1〜12月のうち、寄生虫による食中毒発生件数が最も多いのは、4月である。

4 2019年において、化学物質による食中毒発生件数が10件を超えた月がある。

5 2019年の1年間の自然毒による食中毒発生件数は、50件を超えている。

解説 　　**正解 5**　　　　　TAC生の正答率　**55%**

1 **×** 2019年12月の細菌による食中毒発生件数は表より26件で、図より前月より3件増えている。よって、11月の細菌による食中毒発生件数は26−3＝23[件]となる。同様に考えると、2018年12月の細菌による食中毒発生件数は、26−3＋14＋10−6−1−1−1−7＋2−16−4＋18＝31[件]であるから、20件を下回ってはいない。

2 **×** 2019年7月のウイルスによる食中毒発生件数は、6月より11件減っている。よって、2019年6月のウイルスによる食中毒発生件数は、7月より11件多いので0件ではない。

3 **×** 2019年4月の寄生虫による食中毒発生件数に対し、5月は8件減っているので、（4月の件数）−8となる。同様に考えると、10月は（4月の件数）−8＋2−7−11＋6＋25＝（4月の件数）＋7となるので、寄生虫による食中毒発生件数が最も多いのは4月ではない。

4 **×** 2018年12月に対する2019年12月の化学物質による食中毒発生件数の増減量は、増加分を合計すると＋1＋1＋2＋1＋1＝＋6、減少分を合計すると−2−1−3−2＝−8である。よって、2018年12月の化学物質による食中毒発生件数は、0−6＋8＝2[件]である。2018年12月の件数が2件で、2019年12月までの増加分の合計が6件であるから、化学物質による食中毒発生件数が10件を超えた月はない。

5 **○** 2019年12月の自然毒による食中毒発生件数は4件で、前月より9件減っているから、11月の自然毒による食中毒発生件数は4＋9＝13[件]となる。同様に考えると、10月の件数は13＋4＝17[件]、9月の件数は17−9＝8[件]、8月の件数は8−6＝2[件]、7月の件数は2＋3＝5[件]、6月の件数は5−2＝3[件]となり、合計はこの時点で4＋13＋17＋8＋2＋5＋3＝52[件]となる。よって、2019年の1年間の自然毒による食中毒発生件数は、50件を超えている。

資料解釈　複数の資料

　表は、2019年産水稲の作付面積及び収穫量を、図は、2019年産水稲の10a当たり収量を、それぞれ農業地域別に示したものである。これらからいえることとして最も妥当なのはどれか。

表　2019年産水稲の作付面積及び収穫量

農業地域	作付面積	対前年産差	収穫量	対前年産差
	(ha)	(ha)	(t)	(t)
北海道	103,000	− 1,000	588,100	73,300
東北	382,000	2,900	2,239,000	102,000
北陸	206,500	900	1,115,000	19,000
関東・東山	271,100	800	1,414,000	− 43,000
東海	93,100	− 300	457,100	− 5,300
近畿	102,600	− 500	516,400	− 1,100
中国	102,100	− 1,600	513,200	− 24,600
四国	48,300	− 1,000	220,700	− 12,700
九州	160,000	− 400	696,400	− 124,900
沖縄	677	− 39	2,020	− 180

図　2019年産水稲の10a当たり収量

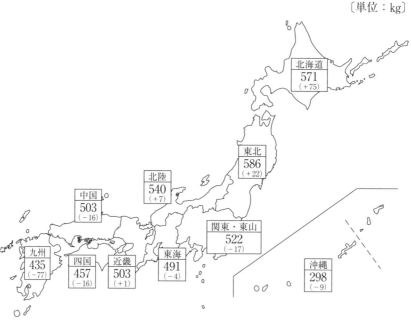

〔単位：kg〕

北海道
571
(＋75)

東北
586
(＋22)

北陸
540
(＋7)

中国
503
(−16)

関東・東山
522
(−17)

九州
435
(−77)

四国
457
(−16)

近畿
503
(＋1)

東海
491
(−4)

沖縄
298
(−9)

（注）　（　）内は、対前年産差を表している。

1 作付面積が広い上位三つの農業地域における、10a当たり収量は、前年産のそれよりいずれも増加している。

2 作付面積が100,000ha未満の農業地域では、収穫量と10a当たり収量は共に前年産のそれらより減少している。

3 各農業地域において、前年より作付面積が広くなると、10a当たり収量は前年産のそれより増加し、前年より作付面積が狭くなると、10a当たり収量は前年産のそれより減少している。

4 収穫量が最も多い農業地域の10a当たり収量と最も少ない農業地域のそれについてみると、前者は後者の2倍を超えている。

5 作付面積が2番目に広い農業地域の収穫量は、10a当たり収量が2番目に多い農業地域の収穫量の3倍を超えている。

解 説　　**正解　2**　　　　　　　　　　　TAC生の正答率 **76%**

1 ✕　作付面積が広い上位三つの農業地域は「東北」、「関東・東山」、「北陸」であるが、「関東・東山」の10a当たり収量は、前年産より17kgだけ減少している。

2 ◯　作付面積が100,000ha未満の農業地域は「東海」、「四国」、「沖縄」で、三つの農業地域いずれにおいても、収穫量、10a当たり収量共に前年産より減少している。

3 ✕　「関東・東山」地域は前年より作付面積が広くなっているが、10a当たり収量は、前年産より減少している。

4 ✕　収穫量が最も多い農業地域は「東北」、最も少ない農業地域は「沖縄」であり、「東北」の10a当たり収量は586kgに対し、「沖縄」の10a当たり収量の2倍は298×2＝596[kg]であるから、前者は後者の2倍を超えていない。

5 ✕　作付面積が2番目に広い農業地域は「関東・東山」、10a当たり収量が2番目に多い農業地域は「北海道」であり、「関東・東山」の収穫量は1,414,000tに対し、「北海道」の収穫量の3倍は588,100×3＝1,764,300[t]であるから、前者は後者の3倍を超えていない。

図Ⅰ、Ⅱ、Ⅲは、ある国の1年間の食品廃棄物及び食品ロス等の状況を示したものである。これらから確実にいえるのはどれか。

図Ⅰ　食品廃棄物等の発生状況等

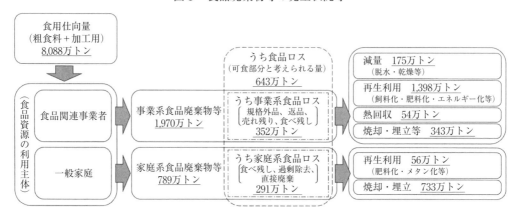

図Ⅱ　事業系食品廃棄物等の業種別内訳　　　図Ⅲ　事業系食品ロスの業種別内訳

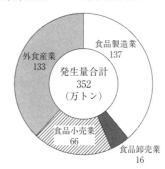

1　家庭系食品廃棄物等に占める食品ロスの割合は、事業系食品廃棄物等に占める食品ロスの割合の3倍を超えている。

2　事業系食品ロスと家庭系食品ロスの合計は、国民1人1日当たり約30グラムである。

3　食品製造業と外食産業から発生する食品ロスは、家庭系食品ロスより多い。

4　事業系食品廃棄物等と家庭系食品廃棄物等の合計は、食用仕向量の3割を超え、また、5割以上が再生利用されている。

5　事業系食品廃棄物等に占める食品ロスの割合を業種別にみると、食品卸売業が最も低い。

解 説　**正解　4**　　TAC生の正答率　**61**%

1　**×**　家庭系食品廃棄物等に占める食品ロスの割合は$\frac{291}{789}$で、789の10%が78.9で、40%が78.9×4 $=315.6$だから、291は789の40%より小さい。一方、事業系食品廃棄物等に占める食品ロスの割合は$\frac{352}{1970}$で、1,970の10%が197で、15%が$197 + 197 \div 2 = 295.5$だから、352は1,970の15%より大きく、その3倍は$15 \times 3 = 45$%より大きい。よって、3倍を超えていない。

2　**×**　資料からは、この国の人口を読み取ることはできない。よって、国民1人1日当たりの食品ロスの量を求めることもできない。

3　**×**　食品製造業と外食産業から発生する食品ロスは図Ⅲより$137 + 133 = 270$[万トン]である。それに対し、家庭系食品ロスは図Ⅰより291万トンであるから、家庭系食品ロスより少ない。

4　**○**　事業系食品廃棄物等と家庭系食品廃棄物等の合計は$1,970 + 789 = 2,759$[万トン]である。食用仕向量は8,088万トンで、その1割が808.8万トンで、3割は$808.8 \times 3 = 2,426.4$[万トン]だから、2,759万トンは食用仕向量の3割を超えている。また、事業系食品廃棄物等と家庭系食品廃棄物等の合計の5割は$2,759 \div 2 = 1,379.5$[万トン]で、再生利用されているのは$1,398 + 56 = 1,454$[万トン]だから、5割以上が再生利用されている。

5　**×**　事業系食品廃棄物等に占める食品ロスの割合は$\frac{\text{食品ロスの量}}{\text{事業系食品廃棄物の量}}$で求められる。食品卸売業は$\frac{16}{27}$であり、27の50%が$27 \div 2 = 13.5$だから、16は27の50%より大きい。一方、食品製造業は$\frac{137}{1617}$で、1,617の10%が161.7だから、137は1,617の10%より小さい。よって、割合が最も低いのは食品卸売業ではない。

表Ⅰ、Ⅱは、ある地域におけるある年の水田作、酪農について、若手農家・非若手農家別に、四つの指標に関する1経営体当たりの平均値と、経営体数を示したものである。これらから確実にいえるのはどれか。

ただし、水田作と酪農を兼業している農家はいないものとする。

表Ⅰ 水田作

	若手農家	非若手農家
水田作付面積 　（ha）	15.4	1.5
農業専従者数 　（人）	2.06	0.10
農業労働時間 （時間）	5,272	873
農業所得 　　（万円）	799	32
経営体数	237	1,378

表Ⅱ 酪農

	若手農家	非若手農家
搾乳牛 　　　（頭）	57.1	27.4
農業専従者数 　（人）	2.51	1.55
農業労働時間 （時間）	7,376	4,822
農業所得 　　（万円）	1,188	505
経営体数	228	132

1 この地域の水田作の1経営体当たりの水田作付面積の平均は、8ha以上である。

2 この地域の水田作の水田作付面積1ha当たりの農業労働時間の平均は、若手農家の方が非若手農家より多い。

3 この地域における農業専従者数の合計は、水田作の方が酪農より多い。

4 この地域の水田作における若手農家の農業労働時間1時間当たりの農業所得の平均は、2,800円以上である。

5 この地域の酪農における搾乳牛1頭当たりの1年間の農業所得の平均は、18万円以上である。

解 説　**正解　5**　TAC生の正答率 **56%**

1　×　水田作の経営体数が237 + 1,378 = 1,615であるから、1経営体当たりの水田作付面積の平均が8 ha以上であるということは、水田作付面積の合計が1,615 × 8 = 12,920[ha]以上であるということと同じである。水田作付面積の合計は15.4 × 237 + 1.5 × 1,378であり、15.4 × 237 < 20 × 250 = 5,000で、1.5 × 1,378 < 2 × 1,400 = 2,800だから、15.4 × 237 + 1.5 × 1,378 < 5,000 + 2,800 = 7,800である。よって、水田作付面積の合計は12,920ha未満である。

2　×　水田作付面積1 ha当たりの農業労働時間の平均は$\dfrac{1\text{経営体あたりの農業労働時間}}{1\text{経営体あたりの水田作付面積}}$で求められる。若手農家は$\dfrac{5,272}{15.4}$で、非若手農家は$\dfrac{873}{1.5}$である。$\dfrac{5,272}{15.4}$と$\dfrac{873}{1.5}$を比較するために$\dfrac{873}{1.5}$の分母と分子を10倍すると$\dfrac{873 \times 10}{1.5 \times 10} = \dfrac{8,730}{15}$となり、$\dfrac{5,272}{15.4}$と$\dfrac{8,730}{15}$では$\dfrac{8,730}{15}$の方が、分子が大きく、分母が小さいから、分数の値は大きい。よって、$\dfrac{5,272}{15.4} < \dfrac{873}{1.5}$だから、若手農家の方が少ない。

3　×　農業専従者数の合計 = 1経営体当たりの農業専従者数 × 経営体数で求められる。水田作の農業専従者数の若手農家と非若手農家を合わせた全体数は2.06 × 237 + 0.10 × 1,378 < 2.1 × 250 + 0.1 × 1,400 = 525 + 140 = 665で、665より少ない。一方、酪農のそれは2.51 × 228 + 1.55 × 132 > 2.5 × 220 + 1.5 × 100 = 550 + 150 = 700で、700より多い。よって、水田作の方が少ない。

4　×　農業労働時間1時間当たりの農業所得の平均は$\dfrac{1\text{経営体あたりの農業所得}}{1\text{経営体あたりの農業労働時間}}$で求められる。若手農家は$\dfrac{799[\text{万円}]}{5,272[\text{時間}]}$で、$\dfrac{799}{5,272} < \dfrac{800}{5,000} = 0.16[\text{万円/時間}] = 1,600[\text{円/時間}]$であるから、2,800円未満である。

5　〇　搾乳牛1頭当たりの1年間の農業所得の平均は$\dfrac{1\text{経営体あたりの農業所得}}{1\text{経営体あたりの搾乳牛}}$で求められる。若手農家の平均は$\dfrac{1,188[\text{万円}]}{57.1[\text{頭}]}$で、57.1 × 20 = 1,142だから、$\dfrac{1,188}{57.1} > 20[\text{万円/頭}]$で20万円より大きい。非若手農家の平均は$\dfrac{505[\text{万円}]}{27.4[\text{頭}]}$で、$\dfrac{504[\text{万円}]}{28[\text{頭}]} = 18[\text{万円/頭}]$だから、$\dfrac{505[\text{万円}]}{27.4[\text{頭}]} > \dfrac{504[\text{万円}]}{28[\text{頭}]} = 18[\text{万円/頭}]$で18万円より大きい。よって、若手農家の平均、非若手農家の平均のいずれも18万円以上なので、若手農家と非若手農家を合わせたこの地域全体の平均も18万円以上となる。

資料解釈　複数の資料

　図は、2014〜2018年におけるある国を訪れた旅行者数（左軸、棒グラフ）及びその旅行者による旅行消費総額（右軸、線グラフ）を示したものであり、表は、2014、2016、2018年における旅行消費額を国別・費目別に示したものである。これらから確実にいえるのはどれか。

図　旅行者数及び旅行消費総額

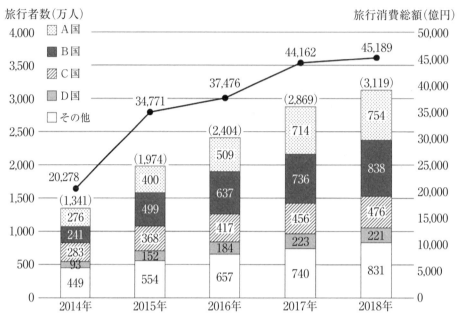

（注）四捨五入のため、旅行者数の各項目の合計が全体の合計と一致しない場合がある。

表　旅行者の費目別旅行消費額　　　　　（億円）

国	年	旅行消費総額	宿泊費	飲食費	買物代	その他
A国	2014	2,090	684	528	555	323
	2016	3,577	1,124	908	996	549
	2018	5,881	1,880	1,502	1,626	873
B国	2014	5,583	1,076	951	3,070	486
	2016	14,754	2,812	2,482	7,832	1,628
	2018	15,450	3,100	2,619	8,110	1,621
C国	2014	3,544	1,048	715	1,316	465
	2016	5,245	1,402	1,109	1,964	770
	2018	5,817	1,585	1,275	2,115	842
D国	2014	1,370	425	294	478	173
	2016	2,947	763	636	1,147	401
	2018	3,358	988	801	1,096	473
その他	2014	7,691	2,866	1,823	1,727	1,275
	2016	10,953	4,039	2,439	2,322	2,153
	2018	14,683	5,659	3,586	2,816	2,622

（注）四捨五入のため、図の旅行消費総額が表の旅行消費総額の合計と一致しな
い場合がある。

1 2014年のA国、B国、C国、D国からの旅行者の旅行消費総額に占める宿泊費の割合は、いずれも30％を超えている。

2 2014年の旅行者1人当たりの飲食費は、A国からの旅行者の方がB国からの旅行者より多い。

3 2018年のA国、B国、C国、D国からの旅行者の買物代の合計は、それぞれの旅行消費総額の合計の50％以上を占めている。

4 2014、2016、2018年のうち、旅行消費総額の合計におけるB国の占める割合が最も高いのは、2016年である。

5 2015～2018年における、A国からの旅行者数の対前年増加率は、2017年が最も高い。

解 説　　**正解　4**　　　　　　　　　　　　　　TAC生の正答率 **62%**

1　✕　旅行消費総額に占める宿泊費の割合は $\dfrac{宿泊費}{旅行消費総額}$ で求められる。2014年のB国を見ると、$\dfrac{1,076}{5,583}$ で、5,583の10%が約558で、30%が558×3＝1,674だから、1,076は30%を超えていない。

2　✕　旅行者1人当たりの飲食費は $\dfrac{飲食費}{旅行者数}$ で求められる。2014年のA国は $\dfrac{528[億円]}{276[万人]}$ で、B国は $\dfrac{951[億円]}{241[万人]}$ である。$\dfrac{528}{276}$ と $\dfrac{951}{241}$ を比べると $\dfrac{951}{241}$ の方が、分子が大きく、分母が小さいから、分数の値は大きい。よって、A国の方がB国より少ない。

3　✕　2018年のA国、B国、C国、D国の旅行消費総額の合計は5,881＋15,450＋5,817＋3,358＝30,506[億円]で、買物代の合計は1,626＋8,110＋2,115＋1,096＝12,947[億円]である。30,506億円の50%は30,506÷2＝15,253[億円]なので、12,947億円は50%未満である。

4　〇　旅行消費総額に占めるB国の割合は、2014年が $\dfrac{5,583}{20,278}$ で、2016年が $\dfrac{14,754}{37,476}$ で、2018年が $\dfrac{15,450}{45,189}$ である。2014年の分母と分子を2倍すると $\dfrac{5,583×2}{20,278×2}＝\dfrac{11,166}{40,556}$ で、$\dfrac{11,166}{40,556}$ と $\dfrac{14,754}{37,476}$ を比べると $\dfrac{14,754}{37,476}$ の方が、分子が大きく、分母が小さいから、分数の値は大きい。2016年の分子と分母を1.1倍すると $\dfrac{14,754＋1,475.4}{37,476＋3,747.6}＝\dfrac{16,229.4}{41,223.6}$ で、$\dfrac{16,229.4}{41,223.6}$ と $\dfrac{15,450}{45,189}$ を比べると $\dfrac{16,229.4}{41,223.6}$ の方が、分子が大きく、分母が小さいから、分数の値は大きい。よって、割合が最も高いのは2016年である。

5　✕　2016年のA国からの旅行者数が509万人で、2017年の対前年増加数が714－509＝205[万人]だから、2017年のA国からの旅行者数の対前年増加率は $\dfrac{205}{509}$ である。509の10%が50.9で、40%が50.9×4＝203.6だから、205はほぼ40%の増加である。2015年を見ると、2014年のA国からの旅行者数が276万人で、2015年の対前年増加数が400－276＝124[万人]だから、2015年のA国からの旅行者数の対前年増加率は $\dfrac{124}{276}$ である。276の10%が27.6で、40%が27.6×4＝110.4で、45%が110.4＋27.6÷2＝124.2だから、124はほぼ45%の増加である。よって、対前年増加率は2017年が最も高くはない。

MEMO

近年の我が国における法改正等に関する記述として最も妥当なのはどれか。

1 2021年、「教育職員等による児童生徒性暴力等の防止等に関する法律」が成立した。これにより、児童生徒性暴力で教員免許が失効した教員への免許再交付について、都道府県教育委員会がその可否を判断できるようになるとともに、児童生徒性暴力による免許失効者の情報を共有するデータベースについては、国が整備することとなった。

2 選挙権年齢や民法の成人年齢が20歳から18歳に引き下げられたことに伴い、2022年4月から、罪を犯した18、19歳については、少年法ではなく刑法が一律に適用されることとなった。ただし、成長途上で更生の余地があることを理由として、罪が確定するまで実名報道を控えるよう、20歳以上の者とは異なる報道規制が設けられた。

3 2021年に改正著作権法が成立したことにより、全国各地域の図書館は、絶版本を含む入手困難な書籍を電子データ化し、必要最小限の利用範囲に限り、直接、利用者に対して電子メールで送信することが可能となった。さらに、クールジャパン戦略の一環として、海外在住の外国人からの請求に限り、漫画本を含む新刊本を電子データ化し、直接電子メールで全ページを送信することが可能となった。

4 憲法改正の手続を定める改正国民投票法が、2021年に成立した。この改正法には、投票率が60％未満の場合は国民投票を不成立とする最低投票率制度を導入した上で、CMやインターネット広告の規制の具体的内容などが盛り込まれた。一方、他の国政選挙とは異なり、国外に居住する者による投票は認められなかった。

5 2040年までに温室効果ガスの排出を実質ゼロとする目標を明記した改正地球温暖化対策推進法が、2021年に成立した。これは、温室効果ガスの排出量を森林などの吸収量の半分以下とする脱炭素社会を2040年までに実現させるとしたもので、全市町村に対して再生可能エネルギーの数値目標を設定することを義務付けるとともに、2022年4月から企業に対して二酸化炭素の排出量に応じて炭素税を課すこととなった。

解 説　　**正解　1**　　

1　○　同法では「児童生徒性暴力等」に該当する行為として、現在の運用上、児童生徒等に対するわいせつ行為等として懲戒免職処分の対象となり得る行為を列挙している。

2　×　従来と変わらず、2022年4月以降も19歳までは少年法の対象である。ただし、18・19歳のとき犯した事件について、原則的には犯人の実名・写真等の報道が禁止されているが、起訴された場合（非公開の書面審理で罰金等を科す略式手続の場合は除く）には、その段階から禁止が解除される。

3　×　まず同改正法により、絶版本を含む入手困難な書籍を電子データ化し、直接利用者に対してインターネット送信できるようになったのは国立国会図書館のみである。全国各地域の図書館は、現行の複写サービスに加えて、一定の条件の下で、調査研究目的で著作物の一部分を電子メールなどで送信できるようになった。また、同改正法では、「さらに」以降の内容は可能になっていない。

4　×　まず、国民投票法には最低投票率制度はなく、改正法でも導入されていない。また、CMやインターネット広告の規制については、今後の検討項目として附則に盛込まれるにとどまった。さらに、国外に居住する者による投票（在外投票）は改正前から認められており、今回の改正では出国時申請制度の規定が追加された。

5　×　まず、温室効果ガスの排出を実質ゼロとする目標年は、2040年ではなく2050年である。また、脱炭素社会における「実質ゼロ」とは、二酸化炭素などの温室効果ガスの排出量を森林などの吸収量と同水準まで減らすことで、差し引きして実質的にゼロにすることを意味している（排出量を吸収量の半分以下にしたら、温室効果ガスの排出量は差し引きマイナスになる）。さらに、市町村に対しては、地域の再エネを活用した脱炭素化を促進する事業（地域脱炭素化促進事業）に係る促進区域・環境配慮・地域貢献に関する方針等を定めることを努力義務とした。最後に、同改正法では炭素税の導入は規定していない。

我が国の人口や高齢化等に関する記述として最も妥当なのはどれか。

1 我が国の総人口に占める65歳以上人口の割合は、2020年において25％を超えるなど、増加傾向にあり、過疎地域では、消滅（無人化）した集落も存在する。地方の人口減少や高齢化に対し、地方公共団体が都市住民を受け入れ、地域おこし協力隊員として一定期間以上地域協力活動に従事してもらいながら、当該地域への定住・定着を図る取組が行われている。

2 我が国の出生数は、2021年において70万人を切るなど、減少傾向にある。一方で、死亡数も減少傾向にあるため、総務省の人口推計によると、2021年の我が国の総人口は前年より増加した。特に、東京都・愛知県・大阪府では人口が増加したが、北海道・鳥取県・沖縄県では人口が減少した。

3 2022年の我が国の農（耕）地面積は、高齢化による耕作放棄及び自然災害を主な要因として、1990年代のピーク時から半分以下にまで減っている。農地面積の減少に対し、政府は耕作放棄地の買取及び販売を行う農地中間管理機構（農地バンク）の整備・活用や遊休農地への課税強化などの対策を行っており、農地面積は2020年から増加傾向に転じた。

4 2018年の我が国の総住宅数に占める空き家数の割合は3割を超え、過去最高となったが、その大半が相続人がいないため放置されている空き家である。2015年には「空家等対策の推進に関する特別措置法」が施行され、相続人がいない空き家を「特定空家等」と定め、自治体が修繕や撤去を行うことが義務付けられた。

5 デジタル田園都市計画構想とは、育児や介護をする必要がある人や高齢者などが、自宅にいながらロボットを遠隔操作して様々な社会的活動を行うことを可能とする都市を作る構想である。2021年、我が国は、脳波を読み取りロボットを動かす技術であるメタバース技術を利用し、多数のロボットを組み合わせて複雑なタスクを行わせる実験に世界で初めて成功した。

1　**○**　地域おこし協力隊は、都市地域から過疎地域等の条件不利地域に住民票を異動し、地域ブランドや地場産品の開発・販売・PR等の地域おこし支援や、農林水産業への従事、住民支援などの地域協力活動を行いながら、その地域への定住・定着を図る取組であり、隊員は各自治体の委嘱を受け任期はおおむね 1 年から 3 年である。

2　**×**　まず、2021年の出生数は81万1,622人であり、70万人は切っていない。また、死亡数はほぼ一貫して増加傾向にあり、総人口は10年以上減少し続けている。さらに、総務省の人口推計によると、2020年10月から2021年 9 月にかけて人口が増加したのは沖縄県のみであり、それ以外の46都道府県では減少している。

3　**×**　まず、「1990年代」、「半分以下」、「2020年から増加傾向」が誤り。我が国の農（耕）地面積は、1961年をピークに2022年まで一貫して減少しているが、ピークの 7 割強は維持している。また、農地中間管理機構は、農地の売買ではなく賃貸の仲介を行っている。

4　**×**　まず、「 3 割」が誤り。2018年の空き家率は過去最高となったが、それでも13.6％である。また、空家の大半は所有者はいるものの放置されている。さらに、空家対策特別措置法における特定空家等とは、相続人がいない空き家ではなく「そのまま放置すれば倒壊等著しく保安上危険となるおそれのある状態又は著しく衛生上有害となるおそれのある状態、適切な管理が行われていないことにより著しく景観を損なっている状態その他周辺の生活環境の保全を図るために放置することが不適切である状態にあると認められる空家等」を指す。そして、自治体には、特定空家等の所有者に対し、修繕や撤去をするよう助言・指導・勧告などができるが、自治体自らが修繕や撤去をする義務はない。

5　**×**　デジタル田園都市構想の定義も、メタバース技術の定義も全く異なる。まず、デジタル田園都市構想とは、「産官学の連携の下、仕事・交通・教育・医療をはじめとする地方が抱える課題をデジタル実装を通じて解決し、誰一人取り残されず全ての人がデジタル化のメリットを享受できる心豊かな暮らしを実現する。地域の個性を活かした地方活性化をはかり、地方から国全体へのボトムアップの成長を実現し、持続可能な経済社会を目指す」構想である。また、メタバース技術とは、インターネット上の仮想空間に作られた世界で、ユーザーは好みの姿をしたアバターを自由に動かし、他者とコミュニケーションを取ることができる技術のことである。

現代文

英文

判断推理

空間把握

数的推理

資料解釈

時事

物理

化学

時事	文化財	2020年度 基礎能力 No.29

文化財に関する記述として最も妥当なのはどれか。

1　2018年、ブラジル北部のリオデジャネイロにある国立博物館で大規模な火災が発生した。ブラジル国立博物館は、スペインからの独立以来400年以上の歴史に関する文化財のほか、南アメリカ大陸で繁栄していたマヤ文明に関する文化財などを多数収蔵していた。同博物館は、予算不足のために防火設備が不十分であり、この火災で収蔵品の大半が焼失したとされている。

2　2019年、フランスのパリにあるノートルダム大聖堂で大規模な火災が発生した。ノートルダム大聖堂は、高い尖塔とステンドグラスの窓を有するゴシック様式の代表的な建築であり、ユネスコの世界文化遺産にも登録されている。ノートルダム大聖堂の再建に向けて、企業などから多額の寄付が表明されている。

3　2019年、沖縄県にある首里城で大規模な火災が発生した。首里城は、17世紀に成立した琉球王国の王宮で、江戸幕府が将軍の代替わりごとに派遣する慶賀使が訪れた。また、その外港である那覇は、宋との朝貢貿易や東アジア諸国との中継貿易で栄えた。今回の火災では、17世紀から現存していた正殿・南殿・守礼門が焼失し、その再建のため、ふるさと納税制度の活用が進められている。

4　我が国の文化財の火災対策としては、2000年代、金閣寺の修復中の失火事件を機に、文化財保護法が制定された。近年、文化財の火災が相次いだことを受け、文化庁は、2019年、文化財防火デーを新たに設けるとともに、絵画や古文書などの有無にかかわらず、全ての国宝や重要文化財を保管する建造物にスプリンクラーの設置を義務付けた。

5　我が国の美術工芸品は、我が国の総人口に占める65歳以上人口の割合が既に4割を超えていることなどを背景に、その所有者や管理者が高齢化しているため、紛失や盗難が相次いでいる。文化庁は、2018年、これまでに国宝や重要文化財に指定した全ての美術工芸品約500件について初めて所在確認を行うとともに、盗難や盗難品の転売を防ぐため、2019年、これらの美術工芸品全ての写真を文化庁のウェブサイトで公開した。

1 ✕　まずリオデジャネイロは、ブラジル北部ではなく南東部に位置する。また、ブラジルはスペインではなくポルトガルの旧植民地であり、独立してから約200年（独立は1822年）である。そして、マヤ文明は南アメリカ大陸ではなく北アメリカ大陸の南部（現在のメキシコ南部）でかつて繁栄していた。

2 〇　ノートルダム大聖堂の火災から１年以上経過した2020年７月に、元の姿で復元するという再建計画が発表されている。

3 ✕　まず、琉球王国は17世紀ではなく15世紀に成立した。また、慶賀使は、江戸幕府が琉球王国に派遣したのではなく、琉球王国が江戸に派遣した使節団である。1609年に琉球王国は薩摩藩の支配下に置かれており、江戸幕府に従属する立場だった。そして、宋王朝が成立していたのは960～1279年であり、琉球王国が成立する前に滅亡している。最後に、守礼門は17世紀から現存していない（1945年の沖縄戦で消失して1958年に再建された）。ただし今回の火災では、守礼門は消失を免れている。

4 ✕　金閣寺の焼失事件は、2000年代ではなく、1950年に発生した。また、文化財保護法は、金閣寺ではなく法隆寺の失火事件を機に1950年に制定された。そして、文化財防火デーは、2019年ではなくすでに1955年に設けられている。また、水により建造物や所蔵品を傷める可能性等があることから、文化財保護法ではスプリンクラーの設置を義務づけていない。

5 ✕　まず、我が国の高齢化率（総人口に占める65歳以上人口の割合）は、2019年10月現在でも28.4％であり、３割も超えていない。また文化庁は、国指定文化財（美術工芸品）全件（10,524件）の所在確認調査を実施し、そのうち所在不明となっている美術工芸品約150件の写真について、文化庁のウェブサイトで公開している。

時事	環境	2023年度 基礎能力 No.28

環境問題等に関する記述として最も妥当なのはどれか。

1　京都議定書の参加国による、地球温暖化防止策等を議論する会議を、気候変動枠組条約締約国会議（COP）という。2021年開催のCOP26では、産業革命前からの気温上昇を3.5度に抑える努力を追求することが、この翌年開催のCOP27では、米国や中国等の温室効果ガスの主要排出国において、排出抑制のため、今後5年以内にガソリン車の販売が禁止されることが合意された。

2　2021年に開催された気候変動に関する首脳会議では、我が国は、2030年度において、温室効果ガスを2013年度比で46％削減することを目指すことを表明した。2020年度までの我が国の年度別温室効果ガス排出量をみると、2014年度以降、減少が続いている。また、2021年度の年間の発電電力量のうち再生可能エネルギーの割合は約20％となっている。

3　化石燃料中心の社会を変革するため、CO_2排出量の削減を行うことを、グリーントランスフォーメーション（GX）という。GXを実行するべく、日本政府が2020年に策定したグリーン成長戦略では、電力部門の脱炭素化を進めるため、2025年度までに、国内の石炭火力発電を廃止し、代わりにCO_2排出量が少ない液化天然ガス火力発電を導入することが定められた。

4　プラスチックごみが海洋に流出することによる、生態系などへの悪影響が懸念されている。我が国では、プラスチック製容器包装やペットボトルのリサイクルを事業者が行うことを義務付けるため、2022年に容器包装リサイクル法が施行された。また、2020年からは飲食店におけるストローなどの使い捨てプラスチック製品の提供が禁止されている。

5　食品ロスとは、まだ食べられるのに廃棄される食品のことである。2015年に国連で採択されたパリ協定が食料廃棄の削減目標を掲げていたことを受けて、我が国では、事業者による食品ロスの削減を促す食品衛生法が成立した。事業者の取組例として、食品企業の製造工程で発生する規格外品を引き取り、福祉施設等へ無料で提供する「フードテック」が挙げられる。

1 ×　まず、「京都議定書の参加国」が誤り。気候変動枠組条約締結国会議は、1992年に国連の総会で採択された気候変動枠組条約に基づき1995年から毎年開催されている会議であり、京都議定書は1997年に開催された第3回会議（COP3）で採択された。また、COP26では産業革命前からの気温上昇を1.5度に抑える努力を追求することが合意された。ただしCOP27では、先進国は2035年までに、発展途上国は2040年までにガソリン車の販売を禁止しようという議論が提起されたものの、日本、米国、中国、ドイツなどは賛同せず、合意に至らなかった。

2 ○　ただし、コロナ禍からの景気回復に伴い、2021年度の我が国の温室効果ガス排出量は前年比2.0％増となった。

3 ×　まず、GXの目的と手段が逆で、これは化石燃料中心の社会を変革するため（＝目的）、CO_2排出量の削減を行う（＝手段）取組みではなく、CO_2排出量の削減を行うため（＝目的）、化石燃料中心の社会を変革する（＝手段）取組みである。また、グリーン成長戦略では、国内の石炭火力発電所を廃止せず、燃料アンモニアを混焼させて継続するとしている。さらに、同戦略には液化天然ガス火力発電への言及はない。液化天然ガス火力発電はすでに主力電源となっており、今さら導入を定めることはない。

4 ×　まず、容器包装リサイクル法は、すでに1997年に本格施行されている。また、飲食店などにおける使い捨てプラスチック製品の提供を規制する法律は、容器包装リサイクル法ではなくプラスチック資源循環促進法（プラスチックに係る資源循環の促進等に関する法律）であり、2022年に施行されている。ただし、提供は禁止されておらず、特定プラスチック使用製品の使用の合理化の取組を行うことにより、プラスチック使用製品廃棄物の排出を抑制することが求められている。

5 ×　まず、2015年に国連で採択された文書で食品廃棄の削減目標を掲げたのは、パリ協定ではなく「持続可能な開発のための2030アジェンダ」（SDGs）である。また、事業者による食品ロスの削減を促すのは、食品衛生法ではなく2019年に成立した食品ロス削減推進法（食品ロスの削減の推進に関する法律）である。さらに、第3文はフードバンクに関する記述である。フードテックとは、生産から加工、流通、消費等へとつながる食分野の新しい技術及びその技術を活用したビジネスモデルを指す。

我が国の生物をめぐる動向に関する記述として最も妥当なのはどれか。

1　日本の固有種であるトキは、学名を*Nipponia nippon*といい、日本の国鳥としても知名度の高い鳥である。明治時代に食肉目的で乱獲されたことから個体数が激減し、絶滅寸前まで追いやられたが、第二次世界大戦後に特別天然記念物に指定されて以降、個体数は徐々に回復してきている。2019年には、環境省が取りまとめたレッドリスト（絶滅のおそれのある野生動物種のリスト）におけるカテゴリーが「準絶滅危惧」に見直された。

2　ライチョウは、我が国の山地のうち、森林限界以下の低山帯に生息する鳥であり、全身の羽毛が夏には真っ黒、冬には真っ白に生え替わる点が特徴的である。近年では、外来種の侵入や登山客の増加に伴う低山の環境悪化によって個体数が減少傾向にあるため、2020年には特別天然記念物に指定されるとともに、環境省の保護増殖事業の対象となった。動物園などが個体数の増加に取り組んでいるが、生態に不明な部分が多く、未だ自然孵化には成功していない。

3　アライグマやカミツキガメなど、海外起源の外来種であって、生態系や農林水産業に被害を及ぼす生物の一部は、特定外来生物と指定され、飼養や輸入などが規制される。また、近年、我が国でもヒアリが発見され、特定外来生物に指定された。ヒアリは南米原産の有毒なアリで、刺されると焼けるような痛み以外にアナフィラキシーショックを引き起こす場合がある。定着阻止の取組が行われているが、2020年にも発見報告があった。

4　豚熱は、コレラ菌の感染による豚と牛の病気であり、致死率は低いものの、特に豚に強い伝染力があるのが特徴で、感染した豚との直接接触で人間にも感染する可能性がある。豚熱は、5年に一度程度の頻度で発生しており、予防のために畜産農家には豚へのワクチン接種が義務付けられているが、2020年にも発生が確認された。感染しても致死率が低いため殺処分はされず、投薬で対処するのが一般的だが、感染経路の特定と対策が課題となっている。

5　2019年、動物愛護管理法が改正された。近年、動物の殺傷や虐待、転居などを理由とする遺棄が多いことから、同改正法では、動物殺傷罪等が厳罰化されたほか、犬・猫・うさぎについて、購入後56日（8週間）以内であれば、購入元に返還することができるいわゆる「56日規制」が導入された。また、犬・猫・うさぎを飼育している販売業者や個人に対して、当該動物に対するマイクロチップの装着と届出が義務付けられ、これに違反した場合の刑事罰も設けられた。

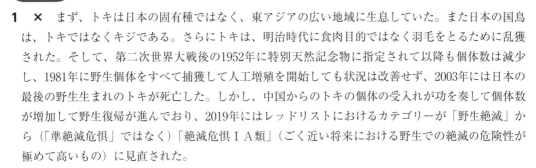

1　✕　まず、トキは日本の固有種ではなく、東アジアの広い地域に生息していた。また日本の国鳥は、トキではなくキジである。さらにトキは、明治時代に食肉目的ではなく羽毛をとるために乱獲された。そして、第二次世界大戦後の1952年に特別天然記念物に指定されて以降も個体数は減少し、1981年に野生個体をすべて捕獲して人工増殖を開始しても状況は改善せず、2003年には日本の最後の野生生まれのトキが死亡した。しかし、中国からのトキの個体の受入れが功を奏して個体数が増加して野生復帰が進んでおり、2019年にはレッドリストにおけるカテゴリーが「野生絶滅」から（「準絶滅危惧」ではなく）「絶滅危惧ⅠA類」（ごく近い将来における野生での絶滅の危険性が極めて高いもの）に見直された。

2　✕　まず、ライチョウは、森林限界付近の高山帯に生息する鳥であり、全身の羽毛が夏には褐色、冬には真っ白に生え替わる。近年では、在来種の生息域の拡大や登山客の増加に伴う高山の環境悪化によって個体数は減少傾向にある。また、特別天然記念物には1923年に指定されたものの保護増殖事業の対象となったのは2012年であり、2019年には自然孵化に成功している。

3　○　ヒアリについて、2021年度にも港のコンテナ内等で発見報告がある。

4　✕　まず豚熱（旧称・豚コレラ）は、コレラ菌ではなく豚熱（CSF）ウイルスの感染による豚とイノシシの病気であり、高い致死率と強い伝染力が特徴だが、人間には感染しない。また豚熱は、日本国内では1992年以来26年ぶりに2018年に発生が確認された。さらに豚熱について、予防的なワクチン接種は原則行っていない。豚熱の防疫措置は、早期発見と感染した豚の殺処分を原則としている。

5　✕　まず、「56日規制」とは購入後の返還期間に関する規制ではなく、出生後56日以下の犬・猫の販売を禁止する規制であり（うさぎは対象外）、2012年の動物愛護管理法改正で「45日規制」（改正後3年で49日規制）として導入され、2019年の改正で「56日規制」となった。また、犬と猫へのマイクロチップの装着（うさぎは対象外）について、販売業者には義務づけられているが、飼い主は努力義務となっており、いずれについても違反した場合の刑事罰は設けられていない。

時事	医療	2022年度 基礎能力 No.28

我が国の医療と健康に関する記述として最も妥当なのはどれか。

1 2020年の我が国の平均寿命は、男女共に過去最高を更新した。平均寿命は保健福祉水準を総合的に示す指標として広く活用されている一方、寝たきりや認知症など介護状態の期間を含んでいる。この介護状態の期間を平均寿命から差し引き、健康上の問題で日常生活が制限されることなく生活できる期間を健康寿命といい、その延伸を目的として種々の取組がなされている。

2 少子化対策の観点から、経済的負担の軽減のため、体外受精を含む全ての不妊治療への医療保険の適用と不妊治療に要する費用の助成が、2020年より国の事業として新たに行われるようになった。他方、安心して子育てができる環境整備のため、待機児童の解消の取組が進められているが、2020年の待機児童数は前年よりも増加し、2018年以降、3年連続で増加している。

3 RSウイルス感染症は、RSウイルスによる呼吸器感染症であり、成人で発症した場合、小児より重症化するリスクが高い。2000年代初めに同感染症のワクチンが定期接種の対象となったが、接種後の症状の訴えが相次ぎ、定期接種が中止された。その後、同感染症の報告数が増加し、2020年に過去最多を更新したことを受け、2021年に成人を対象とした定期接種が再開された。

4 原爆投下後に降った「黒い雨」を国の指定区域外で浴び、健康被害が生じたとして住民が被爆者健康手帳の交付を求めた訴訟で、2021年に長崎地方裁判所は、「黒い雨」を浴びたことと健康被害との因果関係を示す科学的知見が新たに得られたとして、原告全員を被爆者と認定した。これを受け、政府は、過去に認定されなかった広島の訴訟の原告全員を一律に被爆者と認定する見解を明らかにした。

5 紙の処方箋を電子化し、その調剤情報などを薬局などで閲覧可能とする電子処方箋システムは、いわゆるデジタル改革関連法に基づき、2021年に全国で運用が開始された。しかし、同システムの利用にはクレジットカードとマイナンバーカードとの紐付けが必要であり、紙でも発行可能な処方箋を希望する者が多いため、全国の電子処方箋の利用率は約3割にとどまっている。

1　**○**　2020年の我が国の平均寿命は、男性が81.56歳、女性が87.71歳と、男女ともに過去最高を更新した。

2　**✕**　まず全国の待機児童数（4月1日時点）について、2018年の1万9,895人から2020年の1万2,439人まで、3年連続で減少している。また、不妊治療への医療保険の適用は、2022年4月から開始された。ただし、不妊治療の公的助成の対象となる治療法は特定不妊治療（体外受精と顕微授精）に限定されており、さらに対象者も特定不妊治療以外の治療法によっては妊娠の見込みがないか、または極めて少ないと医師に診断され、治療期間の初日における妻の年齢が43歳未満である夫婦に限定されている。

3　**✕**　RSウイルス感染症は、生後1歳までに半数以上が、2歳までにほぼ100%の子どもが少なくとも一度は感染するとされており、乳児期早期（生後数週間〜数か月間）にRSウイルスに初感染した場合は細気管支炎・肺炎といった重篤な症状を引き起こすことがあるが、成人が発症しても軽い風邪のような症状にとどまる。また、2022年4月現在、認可されたRSウイルス感染症のワクチンは存在しない。なお、関連情報として、子宮頸がん対策のHPVワクチンは、2013年に定期接種の勧奨が差し控えられたが、2021年に再開が決まった。

4　**✕**　第1文の内容は、長崎地方裁判所ではなく広島高等裁判所での判決内容である。しかし、政府は広島の訴訟の原告を被爆者と認定したが、2022年の本試験実施時点で、長崎の同様の訴訟の原告は救済の対象になっていない。

5　**✕**　まず電子処方箋は、デジタル改革関連法ではなく2022年5月に成立した「医薬品、医療機器等の品質、有効性及び安全性の確保等に関する法律等の一部を改正する法律」に基づき、2023年1月より運用が開始される予定である。また、電子処方箋は、クレジットカードやマイナンバーカードを使用しなくても利用できる予定である。

時事	世界の都市	2023年度 基礎能力 No.30

世界の都市等に関する記述として最も妥当なのはどれか。

1 2022年に中東で初めてサッカー・ワールドカップ（W杯）が開催されたカタールの首都ドーハは、地中海東岸に位置し、金融貿易港、金融センターとして繁栄し、「中東のパリ」とも呼ばれている。カタール国民はキリスト教徒が多数を占めていることから、ドーハでは、民族衣装であるヒジャブ（スカーフ）などを着用している女性が多く見られる。

2 ユダヤ教、キリスト教、イスラム教の聖地であるエルサレムは、イエスの生誕地であり、また、ムハンマドがメッカから難を逃れて移住（ヒジュラ〈聖遷〉）した地でもある。2021年、イスラエルがエルサレムを首都と宣言したが、米国やイランなどはこれに反対し、2022年末現在、エルサレムに大使館を置いている国はない。

3 スイスでは、使用される言語がフランス語とオランダ語に二分されている。かつて、言語戦争と呼ばれる対立が続いたため、連邦制に移行し、首都ジュネーブは両言語の併用地域となった。ジュネーブには、WHO（世界保健機関）などの国際機関の本部があり、2022年、WHOの事務局長は、豚熱（豚コレラ）に対してパンデミック宣言を行い、世界各国に注意喚起した。

4 2022年のロシアのウクライナ侵攻後、日本政府は、ウクライナの地名の呼称をロシア語発音からウクライナ語発音に変更し、首都の「キエフ」は「キーウ」に、原子力発電所の事故が起きた「チェルノブイリ」は「チョルノービリ」に変更した。また、2010年代には、日本政府は、ロシア語発音の呼称であった「グルジア」の国名を「ジョージア」に変更した。

5 2022年、G20サミット（主要20カ国・地域首脳会議）が開催されたインドネシアのバリ島には、アンコール＝ワットなどの寺院がある。また、首都ジャカルタの人口の過密化などが問題となり、バリ島のバンドンへの首都移転が決定している。G20サミットでは、ウクライナ侵攻を理由にロシアの参加を認めず、食料・エネルギー安全保障などの課題が議論され、G20バリ首脳宣言が発出された。

1　✕　カタールの首都ドーハが位置するのはペルシャ湾の南岸であり、主な産業は石油や天然ガスである。また、「中東のパリ」と呼ばれているのはレバノンの首都ベイルートである。さらに、カタール国民のほとんどはイスラム教徒であり、ヒジャブはイスラム教徒の女性が着用するものである。

2　✕　イエスの生誕地はベツレヘムである。また、ムハンマドが622年にメッカから移住（ヒジュラ）した先はマディーナである。さらに、イスラエルがエルサレムを首都と宣言したのは、1949年にエルサレムの西側（西エルサレム）を「永遠の首都」と宣言したのが最初である。この宣言を多くの国は認めてこなかったが、トランプ米政権が2017年に認め、翌2018年に米大使館をエルサレムに移転した。これに続く形で、グアテマラやホンジュラスなどが大使館をエルサレムに設置している。

3　✕　スイスで使用されている主な言語はドイツ語（約6割）、フランス語（約2割）、イタリア語（約1割）、ロマンシュ語（1％以下）の4つであり、これらすべてが公用語として使用されている。また、スイスの首都はベルンである。さらに、WHOは2022年にエムポックス（旧称：サル痘）に対して緊急事態宣言を出したが、パンデミック（世界的大流行）宣言を出した事実はない。

4　○　ジョージアはロシアとの対立を理由に、ロシア語読みのグルジアから国名の呼称を現在のジョージアに変更し、日本政府もそれにならって2015年に国名呼称を変更した経緯がある。

5　✕　アンコール＝ワットなどの寺院があるのはカンボジアである。また、インドネシアの首都の移転先はカリマンタン島（ボルネオ島）東部であり、バリ島ではない。さらに、バンドンがあるのはジャワ島である。2022年に開催されたG20サミットにはロシアも除外されることなく参加しており、ロシアのラブロフ外相が参加した。

我が国の交通等に関する記述として最も妥当なのはどれか。

1 2019年、新東名高速道路では、自動車安全技術の向上により、東京から大阪までの全区間において、全車両で時速120kmでの走行が認められるようになった。なお、以前から厳しい速度制限が課されていた大型トラック等についても、普通自動車等との速度差が増大することによる事故が懸念されるため、同様に時速120kmでの走行が認められるようになった。

2 2019年、リチウムイオン電池の開発により日本人がノーベル化学賞を受賞した。リチウムイオン電池は、水素と酸素が結合するときの化学エネルギーを電気エネルギーとして取り出すものである。小型、軽量で高電圧であるため、電気自動車や潜水艦のバッテリーに使用されていたものが、携帯電話等に使用されるようになり広まった。

3 2018年、政府は、空飛ぶ車の実現に向けたロードマップを取りまとめた。空飛ぶ車は、東京オリンピック競技大会において、混雑緩和を図り選手らを時間どおり会場へ輸送するための手段として試行的に導入されることとなっている。また、空飛ぶ車の導入に当たっての法的規制を緩和するため、2019年、小型無人機等飛行禁止法が改正され、防衛関係施設上空のみを除いて飛行することができるようになった。

4 農作業の自動化などのスマート農業技術の開発が進められており、戦略的イノベーション創造プログラム「次世代パワーエレクトロニクス」において、耕うん整地・田植・稲刈りを一台で行える無人の自動走行トラクターが開発された。2019年に道路交通法が改正され、農地から駐車場までの短い距離に限り、無人の自動走行システムによる公道走行や駐車が認められるようになった。

5 政府は、首都圏の国際競争力強化や訪日外国人旅行者の受入れ等のため、羽田空港において国際便が都心上空を通る新飛行経路の運用の計画を発表した。それに対し、地元より騒音などの懸念が示されたが、2019年、政府は、南風好天時の新飛行経路について、騒音を減らすため、羽田空港に着陸する際の航空機の降下角度を引き上げることで、都心上空での飛行高度を上げる対策などを示した。

1　✕　まず「大阪まで」という箇所が誤り。「東名」という名称は東京と名古屋を結ぶことに由来しており、そこから先の大阪までの区間は「名神高速道路」になる。また、新東名高速道路の計画区間は神奈川県海老名市から（本試験が実施された2020年8月時点で開通していたのは静岡県御殿場市から）愛知県豊田市までであるため、「東京から」という箇所も誤りとなる。さらに2019年の段階では、静岡県静岡市から静岡県周智郡森町までの区間のみ試行的に時速120kmでの走行が認められただけである。2020年度後半から本格的に時速120kmでの走行が認められているが、それでも一部区間にとどまるため、「全区間」という箇所も誤りとなる。最後に、大型トラック等の制限速度は、従来通り時速80kmのままである。

2　✕　水素と酸素が結合する時の化学エネルギーを電気エネルギーとして取り出すのは燃料電池である。また、潜水艦のバッテリーには鉛蓄電池を使用するのが一般的であり、2020年3月に日本の海上自衛隊に配備された「おうりゅう」が世界で初めてリチウムイオン電池を搭載した潜水艦である。

3　✕　空飛ぶ車はまだ試験段階であり、2020年に開催予定だった東京オリンピック競技大会では開会式の聖火点灯に使用しようという構想もあったが、選手を乗せて輸送するほどの技術段階にはまだ達していない。また、人を乗せる「空飛ぶ車」は、小型無人機等飛行禁止法（「重要施設の周辺地域の上空における小型無人機等の飛行の禁止に関する法律」）の対象外である。同法では、小型無人機を「飛行機、回転翼航空機、滑空機、飛行船その他の航空の用に供することができる機器であって構造上人が乗ることができないもののうち、遠隔操作又は自動操縦（プログラムにより自動的に操縦を行うことをいう。）により飛行させることができるもの」と定義している。

4　✕　内閣府の戦略的イノベーション創造プログラムのうち、スマート農業技術の開発を進めているのは、「次世代パワーエレクトロニクス」ではなく「次世代農林水産業創造技術」である。また、2019年の段階では、無人トラクタの自動運転による公道走行実験が始まったばかりであり、公道走行を認める道路交通法改正はされていない。

5　○　羽田空港は、2020年3月末から新飛行経路の運用を開始している。

次は、振り子の運動に関する記述であるが、A、B、Cに当てはまるものの組合せとして最も妥当なのはどれか。

　振り子のおもりには糸の張力と重力がはたらくが、糸の張力は常におもりの運動方向に垂直であるため、おもりに仕事をしない。したがって、おもりに仕事をする力は重力のみであり、　A　は一定の値に保たれる。

　いま、小球を軽くて細い糸で点Oからつるし、鉛直方向に対して糸の傾きがθ_0となる位置Pから静かに放した。位置Pのとき、小球の地面からの高さはHであった。図Ⅰのように、点Oの鉛直真下に釘があるとき、糸が釘に引っかかった後に小球が到達する最高点の高さH_{I}は　B　なる。また、図Ⅱのように、鉛直方向に対して糸の傾きがθ（$\theta < \theta_0$）となったときに突然糸が切れ、小球が放物線を描いて運動したとき、小球が到達する最高点の高さH_{II}は　C　なる。

　ただし、小球は鉛直面内のみで運動するものとし、空気の抵抗は考えないものとする。

図Ⅰ

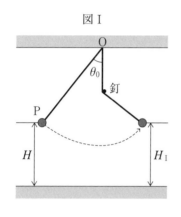

図Ⅱ

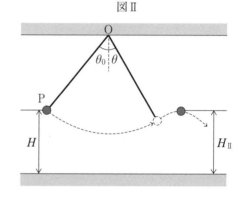

	A	B	C
1	運動エネルギー	Hより高く	Hと同じ高さに
2	運動エネルギー	Hと同じ高さに	Hより低く
3	力学的エネルギー	Hより高く	Hと同じ高さに
4	力学的エネルギー	Hと同じ高さに	Hと同じ高さに
5	力学的エネルギー	Hと同じ高さに	Hより低く

解説 **正解 5**

A 「力学的エネルギー」が該当する。おもりに仕事をする力は重力のみであるから、力学的エネルギー保存則が成り立つ。

B 「Hと同じ高さに」が該当する。図1において、小球が到達する最高点H_1では、速さが0であるので、小球の質量をm、重力加速度をgとすると、力学的エネルギー保存則より、$mgH = mgH_1$が成り立つ。よって、$H = H_1$となる。

C 「Hより低く」が該当する。図2において、小球が到達する最高点H_{II}での小球の速さをvとすると、力学的エネルギー保存則より、$mgH = mgH_{II} + \dfrac{1}{2}mv^2$が成り立つ。よって、$H_{II} = H - \dfrac{v^2}{2g} < H$より、$H_{II} < H$となる。

| 物理 | 波動 | 2022年度
基礎能力 No.31 |

次は、波の性質に関する記述であるが、A～Dに当てはまるものの組合せとして最も妥当なのはどれか。

波の同じ位相の部分を連ねた面を波面といい、波面は波の進む向きと常に　A　である。波面の進み方は次のように説明できる。

「波面上の無数の点は、それらの点を波源とした球面波（素元波）を出しており、これらの素元波が共通に接する面（包絡面）がそれ以後の波面となる。」

これを、　B　の原理という。

波の進む方向に波を遮る物体を置いたとき、波が物体の端からまわり込み、物体の裏側にまで広がる現象を、波の　C　といい、　B　の原理により説明できる。

テレビやラジオ、携帯電話の電波を障害物の陰でも受信できるのは、電波が　C　するためであり、電波の波長が長いほど　C　は著しくなる。例えば、携帯電話とラジオ放送（AM放送）の電波を比べると、　D　の方が障害物の背後にも電波が届きやすい。

	A	B	C	D
1	垂直	アルキメデス	回折	携帯電話
2	垂直	アルキメデス	干渉	ラジオ放送（AM放送）
3	垂直	ホイヘンス	回折	ラジオ放送（AM放送）
4	平行	アルキメデス	回折	携帯電話
5	平行	ホイヘンス	干渉	携帯電話

解説　**正解　3**　

　以下の図を見ると、波の進行方向は素元波と次の波面の接点を通ることがわかる。円の半径と接線は垂直に交わるので、波面と波の進む向きは、常に垂直に交わる。この素元波は、ホイヘンスの原理によって説明できる。

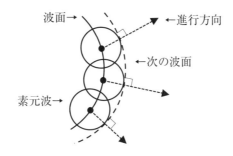

　また、波が幅の狭い場所を通過すると、その後の波は物体の端から回り込み、物体の裏側にまで広がる。この現象を波の回折といい、これもホイヘンスの原理によって説明できる。回折によって波は障害物の陰にも伝わるが、波長が長いほど回折は著しくなるので、携帯電話よりも波長の長いラジオ放送（AM）の方が届きやすい。よって正解は **3** となる。

　なおアルキメデスの原理とは、物体の一部または全部が流体中にあるとき、物体が押しのけた部分の流体の重さに等しい浮力が物体に働くという原理である。

　また干渉とは、2つ以上の波が重ね合わせの原理により、強め合ったり弱めあったりする性質のことである。

化学	物質の構成	2023年度 基礎能力 No.32

原子や分子に関する記述として最も妥当なのはどれか。

1 原子は、原子核と電子で構成されている。原子のなかには、原子核の構成粒子である陽子の数は同じでも中性子の数が異なるものがあり、これらの原子どうしを、互いに同位体（アイソトープ）という。同位体をもつ元素の例として、水素や炭素が挙げられる。

2 元素の周期表の縦の列を族といい、1〜18族で構成されている。このうち、9族と10族の元素はハロゲンと呼ばれ、リチウム、ネオンなどの元素が属し、これらの元素の単体は、酸にも塩基にも反応するという特徴をもつ。

3 元素の周期表の横の行を周期といい、1〜7周期で構成されている。このうち、第4周期より大きい周期の元素は金属元素に分類される。特に第5周期の元素はアルカリ土類金属と呼ばれ、赤色の金属光沢があり、その例として、ヨウ素や銅が挙げられる。

4 原子は、近い原子番号の貴ガス（希ガス）の原子と同じ安定した電子配置になろうとする傾向があり、価電子が1や2の原子は、電子を放出して、貴ガスの原子と同じ電子配置の陰イオンになりやすい。例えば、塩素やカリウムは2価の陰イオンになりやすい。

5 いくつかの原子が結びついてできた粒子を分子という。原子には対になった電子をもたない不対電子が存在するものがあり、このような原子はイオン結合して分子を形成する。このうち、価数が2個のイオン結合を二重結合といい、その例として、単体のナトリウムや窒素が挙げられる。

解説　　**正解　1**　　TAC生の正答率　**37%**

1　○

2　×　17族に属するフッ素F、塩素Cl、臭素Br、ヨウ素Iなどをハロゲンという。酸にも塩基にも反応する元素である両性元素は、アルミAl、亜鉛Zn、スズSn、鉛Pbである。なおリチウムLiは1族、ネオンNeは18族である。

3　×　1、2、13〜18族である典型元素の一部と、3〜12族である遷移元素が金属元素である。2族に属する元素をアルカリ土類金属といい、銀白色の金属である。ヨウ素Iは17族、銅Cuは11族に属する元素である。

4　×　価電子が1や2の原子は、電子を放出し、貴ガスと同じ電子配置の陽イオンになりやすい。なお塩素Clは1価の陰イオン、カリウムKは1価の陽イオンになりやすい。

5　×　1つの原子からなる単原子分子も存在する。また、不対電子を共有して作られる結合は共有結合という。2個の不対電子を出し合い、2組の共有電子対をもつ共有結合を二重結合といい、その例として二酸化炭素などがある。なおナトリウムは金属結合、窒素は共有結合の三重結合である。

天然高分子化合物に関する記述として最も妥当なのはどれか。

1 糖類のうち、グルコースのように加水分解によってそれ以上簡単な糖を生じないものを単糖といい、セルロースのように1分子の糖から加水分解によって2分子の単糖を生じるものを二糖という。さらに、多数の単糖が結合した構造をもつデンプンやコラーゲンなどを多糖という。

2 デンプンには2種類の成分があり、水に溶けやすいアミロペクチンと、水に溶けにくいアミロースからできている。うるち米にはアミロペクチンが、もち米にはアミロースが多く含まれる。デンプンにマルターゼという酵素を作用させると、加水分解されて二糖のグリセリンとなる。

3 核酸にはDNAとRNAの2種類があり、両者に共通の塩基としてアデニン、ウラシル、シトシン、チミンがある。DNAからタンパク質が合成されるときは、二重らせん構造の一部がほどけ、その遺伝情報がRNAに塩基配列の形で伝えられるが、これを翻訳という。

4 アミノ酸は分子内にアミノ基とカルボキシ基をもち、これらが同一の炭素原子に結合しているアミノ酸を α-アミノ酸という。α-アミノ酸のうち、カゼイン以外は不斉炭素原子をもつため鏡像異性体が存在する。アミノ酸の水溶液にヨウ素を加えて加熱すると、アミノ基と反応して赤紫～青紫色を呈するヨウ素デンプン反応が起こる。

5 酵素は、生体内で起こる化学反応に対し触媒として働くタンパク質である。酵素の働きはpHによって大きく変化し、酵素が最も高い触媒作用を示すpHを最適pHという。多くの酵素は中性付近で最も活性が高くなるが、胃液に含まれるペプシンは強い酸性条件下で最も活性が高くなる。

解説　正解 5　TAC生の正答率 58%

1 ✕　セルロースは多糖類である。またコラーゲンは、タンパク質である。

2 ✕　デンプンのうち、水に溶けやすいのがアミロースで、溶けにくいのがアミロペクチンである。もち米はほぼ100%アミロペクチンである。デンプンにアミラーゼという酵素を作用させると、加水分解されて二糖類の麦芽糖（マルトース）となる。マルターゼは、麦芽糖に作用してブドウ糖（グルコース）にする。なおグリセリンは、油脂を構成する要素である。

3 ✕　DNAとRNAに共通する塩基は、アデニン、シトシン、グアニンであり、これらに加えてDNAはチミン、RNAはウラシルを持つ。DNAの遺伝情報がRNAの塩基配列に伝えられることは転写という。

4 ✕　α-アミノ酸のうち、グリシン以外のすべてには不斉炭素原子があるため鏡像異性体が存在する。ヨウ素デンプン反応はデンプン（多糖類）においてみられる現象である。

5 〇

| 生物・地学 | 細胞 | 2022年度
基礎能力 No.33 |

細胞の構造に関する記述として最も妥当なのはどれか。

1 核膜に包まれた核は、全ての生物に存在する細胞小器官であり、酸素を用いて有機物を分解するときに生じるエネルギーからATPを合成する働きを担う。核の内部には染色体と液胞があり、液胞は脂質で満たされている。

2 ミトコンドリアは、核膜と直接つながっており、グリコーゲンやグルカゴンを合成する働きを担う。ミトコンドリア内部のひだ状の構造はクリステと呼ばれ、クリステの内部にはクエン酸回路に関わる酵素が存在している。

3 葉緑体は、光エネルギーを利用してATPを合成し、そのATPのエネルギーを利用して有機物を合成する働きを担う。葉緑体は、内外二重の膜からできており、その内部にはチラコイドと呼ばれる平らな袋状の構造がある。

4 ゴルジ体は、生体膜でできた小胞で、各種の分解酵素を含む。リソソームからつくられ、細胞内で生じた不要な物質を分解する働きを担う。また、筋原繊維を覆っているゴルジ体には、カルシウムを蓄え放出する役割もある。

5 細胞膜は、リン脂質でできた一重の膜であり、その中に糖質がモザイク状に埋め込まれている。水分子やアミノ酸のような極性のある物質は、一重の膜の部分を通過できるが、酸素や二酸化炭素は、ここを通過できないため、糖質の部分から細胞内外に輸送される。

解説　　**正解　3**　　TAC生の正答率　**66%**

1 ✕　原核生物は核を持たず、DNAがむき出しである。酸素を用いて有機物を分解しATPを合成する細胞小器官はミトコンドリアである。液胞は発達した植物細胞が持つ細胞小器官で、核とは別に液胞膜で包まれており、内部は細胞液で満たされている。

2 ✕　ミトコンドリアは、酸素を用いて有機物を分解しATPを合成している。核膜と繋がっているわけではない。クエン酸回路に関わる酵素はマトリックスにある。

3 ○

4 ✕　リソソームがゴルジ体から作られ、各種の分解酵素を含んでいる。筋原線維を覆ってカルシウムを蓄え放出するのは小胞体である。

5 ✕　細胞膜は、リン脂質の二重膜であり、タンパク質がモザイク状に埋め込まれている。リン脂質は疎水性の部分を内部に持つので、水分子や親水性のアミノ酸は通しにくく、疎水性の小さな分子である酸素や二酸化炭素は通しやすい。

生物・地学	気象	2023年度 基礎能力 No.33

気象に関する記述として最も妥当なのはどれか。

1 我が国では、梅雨の末期に大雨や集中豪雨が発生する場合がある。これは、オホーツク海高気圧と北太平洋高気圧（太平洋高気圧）の間に発生している梅雨前線に向けて、北太平洋高気圧側からの暖かく湿潤な空気が吹き込むことが原因である。

2 エルニーニョ現象とは、平年よりも強い偏西風によって赤道太平洋の暖水層が西部に偏り、赤道太平洋中・東部の海面水温が低くなる現象である。エルニーニョ現象が発生すると、北太平洋高気圧が強くなるため、我が国では、梅雨明けの早期化や夏の平均気温の上昇がみられる。

3 我が国において、台風とは、北太平洋西部で発生した熱帯高気圧のうち、平均風速が一定以上になったものを指す。台風の内部では、対流圏下層の空気が時計回りに中心に吹き込み、対流圏上層から反時計回りに吹き出すため、台風の中心部は最も風が強い。

4 フェーン現象とは、水分を含んだ空気塊が山にぶつかり、山頂付近で雲を形成し、山を下った先で雨を降らせる現象である。我が国では、日本海側から山脈を越えて太平洋側に吹き込むフェーン現象が多く発生し、その際は、太平洋側で雨が降る。

5 我が国の冬は、日本列島の北部で温度が下がり低気圧が発達することによって南高北低型の気圧配置となり、北西の季節風が吹く。南高北低型の気圧配置では、大陸側からの湿潤な空気が吹き込むことにより日本海側で大雪を降らす一方で、太平洋側では晴れた天気が続く。

解説　　正解　**1**　　TAC生の正答率 **38%**

1 ○

2 ✕　エルニーニョ現象とは、平年よりも貿易風が弱まることによって赤道太平洋の暖水層が東部に偏り、赤道太平洋中・東部の海面水温が上昇する現象である。エルニーニョ現象が発生すると、太平洋高気圧が弱くなるため、我が国では梅雨明けの遅れや夏の平均気温の低下がみられる。

3 ✕　台風の内部では、対流圏下層の空気が反時計回りに吹き込み、対流圏上層から時計回りに吹き出す。また台風は、我が国では東寄りの進度を取るため、台風に伴う風の向きと移動方向が同じになる右側（東側）の地域で風速が強くなる。

4 ✕　フェーン現象とは、水分を含んだ空気塊が山にぶつかり、山頂付近で雲を形成するため、山を下った先に乾燥した空気が送り込まれる。このとき、雲が形成されるときは湿潤断熱減率、山を下るときは乾燥断熱減率で空気塊に温度変化がおこるため、上昇時は0.5℃/100m、下降時は1.0℃/100mとなり、下降側に温度上昇をもたらす。

5 ✕　我が国の冬は、西高東低型の気圧配置となり、北西の季節風が吹く。このとき、大陸からは乾燥した空気が吹くが、暖流の流れ込んでいる日本海において湿った空気を含むので、日本海側で大雪を降らす。

日本史　　近世の対外関係

江戸時代の我が国の対外関係に関する記述として最も妥当なのはどれか。

1　徳川家康は、オランダ人ヤン＝ヨーステン、イギリス人ウィリアム＝アダムズを外交顧問とし、オランダとイギリスの両国は、平戸に商館を設けて貿易を開始した。しかし、旧教国としてキリスト教の布教を行ったことなどから、幕府は、両国の商館を閉鎖し、来航を禁止した。

2　幕府は、19世紀前半に薪水給与令を出し、漂流民の送還のため浦賀に来航したアメリカ合衆国の商船モリソン号を穏便に退去させた。しかし、アヘン戦争での清の劣勢が伝わると、方針を転換し異国船打払令を出し、外国船の打ち払いを命じた。

3　初代アメリカ合衆国総領事ハリスは、清がアロー戦争でイギリスとフランスに敗北すると、両国の脅威を説いて通商条約の調印を強く迫った。大老井伊直弼は、孝明天皇の勅許を得て、日米修好通商条約に調印し、イギリス、フランス、ロシア、スペインとも同様の条約を結んだ。

4　朝廷から攘夷決行を迫られた幕府は、諸藩に攘夷の決行を命じ、長州藩は下関の海峡を通過する外国船を砲撃した。攘夷を決行された報復として、イギリス、フランス、アメリカ合衆国、オランダの四か国は、連合艦隊を編成して下関を攻撃した。

5　薩摩藩は、薩摩藩士によるイギリス人殺傷事件の報復のために鹿児島湾に来航したイギリス艦隊と交戦し、大きな損害を受けた。その後、薩摩藩はフランスに接近し、武器の輸入や洋式工場の建設を進める一方、幕府はイギリスから財政的援助を受けて軍制の改革を行った。

解 説　　**正解　4**　　　　　　　　　　　　　　TAC生の正答率 **37%**

1　✕　オランダもイギリスも新教（プロテスタント）国であり、カトリックを警戒する幕府には歓迎された。しかし、イギリスはオランダとの貿易の競争に敗れ、1623年に平戸を閉鎖して日本を離れた。オランダの商館はのちに長崎の出島に移され、鎖国後も日本との交流を続けた。

2　✕　度重なる外国船の来航をめぐるトラブルが続き、幕府は1825年に異国船打払令を発布した。当該法令に基づき、1837年に来航したモリソン号を砲撃して強硬に退去させた。しかし、アヘン戦争（1840～42）の情報が伝わると、脅威を感じた幕府は強硬な異国船打払令を緩和して薪水給与令に改めた。

3　✕　井伊直弼は、孝明天皇の勅許を得ず、独断で日米修好通商条約を締結した。アメリカと同様の通商条約を結んだのはイギリス、フランス、ロシア、オランダであり、スペインとは結んでいない。この条約をアメリカも含めて安政の五カ国条約という。

4　〇

5　✕　薩摩藩はイギリスと接近し、武器の輸入や洋式工場の建設を進めた。一方、幕府はフランスの援助で軍制改革を行った。特に徳川慶喜はナポレオン3世と親交を温め、最新式小銃などの提供を受けている。

日本史　古代〜近代の文化

我が国の文化に関する記述として最も妥当なのはどれか。

1　弘仁・貞観文化は、平城京において発展した、貴族を中心とした文化で、隋の影響を強く受けている。仏教では、いずれも隋に渡った経験をもつ、比叡山延暦寺を開いた最澄の真言宗、高野山金剛峯寺を開いた円仁の天台宗が広まり、密教が盛んになった。

2　東山文化は、武家文化と公家文化、大陸文化と伝統文化の融合が進み、また、当時成長しつつあった楽市や都市の民衆との交流により生み出された、広い基盤をもつ文化である。この頃、能、浮世絵、落語、生花などの日本の伝統文化の基盤が確立され、茶の湯では、千利休が茶と禅の精神の統一を主張して、侘茶を創出した。

3　元禄文化は、鎖国状態が確立し外国の影響が少なくなったことで、江戸において発展した日本独自の文化で、国学などの学問も重視された。国学のうち、朱子学派の一派である古学派の林羅山は、朱子学と神道を融合させた垂加神道を唱え、公家や神職に受け入れられて経世論に大きな影響を与えた。

4　化政文化は、都市の繁栄、商人・文人の全国的な交流、出版・教育の普及、交通網の発達などによって、全国各地に伝えられた。民衆向けに多彩な文学が発展し、滑稽本の十返舎一九、読本の曲亭（滝沢）馬琴などの代表的作家が現れた。

5　明治の文化は、新しいものと古いもの、西洋的なものと東洋的なものが、無秩序に混在・併存する文化である。西洋画では、岡倉天心が日本最初の西洋美術団体である明治美術会を結成し、高村光雲が白馬会を創立する一方、日本画では、黒田清輝が日本美術院を組織して日本画の革新に努めた。

解　説　　**正解　4**　　　　　　　　　　　TAC生の正答率　**45%**

1　**×**　弘仁・貞観文化は平安時代なので、平安京で発展した。隋ではなく、唐の影響を受けた。比叡山延暦寺を開いた最澄は天台宗の開祖、高野山金剛峰寺を開いたのは空海で、真言宗の開祖である。円仁は最澄の弟子で、天台密教の大成に努めた。

2　**×**　東山文化は、武家・公家・禅宗の文化が融合したものである。楽市は織田信長など戦国大名らが実施した政策であり、東山文化の時代ではない。能はすでに北山文化で生まれ、浮世絵と落語は江戸時代に生まれた。千利休が活躍したのは信長・秀吉の時代である。侘茶を創出したのは村田珠光であり、武野紹鷗を経て、千利休が大成した。

3　**×**　元禄文化は上方中心の町人文化である。この時代は国学ではなく、儒学が発達した。林羅山は儒学のうちの朱子学を発展させ、家康以来4人の将軍に仕え、幕府官学の地位を確立させた。古学は日本で生まれた儒学の一派である。垂加神道を唱えたのは山崎闇斎である。

4　**○**

5　**×**　明治政府は文明開化による急速な西洋文化の摂取に努めた。しかし、岡倉天心とフェノロサは日本美術を再評価し、岡倉天心は日本画の復興のため、東京美術学校や日本美術院を設立した。明治美術会は洋画家の浅井忠が、白馬会は洋画家の黒田清輝が発足した西洋美術団体である。高村光雲は彫刻家として活躍した。

世界史 ｜ アメリカ独立

アメリカ合衆国の独立に関する記述として最も妥当なのはどれか。

1 北アメリカに成立した13植民地のうち、北部はタバコなどを奴隷制プランテーションで生産し輸出が盛んだったのに対し、南部は商品作物に恵まれず、南北で経済格差が生じた。この問題を背景に起こった南北戦争は、アメリカ独立運動の起点となった。

2 フランスでは、百年戦争でイギリスに敗れて深刻化した財政難をきっかけに、免税などの特権が与えられた貴族を中心とする体制に第三身分が対抗するフランス革命が起きた。これに影響を受けた13植民地は、「代表なくして課税なし」のスローガンの下、独立運動を本格化させた。

3 13植民地の独立運動は、イギリス軍と植民地軍とのアメリカ独立戦争に発展し、植民地軍総司令官に任命されたジェファソンは「独立宣言」を起草した。その後大陸会議で採択された「独立宣言」には、13植民地に住む者の独立の一環として奴隷の解放も明記された。

4 アメリカ独立戦争では、イギリスと対立していたフランス、スペイン、ロシアが13植民地側に立って参戦した。これに対してオランダは、プロイセンなどとともに武装中立同盟を結成し、義勇兵の派遣により間接的にイギリスを支援した。

5 パリ条約でアメリカ合衆国の独立が承認された後、憲法制定会議によりアメリカ合衆国憲法が採択された。アメリカ合衆国憲法では、人民主権を基礎として、三権分立が定められるとともに、自治権をもつ各州の上に中央政府が立つ連邦主義についても規定された。

解説 **正解 5**

1 ✕　南北の対立はアメリカ独立後のことであり、北部は商工業が発達し、南部は奴隷を利用した綿花栽培が発展した。北部のリンカンが大統領に就任したことに対し、南部が合衆国を離脱しアメリカ連合国を発足したため、南北戦争（1861〜65）が起きた。よって、南北戦争がアメリカ独立運動の起点になったのではない。

2 ✕　百年戦争（1339〜1453）は中世の出来事であり、フランス革命勃発の要因ではない。アメリカ独立戦争はフランス革命よりも前に起きている。「代表なくして課税なし」とは、イギリス本国がアメリカ植民地に課した印紙法に反対した際のスローガンである。

3 ✕　植民地軍総司令官はワシントンである。ジェファソンが「独立宣言」を起草したのは正しいが、奴隷解放宣言は南北戦争中にリンカンが行ったものである。独立宣言には奴隷解放について明記されていない。

4 ✕　フランスとスペインは植民地側に立って参戦したが、ロシアは直接参戦せず、武装中立同盟を結び、間接的に植民地側を支援した。武装中立同盟にはロシアの他、プロイセン、スウェーデン、デンマーク、ポルトガルが参加した。オランダは同盟に入っていない。一方、イギリスにはいずれの国も支援せず、イギリスは孤立した。

5 ◯　1783年のパリ条約でアメリカ合衆国の独立が承認され、1787に合衆国憲法が制定され、1789年にワシントンが初代大統領に就任した。

18世紀から19世紀にかけてのフランスに関する記述として最も妥当なのはどれか。

1　旧体制（アンシャン＝レジーム）下では、第一身分の貴族と第二身分のブルジョワジーに免税特権が認められていた。これに反発した第三身分の聖職者は特権身分への課税をも含む財政改革を目指したが、ルイ16世が反対したため、フランス革命が起こった。

2　立法議会では、立憲君主主義のジロンド派が左派を、共和主義で多数派のフイヤン派が右派を構成した。その後、ジロンド派が主導したスペインとの対外戦争での敗北によりフランス軍が不利になると、フイヤン派は、ヴェルサイユ宮殿を襲撃し王政の廃止と共和政を宣言した。

3　第一共和政の成立後、急進共和主義のジャコバン派が優勢になり権力を握った。ジャコバン派のロベスピエールを中心とする公安委員会は、反対派を粛清するなど強硬な恐怖政治を行った。しかし、ロベスピエールらは、反発を招いて穏健共和派などの政敵によって倒された。

4　ナポレオン＝ボナパルトは、クーデタで穏健共和派主導の統領政府を倒して総裁政府を樹立し、自ら第一総裁となって事実上の独裁権を握った。彼は、革命以来フランスと対立関係にあったローマ教皇と和解するとともに、大陸封鎖令を撤回して英国とアミアンの和約を結んだ。

5　フランス革命では、自由・平等の理念と共に、民族自決の原則が打ち出された。その後の第一帝政下では、共和暦に代えて革命暦が導入され、長さや重さの単位もメートル法が制定され統一される一方、地域独自の言語が重視されるなど、民族意識の形成が追求された。

解説　**正解　3**　　TAC生の正答率 **62%**

1　×　第一身分が聖職者、第二身分が貴族、第三身分が平民である。特権身分への課税を発案したのはルイ16世である。フランス革命は、群衆によるバスティーユ牢獄襲撃事件を契機に勃発した。

2　×　立憲君主主義はフイヤン派で立法議会の右翼に、共和主義はジャコバン派で左翼に陣取っていた。ジャコバン派の中には過激な小市民の左派（モンテーニュ派）と穏和派がいたが、のち穏和派は追放され、ジロンド派として対立する。ジロンド派が主導したのはオーストリア対外戦争である。民衆と義勇兵がテュイルリー宮殿を襲撃し、国民公会が発足し、王政の廃止と共和政の樹立となった。

3　〇

4　×　1799年、ナポレオンはブリュメール18日のクーデタで総裁政府を倒し、統領政府を樹立した。第一統領として権力を握り、1802年にイギリスとアミアンの和約を結び、一時的だが欧州に和平をもたらした。しかし、1804年に皇帝になると、イギリスは第3回対仏大同盟を発足し、欧州は再度戦争となり、1806年にナポレオンは大陸封鎖令を発布し、イギリスを兵糧攻めにしようとした。

5　×　民族自決の原則までは打ち出されていない。共和暦と革命暦は同じものであり、第一帝政期（ナポレオンの皇帝在任時）ではなく、フランス革命期に採用された。度量衡の統一やメートル法もフランス革命期に制定された。また、地域独自の言語は重視されてはいないが、ナポレオン支配下の被征服地でナショナリズムが形成されていったことは事実である。

| 地理 | 地形 | 2023年度 基礎能力 No.36 |

地形の成り立ちや特徴に関する記述として最も妥当なのはどれか。

1 　地球の地形は、外的営力と内的営力によって形成される。外的営力は、火山活動や地殻変動をもたらす力で、隆起により平野を形成する。内的営力は、風化・侵食作用と運搬・堆積作用を引き起こす力で、急峻な地形を形成する。

2 　河川が山地から出るところでは、河川により運搬された砂や礫が堆積しやすいため、扇状地が形成される。扇央は、水が地下に浸透しやすく、畑よりも水田として利用される。一方、扇端は、砂や礫から成る厚い堆積物に覆われるため、水無川ができやすく、集落が多い。

3 　U字谷は、大陸氷河が谷を流れ下りながら、谷底や谷壁を深くえぐり取ることで形成される。U字谷の谷底は貴重な平坦地となっており、牧畜業が営まれていることが多い。また、U字谷に海水が浸入して陸地に深く入り込んだ入り江はラグーン（潟湖）と呼ばれる。

4 　海岸の地形は、海面変動などの影響を受けやすく、起伏の大きい海底山脈が海面から隆起することで沈水海岸が発達する。リアス海岸は沈水海岸の一つであり、水深が深く、入り組んでいるため、津波の波高が緩和され、沿岸では被害を受けにくい。

5 　カルスト地形は、石灰岩層から成る地域において、岩の主な成分である炭酸カルシウムが弱酸性の雨水や地下水と化学反応を起こし、岩の溶食が生じることで形成される。鍾乳洞やタワーカルストなどによる景観が観光資源となっているところもある。

1　✕　外的営力は風化・侵食・運搬・堆積作用を引き起こす力で、地形を平坦にする。内的営力は火山活動や地殻変動をもたらす力で、地形の起伏を増大させる。

2　✕　扇央では水はけがよく、水無川ができやすく、果樹園や畑作に利用される。扇端では伏流水が地表に湧出するため、水田に利用されやすい。

3　✕　U字谷に海水が浸入して形成される入り江はラグーンではなく、フィヨルドである。ラグーン（潟湖）は砂州などにより海岸との間に海の一部を閉じ込めた地形である。

4　✕　沈水海岸は土地の沈降や海面の上昇により形成された地形で、リアス海岸もその一つであるが、良港に恵まれる反面、湾奥で波高が大きくなるので、津波の被害を受けやすい。

5　◯　カルスト地形は石灰岩の地形で、地下に鍾乳洞を形成したり、地表にタワーカルスト（石塔）を形成したりする。鍾乳洞としては山口県の秋吉台、タワーカルストとしては中国のコイリン（桂林）などが有名で観光地となっている。

ヨーロッパの思想に関する記述として最も妥当なのはどれか。

1 ルターは、神は人間をただ信じて愛を与えなくてはならないと考えた。そして、信仰義認説を唱え、ローマ・カトリック教会の慈善活動に反対し、贖宥状（しょくゆう）を買えば犯した罪の償いが軽減・免除されると説き、贖宥状の販売を始めた。

2 デカルトは、方法的懐疑により、全ては疑わしいとしても、疑い、考えている「私」の存在だけは絶対に疑い得ないと考えた。そして、考えることを本質とする精神と、空間的な広がりを本質とする物体を区別する物心二元論（心身二元論）の立場をとった。

3 カントは、人間の知識は神学的段階、形而上学的段階を経て、検証可能な経験的事実だけから法則を引き出す実証的段階に到達すると考えた。そして、実証主義の立場から、実証された知識に人間が従う状態を他律と呼び、ここに人間の真の自由があるとした。

4 アダム＝スミスは、社会は労働者階級と資本家階級から成ると考えた。そして、あたかも神の見えざる手が働いているかのように、労働者階級が社会革命を起こして、資本家階級に勝利し、資本主義から社会主義へと移り変わる現象を万人直耕と呼んだ。

5 ニーチェは、神は死んだと宣言し、神に頼らず過去の人間を乗り越えて、より強くより高く成長するダス＝マンとして生きるべきと考えた。そして、ダス＝マンは、全てが意味も目的もなく繰り返される永劫回帰の世界において、その運命を受け入れず、新たな価値を創造することで永劫回帰を乗り越えられると考えた。

解 説　　　**正解　2**　　　　　　　　　　　　　TAC生の正答率　**57%**

1　**×**　ルターが唱えた信仰義認説とは、「人は神への信仰によってのみ救われる」という考え方であり、選択肢の「神は…愛を与えなくてはならない」という記述は誤りである。また、ローマ・カトリック教会が贖宥状を販売したことにルターが抗議したことが宗教改革の発端となったのであり、選択肢後半の説明は明らかに誤りである。

2　**○**

3　**×**　「神学的段階」、「形而上学的段階」、「実証的段階」についての説明は、実証主義を確立したフランスの哲学者コントの「三段階の法則」に関するものである。また、カントは、理性が立てた道徳的法則にみずから自発的に従うことを「自律」と呼び、ここに人間の真の自由があるとした。

4　**×**　「神の見えざる手」はアダム＝スミスに関する用語だが、自由な経済競争を支える需要と供給の市場原理をたとえたものである。「万人直耕」は江戸中期の思想家安藤昌益が理想とした人間のあり方を指す語である。また、「労働者階級」、「資本家階級」に関する記述は、ドイツの哲学者マルクスに関する説明である。

5　**×**　「神は死んだと宣言」、「全てが意味も目的もなく繰り返される永劫回帰の世界」という記述は妥当だが、「ダス＝マン」とは、ハイデガーの用語であり、自分自身の固有の存在を見失った匿名の人間のあり方を指す。また、ニーチェはたとえ世界が無意味・無目的であっても、その運命を受け入れて強く生きる運命愛を説いたのであり、「その運命を受け入れず」という記述は明らかに誤りである。

| 思想 | 中国思想 | 2023年度
基礎能力 No.37 |

中国の思想家に関する記述として最も妥当なのはどれか。

1 朱子は、朱子学の大成者であり、理を天地万物に内在する客観的なものとして捉え、人間の本性もまた理であるという心即理を説いた。また、道徳を学ぶことは、それを日々の生活で実践することと一体となっているという知行合一を主張した。

2 韓非子は、本来利己的である人間を治めるためには、単なる心構えにすぎないような道徳性ではなく、賞罰を厳格に行い、法による政治を行うべきという法治主義を説いた。この考え方は、秦の始皇帝によって採用された。

3 孔子は、儒教の開祖であり、「大道廃れて仁義あり」として、他者を自分と同じ人間であると認めて愛する心をもつことを説いた。また、人を愛する心である仁の徳とこれが態度となって表れた礼とともに、人々は自然と調和して生きるべきと説き、この考え方を無為自然と呼んだ。

4 荀子は、性善説の立場で儒教を受け継ぎ、生まれつき人に備わっている四つの善い心の芽生えを育てることによって、仁・義・礼・智の四徳を実現できると説いた。また、この四徳を備えた理想的人間像を君子と呼んだ。

5 墨子は、孔子の礼の教えを継承しながらも、家族など身内だけを重んじる兼愛に基づく社会を目指すべきと説いた。また、戦争の理論や戦術を研究し、国が富国強兵を図る必要性を強調した。

解 説　　**正解　2**　　　　　　　　　　　　　TAC生の正答率　**49**%

1　×　「心即理」、「知行合一」はいずれも朱子学ではなく陽明学に関する用語であり、選択肢の説明は、朱子ではなく、陽明学を開いた王陽明についての記述である。

2　○

3　×　「大道廃れて仁義あり」とは、「（無為自然の）大いなる道が廃れたので、仁義を説くことが必要になり提唱されることになった」という意味であり、老子が儒教思想を批判した言葉である。「他者を自分と同じ人間であると認めて愛する心をもつ」という部分は、墨子の「兼愛」について説明した内容であり、「無為自然」についての説明は老荘思想に関する記述である。

4　×　選択肢の説明は、荀子ではなく孟子に関する記述である。荀子は、孟子と対照的に性悪説の立場をとり、孔子の徳治主義に対して、礼治主義を提唱した。

5　×　墨子は、孔子の説く仁愛を近親者のみを愛する「別愛」だとして批判したので、「孔子の礼の教えを継承」という説明は妥当ではない。また、墨子の説く「兼愛」とは、無差別平等の愛のことであり、「家族など身内だけを重んじる兼愛」という説明は誤りである。さらに、墨子は侵略戦争を否定し、非戦論を説いたので、「富国強兵を図る必要性を強調」という記述は妥当ではない。

| 法律 | 自由権 | 2022年度
基礎能力 No.38 |

日本国憲法が保障する自由権に関する記述として最も妥当なのはどれか。

1 思想・良心の自由は、憲法が保障する精神の自由の中でも最も基本的な権利である。国家によって個人の思想を強制的にあらわにさせられない黙秘権もこの権利に含まれる。最高裁判所は、思想・良心の自由の規定は、対国家だけでなく、私人間にも直接適用されるとした。

2 国民が政治的判断などに必要な情報を共有し、情報の自由な流通を保障するため、マスメディアの報道の自由・取材の自由が憲法上保障される。最高裁判所は、報道の自由・取材の自由は、憲法第21条（表現の自由）ではなく、知る権利を保障した憲法第13条（個人の尊重）で保障されるとした。

3 学問の自由は、学問研究の自由、研究発表の自由、教授の自由をその内容としている。また、学問の自由は、大学や、私人又は宗教団体が経営に関与する高等学校については、その管理運営を教員・教諭や学生・生徒の自主的な決定に任せる自治も保障している。

4 身体の自由は、国家によって不当に身体を拘束されない自由である。具体的には、被疑者の権利として、令状なしで逮捕されない令状主義、逮捕時に国選弁護人を依頼する弁護士依頼権、弁護士立会い時以外の抑留中の自白の証拠能力を認めない法定手続きの保障などが、憲法上明記されている。

5 憲法は、経済の自由として、居住・移転・職業選択の自由、外国移住・国籍離脱の自由、財産権の不可侵を保障している。しかし、経済の自由の中には、「公共の福祉」による制限が課され得ることが憲法上明記されているものがあり、これにより、建築の制限や私的独占の禁止などが行われている。

解 説 **正解 5** TAC生の正答率 **51%**

1 ✕ 「黙秘権もこの権利に含まれる」、「だけでなく、私人間にも直接適用されるとした」という部分が妥当でない。思想・良心の自由（日本国憲法19条）は、日本国憲法（以下、憲法とする）が保障する内面的精神活動の自由の中でも最も基本的な権利である。そして、思想・良心の自由からの派生として、国民がいかなる思想を抱いているかについて、国家権力が露顕を強制することは許されないこと、すなわち、思想についての沈黙の自由が保障される。これに対して、黙秘権（憲法38条1項）は、自己に不利益な供述を強要されないこと、すなわち、刑事事件の取調べや公判などにおいて終始黙っていることを保障するもので、沈黙の自由とは異なる。さらに、最高裁判所は、憲法の各規定は、憲法第三章のその他の自由権的基本権の保障規定と同じく、国または公共団体の統治行動に対して個人の基本的な自由と平等を保障する目的に出たもので、もっぱら国または公共団体と個人との関係を規律するものであり、私人相互の関係を直接規律することを予定するものではないとしている（最大判昭48.12.12、三菱樹脂事件）。

2 ✕ 　全体が妥当でない。判例は、報道機関の報道は、民主主義社会において、国民が国政に関与するにつき、重要な判断の資料を提供し、国民の「知る権利」に奉仕するものであるから、思想の表明の自由とならんで、事実の報道の自由は、表現の自由を規定した憲法21条の保障のもとにあることはいうまでもないとする。また、このような報道機関の報道が正しい内容をもつためには、報道の自由とともに、報道のための取材の自由も、憲法21条の精神に照らし、十分尊重に値するものといわなければならないとしている（最大決昭44.11.26、博多駅事件）。したがって、報道の自由は、憲法13条ではなく憲法21条で保障されるものの、取材の自由は、憲法13条ではもちろん憲法21条でも保障されているわけではない。

3 ✕ 　「大学や、私人又は宗教団体が経営に関与する高等学校については、その管理運営を教員・教諭や学生・生徒の自主的な決定に任せる自治も保障している」という部分が妥当でない。判例は、学問の自由（憲法23条）は、学問的研究の自由とその研究結果の発表の自由とを含み、すべての国民に対してそれらの自由を保障するとともに、特に大学におけるそれらの自由及び大学における教授の自由を保障することを趣旨とし、大学における学問の自由を保障するために、伝統的に大学の自治が認められているとする。そして、大学の学問の自由と自治は、直接には教授その他の研究者の研究、その結果の発表、研究結果の教授の自由とこれらを保障するための自治とを意味するので、大学の施設と学生は、これらの自由と自治の効果として、施設が大学当局によって自治的に管理され、学生も学問の自由と施設の利用を認められるとしている（最大判昭38.5.22、東大ポポロ事件）。したがって、学問の自由は、大学の管理運営を学生・生徒の自主的な決定に任せる自治を保障するものではない。また、私人又は宗教団体が経営に関与する高等学校（私立高校）について、本記述のような自治を認める判例はない。

4 ✕ 　「逮捕時に国選弁護人を依頼する弁護士依頼権」、「弁護士立会い時以外の抑留中の自白の証拠能力を認めない法定手続きの保障」という部分が妥当でない。刑事被告人は、いかなる場合にも、資格を有する弁護人を依頼することができる。被告人が自らこれを依頼することができないときは、国でこれを附する（憲法37条3項）。したがって、憲法上、国選弁護人の依頼は、起訴された後に認められている。また、憲法では、強制、拷問若しくは脅迫による自白又は不当に長く抑留若しくは拘禁された後の自白の証拠能力を否定しており（同法38条2項）、自白の証拠能力について弁護士の立会いを要件とする憲法上の規定はない。

5 ◯ 　条文により妥当である。憲法は、経済的自由として、居住・移転・職業選択の自由（憲法22条1項）、外国移住・国籍離脱の自由（同法22条2項）、財産権の不可侵（同法29条1項）を保障している。そして、居住・移転・職業選択の自由については「公共の福祉に反しない限り」（同法22条1項）、財産権については「公共の福祉に適合するやうに」（同法29条2項）と憲法上明記され、建築の制限（都市計画法65条等）や私的独占の禁止（独占禁止法3条等）などが行われている。

我が国の国会及び国会議員に関する記述として最も妥当なのはどれか。

1　国会は、国権の最高機関であって、国の唯一の立法機関である。主権者である国民の代表によって構成される国会には、内閣や裁判所など他の政府機関に対する一般的な指揮命令権が憲法上与えられている。

2　衆議院及び参議院の両議院は、全国民を代表する選挙された議員で組織される。また、比例代表選出議員を除く選挙区選出議員については、選挙区の有権者の投票で議員を罷免するリコール制が導入されている。

3　両議院の議員及びその選挙人の資格は、法律で定められるが、人種、信条、性別、社会的身分、門地、教育、財産又は収入によって差別してはならないことが憲法上規定されている。また、議員の被選挙権は、衆議院議員が満25歳以上、参議院議員が満30歳以上とされている。

4　衆議院議員の任期は4年とされ、衆議院解散又は内閣総辞職の場合には、その任期満了前に終了する。他方、参議院議員の任期は8年とされ、4年ごとに議員の半数が改選されることとなっている。

5　何人も、同時に両議院の議員となることはできないが、議員が、その任期中に、内閣総理大臣その他の国務大臣を兼務することは認められている。また、自身が属する議院の許可を得れば、地方公共団体の首長を兼務することも認められている。

1　✕　「内閣や裁判所など他の政府機関に対する一般的な指揮命令権が憲法上与えられている」という部分が妥当でない。憲法上、国会が内閣や裁判所に対して指揮命令権を有するとする規定は存在しない。また、憲法41条の「国権の最高機関」の意味について、通説である政治的美称説は、三権対等型の三権分立の見地から、国会が国民を直接代表する、国政の中心を占める機関であることを表す政治的美称にすぎず、法的意味を持たないとしている。

2　✕　「選挙区の有権者の投票で議員を罷免するリコール制が導入されている」という部分が妥当でない。国会議員が身分をはく奪される事由としては、議員の資格争訟の裁判（憲法55条）、懲罰による除名（憲法58条2項）などがあるが、有権者の投票により国会議員を罷免する制度は存在しない。

3　○　条文により妥当である。両議院の議員及びその選挙人の資格は、法律でこれを定める。ただし、人種、信条、性別、社会的身分、門地、教育、財産又は収入によって差別してはならない（憲法44条）。そして、被選挙権を有する年齢は、衆議院議員については満25歳以上、参議院議員については満30歳以上とされている（公職選挙法10条1項）。

4　✕　「又は内閣総辞職」、「参議院の任期は8年とされ、4年ごとに議員の半数が改選されることとなっている」という部分が妥当でない。衆議院の解散（憲法69条）により、衆議院議員はその任期満了前に議員としての身分を失うが、内閣総辞職があっても、そのような効果は生じない。また、参議院議員の任期は6年であり、3年ごとにその半数が改選される（憲法46条）。

5　✕　「地方公共団体の首長を兼務することも認められている」という部分が妥当でない。両議院の議員を兼ねることは禁じられている（憲法48条）。そして、議員は、内閣総理大臣その他の国務大臣などの一定の職務及び別に法律の定めがある場合を除いて、その任期中、国又は地方公共団体の公務員を兼ねることができない（国会法39条本文）。なお、両議院一致の議決に基づき、その任期中、内閣行政各部における各種の委員、顧問、参与その他これらに準ずる職に就くことは認められている（国会法39条ただし書）。

　図中の曲線A及びBは、それぞれある財の需要曲線又は供給曲線のどちらかを示している。いま、この財の人気が高まったことに伴い需要曲線がシフトし、また、この財の原材料価格の上昇に伴い供給曲線がシフトしたとする。これに関する記述として最も妥当なのはどれか。

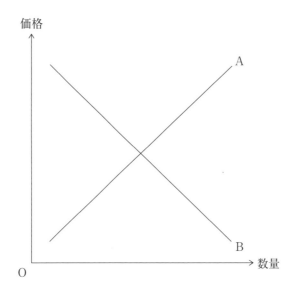

1　人気が高まったことに伴い曲線Aは左上方にシフトし、原材料価格の上昇に伴い曲線Bは左下方にシフトする。そのため、この財の価格は変化しない。

2　人気が高まったことに伴い曲線Aは左上方にシフトし、原材料価格の上昇に伴い曲線Bは右上方にシフトする。そのため、この財の価格は上昇する。

3　人気が高まったことに伴い曲線Bは右上方にシフトし、原材料価格の上昇に伴い曲線Aは右下方にシフトする。この財の価格が上昇するか下降するかは、それぞれの曲線のシフトの大きさによる。

4　人気が高まったことに伴い曲線Bは左下方にシフトし、原材料価格の上昇に伴い曲線Aは左上方にシフトする。この財の価格が上昇するか下降するかは、それぞれの曲線のシフトの大きさによる。

5　人気が高まったことに伴い曲線Bは右上方にシフトし、原材料価格の上昇に伴い曲線Aは左上方にシフトする。そのため、この財の価格は上昇する。

　図の状況から、需要曲線は曲線B、供給曲線は曲線Aと判断できる。

　この財の人気が高まると任意の価格水準について需要が増加するため、需要曲線Bは右上方シフトする。また、この財の原材料価格の上昇により、任意の価格水準について供給が減少するため、供給曲線Aは左上方シフトする。

　どちらも上方（価格が上昇する方向）へのシフトだから、この財の価格は必ず上昇する（この場合、不明なのは新たな均衡における数量である）。

　以上を満たすのは**5**である。

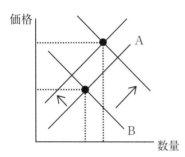 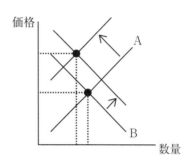

経済　物価

物価に関する記述として最も妥当なのはどれか。

1 インフレのうち、賃金や原材料の上昇など主に需要側の要因によるものはディマンド・プル・インフレと呼ばれており、また、民間の消費や投資の拡大によって財の価格上昇がもたらされるものは、コスト・プッシュ・インフレと呼ばれている。

2 消費者物価指数は家計の消費に関するものであり、家計が購入する財やサービスに関する総合的な価格動向を表す指標である。また、企業物価指数は原材料などの企業間で取引される財に関するものであり、企業が購入する財に関する総合的な価格動向を表す指標である。

3 経済全体の物価上昇を示す指標としてGDPデフレーターがあり、これは実質GDPを名目GDPで割ることによって求められる。ある経済において生産量は変化せず物価水準が上昇した場合、名目GDPは変化しないものの実質GDPは増加するため、GDPデフレーターは上昇する。

4 インフレ率や名目賃金上昇率と失業率との間の安定した正の相関関係を示す曲線は、フィリップス曲線と呼ばれる。フィリップス曲線が示すところによると、インフレ率や名目賃金上昇率が高いときは失業率も高くなる一方、インフレ率や名目賃金上昇率が低いときは失業率も低くなる。

5 我が国の消費者物価の動向についてみると、対前年上昇率は、1980年代後半のバブル経済の時期には20％を超える年もあったが、その後、バブル崩壊に伴う長期的な不況の影響により低下し、2000年以降についてみると2〜3％で推移している。

解説　正解 2　　TAC生の正答率 66%

1 × 賃金や原材料価格の上昇によりもたらされるインフレをコスト・プッシュ・インフレという。また、民間消費や投資の拡大によりもたらされるインフレをディマンド・プル・インフレという。

2 ○

3 × GDPデフレーターは名目GDPを実質GDPで割ることで求められる。また、ある経済において他の条件を一定として物価が上昇すれば、名目GDPは増加するが、実質GDPは変化しないため、GDPデフレーターは上昇する。

4 × インフレ率や名目賃金上昇率と失業率の負の相関関係を示す曲線をフィリップス曲線という。

5 × バブル経済の時期に消費者物価の上昇率が20％を超えたという事実はない。また、2000年以降についても消費者物価の上昇率が2〜3％で推移しているという事実はない。現在の金融政策がインフレターゲットとして消費者物価の上昇率が2％を安定的に超えるまで金融緩和を続けるとしていることを想起すれば、2〜3％の上昇が実現していることはないと判断できよう。

政治	冷戦後の国際社会	2022年度 基礎能力 No.40

冷戦終結後の国際社会の動向に関する記述として最も妥当なのはどれか。

1 1990年代には、朝鮮半島を二分する韓国と北朝鮮の国際連合への同時加盟、南アフリカのアパルトヘイト（人種隔離政策）の撤廃、米ソ間での第一次戦略兵器削減条約（START I）の調印など、世界の安定化へ向けた新たな枠組みを求める動きが各地で始まった。

2 人種・宗教・言語の違いや政治的経済的抑圧が原因で起こる民族・地域紛争は、冷戦終結後に増加した。その後、紛争を経て、チェチェンがロシアから、北アイルランドが英国から独立するなど、多くの独立国が誕生した。

3 冷戦終結後に唯一の軍事的超大国となった米国は、世界の警察官として、湾岸戦争やイラク戦争を主導した。しかし、オバマが大統領に就任すると、米国第一主義を掲げて自国の経済的利益を最優先する傾向を強め、米国のこうした動きはユニラテラリズムと呼ばれた。

4 1990年代後半以降、二国間及び地域的な自由貿易協定（FTA）締結の動きが世界的に活発化した。しかし、リーマン・ショックを契機とする世界金融危機が起こると保護貿易主義が台頭し、2021年末時点では、世界で発効済みのFTAは10件に満たない少数にとどまっている。

5 1990年代後半以降、ITの発達により、複雑な生産工程間の国際分業や国境を越えた生産工程の最適立地が可能となった。これにより、我が国では、アジア諸国から中間財を輸入し、国内で最終財を組み立てるグローバルなサプライチェーンが構築され、製品輸入比率が大きく低下した。

解説 **正解 1** TAC生の正答率 **37%**

1 ○ 1990年代に起こった出来事として妥当な内容である。

2 × チェチェンがロシアから、北アイルランドが英国から独立した事例はない。

3 × 米国の動きがユニラテラリズム（単独行動主義）と呼ばれたのは、一般的には2001年に就任したG.W.ブッシュ大統領の時である。また、選択肢にある米国第一主義や自国の経済的利益を最優先する傾向を強める政策を行ったのはトランプ大統領の時である。なお、ユニラテラリズムは国際協調主義の対概念であるので、トランプ大統領の姿勢もユニラテラリズムに含む場合もある。

4 × 世界金融危機で保護貿易主義が台頭したという事実はなく、その後もFTAはどんどん発効している。FTAの定義は場合によって異なるときがあるが、日本貿易振興機構（JETRO）が把握している分だけでも300件以上ある。

5 × 1990年代以降のわが国の製品輸入比率は下がることなく、1997年以降60％台を記録するようになった。この主な原因として、中国からの製品輸入、特に繊維製品と機械機器が急速に拡大したことが挙げられる。

高度情報化社会に関する記述として最も妥当なのはどれか。

1　情報源を主体的に選ぶ能力や情報に対する判断力・批判的理解力などメディアを適切に活用する能力は、メディア・リテラシーや情報リテラシーと呼ばれ、高度情報化社会においてこの能力を身に付けておくことは重要である。また、情報通信技術の特性を踏まえた行動理念や行動基準を求める情報倫理が、様々な活動領域で重要になっている。

2　インターネットの普及やデジタル技術の発達により知的財産権（知的所有権）の侵害が問題となっている。知的財産権は、肖像権や特許権などを含む産業財産権と、著作権に大別され、例えば、違法にインターネット配信されていることを知りながら、映像や音楽などをダウンロードしたり、授業で使用するために新聞をコピーして配布したりする行為は、特許権の侵害に当たる。

3　我が国においては、電子政府（e-Gov）の発達により、いつでも、どこでも、誰でも情報技術の恩恵を受けられるユビキタス社会が実現しているため、国内でデジタル・デバイドの問題は発生していない。デジタル・デバイドは、先進国と発展途上国との間など主として国家間における格差問題として懸念されている。

4　勤務場所・時間にとらわれず、コンピュータやネットワークが生み出す情報空間（サイバースペース）で働くことを、SOHOという。このような働き方は、仮想現実（バーチャルリアリティ）と呼ばれる、離れた場所にあるサーバ、アプリケーションソフト、データを常時利用できるようにする技術が開発され、情報の蓄積・伝達が安価で効率的に行えるようになったことで普及した。

5　インターネットを利用した財やサービスの取引のことをサブスクリプションと呼び、オークションなど消費者間のものを「B to B」、部品・原材料の調達など企業間のものを「C to C」という。サブスクリプションやPOSシステムなどの活用により、企業の生産性は向上しており、また、2019年、我が国の情報通信業の生産額は全産業のそれの約5割を占めている。

解 説　　　正解　**1**　　　　　　　　TAC生の正答率 > 95%

1 ○

2 ✕　まず、肖像権は知的財産権に含まれない（したがって、産業財産権にも含まれない）。知的財産権の分類法はいくつかあるが、産業財産権と著作権に大別する場合、前者に含まれるのは特許権・実用新案権・意匠権・商標権である。それに対して肖像権とは、みだりに自分の顔や姿を撮影・公開されない権利であり、現段階では法律で明文化されておらず裁判例で認められている。また、違法に配信された映像や音楽などをダウンロードする行為や新聞をコピーして配布する行為は、特許権ではなく著作権の侵害に当たる。ただし、学校その他の教育機関（営利を目的として設置されているものを除く）の授業で使用する場合、新聞をコピーして配布する行為は例外的に許容されている。

3 ✕　まず、デジタル・デバイドの問題は解消されていない。デジタル・デバイドとは、情報通信技術を利用できる者とできない者の間に生じる格差（情報格差）のことである。またこれは、国家間の格差問題だけでなく、国内の個人間の格差問題として論じられることも多い。インターネットの普及率は、若年層よりも高齢者層の方が低く、高所得者層よりも低所得者層の方が低くなっている。情報技術が便利になればなるほど、そこにアクセスできる者とできない者との差が激しくなる問題がある。

4 ✕　まず、SOHO（Small Office Home Office）とは、（雇用労働者ではなく）業務委託を受けた小規模事業者（フリーランスなど）による情報通信を活用した遠隔型の勤務形態を指すが、働くのは自宅などであり、情報空間で働くわけではない。また第2文は、仮想現実ではなくクラウドコンピューティングに関する記述である。

5 ✕　まず、第1文の前段は、サブスクリプションではなくeコマースに関する記述である。サブスクリプションとは、一定の利用期間について定額料金が生じる取引・契約形態を指す。また第1文の後段も誤りで、「B to B」（Business to Business）とは企業同士の取引を、「C to C」（Consumer to Consumer）とはオンラインオークションなどの消費者同士の取引を指す。さらに、2015年価格による実質国内生産額でみた場合、2019年の我が国の情報通信産業の生産額は108.5兆円で全産業の10.7％を占めている。

社会　情報化社会

情報化社会に関する記述A～Dのうち、妥当なもののみを挙げているのはどれか。

A　近年、我が国において、モノのインターネット化（IoT）やロボットに関わる産業が進展している。政府は、ロボット市場の拡大が医療、介護、農業などの幅広い分野にわたって、人手不足や生産性向上などの現代社会における課題に貢献することを期待し、「ロボット新戦略」を掲げた。

B　インターネットやスマートフォンの急速な普及によって人々の生活様式にも大きな変化がみられ、情報通信技術の利用により、eコマースと呼ばれるインターネットを利用した財やサービスの取引が広まっている。

C　SOHOと呼ばれる一部の巨大な事業者が、インターネット上に存在する多様で膨大な情報を収集処理し、商品やサービスを提供する営利事業を進めていることから、我が国の政府は、個人情報の保護を強化するため、個人情報の保護に関する法律（個人情報保護法）を全面改正する形で、不正アクセス行為の禁止等に関する法律（不正アクセス禁止法）を制定した。

D　情報化が進んだ現代社会では、持ち運ぶことができる情報端末を利用してインターネットに接続する機会が増加したため、スマートフォンを持ち歩いていないと不安に感じるなど、インターネットが接続された環境に過度に依存する現象がみられ、このような現象をバーチャル・リアリティという。

1　A、B

2　A、C

3　A、D

4　B、C

5　C、D

解 説　　**正解　1**　　　　　　　　　　　　TAC生の正答率　**79%**

A　〇　「ロボット新戦略」は、2015年2月に日本経済再生本部で決定されており、同戦略で掲げられた「ロボット革命」を推進するために、民間主導の組織的プラットフォームとして「ロボット革命・産業IoTイニシアティブ協議会」が設けられている。

B　〇　eコマース（electric commerce）は電子商取引のことであり、そのうち企業間の取引をB-to-B（business）、企業と消費者との間の取引をB-to-C（consumer）、消費者同士の取引をC-to-Cという。

C　✕　まず、「SOHOと呼ばれる一部の巨大な事業者」が誤り。SOHOは、Small Office Home Officeの略であり、小規模な事業所や在宅勤務者の総称である。インターネットやIT機器の発達により、小規模な事務所や在宅でも業務を遂行しやすくなったことから、このような業務形態が増加した。問題文は、SOHOではなく「プラットフォーマー」に関する記述である。また、第2文も誤り。プラットフォーマーを規制する法律は、2020年5月に成立した「特定デジタルプラットフォームの透明性及び公正性の向上に関する法律」である。個人情報保護法は、行政機関・民間企業・個人に対して個人情報の適切な保護・取扱を義務づける法律で2003年に制定、不正アクセス禁止法は、ネットワークを利用して他人のIDやパスワードなどを不正に取得・保管するなどして、本来は利用権限がないのに不正に利用する行為などを禁止する法律で1999年に制定されており、個人情報保護法が不正アクセス禁止法に移行したわけではない。

D　✕　バーチャル・リアリティ（virtual reality、仮想現実）とは、コンピュータなどによって作り出された現実味のある架空の空間・体験のことである。問題文は「ネット依存症」に関する記述になっている。

専門科目

民法Ⅰ	意思表示	2021年度 専門 No.1

意思表示に関するア～オの記述のうち、妥当なもののみを全て挙げているのはどれか。ただし、争いのあるものは判例の見解による。

ア　意思表示は、表意者がその真意ではないことを知ってしたときであっても、そのためにその効力を妨げられないが、相手方がその意思表示が表意者の真意ではないことを知り、又は知ることができたときは、その意思表示は無効である。また、かかる意思表示の無効は、善意の第三者に対抗することができない。

イ　AがBとの間で土地の仮装売買を行い、A所有の土地の登記名義をBとしていたところ、Bがその土地を自分のものであるとしてCに売却した。この場合、Cが保護されるためには、AB間の売買契約が通謀虚偽表示に基づくものであることにつき、Cが善意かつ無過失であることが必要である。

ウ　意思表示に対応する意思を欠く錯誤があり、その錯誤が法律行為の目的及び取引上の社会通念に照らして重要なものであるときは、当該意思表示は、原則として取り消すことができる。

エ　Aは、Bから金銭を借りる際に、Cを欺罔し、Cは自らがAの保証人となる保証契約をBと結んだ。この場合、BがAの欺罔行為を知っていたとしても、Cは当該保証契約を取り消すことができない。

オ　Aは、Bから金銭を借りる際に、Cを強迫し、Cは自らがAの保証人となる保証契約をBと結んだ。この場合、BがAの強迫行為を過失なく知らなかったときは、Cは当該保証契約を取り消すことができない。

1　ア、イ

2　ア、ウ

3　イ、エ

4　ウ、オ

5　エ、オ

| 解 説 | 正解 **2** | | TAC生の正答率 **77%** |

ア　**○**　条文により妥当である。意思表示は、表意者がその真意ではないことを知ってしたときであっても、そのためにその効力を妨げられない（93条1項本文）。ただし、相手方がその意思表示が表意者の真意ではないことを知り、又は知ることができたときは、その意思表示は無効である（93条1項ただし書）。また、かかる意思表示の無効は、善意の第三者に対抗することができない（93条2項）。

イ　**✕**　「Cが善意かつ無過失であることが必要である」という部分が妥当でない。AB間の土地の仮装売買は、相手方と通じてした虚偽の意思表示であり無効である（94条1項）。したがって、Bは当該土地を自分のものとして第三者のCに売却しても、Cは原則として当該土地の所有権を取得できない。しかし、この仮装売買の無効は「善意」の第三者に対抗することができず（94条2項）、「善意」に無過失は要求されない（大判昭12.8.10）。したがって、Cが善意の第三者として保護されるためには、AB間の売買契約が通謀虚偽表示に基づくものであることにつき、Cが善意であればよく、無過失であることは必要とされない。

ウ　**○**　条文により妥当である。意思表示に対応する意思を欠く錯誤があり、その錯誤が法律行為の目的及び取引上の社会通念に照らして重要なものであるときは、当該意思表示は、原則として取り消すことができる（95条1項1号）。

エ　**✕**　「BがAの欺罔行為を知っていたとしても、Cは当該保証契約を取り消すことができない」という部分が妥当でない。相手方に対する意思表示について第三者が詐欺を行った場合においては、相手方がその事実を知り、又は知ることができたときに限り、その意思表示を取り消すことができる（96条2項）。したがって、BC間の保証契約について、第三者AがCに対して詐欺を行ったのであるから、詐欺による意思表示の相手方であるBが、Aの欺罔行為を知っていた場合には、Cは当該保証契約を取り消すことができる。

オ　**✕**　「BがAの強迫行為を過失なく知らなかったときは、Cは当該保証契約を取り消すことができない」という部分が妥当でない。第三者が強迫をした場合、民法は一切の例外を認めていないので、意思表示の相手方の善意・悪意にかかわらず、96条1項によりその意思表示を取り消すことができる。したがって、BC間の保証契約について、第三者AがCに対して強迫を行ったのであるから、強迫による意思表示の相手方であるBが、Aの強迫行為を過失なく知らなかったとしても、Cは当該保証契約を取り消すことができる。

以上より、妥当なものはア、ウであり、正解は**2**となる。

民法Ⅰ　法律行為

法律行為に関するア～エの記述のうち、妥当なもののみを全て挙げているのはどれか。

ア　妻子ある男性が、いわば半同棲関係にあった女性に対し、遺産の３分の１を遺贈するという遺言を行った場合、当該遺言が不倫関係の維持継続を目的とするものではなく、専ら当該女性の生活を保全するためになされたものであり、当該遺言の内容も相続人らの生活の基盤を脅かすものではなかったとしても、当該遺言は公序良俗に反し無効であるとするのが判例である。

イ　食肉販売業を営もうとする者は、食品衛生法により営業許可を得なければならず、営業許可を得ずになされた売買契約は取締法規に違反するため、同法による営業許可を得ずになされた食肉の売買契約は無効であるとするのが判例である。

ウ　意思表示は、その通知が相手方に到達した時からその効力を生ずる。また、意思表示は、表意者が通知を発した後に死亡し、意思能力を喪失し、又は行為能力の制限を受けたときであっても、原則として、そのためにその効力を妨げられない。

エ　意思表示の相手方がその意思表示を受けた際に未成年者であった場合には、当該未成年者の法定代理人がその意思表示を知った後であっても、その意思表示をもって当該未成年者に対抗することができない。

1　ウ

2　ア、イ

3　ア、エ

4　イ、ウ

5　ウ、エ

解説 **正解 1**

ア ✕ 「当該遺言は公序良俗に反し無効であるとするのが判例である」という部分が妥当でない。判例は、本件遺言の内容は、妻、子及び女性に全遺産の3分の1ずつを遺贈するものであり、当時の民法上の妻の法定相続分は3分の1であり、子がすでに嫁いで高校の講師等をしているなど事実関係のもとにおいては、本件遺言は不倫な関係の維持継続を目的とするものではなく、もっぱら生計を亡夫に頼っていた女性の生活を保全するためにされたものというべきであり、また、遺言の内容が相続人らの生活の基盤を脅かすものとはいえないとして、本件遺言が民法90条に違反し無効であると解すべきではないとしている（最判昭61.11.20）。

イ ✕ 「同法による営業許可を得ずになされた食肉の売買契約は無効であるとするのが判例である」という部分が妥当でない。判例は、食品衛生法は単なる取締規に過ぎないから、食肉販売業を営もうとする者が食肉販売業の許可を受けていないとしても、法律により本件取引の効力が否定される理由はないとしている（最判昭35.3.18）。

ウ 〇 条文により妥当である。意思表示は、その通知が相手方に到達した時からその効力を生ずる（97条1項）。意思表示は、表意者が通知を発した後に死亡し、意思能力を喪失し、又は行為能力の制限を受けたときであっても、そのためにその効力を妨げられない（97条3項）。意思表示において表意者のすべき行為は、通知を発した時点で完成しているからである。

エ ✕ 「その意思表示をもって当該未成年者に対抗することができない」という部分が妥当でない。意思表示の相手方がその意思表示を受けた時に意思能力を有しなかったとき又は未成年者若しくは成年被後見人であったときは、その意思表示をもってその相手方に対抗することができない（98条の2本文）。ただし、相手方の法定代理人がその意思表示を知った後は、その意思表示をもってその相手方に対抗することができる（98条の2ただし書第1号）。

　以上より、妥当なものはウであり、正解は**1**となる。

民法Ⅰ	物	2023年度 専門 No.1

民法における物に関する次の記述のうち、最も妥当なのはどれか。

1 物とは、有体物及び無体物のうち排他的支配が可能なものをいい、例えば、電気には物に関する規定が直接適用される。

2 一物一権主義とは、物には物権の対象として必ず何らかの権利が付着しているという民法上の原則である。

3 生存中の人の身体は、所有権の客体となり得ないが、歯や髪など人の身体から分離された一部は所有権の客体となり得る。

4 物の用法に従い収取する産出物を天然果実といい、天然果実は、これを現実に収取した者が常に所有権を取得する。

5 所有者のない不動産及び動産は、所有の意思をもって占有することによって、その所有権を取得する。

解 説　　**正解　3**　　　　　　　　　　　TAC生の正答率　45%

1　**✕**　「及び無体物のうち排他的支配が可能なもの」、「電気には物に関する規定が直接適用される」という部分が妥当でない。民法における「物」とは、有体物のことをいい（85条）、固体・液体・気体のような有形的存在のみを「物」として扱うことにしている。これは、所有権の客体を、全面的な支配に適する有体物に限定するためである。したがって、電気のような無体物は民法における「物」には含まれず、民法の「物」に関する規定は直接適用されない。

2　**✕**　全体が妥当でない。一物一権主義とは、①1個の物の上に同一内容の物権は1つしか成立しないこと（排他性）や、②1つの物権の客体は1個の独立した物でなければならないこと（独立性・単一性）を意味する原則である。

3　**〇**　通説により妥当である。物は外界の一部でなければならないから、生存中の人の身体は所有権の対象となり得ないが、人の身体から分離された身体の一部は所有権の客体となり得る。

4　**✕**　「これを現実に収取した者が常に所有権を取得する」という部分が妥当でない。物の用法に従い収取する産出物を天然果実とする（88条1項）。天然果実は、その元物から分離する時に、これを収取する権利を有する者に帰属する（89条1項）。

5　**✕**　「不動産及び」という部分が妥当でない。所有者のいない動産は、所有の意思をもって占有することによって、その所有権を取得する（239条1項）。所有者のいない不動産は、国庫に帰属する（239条2項）。

民法Ⅰ	時効	2020年度 専門 No.1

時効に関するア～オの記述のうち、妥当なもののみを全て挙げているのはどれか。ただし、争いのあるものは判例の見解による。

ア　時効の利益は、時効完成の前後を問わず、放棄することができる。

イ　10年の取得時効を主張する占有者は、自己が善意・無過失であることや占有が平穏かつ公然であることを立証する必要はないが、所有の意思をもって占有していることについては立証する必要がある。

ウ　後順位抵当権者は、先順位抵当権の被担保債権の消滅により抵当権の順位が上昇し、これにより自己の被担保債権に対する配当額が増加することがあり得るため、先順位抵当権の被担保債権の消滅時効を援用することができる。

エ　債務者が、消滅時効の完成後に債権者に対し当該債務の承認をした場合には、時効完成の事実を知らなかったときでも、その完成した消滅時効を援用することは信義則に反し許されない。

オ　民法が時効取得の対象物を他人の物としたのは、通常の場合において自己の物について取得時効を援用することは無意味であるからであって、自己の物について取得時効の援用を許さない趣旨ではない。

1　ア、イ

2　ア、オ

3　イ、ウ

4　ウ、エ

5　エ、オ

解説 **正解** **5**

ア ✕ 「時効完成の前後を問わず」という部分が妥当でない。時効の利益はあらかじめ放棄することができない（146条）。「あらかじめ」とは時効完成前を意味する。債権者が自己の有利な立場を利用し、債務者に時効利益の放棄を強制することを防ぐためである。

イ ✕ 「無過失であること…を立証する必要はないが」、「所有の意思をもって占有していることについては立証する必要がある」という部分が妥当でない。占有者は、所有の意思をもって、善意で、平穏に、かつ公然と占有をするものと推定される（186条1項）。そのため、所有の意思をもって占有することを立証する必要があるとする記述が妥当でない。また、無過失については推定されないため、10年の短期取得時効を主張する占有者は、自己が無過失である点について立証しなければならないとするのが判例である（最判昭46.11.11）ので、この立証を不要とする記述も妥当でない。

ウ ✕ 「先順位抵当権の被担保債権の消滅時効を援用することができる」という部分が妥当でない。判例は、本記述のような後順位抵当権者の配当額増加に対する期待は、抵当権の順位の上昇による反射的な利益に過ぎないため、後順位抵当権者は、先順位抵当権の被担保債権の消滅時効を援用することができないとしている（最判平11.10.21）。

エ ◯ 判例により妥当である。判例は、債務者が消滅時効の完成後に債権者に当該債務の承認をした場合には、時効完成の事実を知らなかったときでも、その後においては債務者にその完成した消滅時効の援用を認めないと解することが、信義則に照らし、相当であるとしている（最大判昭41.4.20）。その理由として、時効完成後に債務者が債務の承認をすることは、時効による債務消滅の主張と相容れない行為であり、相手方においても債務者が時効の援用をしない趣旨であると考えるであろうという点を指摘している。

オ ◯ 判例により妥当である。判例は、所有権に基づいて不動産を占有する者についても、取得時効に関する民法162条の適用があるとしている（最判昭42.7.21）。その理由として、本記述の通り、同条が時効取得の対象物を他人の物としたのは、通常の場合において、自己の物について取得時効を援用することは無意味であるからに他ならないのであって、同条は、自己の物について取得時効の援用を許さない趣旨ではないことを指摘している。

以上より、妥当なものはエ、オであり、正解は**5**となる。

民法Ⅰ	物権	2021年度 専門 No.2

物権に関する次の記述のうち、妥当なのはどれか。ただし、争いのあるものは判例の見解による。

1 民法は、「物権は、この法律その他の法律に定めるもののほか、創設することができない。」と規定していることから、慣習法上の物権は認められていない。

2 物権は絶対的・排他的な支配権であるから、その円満な支配状態が妨げられたり、妨げられるおそれがあるときには、その侵害の除去又は予防を請求することができる。この請求権を物権的請求権といい、当該請求権を有する者は、侵害者に故意又は過失があることを要件として、これを行使することができる。

3 物の用法に従い収取する産出物を天然果実といい、物の使用の対価として受けるべき金銭その他の物を法定果実という。このうち、天然果実は、その元物から分離する時に、これを収取する権利を有する者に帰属する。

4 物権の客体は、一個の独立した物でなければならず、一個の物の一部分や数個の物の集合体が一つの物権の客体となることはない。

5 土地に生育する立木は、取引上の必要がある場合には、立木だけを土地とは別個の不動産として所有権譲渡の目的とすることができるが、未分離の果実や稲立毛は、独立の動産として取引の対象とされることはない。

解 説　　**正解　3**　　　　　　　　　TAC生の正答率　**74**%

1　✕　「慣習法上の物権は認められていない」という部分が妥当でない。物権は、民法その他の法律に定めるもののほか、創設することができない（175条）。もっとも、判例は、法律に定めのない流水利用権（大判明33.2.26）、温泉専用権（大判昭15.9.18）などを、慣習法上の物権として認めている。

2　✕　「侵害者に故意又は過失があることを要件として、これを行使することができる」という部分が妥当でない。物権的請求権を行使するには、自己が物権を有していることと、相手方が物権を侵害しているという客観的事実があれば足り、相手方の故意や過失は必要ではないと解されている。

3　◯　条文により妥当である。物の用法に従い収取する産出物を天然果実とする（88条1項）。物の使用の対価として受けるべき金銭その他の物を法定果実とする（88条2項）。天然果実は、その元物から分離する時に、これを収取する権利を有する者に帰属する（89条1項）。

4　✕　「一個の物の一部分や数個の物の集合体が一つの物権の客体となることはない」という部分が妥当でない。物権の客体は、一個の独立した物でなければならず、これを一物一権主義という。これは、排他的支配の必要から生ずる権利関係の混乱を避けようとするものであるから、権利関係を明示する方法があり、相互の権利関係が乱されないならば、一個の物の一部や数個の物の集合体が一つの物権の客体となることは妨げられないと解されている。判例も、一筆の土地の一部が所有権の対象になること（大連判大13.10.7）や、構成部分の変動する集合動産を目的とする集合物譲渡担保権（最判昭54.2.15）を認めている。

5　✕　「未分離の果実や稲立毛は、独立の動産として取引の対象とされることはない」という部分が妥当でない。土地に生育する立木は、取引上の必要がある場合には、立木だけを土地とは別個の不動産として所有権譲渡の目的とすることができる。もっとも、判例は、立木所有権の対抗要件として公示方法（明認方法又は立木法に基づく立木登記）を必要としている（最判昭35.3.1）。また、判例は、未分離の果実（大判大5.9.20）、稲立毛（大判昭8.3.3）については、明認方法を対抗要件としつつ、独立の動産として取引の対象になるとしている。

民法Ⅰ　物権変動

不動産の物権変動に関する次の記述のうち、判例に照らし、妥当なのはどれか。

1　Aが所有する甲不動産について、Bが自己に所有権がないことを知りながら20年間占有を続けた。その占有開始から15年が経過した時点でAはCに甲不動産を譲渡していた。Cは民法第177条にいう第三者に当たるので、Bは登記がなければ甲不動産の所有権の時効取得をCに対抗することができない。

2　Aが自己の所有する甲不動産をBに譲渡し登記を移転したが、Bが代金を支払わなかったため、AがBとの売買契約を解除した場合において、契約解除後にBが甲不動産をCに譲渡したときは、Aは登記がなくとも甲不動産の所有権をCに対抗することができる。

3　Aが自己の所有する甲不動産をBに譲渡した後、その登記が未了の間に、Cが甲不動産をAから二重に買い受け、さらにCからDが買い受けて登記を完了した。この場合において、Cが背信的悪意者であるときは、Cの地位を承継したDも背信的悪意者とみなされるため、Bは登記がなくとも甲不動産の所有権の取得をDに対抗することができる。

4　Aが自己の所有する甲不動産をBに譲渡したが、Cが甲不動産を不法に占有している場合、不法占有者は民法第177条にいう第三者に当たらないため、Bは、登記がなくとも甲不動産の所有権の取得をCに対抗することができ、その明渡しを請求することができる。

5　Aが、自己の所有する甲不動産をBに譲渡し、その後、甲不動産をCにも二重に譲渡した場合において、AがBに甲不動産を譲渡したことについてCが悪意であるときは、Cは、登記の欠缺を主張することが信義則に反すると認められる事情がなくとも、登記の欠缺を主張するにつき正当の利益を有する者とはいえず、民法第177条にいう第三者に当たらない。

解 説　　**正解　4**　　

1　✕　「Cは民法第177条にいう第三者に当たるので、Bは登記がなければ甲不動産の所有権の時効取得をCに対抗することができない」という部分が妥当でない。判例は、不動産の取得時効が完成しても、その登記がなければ、その後に登記を経由した第三者に対しては時効による権利の取得を対抗できないとするのに対し、第三者のした登記後に時効が完成した場合においては、その第三者に対しては、登記をしなくても時効取得を対抗することができるとしている（最判昭41.11.22）。後者の第三者は、時効完成時の登記名義人であって、時効取得者とは当事者の関係に立つと評価できるからである。したがって、Bは、登記がなくても甲不動産の所有権の時効取得をCに対抗することができる。

2　✕　「Aは登記がなくとも甲不動産の所有権をCに対抗することができる」という部分が妥当でない。判例は、解除後に出現した第三者の場合、解除による遡及効を復帰的物権変動と構成し、相手方を起点とした解除者と第三者への二重譲渡類似の関係として、民法177条の対抗問題として登記の有無で解除者と第三者の優劣を決するとしている（最判昭35.11.29）。したがって、Aは、登記がなければ甲不動産の所有権をCに対抗することができない。

3　✕　「Cの地位を承継したDも背信的悪意者とみなされるため、Bは登記がなくとも甲不動産の所有権の取得をDに対抗することができる」という部分が妥当でない。判例は、背信的悪意者からの転得者は、転得者自身が第一譲受人との関係で背信的悪意者でない限り民法177条の「第三者」に含まれ、権利を主張する者は、登記なくして転得者に権利の取得を対抗することができないとしている（最判平8.10.29）。これは、背信的悪意者は権利取得を対抗することができないにすぎず無権利者ではないこと、背信的悪意者が「第三者」に含まれないのは、登記の欠缺を主張することが信義則に反するという属人的な理由に基づくものであり、背信的悪意者であるかどうかはその人ごとに判断すべきであることを理由とする。

4　〇　判例により妥当である。判例は、不法占拠者は登記の欠缺を主張する正当な利益を有しているとはいえず、民法177条の「第三者」に該当しないとしている（最判昭25.12.19）。したがって、Bは、登記がなくとも甲不動産の所有権の取得をCに対抗することができ、その明渡しを請求することができる。

5　✕　「登記の欠缺を主張することが信義則に反すると認められる事情がなくとも、登記の欠缺を主張するにつき正当の利益を有する者とはいえず、民法第177条にいう第三者に当たらない」という部分が妥当でない。判例は、民法177条にいう第三者については、一般的にはその善意・悪意を問わないものであるが、不動産登記法5条のような明文に該当する事由がなくても、少なくともこれに類する程度の背信的悪意者は、民法177条の第三者から除外するべきであるとしている（最判昭40.12.21）。そして、実体上物権変動があった事実を知る者において物権変動についての登記の欠缺を主張することが信義に反するものと認められる事情がある場合には、かかる背信的悪意者は、登記の欠缺を主張するについて正当な利益を有しないものであって、民法177条にいう第三者に当たらないとしている（最判昭43.8.2）。したがって、登記の欠缺を主張することが信義に反するものと認められる事情がない場合には、背信的悪意者には当たらず、民法177条の第三者に当たることになる。したがって、Cは民法177条にいう第三者に当たる。

民法Ⅰ	所有権	2023年度 専門 No.2

　所有権に関するア～オの記述のうち、妥当なもののみを挙げているのはどれか。ただし、争いのあるものは判例の見解による。

ア　他人の土地上にある建物の所有権を取得した者が、自らの意思に基づいて所有権取得の登記を経由した場合には、たとえ建物を他に譲渡したとしても、引き続き当該登記名義を保有する限り、土地所有者に対し、当該譲渡による建物所有権の喪失を主張して建物収去・土地明渡しの義務を免れることはできない。

イ　不動産の所有者は、その不動産に従として付合した物の所有権を取得するから、A所有の土地に賃借権を有するBが、その権原に基づき当該土地上で農作物を栽培している場合には、農作物は土地に従として付合し、Aが当該農作物の所有権を取得する。

ウ　売主の所有に属する特定物を目的とする売買において、当事者間に所有権移転時期についての特約がない場合は、所有権移転の効力は、買主に対して直ちに生じるのではなく、買主が売主に代金を支払った時に生じる。

エ　各共有者は、いつでも共有物の分割を請求することができるが、5年を超えない期間内は分割をしない旨の契約をすることは可能である。

オ　A、B及びCが建物を共有する場合において、Aの持分について、第三者Dの名義で実体関係に合致しない持分移転登記がされたときであっても、Bは、自己の持分権を侵害されたわけではないから、Dに対し、単独でその持分移転登記の抹消登記手続を請求することはできない。

1　ア、ウ

2　ア、エ

3　イ、ウ

4　イ、オ

5　エ、オ

解 説　　**正解　2**　　

ア　○　判例により妥当である。判例は、土地上の建物を譲渡後も登記名義を保有する者（登記名義人）に対する物権的請求が認められるのかが争われた事案で、建物収去土地明渡請求の相手方は、現実に建物を所有することによってその土地を占拠して土地所有権を侵害している者であることを前提とした上で、本記述のように判断している（最判平6.2.8）。物権的請求権の相手方を常に現実に建物を所有する者と解すると、建物の登記名義人が建物所有権を譲渡した場合に、土地所有者は譲受人を探し出さなければならず酷な結果になる。そこで、例外的に登記名義人を相手方にすることができる場合があることを確認したものと考えられる。

イ　×　「農作物は土地に従として付合し、Aが当該農作物の所有権を取得する」という部分が妥当でない。不動産の所有者は、その不動産に従として付合した物の所有権を取得する（242条本文）。しかし、権原（地上権・賃借権などの不動産の使用権）をもって物を附属させた場合、付合は生じないので、その物の所有者に所有権は留保される（242条ただし書）。Bは、A所有の土地について賃借権を有し、この権原に基づいて農作物を栽培しているので、農作物は土地に付合せず、農作物の所有権はBに留保される。

ウ　×　「買主に対して直ちに生じるのではなく、買主が売主に代金を支払った時に生じる」という部分が妥当でない。判例は、売主の所有に属する特定物を目的とする売買においては、特にその所有権の移転が将来なされるべき約旨に出たものでないかぎり、買主に対し直ちに所有権移転の効力を生ずるとしている（最判昭33.6.20）。

エ　○　条文により妥当である。各共有者は、いつでも共有物の分割を請求することができる。ただし、5年を超えない期間内は分割をしない旨の契約をすることを妨げない（256条1項）。各共有者には、近代市民社会における原則的所有形態である単独所有への移行を可能とする権利として、共有物分割請求権が認められている。そして、このような共有物分割請求権の趣旨から、分割を禁止する特約については期間制限が設けられている。

オ　×　「単独でその持分移転登記の抹消登記手続を請求することはできない」という部分が妥当でない。判例は、不動産の共有者の1人は、共有不動産について実体上の権利を有しないのに持分移転登記を経由している者に対して、その持分移転登記の抹消登記手続を請求することができるとしている（最判平15.7.11）。不動産の共有者の1人は、その持分権に基づき、共有不動産に対して加えられた妨害を排除することができるところ、不実の持分移転登記がされている場合には、その登記によって共有不動産に対する妨害状態が生じているということができるからである。したがって、BはDに対して、単独でその持分移転登記の抹消登記手続を請求することができる。

以上より、妥当なものはア、エであり、正解は**2**となる。

民法Ⅰ　即時取得

即時取得に関するア～オの記述のうち、妥当なもののみを全て挙げているのはどれか。ただし、争いのあるものは判例の見解による。

ア　未成年者Aが、Bの所有するパソコンを盗み、善意・無過失のCに売却し、引き渡した後、Aの親権者DがAC間の売買契約を取り消した場合、Cは、当該パソコンの引渡時から2年が経過していれば、当該パソコンの所有権を取得することができる。

イ　Aが、Bの所有する、道路運送車両法による登録を受けている自動車を借り受けて占有していたにもかかわらず、当該自動車を善意・無過失のCに売却し、引き渡した場合、Cは当該自動車の所有権を取得することができる。

ウ　Aが、Bの所有するパソコンを借り受けて占有していたところ、Cが、当該パソコンを盗み、善意・無過失のDに売却し、引き渡した場合、Bのみならず、Aも、盗まれた時から2年間は、Dに対して当該パソコンの返還を求めることができる。

エ　Aが、Bの所有するパソコンを借り受けて占有していたにもかかわらず、当該パソコンをCに売却し、引き渡した場合、Cは、当該パソコンを即時取得するには、当該パソコンの引渡時に自己に過失がなかったことを立証しなければならない。

オ　Aが盗品であるパソコンを競売によって取得し占有している場合、Aは、その占有開始時において当該パソコンが盗品であることにつき善意・無過失であれば、被害者であるBから当該パソコンの返還請求を受けたとしても、買受代金相当額の支払を受けるまでは、当該請求を拒むことができ、また、当該パソコンの使用収益を行う権限を有する。

1　ア、イ

2　ア、ウ

3　イ、エ

4　ウ、オ

5　エ、オ

解説 **正解** **4**

ア ✕ 「Cは、当該パソコンの引渡時から2年が経過していれば、当該パソコンの所有権を取得することができる」という部分が妥当でない。未成年者と契約した相手方には、即時取得（192条）が成立しないと解されている。なぜなら、即時取得は前主の占有を信頼して取引した相手方を保護する趣旨であって、制限行為能力者でないことを信頼して取引した者を保護する趣旨でなく、また、即時取得を肯定すると制限行為能力者制度の趣旨を没却するからである。さらに、親権者の取消しにより、AC間の契約は遡及的に無効となっている（121条）。したがって、Cは当該パソコンの所有権を取得することができない。

イ ✕ 「Cは当該自動車の所有権を取得することができる」という部分が妥当でない。判例は、道路運送車両法による登録を受けている自動車は、即時取得の対象にならないとしている（最判昭62.4.24）。なぜなら、道路運送車両法による登録を受けている自動車は、その登録により権利関係が公示されているから、前主の占有に公信力を与えて取引の安全を図る必要性がないからである。したがって、Cは、当該自動車の所有権を取得することができない。

ウ 〇 条文により妥当である。民法192条の即時取得が成立する場合において、占有物が盗品又は遺失物であるときは、被害者又は遺失者は、盗難又は遺失の時から2年間、占有者に対してその物の回復を請求することができる（193条）。回復請求権者は被害者又は遺失者であって、所有者に限られない。賃借物が盗まれた場合には、賃借人も被害者として回復請求をすることができる（大判昭4.12.11）。本記述では、窃盗被害を受けたAはパソコンの賃借人として「被害者」に該当するから、Aも盗まれた時から2年間は、Dに対して当該パソコンの返還を求めることができる。

エ ✕ 「当該パソコンの引渡時に自己に過失がなかったことを立証しなければならない」という部分が妥当でない。判例は、民法192条の「過失がないとき」とは、動産の譲渡人である占有者が権利者たる外観を有しているため、その譲受人が譲渡人にこの外観に対応する権利があるものと誤信し、かつ、このように信ずるについて過失のないことを意味するものであるとして、およそ占有者が占有物の上に行使する権利はこれを適法に有するものと推定されるから（188条）、譲受人たる占有取得者が外観に対応する権利を譲渡人が有すると信ずるについては過失のないものと推定され、占有取得者自身において過失のないことを立証することを要しないとした（最判昭41.6.9）。したがって、Cは、当該パソコンの引渡時に自己に過失がないことを立証する必要がない。

オ 〇 条文・判例により妥当である。占有者が、盗品等（盗品又は遺失物）を、競売若しくは公の市場において、善意で買い受けたときは、被害者又は遺失者は、占有者が支払った代価を弁償しなければ、その物を回復することができない（194条）。本記述のAはパソコンを善意無過失で競売により取得しているので、194条の適用がある。そして、判例は、盗品等の被害者又は遺失主が盗品等の占有者に対してその物の回復を求めたのに対し、占有者が194条に基づき支払った代価の弁償があるまで盗品等の引渡しを拒むことができる場合には、占有者は、代価の弁償の提供があるまで盗品等の使用収益を行う権限を有するとした（最判平12.6.27）。

以上より、妥当なものはウ、オであるから、正解は**4**となる。

民法Ⅰ　留置権

　留置権に関するア～オの記述のうち、妥当なもののみを全て挙げているのはどれか。ただし、争いのあるものは判例の見解による。

ア　留置権は、その担保物権としての性質から、付従性・随伴性・不可分性・物上代位性が認められる。

イ　借地借家法に基づく造作買取代金債権は、造作に関して生じた債権であって、建物に関して生じた債権ではないが、建物の賃借人が有益費を支出した場合との均衡から、建物の賃借人は、造作買取代金債権に基づき建物全体について留置権を行使することができる。

ウ　AはBに不動産を譲渡し、Bは未登記のまま当該不動産の引渡しを受けた。さらに、Aは、当該不動産をCにも譲渡し、C名義の登記を済ませた。この場合、Bは、Cからの不動産引渡請求に対し、BのAに対する損害賠償請求権に基づき、当該不動産について留置権を行使することができる。

エ　留置権者は、留置物の保管につき善管注意義務があり、また、債務者の承諾を得なければ、留置物を使用し、賃貸し、又は担保に供することができない。

オ　建物の賃借人は、賃借中に支出した費用の償還請求権に基づいて、賃貸借契約終了後も、その償還を受けるまで、建物全体に留置権を行使することができ、他に特別の事情のない限り、建物の保存に必要な使用として引き続き居住することができる。

1　ア、イ

2　イ、エ

3　ウ、エ

4　ウ、オ

5　エ、オ

解 説 **正解 5**

ア ✗ 「物上代位性が認められる」という部分が妥当でない。担保物権には通有性として付従性、随伴性、不可分性、物上代位性が認められる。留置権も法定担保物権である以上、付従性、随伴性、不可分性（296条）が認められるが、留置権には優先弁済的効力が認められないことから、優先弁済的効力のあらわれである物上代位性は認められない。

イ ✗ 「造作買取代金債権に基づき建物全体について留置権を行使することができる」という部分が妥当でない。判例は、造作買取代金債権は、造作に関して生じた債権で、建物に関して生じた債権でないから、造作買取代金債権に基づき、造作について留置権を行使することはできるが、建物全体について留置権を行使することはできないとしている（最判昭29.1.14）。

ウ ✗ 「BのAに対する損害賠償請求権に基づき、当該不動産について留置権を行使することができる」という部分が妥当でない。判例は、不動産が二重に譲渡され、第一売買の買主が所有権を取得できなくなったことにより、売主に対して取得した履行不能による損害賠償請求権は、その物自体を目的とする債権がその態様を変じたものであり、このような債権はその物に関し生じた債権とはいえないから、当該不動産について留置権を行使することは認められないとしている（最判昭43.11.21）。

エ 〇 条文により妥当である。留置権者は、善良な管理者の注意をもって、留置物を占有しなければならない（298条1項）。また、留置権者は、債務者の承諾を得なければ、留置物を使用し、賃貸し、又は担保に供することができない（298条2項本文）。

オ 〇 判例により妥当である。判例は、建物の賃借人は、賃借中に支出した費用の償還請求権に基づいて、賃貸借契約終了後も、その償還を受けるまで、建物全体に留置権を行使でき、他に特別の事情がない限り、建物の保存に必要な使用（298条2項ただし書）として引き続き居住することができるとしている（大判昭10.5.13）。

以上より、妥当なものはエ、オであり、正解は**5**となる。

民法Ⅰ　　先取特権

先取特権に関するア～オの記述のうち、妥当なもののみを全て挙げているのはどれか。

ア　先取特権は、債務者がその目的である動産をその第三取得者に引き渡した後であっても、その動産について行使することができる。

イ　一般の先取特権は、不動産について登記をしていなくても、その不動産に登記をした抵当権者に対抗することができる。

ウ　同一の目的物について同一順位の先取特権者が数人あるときは、各先取特権者は、それぞれ等しい割合で弁済を受ける。

エ　一般の先取特権者は、まず不動産以外の財産から弁済を受け、なお不足があるのでなければ、不動産から弁済を受けることができない。

オ　不動産の賃貸人は、賃貸借契約に際して敷金を受け取っている場合には、その敷金で弁済を受けない債権の部分についてのみ先取特権を有する。

1　ア、ウ

2　ア、オ

3　イ、ウ

4　イ、エ

5　エ、オ

解　説　　**正解　5**　　　　　　　　　TAC生の正答率 **31**%

ア　✕　「第三取得者に引き渡した後であっても、その動産について行使することができる」という部分が妥当でない。先取特権は、債務者がその目的である動産をその第三取得者に引き渡した後は、その動産について行使することができない（333条）。本条は、動産上の先取特権は占有を要件とせず、公示を伴わないから、動産に先取特権の付いていることを知らないで取得した第三者を保護して、動産取引の安全を図っている。

イ　✕　「不動産について登記をしていなくても、その不動産に登記をした抵当権者に対抗することができる」という部分が妥当でない。一般の先取特権は、不動産について登記をしなくても、特別担保を有しない債権者に対抗することができる（336条本文）。ただし、登記をした第三者に対しては、一般の先取特権を対抗することができない（同条ただし書）。その趣旨は、登記のない一般の先取特権者を登記のある第三者に優先させることは、取引の安全を害するため、そのような弊害を避ける点にある。

ウ　✕　「それぞれ等しい割合で弁済を受ける」という部分が妥当でない。同一の目的物について同一順位の先取特権者が数人あるときは、各先取特権者は、それぞれ等しい割合ではなく、その債権額の割合に応じて弁済を受ける（332条）。

エ　○　条文により妥当である。本記述の通り、一般の先取特権者は、まず不動産以外の財産から弁済を受け、それでも不足があるときに不動産から弁済を受けることになる（335条1項）。その趣旨は、一般の先取特権は債務者の総財産を担保とするので（306条）、その効力を制限することによって、他の債権者への配慮を図る点にある。

オ　○　条文により妥当である。賃貸人が賃貸借契約に際し敷金を受け取っている場合には、先取特権を有するのは、その敷金で弁済を受けない債権の部分に限定される（316条）。その趣旨は、上記のような場合にまで全額について先取特権を認めるのは妥当でないからである。

以上より、妥当なものはエ、オであり、正解は**5**となる。

民法Ⅰ	抵当権	2023年度 専門 No.3

抵当権に関する次の記述のうち、最も妥当なのはどれか。ただし、争いのあるものは判例の見解による。

1 債務者の委託を受けてその者の債務を担保するため抵当権を設定した者は、被担保債権の弁済期が到来した場合には、債務者に対してあらかじめ求償権を行使することができる。

2 抵当権者は、抵当権の設定登記後に物上代位の目的債権が譲渡され第三者に対する対抗要件が備えられた後においては、自ら目的債権を差し押さえて物上代位権を行使することができない。

3 敷金が授受された賃貸借契約に係る賃料債権につき抵当権者が物上代位権を行使してこれを差し押さえた場合において、当該賃貸借契約が終了し、目的物が明け渡されたときは、賃料債権は、敷金の充当によりその限度で消滅する。

4 抵当権が設定された土地に建物が築造されたときは、原則として、抵当権者は、土地とともにその建物を競売することができ、その優先権は、土地及び建物の代価について行使することができる。

5 抵当権者に対抗することができない賃貸借により抵当権の目的である建物を競売手続の開始前から使用し又は収益する者は、その建物の競売における買受人の買受け後、直ちにその建物を買受人に引き渡さなければならない。

解説　　**正解　3**　　

1　✕　「債務者に対してあらかじめ求償権を行使することができる」という部分が妥当でない。判例は、委託を受けた物上保証人に事前求償権は認められないとしている（最判平2.12.18）。委託を受けた保証人の事前求償権は、弁済の委託による委任事務処理費用の前払請求権の性質を有するところ（460条）、物上保証の委託は担保物権の設定の委託に過ぎず、弁済の委託の趣旨を含まない以上、事前求償の基礎を欠くからである。

2　✕　「自ら目的債権を差し押さえて物上代位権を行使することができない」という部分が妥当でない。判例は、抵当権者は、目的債権が譲渡され、第三者に対する対抗要件が備えられた後においても、自ら目的債権を差し押さえて物上代位権を行使することができるとしている（最判平10.1.30）。差押えは、主として物上代位の目的となる債権の債務者（第三債務者）を二重弁済の危険から保護することにある。そして、民法304条1項ただし書の「払渡し又は引渡し」に当然には債権譲渡を含むものとは解されないし、目的債権が譲渡されたことから必然的に抵当権の効力が目的債権に及ばなくなると解するべき理由もないからである。

3　○　判例により妥当である。判例は、抵当権の物上代位に基づく賃料債権の差押え後に、当該賃貸借契約が終了し、賃借人が不動産を明け渡した場合、目的物の返還時に残存する賃料債権等は、敷金が存在する限度において敷金の充当により当然に消滅するとしている（最判平14.3.28）。敷金の充当による未払賃料等の消滅は、敷金契約から発生する効果であって、相殺のように当事者の意思表示を必要とするものではないからである。

4　✕　「及び建物」という部分が妥当でない。抵当権の設定後に抵当地に建物が築造されたときは、抵当権者は、土地とともにその建物を競売することができる（389条1項本文）。ただし、その優先権は、土地の代価についてのみ行使することができる（389条1項ただし書）。したがって、土地の抵当権者は、建物の競売代金については優先権を行使することができない。

5　✕　「直ちにその建物を買受人に引き渡さなければならない」という部分が妥当でない。抵当権者に対抗することができない賃貸借により抵当権の目的である建物の使用又は収益をする者であって、競売手続の開始前から使用又は収益をする者は、その建物の競売における買受人の買受けの時から6か月を経過するまでは、その建物を買受人に引き渡すことを要しない（395条1項、建物明渡猶予制度）。

民法Ⅰ	譲渡担保	2022年度 専門 No.3

譲渡担保に関するア～オの記述のうち、妥当なもののみを全て挙げているのはどれか。

ア　譲渡担保は、民法に規定されている担保物権であるから、典型担保物権である。また、譲渡担保は、債権者と債務者又は物上保証人との間の譲渡担保権設定契約によって設定される担保物権であるから、約定担保物権である。

イ　譲渡担保の目的物が動産である場合は引渡しが対抗要件であるとされているが、対抗要件として認められるには譲渡担保権の設定の前後で外観に変化が生ずることを要すると解すべきであるから、外観に変化が生じない占有改定による引渡しは対抗要件として認められないとするのが判例である。

ウ　譲渡担保権の設定により、譲渡担保権者には目的物の所有権が移転しているのであるから、譲渡担保権者に所有権者以上の権利を認める必要はなく、したがって、譲渡担保権者は、目的物の売却代金債権に対して、譲渡担保権に基づく物上代位権を行使することができないとするのが判例である。

エ　譲渡担保権者には、譲渡担保を実行する際に目的物の価額が被担保債権額を上回ればその差額を譲渡担保権設定者に支払う清算義務があるが、譲渡担保権者による清算金の支払と譲渡担保権設定者による目的物の引渡し又は明渡しは、特段の事情のある場合を除き、同時履行の関係に立つとするのが判例である。

オ　構成部分の変動する集合動産であっても、その種類、所在場所及び量的範囲を指定するなど何らかの方法で目的物の範囲が特定される場合には、一個の集合物として譲渡担保の目的となり得るとするのが判例である。

1　ア、イ

2　ア、ウ

3　イ、オ

4　ウ、エ

5　エ、オ

解 説　**正解　5**　　　　　　　　　　　TAC生の正答率　**69%**

ア　**×**　「民法に規定されている担保物権であるから、典型担保物権である」という部分が妥当でない。譲渡担保は、民法に規定されていない担保物権であるから、非典型担保物権である。また、債権者と債務者又は物上保証人との間の譲渡担保権設定契約によって設定される担保物権であるから、約定担保物権である。

イ　**×**　「対抗要件として認められるには譲渡担保権の設定の前後で外観に変化が生ずることを要すると解すべきであるから、外観に変化が生じない占有改定による引渡しは対抗要件として認められないとするのが判例である」という部分が妥当でない。判例は、動産の売渡担保契約がなされ債務者が引き続き担保物件を占有している場合には、債務者は占有の改定により以後債権者のために占有するものであり、したがって債権者は売渡担保契約により本件物件につき所有権と共に間接占有権を取得し、その引渡しを受けたことによりその所有権の取得を以て第三者に対抗することができるとしている（最判昭30.6.2）。

ウ　**×**　「譲渡担保権者に所有権者以上の権利を認める必要はなく、したがって、譲渡担保権者は、目的物の売却代金債権に対して、譲渡担保権に基づく物上代位権を行使することができないとするのが判例である」という部分が妥当でない。判例は、譲渡担保権に基づく物上代位権の行使として、目的物の売買代金債権を差し押さえることができるとしている（最決平11.5.17）。同判例によれば、譲渡担保権に基づく物上代位権の行使が認められることになる。

エ　**〇**　判例により妥当である。判例は、譲渡担保権者は、債務者（譲渡担保権設定者）が弁済期に債務の弁済をしない場合においては、目的不動産を換価処分し、またはこれを適正に評価することによって具体化する物件の価額から、自己の債権額を差し引き、なお残額があるときは、これに相当する金銭を清算金として債務者に支払うことを要すると述べる。そのうえで、この担保目的実現の手段として、債務者に対し目的不動産の引渡しないし明渡しを求める訴えを提起した場合に、債務者が清算金の支払と引換えにその履行をなすべき旨を主張したときは、特段の事情のある場合を除き、債権者の当該請求は、債務者への清算金の支払と引換えにのみ認容されるべきものであるとしている（最判昭46.3.25）。

オ　**〇**　判例により妥当である。判例は、構成部分の変動する集合動産についても、その種類、所在場所及び量的範囲を指定するなど、何らかの方法で目的物の範囲が特定される場合には、一個の集合物として譲渡担保の目的となりうるとしている（最判昭54.2.15）。

　以上より、妥当なものはエ、オであり、正解は**5**となる。

民法II　債権者代位権

債権者代位権に関するア～オの記述のうち、妥当なもののみを全て挙げているのはどれか。

ア　債権者は、債権者代位権を、債務者の代理人として行使するのではなく自己の名において行使することができるが、相手方は、債務者に対して主張することができる抗弁をもって、債権者に対抗することができる。

イ　名誉を侵害されたことを理由とする被害者の加害者に対する慰謝料請求権は、被害者が当該請求権を行使する意思を表示しただけでその具体的な金額が当事者間で客観的に確定しない間は、被害者の債権者がこれを債権者代位の目的とすることはできないが、具体的な金額の慰謝料請求権が当事者間において客観的に確定したときは、債権者代位の目的とすることができるとするのが判例である。

ウ　債権者代位権は裁判外において行使することはできず、裁判所に被代位権利の行使に係る訴えを提起しなければならないが、訴えを提起した債権者は、遅滞なく債務者に対し訴訟告知をしなければならない。

エ　債権者が債権者代位権を行使した場合において、債務者が債権者の権利行使につき通知を受けたとき又はこれを知ったときは、債務者は、被代位権利について、自ら取立てその他の処分をすることができない。

オ　債権者は、債権者代位権を行使する場合において、被代位権利が金銭の支払又は不動産の明渡しを目的とするものであるときは、相手方に対し、その支払又は明渡しを自己に対してすることを求めることができる。

1　ア、イ

2　ア、エ

3　イ、ウ

4　ウ、オ

5　エ、オ

ア　**○**　判例・条文により妥当である。債権者代位権は債権者固有の権利であるから、債権者は、債務者の代理人としてではなく、自己の名において被代位権利を行使する（大判昭9.5.22）。そして、債権者が被代位権利を行使したときは、相手方は、債務者に対して主張することができる抗弁をもって、債権者に対抗することができる（423条の4）。

イ　**○**　判例により妥当である。判例は、不法行為に基づく慰謝料請求権は、被害者がこれを行使する意思を表示しただけで、具体的な金額が当事者間において客観的に確定する前の段階では、被害者が請求意思を貫くかどうかをその自律的判断に委ねるのが相当であるから、行使上の一身専属性を有するものというべきであって、代位行使の対象とはならない（423条1項ただし書）とする。しかし、具体的な金額の慰謝料請求権が当事者間において客観的に確定した場合には、行使上の一身専属性が失われ、被害者の主観的意思から独立した客観的な金銭債権となるから、代位行使の対象となるとしている（最判昭58.10.6）。

ウ　**✕**　「債権者代位権は裁判外において行使することはできず、裁判所に被代位権利の行使に係る訴えを提起しなければならないが」という部分が妥当でない。債権者代位権は、裁判外でも行使することができる。そして、債権者は、被代位権利の行使に係る訴えを提起したときは、遅滞なく、債務者に対し、訴訟告知をしなければならない（423条の6）。

エ　**✕**　「債務者が債権者の権利行使につき通知を受けたとき又はこれを知ったときは、債務者は、被代位権利について、自ら取立てその他の処分をすることができない」という部分が妥当でない。債権者が被代位権利を行使した場合であっても、債務者は、被代位権利について、自ら取立てその他の処分をすることを妨げられない（423条の5前段）。債権者代位権は、債務者が権利行使しない場合に債権者が代位行使することで責任財産を保全するための制度であって、債務者自身の権利行使を阻止することは債務者の財産管理に対する過剰な介入となるからである。

オ　**✕**　「又は不動産の明渡し」、「又は明渡し」という部分が妥当でない。債権者は、被代位権利を行使する場合において、被代位権利が金銭の支払又は動産の引渡しを目的とするものであるときは、相手方に対し、その支払又は引渡しを自己に対してすることを求めることができる（423条の3前段）。債務者が受取りを拒むことが考えられる金銭の支払又は動産の引渡しの場合に、債権者代位権の実効性確保のため認められたものである。

以上より、妥当なものはア、イであり、正解は**1**となる。

民法Ⅱ 詐害行為取消権

詐害行為取消権に関するア〜オの記述のうち、妥当なもののみを全て挙げているのはどれか。

ア　債権者は、その債権が強制執行により実現することのできないものであるときは、詐害行為取消請求をすることができない。

イ　詐害行為取消請求に係る訴えは、債務者が債権者を害することを知って行為をしたことを債権者が知った時から1年を経過したときは提起することができず、その行為の時から20年を経過したときも同様である。

ウ　詐害行為取消請求を認容する確定判決は、債務者及びその全ての債権者に対してもその効力を有する。

エ　詐害行為取消請求に係る訴えは、受益者又は転得者を被告として提起しなければならないが、その際、債務者に対して訴訟告知をする必要はない。

オ　債権者は、詐害行為取消請求をする場合において、債務者がした行為の目的が可分であるときであっても、総債権者のために、自己の債権の額の限度を超えて、その行為の取消しを請求することができる。

1　ア、イ

2　ア、ウ

3　イ、エ

4　ウ、オ

5　エ、オ

解 説 **正解 2**

ア ○ 条文により妥当である。債権者は、その債権が強制執行により実現することのできないものであるときは、詐害行為取消請求をすることができない（424条4項）。詐害行為取消権は、強制執行の準備をするための制度であるので、強制執行により実現できない債権（強制力を欠く債権）を保全するために詐害行為取消権を行使することは不適切だからである。

イ ✕ 「債権者が知った時から1年」、「その行為の時から20年」という部分が妥当でない。詐害行為取消請求に係る訴えは、債務者が債権者を害することを知って行為をしたことを債権者が知った時から「2年」を経過したときは、提起することができず、行為の時から「10年」を経過したときも、同様である（426条）。

ウ ○ 条文により妥当である。詐害行為取消請求を認容する確定判決は、債務者及びその全ての債権者に対してもその効力を有する（425条）。

エ ✕ 「債務者に対して訴訟告知をする必要はない」という部分が妥当でない。詐害行為取消請求に係る訴えは、受益者又は転得者を被告として提起しなければならないが（424条の7第1項）、債権者は、詐害行為取消請求に係る訴えを提起したときは、遅滞なく、債務者に対し、訴訟告知をしなければならない（424条の7第2項）。詐害行為取消請求を認容する確定判決の効果が債務者に及ぶことから（425条）、債務者にも訴訟に参加する機会を与える必要があるからである。

オ ✕ 「総債権者のために、自己の債権の額の限度を超えて、その行為の取消しを請求することができる」という部分が妥当でない。債権者は、詐害行為取消請求をする場合において、債務者がした行為の目的物が可分であるときは、自己の債権の額の限度においてのみ、その行為の取消しを請求することができる（424条の8第1項）。

以上より、妥当なものはア、ウであり、正解は**2**となる。

民法Ⅱ　　債権譲渡

債権譲渡に関するア〜エの記述のうち、妥当なもののみを全て挙げているのはどれか。ただし、争いのあるものは判例の見解による。

ア　債務者は、譲渡制限の意思表示がされた金銭債権が譲渡されたときは、譲受人が当該意思表示につき善意であるか悪意であるかにかかわらず、その債権の全額に相当する金銭を供託することができる。

イ　債権差押えの通知と確定日付のある債権譲渡の通知とが第三債務者に到達したが、その到達の先後関係が不明であるために、その相互間の優劣を決することができない場合には、当該各通知が同時に第三債務者に到達した場合と同様に取り扱われる。

ウ　債権の譲渡は、譲渡人でなく譲受人が債務者に通知を行ったときであっても、債務者に対抗することができる。

エ　譲渡人が債権譲渡の通知をしたときは、債務者は、当該通知を受けるまでに譲渡人に対して生じた事由をもって譲受人に対抗することができない。

1　ア、イ

2　ア、エ

3　イ、ウ

4　イ、エ

5　ウ、エ

解 説　　正解　1　　

ア　○　条文により妥当である。本記述のとおり、譲渡制限の意思表示がされた金銭債権（金銭の給付を目的とする債権）について、債務者は債務の履行地の供託所に供託することができる（466条の2第1項）。譲渡制限の意思表示がされた債権が譲渡された場合、債務者がその債務の履行を拒み、かつ、譲渡人に対する弁済その他の債務を消滅させる事由をもってその第三者に対抗できるかどうかは、債務者自身の主観ではなく、譲受人その他の第三者の主観による。すなわち、債務者が履行拒絶等をすることができるのは、譲受人等が譲渡制限の意思表示について悪意又は重過失のときである（466条3項）。民法466条の2第1項の趣旨は、この点に関する債務者の譲受人に対する履行の有無の判断リスクを防ぐことにある。

イ　○　判例により妥当である。判例は、本記述のような場合、債権差押えの通知と確定日付ある債権譲渡の通知とが同時に第三債務者に到達した場合と同様に取り扱うのが相当であるとした上で、差押債権者と債権譲受人とは、互いに相手方に対し自己が優先的地位にある債権者であると主張することが許されない関係に立つとしている（最判平5.3.30）。

ウ　×　「債務者に対抗することができる」という部分が妥当でない。債権譲渡の通知は、譲渡人が債務者に行うものである（467条1項）。譲受人が通知をしても効力を有しない。なぜなら、譲受人による通知を認めると、譲渡が有効に行われた場合にだけ通知されるとは限らないため、法律関係が不安定になるからである。又、判例は、譲受人が譲渡人に代位して行う債権譲渡の通知の効力も否定している（大判昭5.10.10）。債権譲渡の通知は「債務者に属する権利」（423条1項本文）ではないため、その代位行使をすることはあり得ないからである。

エ　×　「譲受人に対抗することができない」という部分が妥当でない。債務者は、対抗要件具備時までに譲渡人に対して生じた事由をもって譲受人に対抗することができる（468条1項）。ここにいう「対抗要件具備時」とは、債務者が債権譲渡の通知を受けた時、又は債務者が債権譲渡を承諾した時のことを意味する（466条の6第3項）。

以上より、妥当なものはア、イであり、正解は**1**となる。

民法Ⅱ 保証

保証に関するア～エの記述のうち、妥当なもののみを挙げているのはどれか。ただし、争いのある
ものは判例の見解による。

ア　事業のために負担した貸金等債務を主たる債務とする保証契約において、保証人になろうとする
　　者が個人である場合は、当該保証契約が書面で締結された後に、当該個人が保証債務を履行する意
　　思を表示した公正証書を作成しなければ、当該保証契約は効力を生じない。

イ　特定物売買における売主のための保証の場合においては、保証人は、債務不履行により売主が買
　　主に対し負担する損害賠償義務についてはもちろん、特に反対の意思表示のない限り、売主の債務
　　不履行により売買契約が解除された場合における原状回復義務についても保証の責任を負う。

ウ　保証人は、主たる債務者が主張することができる抗弁をもって債権者に対抗することができ、主
　　たる債務者が債権者に対して相殺権、取消権又は解除権を有するときは、これらの権利を行使する
　　ことができる。

エ　根保証契約の主たる債務の範囲に含まれる債務に係る債権を譲り受けた者は、その譲渡が当該根
　　保証契約に定める元本確定期日前にされた場合であっても、当該根保証契約の当事者間において当
　　該債権の譲受人の請求を妨げるような別段の合意がない限り、保証人に対し、保証債務の履行を求
　　めることができる。

1　ア、ウ

2　ア、エ

3　イ、ウ

4　イ、エ

5　ウ、エ

解 説　　**正解　4**　　　　　　　　　　　　　　　　　　TAC生の正答率　40%

ア　✕　「当該保証契約が書面で締結された後に」という部分が妥当でない。事業のために負担した貸金等を主たる債務とする保証契約は、その契約の締結に先立ち、その締結の日前1か月以内に作成された公正証書で保証人になろうとする個人が保証債務を履行する意思を表示しなければ、その効力を生じない（465条の6第1項、3項）。

イ　◯　判例により妥当である。判例は、特定物の売買契約における売主のための保証人は、特に反対の意思表示のないかぎり、売主の債務不履行により契約が解除された場合における原状回復義務についても、保証の責に任ずる（保証の責任を負う）ものとしている（最大判昭40.6.30）。その理由として、特定物の売買における売主の保証は、売主の債務不履行に基づいて売主が買主に対し負担することあるべき債務につき責に任ずる趣旨でなされるのが通常であることを指摘している。

ウ　✕　「これらの権利を行使することができる」という部分が妥当でない。主たる債務者が債権者に対して、相殺権、取消権又は解除権を有するときは、これらの権利の行使によって主たる債務者がその債務を免れるべき限度において、保証人は、債権者に対して債務の履行を拒むことができる（457条3項）。したがって、保証人は債務の履行を拒絶できるにとどまり、主たる債務者の相殺権等を行使することはできない。なお、保証人は、主たる債務者が主張することができる抗弁をもって債権者に対抗することができるとの点は正しい（457条2項）。

エ　◯　判例により妥当である。判例は、根保証契約の主たる債務の範囲に含まれる債務に係る債権（被保証債権）を譲り受けた者は、その譲渡が根保証契約に定める元本確定期日前にされた場合であっても、根保証契約の当事者間において被保証債権の譲受人の請求を妨げるような別段の合意がない限り、保証人に対し、保証債務の履行を求めることができるとしている（最判平24.12.14）。根保証契約を締結した当事者は、通常、主たる債務の範囲に含まれる個別の債務が発生すれば保証人がこれをその都度保証し、当該債務の弁済期が到来すれば、当該根保証契約に定める元本確定期日前であっても、保証人に対してその保証債務の履行を求めることができるものとして契約を締結し、被保証債権が譲渡された場合には保証債権もこれに随伴して移転することを前提としているものと解するのが合理的だからである。

以上より、妥当なものはイ、エであり、正解は**4**となる。

民法Ⅱ	売買	2023年度 専門 No.5

売買契約に関するア～エの記述のうち、妥当なもののみを挙げているのはどれか。

ア　売買契約において、引き渡された目的物が種類、品質又は数量に関して契約の内容に適合しないものである場合、原則として、買主は、売主に対し、履行の追完を請求することができるが、売主は、買主に不相当な負担を課するものでなくても、買主が請求した方法と異なる方法によって履行の追完をすることはできない。

イ　売買契約において、引き渡された目的物が種類、品質又は数量に関して契約の内容に適合しないものであり、その不適合が買主の責めに帰すべき事由によるものでない場合、買主は、売主に対し、相当の期間を定めて履行の追完の催告をし、その期間内に履行の追完がないときは、その不適合が売主の責めに帰すべき事由によるものでなくても、その不適合の程度に応じて代金の減額を請求することができる。

ウ　売買契約において、売主が数量に関して契約の内容に適合しない目的物を買主に引き渡した場合、買主がその不適合を知った時から1年以内にその旨を売主に通知しないときは、買主は、売主が引渡しの時にその不適合を知っていたときを除き、その不適合を理由として、履行の追完の請求をすることができない。

エ　売買契約において、売主が買主に目的物（売買の目的として特定したものに限る。）を引き渡した場合、その引渡しがあった時以後にその目的物が当事者双方の責めに帰することができない事由によって滅失したときは、買主は、その滅失を理由として、契約の解除をすることができない。

1　ア、イ

2　ア、ウ

3　ア、エ

4　イ、ウ

5　イ、エ

解説　　**正解　5**　　　　　　　　　TAC生の正答率　**64%**

ア　✕　「買主が請求した方法と異なる方法によって履行の追完をすることはできない」という部分が妥当でない。引き渡された目的物が種類、品質又は数量に関して契約の内容に適合しないものであるときは、買主は、売主に対し、目的物の修補、代替物の引渡し又は不足分の引渡しによる履行の追完を請求することができる。ただし、売主は、買主に不相当な負担を課するものでないときは、買主が請求した方法と異なる方法による履行の追完をすることができる（562条1項）。どのような追完方法をとるのかを買主の選択に委ねることを前提に、買主に不相当な負担を課すものでなければ、売主が別の追完方法を選択することを認めている。

イ　〇　条文により妥当である。売買契約において、引き渡された目的物が種類、品質又は数量に関して契約の内容に適合しないものであるときは、買主は、売主に対し、履行の追完（目的物の修補、代替物の引渡し、不足分の引渡し）を請求することができる（562条1項本文）。この場合において、買主は売主に対して相当の期間を定めて履行の追完の催告をし、その期間内に履行の追完がないときは、その不適合に応じて代金減額請求をすることができる（563条1項）。そして、代金減額請求をするにあたり、目的物についての契約不適合が売主の帰責事由によるものであることは要しないが、買主の帰責事由によるものであった場合には、代金減額請求は認められない（563条3項）。

ウ　✕　「買主は、売主が引渡しの時にその不適合を知っていたときを除き、その不適合を理由として、履行の追完の請求をすることができない」という部分が妥当でない。売主が「種類又は品質に関して」契約の内容に適合しない目的物を引き渡した場合において、買主がその不適合を知った時から1年以内にその旨を売主に通知しないときは、原則として、買主はその不適合を理由とする買主の権利を行使することができなくなる（566条本文）。これは、目的物の引渡し後においては履行が終了したことの期待が売主に生じることから、この期待を保護する必要があることなどを趣旨とする。しかし、「数量に関する」契約不適合については、数量の不適合は売主にとって比較的容易に判断できる事項であり、上記のような売主の期待を特に保護する必要性がないことから、買主の権利について上記のような期間制限はない。

エ　〇　条文により妥当である。売主が買主に目的物（売買の目的として特定したものに限る）を引き渡した場合において、その引渡しがあった時以後に、その目的物が当事者双方の責めに帰することができない事由によって滅失し、又は損傷したときは、買主は、その滅失又は損傷を理由として、履行の追完の請求、代金の減額の請求、損害賠償の請求及び契約の解除をすることができない。この場合において、買主は、代金の支払を拒むことができない（567条1項、目的物の滅失等についての危険の移転）。

　以上より、妥当なものはイ、エであり、正解は**5**となる。

民法Ⅱ　賃貸借

賃貸借に関するア〜オの記述のうち、妥当なもののみを全て挙げているのはどれか。ただし、争いのあるものは判例の見解による。

ア　土地の賃借人は、当該土地上に同居する家族名義で保存登記をした建物を所有している場合であっても、その後当該土地の所有権を取得した第三者に対し、借地借家法第10条第1項により当該土地の賃借権を対抗することはできない。

イ　建物の賃貸借契約終了に伴う賃借人の建物明渡債務と賃貸人の敷金返還債務とは、敷金返還に対する賃借人の期待を保護する観点から、同時履行の関係に立つ。

ウ　民法、借地借家法その他の法令の規定による賃貸借の対抗要件を備えた不動産の賃借人は、当該不動産の占有を第三者が妨害しているときは、当該第三者に対して妨害の停止の請求をすることができる。

エ　土地の賃貸借契約において、適法な転貸借関係が存在する場合、賃貸人が賃料の不払を理由として賃貸借契約を解除するには、特段の事情のない限り、転借人に通知等をして賃料の代払の機会を与えることが信義則上必要である。

オ　賃貸人は、賃借人が賃貸借に基づいて生じた金銭の給付を目的とする債務を履行しないときは、敷金をその債務の弁済に充てることができる。また、賃借人も、賃貸人に対し、敷金をその債務の弁済に充てることを請求することができる。

1　ア、ウ

2　ア、オ

3　イ、エ

4　イ、オ

5　ウ、エ

（参考）借地借家法
　（借地権の対抗力）
第10条　借地権は、その登記がなくても、土地の上に借地権者が登記されている建物を所有するときは、これをもって第三者に対抗することができる。
2　（略）

解説 **正解　1**　　　　　　　　　　　　TAC生の正答率　**66%**

ア　**〇**　判例により妥当である。借地権は、その登記がなくても、土地の上に「借地権者」が「登記」されている建物を所有するときは、これをもって第三者に対抗することができる（借地借家法10条1項）。本条項の登記名義人である「借地権者」について判例は、地上建物を所有する賃借権者本人の名義であることを要し、家族名義では対抗力は与えられないとしている（最大判昭41.4.27）。本条項の趣旨は、建物を所有する借地権者保護の観点から、自己の建物の所有権を対抗し得る登記があることを前提としてこれを賃借権の登記に代えるところにあり、自己の建物の所有権さえ第三者に対抗できない他人名義の建物の登記では、法の保護を受けるに値しないからである。

イ　**✕**　「敷金返還に対する賃借人の期待を保護する観点から、同時履行の関係に立つ」という部分が妥当でない。建物の賃貸借契約終了に伴う賃借人の建物明渡債務と賃貸人の敷金返還債務の関係については、賃貸借が終了し、かつ、賃貸物（建物）の返還を受けたときに、賃貸人は、賃借人に対し、その受け取った敷金の額から賃貸借に基づいて生じた賃借人の賃貸人に対する金銭の給付を目的とする債務の額を控除した残額を返還しなければならない（622条の2第1項第1号）。したがって、建物明渡債務と敷金返還債務は同時履行の関係に立たず、建物明渡債務が先履行である。

ウ　**〇**　条文により妥当である。不動産の賃借人は、民法、借地借家法その他の法令による賃貸借の対抗要件を備えている場合において、当該不動産の占有を第三者が妨害しているときは、当該第三者に対して、妨害の停止を請求することができる（605条の4第1号、605条の2第1項）。これは、不動産賃借権の物権化を認めている場面の一つである。

エ　**✕**　「特段の事情のない限り、転借人に通知等をして賃料の代払の機会を与えることが信義則上必要である」という部分が妥当でない。判例は、適法な転貸借がある場合、賃貸人が賃料延滞を理由として賃貸借契約を解除するには、賃借人に対して催告すれば足り、転借人に対して延滞賃料の支払の機会を与える必要はないとしている（最判昭37.3.29）。賃貸人は賃借人と契約を結んでいるのであり、賃借人以外の者に対して義務を負わないし、転貸借は賃借人側の都合で行われる。とすれば、賃貸人が賃借人以外の者である転借人に対して通知等の義務を負うのは不合理だからである。

オ　**✕**　「賃借人も、賃貸人に対し、敷金をその債務の弁済に充てることを請求することができる」という部分が妥当でない。賃貸人は、賃借人が賃貸借に基づいて生じた金銭の給付を目的とする債務を履行しないときは、敷金をその債務の弁済に充てることができる（622条の2第2項前段）。この場合において、賃借人は、賃貸人に対し、敷金をその債務の弁済に充てることを請求することができない（622条の2第2項後段）。

以上より、妥当なものはア、ウであり、正解は**1**となる。

民法Ⅱ	請負	2020年度 専門 No.5

請負に関するア〜オの記述のうち、妥当なもののみを全て挙げているのはどれか。

ア　請負代金の支払時期は、仕事の目的物の引渡しを要しない場合には、請負人を保護する観点から、先払いとされている。

イ　注文者の責めに帰することができない事由によって仕事を完成することができなくなった場合において、請負人が既にした仕事の結果のうち可分な部分の給付によって注文者が利益を受けるときは、その部分は仕事の完成とみなされ、請負人は、注文者が受ける利益の割合に応じて報酬を請求することができる。

ウ　建物建築工事を元請負人から一括下請負の形で請け負った下請負人は、注文者との関係では、元請負人の履行補助者的立場に立つものにすぎず、注文者のためにする当該工事に関して元請負人と異なる権利関係を主張し得る立場にはないとするのが判例である。

エ　注文者が破産手続開始の決定を受けたときは、請負人は、仕事の完成後であっても、請負契約を解除することができる。

オ　請負人が仕事を完成しない間は、注文者は、正当な理由があるときに限り、損害を賠償して請負契約を解除することができる。

1　ア、イ

2　ア、オ

3　イ、ウ

4　ウ、エ

5　エ、オ

解説　　**正解　3**　　　　　　　　　　TAC生の正答率　**79%**

ア　✕　「請負人を保護する観点から、先払いとされている」という部分が妥当でない。仕事の目的物の引渡しを要しない場合には、請負人は、仕事の終了後でなければ、報酬を請求することができない（633条ただし書、624条1項）。したがって、請負契約の報酬は、原則として後払いとされている。

イ　〇　条文により妥当である。①注文者の責めに帰することができない事由によって仕事を完成することができなくなったとき、又は、②請負が仕事の完成前に解除された場合において、請負人が既にした仕事の結果のうち可分な部分の給付によって注文者が利益を受けるときは、その部分が仕事の完成とみなされる（634条前段）。この場合において、請負人は、注文者が受ける利益の割合に応じて報酬を請求することができる（同条後段）。本記述は①に該当するので妥当である。

ウ　〇　判例により妥当である。判例は、建物建築工事請負契約が中途で解除され、注文者と元請負人との間に出来形部分の所有権は注文者に帰属する旨の約定がある場合において、本記述の通り、下請負人は元請負人の履行補助者的立場にすぎず、元請負人と異なる権利関係を主張し得ないとする。その上で、元請負人から一括して当該工事を請け負った下請負人が自ら材料を提供して出来形部分を築造したとしても、注文者と下請負人との間に格別の合意があるなど特段の事情のない限り、当該出来形部分の所有権は注文者に帰属するとしている（最判平5.10.19）。

エ　✕　「仕事の完成後であっても、請負契約を解除することができる」という部分が妥当でない。注文者が破産手続開始の決定を受けたときは、請負人又は破産管財人は、請負契約の解除をすることができる（642条1項本文）。ただし、仕事が完成した後は、請負人については、注文者が破産手続開始の決定を受けたことを理由とする請負契約の解除ができなくなる（同条項ただし書）。なぜなら、仕事の完成によって請負人の契約目的は達成されているので、注文者の破産手続開始決定を理由とする請負人からの契約解除を認める必要性が乏しいからである。

オ　✕　「正当な理由があるときに限り」という部分が妥当でない。請負人が仕事を完成しない間は、注文者は、いつでも損害を賠償して契約を解除することができる（641条）。注文者が仕事の完成を必要としなくなった場合にまで、請負人の仕事を継続させることは社会経済上不利益であるから、正当な事由があるときに限定せず、損害賠償をすることを要件とした上で、注文者の解除権を認めたものである。

以上より、妥当なものはイ、ウであり、正解は**3**となる。

民法II　　不法行為

不法行為に関する次の記述のうち、妥当なのはどれか。

1　悪意による不法行為により生じた損害賠償請求権の債務者は、被害者に対する債権との相殺によって賠償債務を免れることはできず、被害者が損害賠償請求権を第三者に譲渡した場合においても、当該第三者に対する債権との相殺によって賠償債務を免れることはできない。

2　土地の工作物の設置又は保存に瑕疵があることによって他人に損害を生じた場合、その工作物の占有者は、その損害の発生を防止するのに必要な注意をしたことを証明したときは、損害賠償責任を免れる。また、この場合において、その工作物の所有者も、その損害の発生を防止するのに必要な注意をしたことを証明したときは、損害賠償責任を免れる。

3　不法行為による損害賠償請求権は、人の生命又は身体を害する不法行為によるものを含め、被害者又はその法定代理人が損害及び加害者を知った時から3年間行使しない場合又は不法行為の時から20年間行使しない場合に、時効によって消滅する。

4　民法第711条が生命を害された者の近親者の慰謝料請求権を明文で規定しているのは、これをもって直ちに生命侵害以外の場合はいかなる事情があってもその近親者の慰謝料請求権が全て否定されていると解すべきものではなく、したがって、不法行為により身体を害された者の母は、そのために被害者が生命を害されたときにも比肩すべき精神上の苦痛を受けた場合、自己の権利として慰謝料を請求し得るとするのが判例である。

5　責任能力のある未成年者が加害事件を起こした場合、当該未成年者自身が民法第709条に基づく不法行為責任を負うため、当該未成年者の監督義務者は、民法第714条に基づく監督者責任を負うことはなく、また、監督義務者の義務違反と当該未成年者の不法行為によって生じた結果との間に相当因果関係が認められたとしても、民法第709条に基づく不法行為責任も負わないとするのが判例である。

解説 **正解** **4**

1 × 「当該第三者に対する債権との相殺によって賠償債務を免れることはできない」という部分が妥当でない。悪意による不法行為に基づく損害賠償請求権の債務者は、相殺をもって債権者に対抗することができない（509条本文1号）。これは、金銭債権等の債権者が、自己の債権が弁済されない腹いせに、債務者に対して不法行為による損害を与えたような場合に、相殺で賠償債務を免れさせないようにする趣旨である。もっとも、債権者が悪意による不法行為に基づく損害賠償請求権を他人から譲り受けたときは、債務者は相殺をもって債権者に対抗することができる（509条ただし書）。このような場合には、債権者が不法行為の被害者ではないため、前述の趣旨が妥当しないからである。

2 × 「その工作物の所有者も、その損害の発生を防止するのに必要な注意をしたことを証明したときは、損害賠償責任を免れる」という部分が妥当でない。土地工作物責任については、その工作物の占有者は、被害者に対してその損害を賠償する責任を負う（717条1項本文）。ただし、占有者が損害の発生を防止するのに必要な注意をしたときは、所有者がその損害を賠償しなければならないとされており（717条1項ただし書）、第1次的には占有者が責任を負い、占有者が免責事由を立証すれば第2次的に所有者が責任を負い、所有者には占有者のような免責事由を認めない（無過失責任）という構造となっている。

3 × 「3年間」という部分が妥当でない。不法行為による損害賠償の請求権は、被害者若しくはその法定代理人が損害及び加害者を知った時から3年間行使しないとき、又は不法行為の時から20年間行使しないときに、時効によって消滅する（724条）。ただし、人の生命又は身体を害する不法行為による損害賠償請求権の消滅時効については、被害者若しくはその法定代理人が損害及び加害者を知った時から5年間行使しないとき、又は不法行為の時から20年間行使しないときに、時効によって消滅する（724条の2、724条）。

4 ○ 判例により妥当である。不法行為による生命侵害があった場合、被害者の父母、配偶者及び子（近親者）は、加害者に対し慰謝料を請求することができる（711条）。身体傷害の場合について判例は、被害者の母親が、不法行為により生命侵害に比肩するような精神上の損害を受けた場合には、709条、710条に基づいて自己の権利として慰謝料を請求することができるとしている（最判昭33.8.5）。

5 × 「民法第709条に基づく不法行為責任も負わないとするのが判例である」という部分が妥当でない。判例は、未成年者が責任能力を有する場合であっても、監督義務者の義務違反と未成年者の不法行為によって生じた結果との間に相当因果関係が認められるときは、監督義務者につき709条に基づく不法行為が成立するとしている（最判昭49.3.22）。

民法II | 婚姻

婚姻に関するア～オの記述のうち、妥当なもののみを全て挙げているのはどれか。

ア　配偶者のある者が重ねて婚姻をした場合において、後婚が離婚によって解消されたときは、特段の事情がない限り、後婚が重婚に当たることを理由として、その取消しを請求することは許されないとするのが判例である。

イ　事実上の夫婦の一方が他方の意思に基づかないで婚姻届を作成・提出した場合において、その当時、両名に夫婦としての実質的生活関係が存在しており、かつ、後に他方の配偶者が届出の事実を知ってこれを追認したとしても、無効な行為は追認によってもその効力を生じないため、当該婚姻の届出は無効であるとするのが判例である。

ウ　詐欺又は強迫による婚姻の取消権は、当事者が、詐欺を発見し、若しくは強迫を免れた後3か月を経過し、又は追認をしたときは、消滅する。

エ　成年被後見人が婚姻をするには、その成年後見人の同意が必要である。

オ　婚姻が取り消された場合には、婚姻の当時、取消しの原因があることを知らなかった当事者であっても、婚姻によって得た利益の全部を返還しなければならない。

1　ア、イ

2　ア、ウ

3　イ、オ

4　ウ、エ

5　エ、オ

ア　○　判例により妥当である。判例は、重婚の場合において、後婚が離婚によって解消されたときは、特段の事情のない限り、後婚が重婚にあたることを理由としてその取消しを請求することは許されないとしている（最判昭57.9.28）。婚姻取消しの効果は離婚の効果に準ずるのであるから（748条、749条）、離婚後、なお婚姻の取消しを請求することは、特段の事情がある場合のほか、法律上その利益がないものというべきだからである。

イ　×　「無効な行為は追認によってもその効力を生じないため、当該婚姻の届出は無効であるとするのが判例である」という部分が妥当でない。判例は、事実上の夫婦の一方が他方の意思に基づかないで婚姻届を作成提出した場合においても、当時両名に夫婦としての実質的生活関係が存在しており、後に他方の配偶者が届出の事実を知ってこれを追認したときは、婚姻は追認によりその届出の当初に遡って有効となるとしている（最判昭47.7.25）。追認により婚姻届出の意思の欠缺は補完され、また、追認にその効力を認めることは当事者の意思に沿い、実質的生活関係を重視する身分関係の本質に適合するばかりでなく、第三者は、生活関係の存在と戸籍の記載に照らし、婚姻の有効を前提として行動するのが通常であるので、追認にその効力を認めることによって、その利益を害されるおそれが乏しいからである。

ウ　○　条文により妥当である。詐欺又は強迫によって婚姻をした者は、その婚姻の取消しを家庭裁判所に請求することができる（747条1項）。この取消権は、当事者が、詐欺を発見し、若しくは強迫を免れた後3か月を経過し、又は追認をしたときは、消滅する（747条2項）。

エ　×　「その成年後見人の同意が必要である」という部分が妥当でない。成年被後見人が婚姻をするには、その成年後見人の同意を要しない（738条）。婚姻は、財産行為と異なり、永続的な結合関係を形成するものであり、本人の意思が最大限尊重されるべきだからである。

オ　×　「婚姻によって得た利益の全部を返還しなければならない」という部分が妥当でない。婚姻の時においてその取消しの原因があることを知らなかった当事者が、婚姻によって財産を得たときは、現に利益を受けている限度において、その返還をしなければならない（748条2項）。

　以上より、妥当なものはア、ウであり、正解は**2**となる。

民法Ⅱ　婚姻

婚姻に関するア～オの記述のうち、妥当なもののみを全て挙げているのはどれか。

ア　再婚禁止期間内にした婚姻は、女が再婚後に出産したときは、その取消しを請求することができない。

イ　協議上の離婚をした者の一方は、離婚の時から１年以内に限り、相手方に対して財産の分与を請求することができる。

ウ　未成年の子がいる父母が協議上の離婚をするに際して、その一方を親権者と定めた場合には、他の一方がその子の推定相続人となることはない。

エ　離婚によって婚姻前の氏に復した夫又は妻は、離婚の日から３か月以内に戸籍法の定めるところにより届け出ることによって、離婚の際に称していた氏を称することができる。

オ　建物賃借人の内縁の妻は、賃借人が死亡した場合には、その相続人とともに当該建物の共同賃借人となるため、賃貸人に対し、当該建物に引き続き居住する権利を主張することができるとするのが判例である。

1　ア、ウ

2　ア、エ

3　イ、ウ

4　イ、オ

5　エ、オ

ア　○　条文により妥当である。再婚禁止期間の規定に違反した婚姻は、①前婚の解消若しくは取消しの日から起算して100日経過したとき、又は、②女が再婚後に出産したときは、その取消しを請求することができない（746条）。本記述は②に該当するので妥当である。

イ　✕　「離婚の時から1年以内に限り」という部分が妥当でない。協議上の離婚をした者の一方は、相手方に対して財産の分与を請求することができ（768条1項）、これについては特に期間の制限はない。なお、財産分与について当事者間の協議が調わないとき、又は協議をすることができないときに、協議に代わる処分を家庭裁判所に請求することについては、離婚の時から2年を経過するとできなくなる（同条2項ただし書）。

ウ　✕　「他の一方がその子の推定相続人となることはない」という部分が妥当でない。被相続人に子及びその代襲者がいない場合、被相続人の直系尊属である父母が相続人となる（889条1項1号）。父母が離婚した場合でも、父母とその子との間の親子としての法律関係は影響を受けないから、親権者とならなかった父母の一方は、その子の推定相続人としての地位を失わない。

エ　○　条文により妥当である。婚姻によって氏を改めた夫又は妻は、協議上の離婚（協議離婚）によって婚姻前の氏に復する（767条1項、当然復氏）。ただし、離婚の日から3か月以内に戸籍法の定めるところにより届け出ることによって、離婚の際に称していた氏を称することができる（同条2項、婚氏続称）。そして、この規定は裁判上の離婚（裁判離婚）についても準用されている（771条）。

オ　✕　「その相続人とともに当該建物の共同賃借人となるため」という部分が妥当でない。判例は、家屋賃借人の内縁の妻は、賃借人が死亡した場合には、相続人の賃借権を援用して賃貸人に対し当該家屋に居住する権利を主張することができるが、相続人とともに共同賃借人となるものではないとしている（最判昭42.2.21）。

以上より、妥当なものはア、エであり、正解は**2**となる。

民法Ⅱ　相続

相続に関するア～エの記述のうち、妥当なもののみを全て挙げているのはどれか。

ア　遺言が一旦有効に成立したとしても、遺言者は、いつでも遺言の方式に従って、その遺言の全部又は一部を自由に撤回することができる。

イ　遺言の解釈に当たっては、遺言書の文言を形式的に判断するだけでなく、遺言者の真意を探究すべきものであり、遺言書の特定の条項を解釈するに当たっても、当該条項と遺言書の全記載との関連、遺言書作成当時の事情及び遺言者の置かれていた状況等を考慮して当該条項の趣旨を確定すべきであるとするのが判例である。

ウ　配偶者居住権は、相続開始時に被相続人の財産に属した建物に居住していた被相続人の配偶者が、相続後も当該建物を無償で使用及び収益をすることができる権利であり、当該権利は第三者に譲渡することもできる。

エ　共同相続人間において遺産分割協議が成立した場合に、相続人の一人が他の相続人に対して当該遺産分割協議において負担した債務を履行しないときは、他の相続人は、債務不履行解除の一般規定である民法第541条により、当該遺産分割協議を解除することができるとするのが判例である。

1　ア、イ

2　ア、エ

3　イ、ウ

4　イ、エ

5　ウ、エ

解 説　　**正解　1**　　

ア　〇　条文により妥当である。遺言者は、いつでも、遺言の方式に従って、その遺言の全部又は一部を撤回することができる（1022条）。これは、遺言者の最終意思を実現するのが遺言の目的であるからである。なお、遺言の方式に従って撤回する限り、前の遺言と撤回遺言の方式は異なっていてもよい。

イ　〇　判例により妥当である。判例は、遺言の解釈にあたっては、遺言書の文言を形式的に判断するだけではなく、遺言者の真意を探究すべきものであり、遺言書が多数の条項からなる場合にそのうちの特定の条項を解釈するにあたっても、単に遺言書の中から当該条項のみを他から切り離して抽出しその文言を形式的に解釈するだけでは十分ではなく、遺言書の全記載との関連、遺言書作成当時の事情及び遺言者の置かれていた状況などを考慮して遺言者の真意を探究し当該条項の趣旨を確定すべきものであるとしている（最判昭58.3.18）。

ウ　✕　「当該権利は第三者に譲渡することもできる」という部分が妥当でない。配偶者居住権とは、相続開始時に被相続人の財産に属した建物に居住していた被相続人の配偶者が、遺産の分割によって配偶者居住権を取得するものとされたときや、配偶者居住権が遺贈の目的とされたとき等に、相続後も当該建物を無償で使用及び収益をすることができる権利である（1028条1項本文）。配偶者居住権は、配偶者が建物への居住を継続しながら預貯金等の生活に要する現金も相続できるようにすることを目的としているため、配偶者居住権は譲渡することができない（1032条2項）。

エ　✕　「他の相続人は、債務不履行解除の一般規定である民法第541条により、当該遺産分割協議を解除することができるとするのが判例である」という部分が妥当でない。判例は、共同相続人間において遺産分割協議が成立した場合に、相続人の一人がその協議で負担した債務を履行しないときであっても、その債権を有する相続人は民法541条によって遺産分割協議を解除することはできないとしている（最判平元.2.9）。遺産分割は、相続開始時にさかのぼって効力を有するので（909条本文）、仮に遺産分割協議の解除を認めると、遺産の再分割を余儀なくされ、法的安定性が著しく害されることになるからである。

以上より、妥当なものはア、イであり、正解は**1**となる。

民法Ⅱ | 遺留分

遺留分に関するア～エの記述のうち、妥当なもののみを挙げているのはどれか。

ア　遺留分権利者となり得るのは、兄弟姉妹を除く法定相続人であるが、子の代襲相続人には遺留分はない。

イ　相続開始前に相続を放棄することができないのと同様に、遺留分は相続開始前に放棄することができない。

ウ　相続人が、被相続人の配偶者Aと、被相続人とAとの間に生まれた子B・Cであった場合、Aは、遺留分として、遺留分を算定するための財産の価額の4分の1の額を受ける。

エ　相続人が、被相続人の父Dのみであった場合、Dは、遺留分として、遺留分を算定するための財産の価額の3分の1の額を受ける。

1　ア、イ

2　ア、ウ

3　ア、エ

4　イ、ウ

5　ウ、エ

解説　　**正解　5**　　　　　　　　　　　　　　TAC生の正答率　20%

ア　✕　「子の代襲相続人には遺留分はない」という部分が妥当でない。遺留分を有する者は、兄弟姉妹以外の法定相続人である（1042条1項柱書）。そして、子の代襲相続人は、被代襲者である子と同一順位の法定相続人となるから（887条2項）、子の代襲相続人も遺留分を有する。

イ　✕　「遺留分は相続開始前に放棄することができない」という部分が妥当でない。相続の場合と異なり、家庭裁判所の許可を受けたときに限り、相続開始前においても遺留分の放棄をすることができる（1049条1項）。

ウ　〇　条文により妥当である。直系尊属のみが相続人である場合以外のときは、被相続人の財産の2分の1が遺留分となる（1042条1項2号）。そして、この財産（総体的遺留分）を法定相続分に従って分けることとなる（1042条2項、個別的遺留分）。本記述では、配偶者Aと子B・Cが相続人である。この場合には、配偶者の法定相続分は2分の1なので（900条1号）、Aの個別的遺留分は2分の1×2分の1＝4分の1となる。

エ　〇　条文により妥当である。直系尊属のみが相続人の場合、被相続人の財産の3分の1が遺留分となる（1042条1項1号）。本記述では、被相続人の父Dのみが相続人であり、個別的遺留分を計算する必要はないから、Dの遺留分は被相続人の財産の3分の1となる。

以上より、妥当なものはウ、エであり、正解は**5**となる。

株主総会に関するア～オの記述のうち、妥当なもののみを全て挙げているのはどれか。

ア　株主総会を招集するには、取締役は、株主総会の日の一定期間前までに株主に対してその通知を発しなければならないが、議決権を行使することができる株主全員の同意がある場合には、原則として、招集の手続を経ることなく株主総会を開催することができる。

イ　株主総会に出席できない株主は、代理人によって議決権を行使することができるとされており、議決権行使の代理人資格を会社の株主に限定する旨の定款の規定は、株主でない者の参加により株主総会が混乱することを防止し、会社の利益を保護する趣旨であったとしても、合理的な理由による相当程度の制限ということはできず、無効であるとするのが判例である。

ウ　株主総会の特別決議が成立するためには、当該株主総会において議決権を行使することができる株主の議決権の過半数を有する株主が出席し、出席した株主の議決権の3分の2以上が賛成することが必要であり、これらの要件については、定款により変更することはできない。

エ　株主総会決議取消しの訴えは、株主総会決議の日から3か月以内に提起しなければならないが、この期間は、瑕疵のある決議の効力を早期に明確にさせるため、決議の瑕疵の主張を制限したものと解すべきであるから、株主総会決議取消しの訴えを提起した後、当該期間経過後に新たな取消事由を追加主張することは許されないとするのが判例である。

オ　株主総会の招集の手続又は決議の方法が法令又は定款に違反している場合、会社の株主は、会社を被告として、株主総会決議無効確認の訴えを提起しなければならない。

1　ア、イ

2　ア、エ

3　イ、ウ

4　ウ、オ

5　エ、オ

ア　**〇**　条文により妥当である。株主総会を招集するには、取締役は、原則として、株主総会の日の２週間前までに、株主に対してその通知を発しなければならない（会社法299条１項）。もっとも、株主の全員の同意があるときは、株主総会に出席しない株主が書面又は電磁的方法によって議決権を行使することができるとするときを除いて、招集の手続を経ることなく開催することができる（同法300条、298条１項３号４号）。

イ　**✕**　「合理的な理由による相当程度の制限ということはできず、無効であるとするのが判例である」という部分が妥当でない。判例は、会社法310条１項は、議決権を行使する代理人の資格を制限すべき合理的な理由がある場合に、定款の規定により、相当と認められる程度の制限を加えることまでも禁止したものとは解されず、代理人は株主にかぎる旨の定款の規定は、株主総会が、株主以外の第三者によって攪乱されることを防止し、会社の利益を保護する趣旨にでたものと認められ、合理的な理由による相当程度の制限ということができるから、会社法310条１項に反することなく、有効であるとしている（最判昭43.11.1）。

ウ　**✕**　「これらの要件については、定款により変更することはできない」という部分が妥当でない。株主総会の特別決議は、当該株主総会において議決権を行使することができる株主の議決権の過半数（３分の１以上の割合を定款で定めた場合にあっては、その割合以上）を有する株主が出席し、出席した当該株主の議決権の３分の２（これを上回る割合を定款で定めた場合にあっては、その割合）以上に当たる多数をもって行わなければならない（会社法309条２項前段）。この場合においては、当該決議の要件に加えて、一定の数以上の株主の賛成を要する旨その他の要件を定款で定めることができる（同法309条２項後段）。

エ　**〇**　判例により妥当である。判例は、株主総会決議取消しの訴えを提起した後、所定の期間（会社法831条１項柱書）の経過後に、新たな取消事由を追加主張することは許されないとしている（最判昭51.12.24）。その理由として、新たな取消事由の追加主張を時機に遅れない限り無制限に許すとすれば、会社は当該決議が取り消されるのか否かについて予測を立てることが困難となり、決議の執行が不安定になるといわざるを得ないのであって、そのため、瑕疵のある決議の効力を早期に明確にさせるという当該規定の趣旨は没却されてしまうことを考えると、所定の期間は、決議の瑕疵の主張を制限したものと解すべきであることを挙げている。

オ　**✕**　「株主総会決議無効確認の訴えを提起しなければならない」という部分が妥当でない。株主総会等の招集の手続又は決議の方法が法令若しくは定款に違反し、又は著しく不公正なときは、株主等は、株主総会等の決議の日から３か月以内に、訴えをもって当該決議の取消しを請求することができる（会社法831条１項１号）。原告は、株主等（株主、取締役、監査役、執行役、清算人）であり（同法831条１項柱書）、被告は、株式会社となる（同法834条17号）。

以上より、妥当なものはア、エであり、正解は**2**となる。

株式会社の機関設計に関するア～オの記述のうち、妥当なもののみを全て挙げているのはどれか。

ア　監査等委員会設置会社及び指名委員会等設置会社を除く公開会社である大会社は、監査役会を置かなければならない。また、監査役会設置会社では、会計監査を行うのは監査役及び監査役会に限られ、会計監査人を置くことはできない。

イ　監査等委員会設置会社では、監査等委員以外の取締役が、会社と当該取締役との利益が相反する取引をし、会社に損害が生じた場合であっても、当該取引につき監査等委員会の承認を受けたときは、会社が当該取引をすることを決定した取締役について、その任務を怠ったものとの推定はされない。

ウ　指名委員会等設置会社とは、指名委員会、監査委員会及び報酬委員会を置く会社をいい、各委員会は委員3人以上で組織するが、各委員会の委員の過半数は、社外取締役でなければならない。

エ　指名委員会等設置会社では、取締役が会社の業務執行を行うことは原則として許されず、執行役が会社の業務の執行及び取締役会決議により委任を受けた会社の業務執行の決定をするが、会社を代表するのは、取締役会決議で取締役の中から選任された代表取締役である。

オ　非取締役会設置会社では、取締役が2人以上いる場合、各取締役は単独で会社を代表することはできず、代表権限を持つ代表取締役を定めなければならない。取締役の中から代表取締役を定める方法としては、定款、定款の定めに基づく取締役の互選又は株主総会の決議がある。

1　ア、ウ

2　ア、エ

3　イ、ウ

4　イ、オ

5　エ、オ

解説　　**正解　3**　　　　　　　　　　　TAC生の正答率　**37%**

ア　✕　「監査役会設置会社では、会計監査を行うのは監査役及び監査役会に限られ、会計監査人を置くことはできない」という部分が妥当でない。大会社（公開会社でないもの、監査等委員会設置会社及び指名委員会等設置会社を除く。）は、監査役会及び会計監査人を置かなければならない（328条1項）。監査役会は、全ての監査役で組織され（会社法390条1項）、①監査報告の作成、②常勤の監査役の選定及び解職、③監査の方針、監査役会設置会社の業務及び財産の状況の調査の方法その他の監査役の職務の執行に関する事項の決定を職務とする（会社法390条2項）。そして、監査役設置会社（監査役会設置会社もこれに該当する）は、定款の定めによって、会計監査人を置くことができる（同法326条2項、327条3項）。

イ　〇　条文により妥当である。監査等委員会は、株式会社と取締役との利益が相反する取引についての承認をすることができる（会社法356条1項2号3号、399条の13第5項8号）。株式会社と取締役の利益が相反する取引により株式会社に損害が生じたときは、当該取締役はもとより、取引をすることを決定した取締役、取引に関する承認の決議に賛成した取締役は、任務を怠ったもの（任務懈怠）と推定される（同法423条3項）。ただし、監査等委員以外の取締役の利益相反取引が監査等委員会の承認を受けたときは、取締役の任務懈怠は推定されない（同法423条4項）。

ウ　〇　条文により妥当である。指名委員会等設置会社とは、指名委員会、監査委員会及び報酬委員会（以下「指名委員会等」という。）を置く株式会社をいう（会社法2条12号）。そして、指名委員会、監査委員会又は報酬委員会の各委員会は、委員3人以上で組織する（同法400条1項）。ただし、各委員会の委員の過半数は、社外取締役でなければならない（同法400条3項）。

エ　✕　「会社を代表するのは、取締役会決議で取締役の中から選任された代表取締役である」という部分が妥当でない。指名委員会等設置会社の取締役は、この法律（会社法）又はこの法律に基づく命令に別段の定めがある場合を除き、指名委員会等設置会社の業務を執行することができない（会社法415条）。執行役が、①取締役会の決議によって委任を受けた指名委員会等設置会社の業務の執行の決定、②指名委員会等設置会社の業務の執行を行う（同法418条）。指名委員会等設置会社において会社を代表するのは、取締役会決議により執行役の中から選定された代表執行役である（同法420条1項）。

オ　✕　「非取締役会設置会社では、取締役が2人以上いる場合、各取締役は単独で会社を代表することはできず、代表権限を持つ代表取締役を定めなければならない」という部分が妥当でない。非取締役会設置会社において、取締役は株式会社を代表し（会社法349条1項本文）、取締役が2人以上ある場合には、各自、株式会社を代表する（同法349条2項）。もっとも、定款、定款の定めに基づく取締役の互選又は株主総会の決議によって、取締役の中から代表取締役を定めることができ（349条3項）、その場合には代表取締役が、株式会社を代表する（同法349条1項ただし書）。

以上より、妥当なものはイ、ウであり、正解は**3**となる。

商法	株式	2023年度 専門 No.7

　株式会社の株主の権利には、1株でも株式を保有する株主であれば行使することができる権利（単独株主権）と、一定数の議決権、又は総株主の議決権の一定割合の議決権若しくは発行済株式の一定割合の株式を有する株主のみが行使することができる権利（少数株主権）とがあるが、以下のア～オの記述のうち、会社法上、単独株主権とされているもののみを挙げているのはどれか。

ア　剰余金の配当を受ける権利
イ　株主総会決議の取消しの訴えを提起する権利
ウ　株主代表訴訟を提起する権利
エ　株主総会の招集を請求する権利
オ　取締役の解任の訴えを提起する権利

1　ア、イ、ウ

2　ア、イ、オ

3　ア、エ、オ

4　イ、ウ、エ

5　ウ、エ、オ

解説　　**正解　1**　　

ア　〇　単独株主権とされている。剰余金の配当を受ける権利の行使について、発行済株式総数の一定割合以上、又は総株主の議決権の一定割合以上、一定数以上を有すること（以下、「保有株式数等の制限」という）は要件とされていない（会社法105条1項1号）。

イ　〇　単独株主権とされている。株主総会決議の取消しの訴えを提起できる株主について、保有株式数等の制限はない（会社法831条1項）。

ウ　〇　単独株主権とされている。株主代表訴訟を提起できる株主について、保有株式数等の制限はない（会社法847条）。

エ　✕　単独株主権とされていない。株主が株主総会の招集を請求するためには、総株主の議決権の100分の3（これを下回る割合を定款で定めた場合はその割合）以上の議決権を有することが要件の1つとなる（会社法297条1項）。

オ　✕　単独株主権とされていない。株主が取締役の解任の訴えを提起するためには、総株主の議決権の100分の3（これを下回る割合を定款で定めた場合はその割合）以上の議決権を有する株主、又は発行済株式総数の100分の3（これを下回る割合を定款で定めた場合はその割合）以上の株式を有することが要件の1つとなる（会社法854条1項1号、2号）。

以上より、単独株主権とされているものはア、イ、ウであり、正解は**1**となる。

商法　株式

株主の権利に関するア～オの記述のうち、妥当なもののみを全て挙げているのはどれか。

ア　株主は、その有する株式の引受価額を限度に責任を負うのみであり、原則としてそれ以外に義務や責任を負わない。

イ　会社が、一般株主に対しては無配としながら、特定の大株主に対して、無配直前の配当に見合う金額として、報酬や歳暮の名目でなされた贈与契約は、株主平等の原則に違反し無効であるとするのが判例である。

ウ　株主の権利として、会社から直接に経済的利益を受ける共益権と、株主が会社の経営に参与し、又は会社の経営を監督・是正する自益権がある。

エ　取締役会設置会社の株主の議題提案権、取締役の違法行為差止請求権は、いずれも1株でも株式を保有する株主であれば行使することができる単独株主権である。

オ　役員等の責任免除に対する異議権、株主総会招集権は、いずれもその行使のために総株主の議決権の一定割合以上の議決権を有することが必要とされる少数株主権である。

1　ア、イ

2　ア、オ

3　ウ、エ

4　ア、イ、オ

5　イ、ウ、エ

解説 **正解 4**

ア 〇 条文により妥当である。株主の責任は、その有する株式の引受価額を限度とする（会社法104条、株主有限責任の原則）。株主が有する株式の引受価額を限度（有限責任）とすることで、出資者のリスクを減らし、多数の出資者から出資を集められるようにするためである。

イ 〇 判例により妥当である。判例は、会社法施行前における本記述と同様の事案において、問題となる贈与契約が無配決算となる直前の有配決算期の配当に見合う金額を基礎として締結されていることから、当該贈与契約は特定の株主の無配による損失を補填する意味を有するものであり、特定の株主のみを特別に有利に待遇し、利益を与えるものであるから、株主平等原則に違反し、旧商法293条本文（会社法454条3項に相当する）の趣旨に照らし無効であるとしている（最判昭45.11.24）。

ウ ✕ 全体が妥当でない。自益権とは、会社から直接に利益を受けることを目的とする権利であり、剰余金配当請求権、残余財産分配請求権、株式買取請求権などがこれにあたる。これに対し、共益権とは、会社の経営に参与することを目的とする権利であり、株主総会における議決権、取締役等の違法行為差止請求権などがこれにあたる。本記述は、自益権と共益権の説明が逆である。

エ ✕ 「取締役会設置会社の株主の議題提案権」という部分が妥当でない。取締役の違法行為差止請求権は、1株でも株式を保有する株主であれば行使することができる単独株主権である（会社法360条）。しかし、取締役会設置会社における議題提案権は、総株主の議決権の100分の1以上の議決権又は300個以上の議決権を6か月前から引き続き有する株主に限り請求できる少数株主権である（会社法303条2項）。なお、取締役会設置会社でない会社においては、株主の議題提案権は単独株主権である（会社法303条1項）。

オ 〇 条文により妥当である。少数株主権とは、発行済株式総数の一定割合以上または総株主の議決権の一定割合以上、一定数以上を有する株主が行使できる権利である。役員等の責任免除に対する異議権（会社法426条7項）および株主総会招集権（会社法297条）は、いずれも総株主の議決権の100分の3以上の議決権を有する株主であることが権利行使の要件の一つとされている。

以上より、妥当なものはア、イ、オであり、正解は**4**となる。

商法 株式

株式に関するア～オの記述のうち、妥当なもののみを全て挙げているのはどれか。

ア　公開会社は、定款で定めれば、当該種類の株式の株主が1株につき複数の議決権を有することを内容とする種類の株式を発行することができる。

イ　公開会社は、当該種類の株式の種類株主を構成員とする種類株主総会において取締役を選任することを内容とする種類の株式を発行することができない。

ウ　株式譲受人から会社に対し株式名義の書換えの請求をした場合において、会社の過失により書換えが行われなかったときは、当該会社は、株式名義の書換えがないことを理由として、株式の譲渡を否認することができないとするのが判例である。

エ　種類株式発行会社ではない会社が株式の分割を行う場合に、発行可能株式総数を比例的に増加させるためには、定款を変更することが必要となるため、株主総会の特別決議によらなければならない。

オ　会社が株式の併合、分割又は無償割当てを行うことにより、株式の数に1株に満たない端数が生じる場合には、会社はその端数の合計数に相当する数の株式を全て買い取らなければならない。

1　ア、イ

2　ア、オ

3　イ、ウ

4　ウ、エ

5　エ、オ

解 説　　**正解 3**　　　　　　　　TAC生の正答率　**29%**

ア　**✕**　全体が妥当でない。株主は、株主総会において、その有する株式1株につき1個の議決権を有する（308条1項本文、一株一議決権の原則）。そして、当該種類の株式の株主が1株につき複数の議決権を有することを内容とする種類の株式を発行することは、異なる種類の株式に関する会社法108条1項に掲げられている事項ではないから、一株一議決権の原則に反し認められないことになる。

イ　**○**　条文により妥当である。株式会社は、当該種類の株式の種類株主を構成員とする種類株主総会において取締役を選任することを内容とする種類の株式を発行することができる（108条1項9号）。しかし、公開会社はこの株式を発行することができない（同項柱書ただし書）。公開会社でこの株式の発行が認められないのは、株主が多数かつ変動する公開会社において発行を認めると、経営者支配の強化のために濫用される危険があるからである。

ウ　**○**　判例により妥当である。判例は、正当の事由なくして株式の名義書換請求を拒絶した株式会社は、その書換のないことを理由としてその譲渡を否認することができず、このような場合には、株式会社は株式譲受人を株主として取り扱うことを要し、株主名簿上に株主として記載されている譲渡人を株主として取り扱うことはできないとする。そして、このことは株式会社が過失により株式譲受人から名義書換請求があったのにもかかわらず、その書換をしなかったときにおいても同様であるとしている（最判昭41.7.28）。

エ　**✕**　「株主総会の特別決議によらなければならない」という部分が妥当でない。種類株式発行会社ではない株式会社は、株式の分割をしようとするときは、その都度、株主総会の普通決議（取締役会設置会社にあっては、取締役会の決議）が必要である（183条2項）。株式の分割によって、発行済株式総数は増加するが、会社の発行可能株式総数（37条・113条）が当然に増加することはない。株式会社は定款変更のための株主総会の特別決議を経ることなく、分割の割合の限度で、発行株式総数を増加する定款の変更をすることができる（184条2項）。

オ　**✕**　「会社はその端数の合計数に相当する数の株式を全て買い取らなければならない」という部分が妥当でない。会社が株式の併合、分割又は無償割当てを行うことにより、株式の数に1株に満たない端数が生ずるときは、その端数の合計数に相当する数の株式を競売し、かつ、その端数に応じてその競売により得られた代金を株主に交付しなければならない（234条1項3号、235条1項）。また、株式会社は、競売に代えて、市場価格のある場合には市場価格として法務省令で定める方法により算定される額をもって、市場価格のない場合には裁判所の許可を得て競売以外の方法により、その端数の合計額に相当する数の株式を売却することができる（234条2項、235条2項）。その際、株式会社は、売却する株式の全部又は一部を買い取ることができる（234条4項、235条2項）。したがって、株式会社は買い取ることができるのであって、全て買い取らなければならないのではない。

以上より、妥当なものはイ、ウであり、正解は**3**となる。

商法 　取締役

　株式会社の取締役の責任に関するア～オの記述のうち、妥当なもののみを挙げているのはどれか。ただし、争いのあるものは判例の見解による。

ア　取締役が、計算書類及び事業報告並びにこれらの附属明細書並びに臨時計算書類に記載し、又は記録すべき重要な事項について虚偽の記載又は記録をしたときは、これによって第三者に生じた損害を賠償する責任を負う。ただし、当該取締役がその行為をすることについて注意を怠らなかったことを証明したときは、この限りでない。

イ　株主代表訴訟の対象となる取締役の責任は、会社法が取締役の地位に基づいて取締役に負わせている責任に限られ、取締役が会社との取引によって負担することになった債務についての責任は、これに含まれない。

ウ　取締役を辞任した者は、その辞任登記が未了であることによりその者が取締役であると信じて会社と取引をした第三者に損害が生じた場合においては、原則として、会社法上の役員等の第三者に対する損害賠償責任を免れることができない。

エ　取締役の任務懈怠により損害を受けた第三者は、その任務懈怠につき取締役の悪意又は重大な過失を主張し立証しさえすれば、自己に対する加害につき故意又は過失のあることを主張し立証するまでもなく、会社法上の役員等の第三者に対する責任に係る規定により、取締役に対し損害の賠償を求めることができる。

オ　取締役が、自己のために会社と取引をして当該会社に損害が生じた場合において、その任務を怠ったことが当該取締役の責めに帰することができない事由によるものであるときは、会社法上の役員等の会社に対する損害賠償責任を負わない。

1　ア、エ

2　ア、オ

3　イ、ウ

4　イ、オ

5　ウ、エ

ア　〇　条文により妥当である。取締役が、計算書類及び事業報告並びにこれらの附属明細書並びに臨時計算書類に記載し、又は記録すべき重要な事項についての虚偽の記載又は記録をしたときは、これによって第三者に生じた損害を賠償する責任を負う（会社法429条2項1号ロ、1項）。ただし、当該取締役が当該行為をすることについて注意を怠らなかったことを証明したときは、この限りではない（同法429条2項ただし書）。

イ　✕　全体が妥当でない。判例は、会社法847条1項に定める株主代表訴訟の対象となる取締役の責任には、取締役の地位に基づく責任（会社法423条）のほか、取締役の株式会社に対する取引債務についての責任も含まれるとしている（最判平21.3.10）。その理由として、株主代表訴訟の対象が取締役の地位に基づく責任に限られるとすると、株式会社を代表した取締役の責任は株主代表訴訟の対象となるが、当該取締役の責任よりも重いというべき貸付けを受けた取締役の取引上の債務についての責任は株主代表訴訟の対象とならないことになり、均衡を欠くこと等を挙げている。

ウ　✕　「原則として、会社法上の役員等の第三者に対する損害賠償責任を免れることができない」という部分が妥当でない。判例は、株式会社の取締役を辞任した者は、辞任したにもかかわらずなお積極的に取締役として対外的又は内部的な行為をあえてした場合を除いては、特段の事情がない限り、辞任登記が未了であることによりその者が取締役であると信じて当該株式会社と取引した第三者に対しても、会社法429条1項の責任を負わないものというべきであるとしている（最判昭62.4.16）。

エ　〇　判例により妥当である。判例は、取締役がその職務を行うにつき故意又は過失により直接第三者に損害を加えた場合、取締役の任務懈怠により損害を受けた第三者は、その任務懈怠につき取締役の悪意又は重大な過失を主張し立証しさえすれば、自己に対する加害につき故意又は過失のあることを主張し立証するまでもなく、会社法429条1項の規定により、取締役に対し損害の賠償を求めることができるとしている（最大判昭44.11.26）。会社法429条1項は、株式会社が経済社会において重要な地位を占めていることにかんがみて、第三者保護のために特別の法定責任（民法上の不法行為の要件を満たさなくても、会社に対する任務懈怠について故意又は重過失があれば損害賠償責任を負う）を認める趣旨であることを理由としている。

オ　✕　「会社法上の役員等の会社に対する損害賠償責任を負わない」という部分が妥当でない。取締役が、自己のために会社と取引を行い会社に損害が生じた場合、当該取締役について任務懈怠が推定され、当該取締役は会社に対して損害賠償責任を負う（会社法423条1項、3項）。そして、自己のために会社と取引をした取締役の責任は無過失責任であり、その任務を怠ったことが当該取締役の責めに帰することができない事由によるものであることをもって損害賠償責任を免れることはできない（同法428条1項）。

以上より、妥当なものはア、エであり、正解は**1**となる。

商法　取締役

　役員等の会社に対する責任に関するア～エの記述のうち、判例に照らし、妥当なもののみを全て挙げているのはどれか。

ア　不動産賃貸あっせんのフランチャイズ事業等を展開する会社が、事業再編計画の一環として、子会社を完全子会社とする目的で同社の株式を任意の合意に基づき買い取る場合、このような事業再編計画の策定は、将来予測にわたる経営上の専門的判断に委ねられており、この場合における株式取得の方法や価格についても、取締役は、株式の評価額や取得の必要性等を総合考慮して決定することができ、その決定の過程、内容に著しく不合理な点がない限り、取締役としての善管注意義務に違反するものではない。

イ　株式会社の取締役会は会社の業務執行につき監査する地位にあるから、取締役会を構成する取締役は、代表取締役の業務執行を監視する義務を負うが、取締役会に上程された事柄についてだけ監視すればよく、代表取締役の業務執行一般について監視する職務を有しない。

ウ　株式会社の代表取締役には、通常容易に想定し難い方法による不正をも予見し、これを回避し得る程度のリスク管理体制を構築する義務があるため、会社の従業員らが営業成績を上げる目的で架空の売上げを計上し、有価証券報告書に不実の記載がされたことにより、株主が損害を被った場合、かかる不正行為が通常容易に想定し難い方法によるものであったとしても、当該代表取締役には当該義務を怠った過失が認められる。

エ　株式会社の取引先の代表者が、要請により当該会社の株式を取得するとともに、非常勤のいわゆる社外重役として名目的に取締役に就任したものであっても、当該会社の代表取締役の業務執行を全く監視せず、当該代表取締役の独断専行に任せ、その間、当該代表取締役が代金支払の見込みもないのに商品を買い入れ、その代金を支払うことができずに売主に対し代金相当額の損害を与えた場合には、当該名目的取締役は、会社法に基づく損害賠償責任を負う。

1　ア、イ

2　ア、ウ

3　ア、エ

4　イ、ウ

5　ウ、エ

解 説 **正解 3**

ア ○ 判例により妥当である。判例は、不動産賃貸あっせんのフランチャイズ事業等を展開するA社が、事業再編計画の一環として、子会社であるB社を完全子会社とする目的で、B社の株式を任意の合意に基づき買い取る場合について、このような事業再編計画の策定は、完全子会社とすることのメリットの評価を含め、将来予測にわたる経営上の専門的判断に委ねられているとする。そして、この場合における株式取得の方法や価格も、取締役において、株式の評価額のほか、取得の必要性、A社の財務上の負担、株式の取得を円滑に進める必要性の程度等をも総合考慮して決定することができ、その決定の過程、内容に著しく不合理な点がない限り、取締役としての善管注意義務に違反するものではないとしている（最判平22.7.15、アパマンショップ株主代表訴訟事件）。

イ ✕ 「取締役会に上程された事柄についてだけ監視すればよく、代表取締役の業務執行一般について監視する職務を有しない」という部分が妥当でない。判例は、株式会社の取締役会は会社の業務執行につき監査する地位にあるから、取締役会を構成する取締役は、会社に対し、取締役会に上程された事柄についてだけ監視するにとどまらず、代表取締役の業務執行一般につき、これを監視し、必要があれば、取締役会を自ら招集し、あるいは招集することを求め、取締役会を通じて業務執行が適正に行われるようにする職務を有するとしている（最判昭48.5.22）。

ウ ✕ 「通常容易に想定し難い方法による不正をも予見し、これを回避し得る程度のリスク管理体制を構築する義務があるため」、「当該代表取締役には当該義務を怠った過失が認められる」という部分が妥当でない。判例は、株式会社の従業員らが営業成績を上げる目的で架空の売上げを計上したため有価証券報告書に不実の記載がされ、株主が損害を被った事例につき、架空売上げの計上に係る不正行為が通常容易に想定し難い方法によるものであり、当該株式会社の代表取締役において当該不正行為の発生を予見すべきであったという特別な事情も見当たらないこと、通常想定される架空売上げの計上等の不正行為を防止し得る程度の管理体制は整えていたといえること等を認定したうえで、当該代表取締役には、当該不正行為を防止するためのリスク管理体制構築義務違反の過失がなかったとしている（最判平21.7.9）。

エ ○ 判例により妥当である。判例は、本記述と同様の事案において、株式会社の取締役は、会社に対し、取締役会に上程された事項についてのみならず、代表取締役の業務執行の全般についてこれを監視し、必要があれば代表取締役に対し取締役会を招集することを求め、又は自らそれを招集し、取締役会を通じて業務の執行が適正に行われるようにするべき職責を有するが、このことはいわゆる社外重役として名目的に就任した取締役についても同様であるとしたうえで、当該名目的取締役は、会社法に基づく損害賠償責任を負うとしている（最判昭55.3.18）。

以上より、妥当なものはア、エであり、正解は**3**となる。

商法	取締役	2020年度 専門 No.8

株主代表訴訟等に関するア～オの記述のうち、妥当なもののみを全て挙げているのはどれか。

ア　株主代表訴訟の対象となる取締役の責任とは、取締役の地位に基づく責任のみを意味し、取締役が会社との取引により負担した債務についての責任はこれに含まれないとするのが判例である。

イ　非公開会社においては、6か月前から引き続き総株主の議決権の100分の3以上の株式を有する株主のみが、当該会社に対して、役員等の責任を追及する訴えの提起を請求することができる。

ウ　監査役設置会社において、会社は、株主代表訴訟の被告である役員等の側に補助参加することができ、その際、各監査役の同意を得る必要はない。

エ　株主代表訴訟を提起した株主が敗訴した場合であっても、悪意があったときを除き、当該株主は、会社に対し、これによって生じた損害を賠償する義務を負わない。

オ　監査役が会社又はその子会社の取締役又は支配人その他の使用人等を兼ねることができないとする会社法の規定は、弁護士の資格を有する監査役が特定の訴訟事件につき会社から委任を受けてその訴訟代理人となることまでを禁止するものではないとするのが判例である。

1　ア、イ

2　ア、オ

3　イ、ウ

4　ウ、エ

5　エ、オ

ア　**✕**　全体が妥当でない。判例は、会社法847条1項に定める株主代表訴訟の対象となる取締役の責任には、取締役の地位に基づく責任（423条）のほか、取締役の株式会社に対する取引債務についての責任も含まれるとしている（最判平21.3.10）。その理由として、株主代表訴訟の対象が取締役の地位に基づく責任に限られるとすると、株式会社を代表した取締役の責任は株主代表訴訟の対象となるが、当該取締役の責任よりも重いというべき貸付けを受けた取締役の取引上の債務についての責任は株主代表訴訟の対象とならないことになり、均衡を欠くこと等を挙げている。

イ　**✕**　「6か月前から引き続き総株主の議決権の100分の3以上の株式を有する株主のみが」という部分が妥当でない。非公開会社においては、株主は、株式会社に対し、書面その他の法務省令で定める方法により、役員等の責任を追及する訴えの提起を請求することができる（847条1項本文、2項）。役員等の責任を追及する訴えの提起を請求するにあたって、総株主の議決権の100分の3以上の株式を有するという要件はない（単独株主権）。また、非公開会社においては、6か月前から引き続き株式を有するという株式保有期間も要件ではなくなる（同条2項）。

ウ　**✕**　「各監査役の同意を得る必要はない」という部分が妥当でない。監査役設置会社において、株式会社は、株主代表訴訟の被告である役員等の側に補助参加することができるが、その際には各監査役の同意を得ることが必要である（849条3項1号）。役員間の同僚意識から、補助参加することを防止するためである。

エ　**〇**　条文により妥当である。責任追及等の訴えを提起した株主等が敗訴した場合であっても、悪意があったときを除き、当該株主等は、当該株式会社等に対し、これによって生じた損害を賠償する義務を負わない（852条2項）。

オ　**〇**　判例により妥当である。判例は、監査役が株式会社若しくはその子会社の取締役若しくは支配人その他の使用人又は当該子会社の会計参与若しくは執行役を兼ねることができないとする会社法335条2項の規定は、弁護士の資格を有する監査役が特定の訴訟事件につき株式会社から委任を受けてその訴訟代理人となることまでを禁止するものではないとしている（最判昭61.2.18）。

以上より、妥当なものはエ、オであり、正解は**5**となる。

会計学	会計の基礎	2023年度 専門 No.9

我が国の会計の基礎に関するA〜Dの記述のうち、妥当なもののみを挙げているのはどれか。

A 企業会計は、財務会計、管理会計及び非営利会計に分類できる。管理会計とは、企業外部の利害関係者に報告することを目的とした会計であり、非営利会計とは、企業内部の関係者に報告することを目的とした会計である。

B 会計公準とは、会計理論や実務の基礎を成す最も基本的な概念や前提事項であり、そのうち一般的に考えられているものの一つとして、会計行為は貨幣額を用いて行うという貨幣的評価（貨幣的測定）の公準が挙げられる。貨幣額を用いることで、各種の財やサービスを共通の測定尺度で表現することができるため、企業活動の統一的な測定が可能になる。

C 企業会計原則とは、企業会計の実務の中に慣習として発達したものの中から、一般的に公正妥当と認められたものを要約したものであり、全ての企業がその会計処理を行うに当たり従わなければならない基準であるが、法令によって強制されるものではない。企業会計原則を構成するものとして、一般原則、損益計算書原則及び貸借対照表原則がある。

D 財務諸表を構成する報告書として、貸借対照表と損益計算書がある。貸借対照表が、ある一定の期間中に生じた収益・費用というストック項目を集計して作成されるのに対し、損益計算書は、ある一定の時点における資産や負債等の残高というフロー項目を表すものである。

1 A、B

2 A、D

3 B、C

4 B、D

5 C、D

解説 　　**正解　3**　　TAC生の正答率 **59%**

A ✖ 管理会計とは、企業内部の関係者に報告するのを目的とした会計であり、財務会計とは、企業外部の利害関係者に報告することを目的とした会計である。非営利会計とは、非営利団体を対象として行う会計である。

B 〇

C 〇

D ✖ 貸借対照表が、ある一定の時点における資産や負債等の残高というストック項目を集計して作成されるのに対し、損益計算書は、ある一定の期間中に生じた収益・費用というフロー項目を表すものである。

会計学 会計の基礎

会計の基礎に関するA～Dの記述のうち、妥当なもののみを全て挙げているのはどれか。

A　管理会計は、経営者、事業部長、工場長などの企業内部の経営管理者の意思決定や業績評価などに役立つ情報を提供することを目的とした会計である。また、財務会計は、株主、債権者などの企業外部の者に対し財務諸表などによって企業の経営成績などを報告することを目的とした会計である。

B　会計公準とは、一般に公正妥当と認められている会計慣行の中から特に基本的なものを抽出したものであり、代表的な公準としては企業実体の公準、継続企業の公準、貨幣的評価の公準の三つが挙げられる。このうち、継続企業の公準は、企業を無限に継続する継続企業と仮定するものであり、実務においては主に会計期間を限定する公準として機能する。

C　税務会計とは、企業の活動の成果を基に課税所得を計算することを目的とした会計であり、法人税法等の規定に従って行われる。税務会計において、企業会計原則に基づいて算定される当期純利益と、事業年度の益金の額から損金の額を控除した課税所得は常に一致する。

D　「国際財務報告基準（IFRS）」とは、国際会計基準審議会（IASB）が策定する会計基準である。EU諸国においては、2005年からIFRSに基づく連結財務諸表の公表が義務付けられている。一方、我が国や米国においては、自国の投資者を保護するため、外国企業が自国内で上場する際に公表する連結財務諸表として、IFRSに基づく連結財務諸表を認めていない。

1　A

2　B

3　A、B

4　A、C

5　B、D

解説　　正解　**3**

TAC生の正答率 **43%**

A　〇

B　〇

C　✕　前半部分の記述は概ね正しい。しかし、企業会計原則に基づいて算定される税引前当期純利益と税務上の課税所得は、一時差異等が存在しているため常に一致するとはいえない。

D　✕　「国際財務報告基準（IFRS）」に関する前半部分の記述は概ね正しい。しかし、我が国では、IFRSの任意適用については、2010年3月期の連結財務諸表から一部の上場企業に認められており、2022年10月時点で242社が採用している。

企業会計の一般原則に関する次の記述のうち、妥当なのはどれか。

1　保守主義の原則とは、企業の財政に有利又は不利な影響を及ぼす可能性がある場合には、それぞれを控え目に計上する会計処理を行うことを義務付ける原則である。保守主義の原則は、将来の不確実性に対処して企業の存続を確保するためであるから、他のどの一般原則よりも優先され、その適用範囲に制限はない。

2　継続性の原則は、経営者による利益操作を防ぐため、会計基準の変更以外の理由によって一度選択した会計処理を変更することを認めていない。例えば、事業環境の変化に対応し、より適切な方法となるよう減価償却の方法を定額法から定率法へ変更することはできない。

3　単一性の原則とは、企業会計は、財務諸表によって、利害関係者に対し必要な会計事実を明瞭に表示し、企業の状況に関する判断を誤らせないようにしなければならないとする原則である。これに従えば、株主総会提出や租税目的など、財務諸表の作成目的が異なるときは、それぞれの目的に沿った会計処理を施した実質内容が異なる財務諸表を作成することが認められる。

4　正規の簿記の原則は、一会計期間内に発生した全ての取引を実際の取引事実等に基づいて、網羅性・検証可能性等を備えた正確な会計帳簿の作成を要求している。そのため、原則として、帳簿に記録されないような簿外の資産や負債が生じることは認められていない。

5　真実性の原則とは、企業会計は、企業の財政状態及び経営成績に関して、真実な報告を提供するものでなければならないとする原則である。この原則は企業会計の一般原則の中では独立の原則として明示されていないものの、実務で頻繁に援用される原則で、会計処理において絶対的な真実を要求しているため、経営者の主観的な見積りが含まれることは許されない。

解 説　　**正解　4**　　　　　　　　　　　　　　　　TAC生の正答率　45%

1　✕　保守主義の原則とは、企業の財政に不利な影響を及ぼす可能性がある場合には、これに備えて適当に健全な会計処理をしなければならない、とする原則である。他の一般原則よりも優先されるのは真実性の原則である。過度な保守主義の適用は制限されており、「適用範囲に制限はない」という記述も誤りである。

2　✕　事業環境の変化などの正当な理由がある場合には、会計基準の変更以外であっても、一度選択した会計処理の変更は認められる。

3　✕　単一性の原則とは、株主総会提出のため、信用目的のため、租税目的のため等種々の目的のために異なる形式の財務諸表を作成する必要がある場合、それらの内容は信頼しうる会計記録に基づいて作成されたものであって、政策の考慮のために事実の真実な表示をゆがめてはならない、とする原則である。財務諸表の作成については、形式的な多元性は認められるが、実質的な多元性は認められず、一元性が求められる。本肢前半の記述は明瞭性の原則に関するものである。

4　○

5　✕　本肢前半部分の記述は正しい。しかし、真実性の原則は、一般原則の一つとして明示されている。また、真実性の原則における真実とは、絶対的な真実ではなく、経営者の主観的な見積りも含まれる相対的な真実である。

会計学　企業会計原則

我が国の企業会計原則に関する次の記述のうち、妥当なのはどれか。

1　真実性の原則とは、企業会計は、企業の財政状態及び経営成績に関して、真実な報告を提供するものでなければならないとする原則である。企業会計では、会計の選択適用が認められている場合が多いため、ここでいう真実とは、絶対的な真実を追求するものではなく、相対的な真実を意味している。

2　保守主義の原則においては、予想の損失は計上してはならないとされる。また、この原則に基づく会計処理として、収益面については、資産を原価主義によって測定し収益を発生主義によって計上する。

3　重要性の原則とは、企業会計は、財務諸表によって、利害関係者に対し必要な会計事実を明瞭に表示し、企業の状況に関する判断を誤らせないようにしなければならないとする原則である。これは、財務諸表が一般投資家にとっても、またその他の利害関係者にとっても、企業の財政状態及び経営成績に関する判断を下すために重要な情報手段となるためである。

4　継続性の原則とは、企業会計は、その処理原則及び手順を毎期継続して適用し、みだりにこれを変更してはならないとする原則である。この原則は、経営者の恣意的な会計処理を抑えることを目的としており、企業は、法令や会計原則等の会計規範が変更された場合のみ、一旦採用した会計処理方法を変更することが認められるが、変更後の新しい会計処理方法を遡って適用し、過去の財務諸表を作り替えることは認められていない。

5　正規の簿記の原則とは、企業会計は、全ての取引につき、正確な会計帳簿を作成しなければならないとする原則である。この原則は、全ての取引を網羅的に正しく記録すべきことを要求していることから、現在、会計帳簿の作成において、項目の性質や金額の大小から見て重要性が乏しいからといって、簿外資産又は簿外負債を持つことは認められていない。

解説　**正解　1**　　　　　　　　　　　　TAC生の正答率 **46%**

1 ○

2 ✕　保守主義とは、予想の収益は計上してはならないが、予想の損失は計上すべきとする考え方をいう。また、収益は発生主義ではなく実現主義の原則で認識される。なお、企業会計原則の記述によれば、収益は実現主義に従って認識するが、現行制度上は収益認識基準に従って収益を認識する。

3 ✕　重要性の原則とは、重要性の乏しいものについては、本来の厳密な会計処理によらないで他の簡便な方法によることも認めるという原則である。本肢記述は、明瞭性の原則に関するものとなっている。

4 ✕　継続性の原則の意義に関する本肢前半部分の記述は正しい。しかし、会計処理方法の変更は法令などの会計規範が変更された場合だけでなく、例えば、企業の大規模な経営方針の変更や経営環境の急激な変化などの場合にも認められる。また、「会計上の変更及び誤謬の訂正に関する会計基準」によれば、会計方針の変更があった場合には、遡及適用を行う。遡及適用とは、新たな会計方針を過去の財務諸表に遡って適用していたかのように会計処理することをいう。

5 ✕　本肢前半の正規の簿記の原則の意義に関する記述は正しい。しかし、現在、重要性が乏しい場合に、簿外資産と簿外負債として処理することは認められる。

リース取引に関するA～Dの記述のうち、妥当なもののみを全て挙げているのはどれか。

A　リース取引には、ファイナンス・リース取引とオペレーティング・リース取引の2種類がある。あるリース取引がファイナンス・リース取引に該当する場合、解約不能のリース期間中のリース料総額の現在価値が、見積現金購入価額の概ね75％以上であり、かつ、解約不能のリース期間が、当該リース物件の経済的耐用年数の概ね90％以上でなければならない。

B　所有権移転ファイナンス・リース取引において、貸手の購入価額が明らかな場合、リース資産及びリース債務の計上価額は、リース料総額の割引現在価値又は貸手の購入価額のいずれか低い価額となる。

C　リース資産及びリース債務の計上価額を、リース料総額の割引現在価値として求める場合、割引率に使用する利子率が小さいほど、貸借対照表に計上される金額は大きくなる。

D　オペレーティング・リース取引において、リース資産を償却する際は、リース期間を耐用年数として計算を行い、償却方法は定額法、定率法、級数法、生産高比例法の中から企業の実態に応じて選択できる。

1　A

2　C

3　A、C

4　B、C

5　B、D

A ✕ リース取引に、ファイナンス・リース取引とオペレーティング・リース取引の2種類がある という記述は正しい。『リース取引に関する会計基準の適用指針』によれば、ファイナンス・リー ス取引は、解約不能とフル・ペイアウトという条件を満たすものであり、具体的には、リース料総 額の現在価値が見積現金購入価額の概ね90%以上、または、解約不能のリース期間が経済的耐用年 数の概ね75%以上の条件のいずれかを満たすものをいう。

B ✕ 所有権移転ファイナンス・リース取引において、貸手の購入価額が明らかな場合、リース資 産及びリース債務の計上価額は、貸手の購入価額等とする。

C ◯

D ✕ オペレーティング・リース取引では、リース資産を資産計上しないため減価償却は行われな い。

会計学 ｜ 有価証券

有価証券に関する次の記述のうち、妥当なのはどれか。

1 有価証券は、「売買目的の有価証券」「満期保有目的の債券」「子会社株式・関連会社株式」「その他有価証券」に分類される。このうち、上場会社の株式などに投資し、その値動きを利用して利益を得ることを目的として保有する「売買目的の有価証券」のみが流動資産に区分される。

2 「満期保有目的の債券」は、取得原価をもって貸借対照表価額とする。ただし、債券を額面金額より低い価額又は高い価額で取得した場合において、取得価額と額面金額との差額の性格が金利の調整と認められるときは、償却原価法に基づいて算定された価額をもって貸借対照表価額とする。

3 一般に将来キャッシュ・フローが約定されている債券と異なり、市場価格のない株式については、現状、市場価格に準じた合理的に算定された価額を得ることは極めて難しい。また、仮に理論的な価額を算定できたとしても、市場で売買されていない場合には、当該価額による自由な換金・決済等が可能であるとは言いがたい。したがって、時価をもって貸借対照表価額とする有価証券であっても、市場価格のない有価証券については取得原価に基づいて算定された価額をもって貸借対照表価額とする。

4 「その他有価証券」は、時価をもって貸借対照表価額とし、評価差額については切放し方式が適用される。「その他有価証券」の時価は、投資者にとって有用な投資情報であるため、「その他有価証券」の評価差額は全て当期の損益として処理する。

5 「満期保有目的の債券」や「子会社株式・関連会社株式」のうち、市場価格のあるものについて、その時価が著しく下落した場合は、回復する見込みの有無にかかわらず時価まで評価減して、評価差額を当期の損失として処理しなければならない。これを強制評価減という。一般に、著しく下落した場合とは、時価が取得原価の3分の2以上下落した場合などをいう。

1　✕　売買目的有価証券だけでなく、1年以内に満期の到来する社債その他の債券は、流動資産に区分される。それ以外の有価証券は投資その他の資産に区分される。

2　○

3　✕　第3文が妥当でない。取得原価をもって貸借対照表価額とするのは「市場価格のない有価証券」ではなく、「市場価格のない株式等」である。本件に関しては「時価の算定に関する会計基準」の施行に伴い、「時価を把握することが極めて困難と認められる有価証券」の定めが削除され、「市場価格のない株式等」というカテゴリーが新設された経緯がある。なお、「株式等」の等とは、出資金など株式と同様に持分の請求権を生じさせるものを指し、債券は含まれない。

4　✕　その他有価証券の評価差額については切放し方式ではなく洗い替え方式が適用される。また、その他有価証券については、評価差額の合計額を純資産の部に計上する（全部純資産直入法）か、または、時価が取得原価を上回る銘柄に係る評価差額は純資産の部に計上し、時価が取得原価を下回る銘柄に係る評価差額は当期の損失として処理する（部分純資産直入法）。

5　✕　満期保有目的の債券、子会社株式及び関連会社株式並びにその他有価証券のうち、市場価格のあるものについて、時価が著しく下落（一般的には、取得原価の2分の1以下まで下落）したときは、回復する見込みがあると認められる場合を除き、時価をもって貸借対照表価額とし、評価差額は当期の損失として処理しなければならない。

会計学　減価償却

減価償却に関する次の記述のうち、妥当なのはどれか。

1　耐用年数を配分基準とする方法には、定率法や級数法があり、利用度を配分基準とする方法には定額法がある。特に、定額法については、減価償却費の負担が逓減していくことや、減価償却費と修繕費を合わせた固定資産費用の負担が期間的に平均化される特徴がある。

2　減価償却の会計処理については、直接法と間接法の二つの仕訳方法がある。直接法とは、減価償却費を取得原価から直接控除し、貸借対照表上、その差額（帳簿価額）のみを記載する方法である。一方、間接法とは、減価償却費を減価償却累計額勘定に計上する方法である。

3　企業会計基準に準拠すると、減価償却を継続的に行っている途中で耐用年数を変更すべき事情が生じた場合において、過去の耐用年数の見積りが誤っていたときは過年度の償却計算を修正することはできないが、新生産技術の発明などにより、当初に見積もった耐用年数を変更すべき事情が事後的に生じた場合であれば、過年度の償却計算を修正する必要がある。

4　減価償却の目的は、償却資産に投下された資金の回収という自己金融作用である。また、減価償却の効果としては、償却資産の取得原価を、当該資産の利用期間に配分することを通じて、各期間の利益を適切に算定することが挙げられる。

5　減価償却資産については、税法により従来は耐用年数経過時に残存簿価1円まで償却できることとされていたが、平成19年度税制改正により、平成19年4月1日以降に取得した有形固定資産については、残存価額を取得原価の10％とすることとされた。

解 説　　**正解　2**　　　　　　　　　　　　　TAC生の正答率　32%

1　**×**　耐用年数を配分基準とする方法は定額法、定率法、級数法であり、利用度を配分基準とする方法は生産高比例法である。また、定額法は、減価償却費の負担は毎期均等であり、減価償却費と修繕費を合わせた固定資産費用の負担は徐々に増加していくことになる。本肢記述のように、減価償却費の負担が逓減し、減価償却費と修繕費を合わせた固定資産費用の負担が、期間的に平均化される特徴があるのは、定率法である。

2　**○**

3　**×**　新技術の発明などにより耐用年数が変更された場合には、会計上の見積もりの変更として取り扱うため遡及処理は行わず、当期または当期以後の財務諸表に反映される。したがって、過年度の償却計算を修正する必要はない。過去の耐用年数の誤りが誤謬の訂正に該当する場合には、過年度の償却計算を修正し、修正再表示を行う。

4　**×**　自己金融効果は減価償却の目的ではなく効果である。また、取得原価の費用配分は減価償却の効果ではなく目的である。

5　**×**　従来は残存価額は取得原価の10%であったが、平成19年度税制改正により、残存価額はゼロとなった（残存簿価1円まで償却することができる）。

会計学　　減価償却・減損

有形固定資産の減価償却及び固定資産の減損に関する次の記述のA〜Eに入るものの組合せとして妥当なのはどれか。

図は、取得原価が10万円、耐用年数5年の設備の減価償却について、　A　を適用した場合の考え方を表したものであり、図中の棒グラフは各期の減価償却費を示している。図中の折れ線グラフは、取得原価から　B　を控除して算出した　C　を示しており、逓減している。

一方、ある固定資産について、減損の兆候があるときは、その資産について割引前将来キャッシュ・フロー総額を見積もり、その総額が資産の帳簿価額より　D　場合には、減損を認識しなければならない。減損損失の測定に際しては、回収可能価額を算定する必要があり、回収可能価額とは、資産の使用価値と正味売却価額とのいずれか　E　金額のことである。

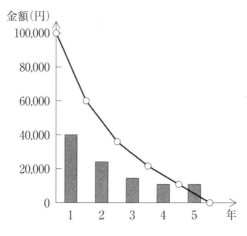

	A	B	C	D	E
1	定率法	減価償却累計額	未償却残高	低い	高い
2	定率法	減価償却累計額	未償却残高	低い	低い
3	定率法	未償却残高	減価償却累計額	高い	高い
4	定額法	減価償却累計額	未償却残高	低い	低い
5	定額法	未償却残高	減価償却累計額	高い	高い

解説　　**正解　1**　　　　　　　　　　　　　　TAC生の正答率 **54%**

正しい文章は以下となる。

　図は、取得原価が10万円、耐用年数５年の設備の減価償却について、A：定率法を適用した場合の考え方を表したものであり、図中の棒グラフは各期の減価償却費を示している。図中の折れ線グラフは、取得原価からB：減価償却累計額を控除して算出したC：未償却残高を示しており、逓減している。

　一方、ある固定資産について、減損の兆候があるときは、その資産について割引前将来キャッシュ・フロー総額を見積もり、その総額が資産の帳簿価額よりD：低い場合には、減損を認識しなければならない。減損損失の測定に際しては、回収可能価額を算定する必要があり、回収可能価額とは、資産の使用価値と正味売却価額とのいずれかE：高い金額のことである。

（参考）本問における定率法の減価償却費

　本問における設備（取得原価100,000円、耐用年数５年）が平成24年４月１日以後に取得した有形固定資産であった場合、各年度の減価償却費、減価償却累計額、未償却残高は以下となる。

　なお、平成24年４月１日以後に取得した耐用年数５年の有形固定資産の残存価額は０、定率法償却率は0.400、保証率は0.10800、改定償却率は0.500である。

　したがって、償却保証額は10,800円（＝100,000円〈取得原価〉×0.10800〈保証率〉）である。

⑴　１年目
　①　減価償却費：100,000円〈取得原価〉×0.400〈償却率〉＝40,000円
　②　減価償却累計額：40,000円
　③　未償却残高：100,000円－40,000円＝60,000円
⑵　２年目
　①　減価償却費：60,000円〈期首未償却残高〉×0.400〈償却率〉＝24,000円
　②　減価償却累計額：40,000円＋24,000円＝64,000円
　③　未償却残高：100,000円－64,000円＝36,000円
⑶　３年目
　①　減価償却費：36,000円〈期首未償却残高〉×0.400〈償却率〉＝14,400円
　②　減価償却累計額：40,000円＋24,000円＋14,400円＝78,400円
　③　未償却残高：100,000円－78,400円＝21,600円
⑷　４年目
　①　減価償却費：21,600円〈期首未償却残高〉×0.400〈償却率〉＝8,640円
　　　　　　　　　8,640円　＜　10,800円〈償却保証額〉　∴　均等償却へ切り替え
　　　　　　　　　21,600円〈期首未償却残高〉×0.500〈改定償却率〉＝10,800円
　②　減価償却累計額：40,000円＋24,000円＋14,400円＋10,800円＝89,200円
　③　未償却残高：100,000円－89,200円＝10,800円
⑸　５年目（備忘価額は考慮しないものとする）
　①　減価償却費：10,800円
　②　減価償却累計額：40,000円＋24,000円＋14,400円＋10,800円＋10,800円＝100,000円
　③　未償却残高：100,000円－100,000円＝0円

会計学　棚卸資産

　次の資料は、A社のある年の4月1日から4月30日までのX商品の入出庫状況を示している。移動平均法により計算した場合における、①次月繰越高と、②売上原価の組合せとして妥当なのはどれか。

〔資料〕A社のX商品の入出庫状況

4月 1日	前月繰越	30個	単価70円
10日	仕　入	20個	単価90円
19日	売　上	40個	単価70円
26日	仕　入	30個	単価50円

	①	②
1	2,280円	3,000円
2	2,280円	3,120円
3	2,280円	3,480円
4	2,400円	3,120円
5	2,400円	3,480円

商品有高帳を示すと以下となる。

移動平均法　　　　　　　　　商　品　有　高　帳

日	付	摘　要	受　入			払　出			残　高		
			数量	単価	金額	数量	単価	金額	数量	単価	金額
4	1	前期繰越	30	70	2,100				30	70	2,100
	10	仕　入	20	90	1,800				50	78	3,900
	19	売　上				40	78	3,120	10	78	780
	26	仕　入	30	50	1,500				40	57	2,280

（注1）4月10日仕入時の平均単価

$$\frac{2,100円 + 1,800円 = 3,900円}{30個 + 20個 = 50個} = @78円〈平均単価〉$$

（注2）4月26日仕入時の平均単価

$$\frac{780円 + 1,500円 = 2,280円}{10個 + 30個 = 40個} = @57円〈平均単価〉$$

∴　①次月繰越高：2,280円

　　②売上原価：3,120円

会計学 | 資産会計

資産の分類や評価に関する次の記述のうち、最も妥当なのはどれか。

1 時価主義は、資産の評価時点における市場価格を資産の評価基準とする方法であり、資産の評価の面で客観性に優れ、その価額の妥当性を事後的に検証できる。これは、原価主義の欠点を補うことができることから、現行の企業会計制度では、原則的な評価基準となっている。

2 売掛金のように販売を経て事業投資の回収過程にある項目や、貸付金のように、最終的に収入となって貨幣を増加させる資産を貨幣性資産という。これに対し、商品のように生産・販売を経て最終的に費用となる項目を費用性資産という。

3 貸借対照表の作成日の翌日から起算して、1年以内に回収される資産を流動資産とし、1年以内に支払期限が到来する負債を流動負債とする基準を正常営業循環基準という。会計実務では、1年基準を主に採用し、これを補足するために正常営業循環基準が採用される。

4 のれんは資産に計上し、10年以内のその効果の及ぶ期間にわたって、定額法その他の合理的な方法により規則的に償却する。したがって、のれんの金額の重要性にかかわらず、当該のれんが生じた事業年度の費用として処理することは認められない。

5 繰延資産とは、代価の支払が未了であるにもかかわらず、これに対応する役務の提供を受け、その効果が将来にわたって発現するものと期待される項目をいう。貸借対照表に計上できる繰延資産は、創立費、開業費、株式交付費、建設利息、開発費の5項目に限定されている。

解説　　**正解　2**　　　　　　　　　　TAC生の正答率 **44%**

1　**×**　時価主義は資産評価の面で客観性・確実性などに優れているとはいえない。また、現行の企業会計制度で、原則的な評価基準となっているのは時価主義ではなく原価主義である。

2　**○**

3　**×**　正常営業循環基準とは、企業の正常な営業循環過程から生じた資産を流動資産とする基準である。会計実務では、正常営業循環基準を主に採用し、補足するために1年基準が採用される。

4　**×**　のれんは、資産に計上し、20年以内のその効果の及ぶ期間にわたって、定額法その他の合理的な方法により規則的に償却する。ただし、のれんの金額に重要性が乏しい場合には、当該のれんが生じた事業年度の費用として処理することができる。

5　**×**　繰延資産とは、すでに代価の支払が完了し、又は支払義務が確定し、これに対応する役務の提供を受けたにもかかわらず、その効果が将来にわたって発現するものと期待される費用を資産計上したものをいう。また、現行制度上の繰延資産は、創立費、開業費、株式交付費、社債発行費等、開発費の5項目に限定される。

会計学　　資産会計

我が国の棚卸資産の評価方法に関する次の記述のうち、最も妥当なのはどれか。

1 　先入先出法を物価上昇時に適用する場合、売上収益と売上原価は共に物価水準を反映したものとなり、貸借対照表に計上される棚卸資産の金額は直近の市場価格に対して著しく高くなるため、2010年4月1日以降開始する事業年度から、先入先出法は我が国での使用が禁止された。

2 　後入先出法は、財貨の物理的な流れと合致した評価方法である。この方法によれば、実地棚卸による期末在庫数量と期末に最も近い受入単価を調査することで期末棚卸額を算定できるため、実務的には最も簡便な方法である。

3 　平均原価法のうち、移動平均法とは、期首繰越分を含めた1か月又は3か月の棚卸資産の取得原価の合計額を、受入数量の合計で除して算定した、単位当たりの平均原価を払出単価とする方法であるが、売上高と同時に売上原価を算定することができないという難点がある。

4 　最終仕入原価法によれば、期末棚卸資産の一部だけが実際の取得原価で評価されるものの、その他の部分は時価に近い価額で評価されることとなる場合が多いと考えられる。このため、期間損益の計算上弊害がないと考えられる場合や、期末棚卸資産に重要性が乏しい場合に用いられることもある。

5 　売価還元法とは、単位当たりの取得原価が異なる資産を受け入れる都度区別して記録し、その個々の実際原価によって期末評価する方法である。この方法は、取扱商品の種類が非常に多い小売業や卸売業では用いられるものの、払出品の恣意的な選択により利益操作に利用されるおそれがある。

解説　　正解　4　　TAC生の正答率　43%

1　✕　先入先出法を物価上昇時に適用すると、売上収益は物価水準を反映したものとなるが、売上原価は物価水準を反映しない古い単価で計算される。先入先出法では貸借対照表に計上される棚卸資産の金額は直近の市場価格に近い金額となるため「著しく高くなる」とはいえない。また、先入先出法の使用は禁止されていない。

2　✕　後入先出法は、最も新しく取得されたものから順次払い出しが行われ、期末たな卸品は最も古く取得されたものからなるものとみなして期末たな卸品の価額を算定する方法であり、財貨の物理的な流れとは合致しない。また、本肢記述にある実地棚卸による期末在庫数量と期末に最も近い受入単価を調査することで期末棚卸額を算定できるのは先入先出法である。

3　✕　移動平均法は、仕入の都度平均単価を算定であり、売上と同時に売上原価は算定できる。

4　〇

5　✕　売価還元法とは、値入率等の類似性に基づく棚卸資産のグループごとの期末の売価合計額に、原価率を乗じて求めた金額を期末棚卸資産の価額とする方法であり、取扱品種の多い小売・棚卸業で採用される。本肢前半の記述は個別法に関するものである。

会計学 ｜ 資産会計

金融商品に関する次の記述のうち、最も妥当なのはどれか。

1 現金・預金、受取手形、売掛金及び有価証券は、直ちに支払手段として利用できる性質を有するため、満期が到来する時期にかかわらず、全て流動資産に区分される。また、現金に含まれるのは紙幣や貨幣のみであり、金銭と同一の性質を持つ通貨代用証券は、通常、受取手形として処理される。

2 有価証券は、その保有目的によって「売買目的有価証券」「満期保有目的の債券」「子会社株式及び関連会社株式」「その他有価証券」に分類される。このうち、時価の変動により利益を得ることを目的として保有され、売却に事業上の制約がない「売買目的有価証券」は、時価をもって貸借対照表価額とする。

3 「子会社株式及び関連会社株式」は、親会社がこれらの企業を支配する目的で保有するものであるが、市場価格がある場合は「売買目的有価証券」として例外的に時価をもって貸借対照表価額とする。「子会社株式及び関連会社株式」には、事業上の関係を有する会社の株式、いわゆる「持ち合い株式」が含まれる。

4 時価の把握が極めて困難と認められる株式について、発行会社の財政状態の悪化により実質価額が著しく低下した場合は、貸借対照表価額を実質価額まで引き下げ、評価差額は純資産の部に計上する。また、株式の実質価額は通常、その株式の発行会社の1株当たり総資産額に基づいて評価する。

5 デリバティブ取引では、契約に伴って生じる債権と債務について、契約の決済時点でその発生を認識する。デリバティブ取引のうち、将来に一定の価格で特定の金融資産を買う権利又は売る権利を売買し、権利の買い手はその権利を行使しても放棄してもよいとする取引は、スワップ取引として分類される。

1　✕　現金・預金、受取手形、売掛金は、原則としてすべて流動資産に区分される（破産債権・更生債権等を除く）が、有価証券は保有目的に応じて流動資産又は固定資産に区分される。また、通貨代用証券は現金として処理される。

2　○

3　✕　「子会社株式及び関連会社株式」は市場価格があっても「売買目的有価証券」とはせず、「子会社株式及び関連会社株式」として取得原価をもって貸借対照表価額とする。また、「持ち合い株式」は、通常は「その他有価証券」になる。

4　✕　時価の把握が極めて困難と認められる株式（現行制度では「市場価格のない株式等」）については、発行会社の財政状態の悪化により実質価額が著しく低下したときは、相当の減額をなし、評価差額は当期の損失として処理しなければならない（実価法）。また、実質価額は発行会社の1株当たり純資産額に基づいて評価する。1株当たり総資産額ではない。

5　✕　デリバティブ取引では、契約に伴って生じる金融資産や金融負債は、原則として契約を締結したときにその発生を認識する。契約の決済時点ではない。また、将来に一定の価格で特定の金融資産を買う権利又は売る権利を売買し、権利の買い手はその権利を行使しても放棄してもよいとする取引は、スワップ取引ではなくオプション取引である。

会計学	資産会計	2020年度 専門 No.10

資産の分類や評価等に関する次の記述のうち、妥当なのはどれか。

1 資産は流動資産と固定資産の二つに分類される。分類の基準において、企業会計原則では、まず１年基準が適用され、当該基準で分類し得ない資産項目については、正常営業循環基準が適用される。

2 取得した有形固定資産にかかる追加の支出には、資本的支出と収益的支出がある。資本的支出とは、その有形固定資産の価値を増加させる効果を持つ改良等の支出をいい、その支出がされた会計期間の費用に算入される。収益的支出とは、その有形固定資産の耐久性や使用能率を維持するにとどまる通常の修繕支出をいい、その有形固定資産の取得原価に算入される。

3 非貨幣性資産とは、将来の企業の経営活動において利用され、費用化されていく資産であり、原則として、時価を考慮して評価額を判断する。具体的には、棚卸資産、売上債権、無形固定資産などが挙げられる。

4 資産を評価する際の時価には一般に、正味実現可能価額（正味売却価額）と再調達原価（取替原価）の二つがある。正味実現可能価額とは、販売価格から販売までに要する費用を控除した価格のことであり、再調達原価とは、同一又は同等の資産を現在取得する場合に要する支出額のことである。

5 低価基準とは、期末棚卸資産の取得原価と時価を比較して、いずれか低い方の価格を、その棚卸資産の評価額とする基準である。低価基準の適用方法には、切放し方式と洗替え方式があるが、現在の会計基準で認められているのは、評価切下げ後の簿価を次期の取得原価とする洗替え方式のみである。

解 説　　**正解　4**　　　　　TAC生の正答率　**50%**

1　×　資産は、流動資産、固定資産、繰延資産に分類される。また、流動資産と固定資産の分類については、まず正常営業循環基準が適用され、当該基準で分類し得ない資産項目については、1年基準が適用される。

2　×　資本的支出は、有形固定資産の価値を増加させる効果を持つ支出であるという記述は正しいが、資本的支出は有形固定資産の取得原価に算入される。また、収益的支出は、有形固定資産の維持のための支出であるという記述は正しいが、収益的支出は、支出時の費用として処理される。

3　×　非貨幣性資産は有形固定資産などの費用性資産を代表例とするが、原則として取得原価を基礎として評価される。また、棚卸資産、無形固定資産は非貨幣性資産（費用性資産）であるが、売上債権は非貨幣性資産ではなく貨幣性資産である。

4　○

5　×　低価基準の意義に関する本肢前半部分の記述は正しい。しかし、評価切下げ後の簿価を次期の取得原価とする方法は、洗替え方式ではなく切放し方式である。また、現在の会計基準では、棚卸資産の種類ごとに洗替え方式と切放し方式のいずれかの方法を選択適用できる。

会計学　資産会計

資産会計に関するA～Dの記述のうち、妥当なもののみを全て挙げているのはどれか。

A　固定資産は、「有形固定資産」「無形固定資産」の二つに分類される。有形固定資産は、具体的な形態をもつ費用性の固定資産であるが、土地は通常、費用化の認識つまり減価償却は一般に行われないことから、無形固定資産に分類される。

B　繰延資産とは、代価の支払が完了していないか支払義務が確定しておらず、これに対する役務の提供も受けていないために、その効果が将来にわたって発現するものと期待される費用のことをいう。計上することができる項目は、換金能力を有するものに限定されている。

C　棚卸資産の貸借対照表価額の算定方法のうち、「先入先出法」とは、取得原価を異にするものごとに区分して記録する方法であり、「個別法」とは、取得した棚卸資産の平均原価を算定し、この平均原価によって期末の棚卸資産価額を求める方法である。

D　当座資産とは、現金あるいは現金と同程度の流動性を備えた資産のことである。例えば、現金及び預金のほか、受取手形、売掛金、短期貸付金といった金銭債権が該当する。この当座資産は、企業の短期的な債務支払能力の分析に用いられる。

1　B

2　D

3　A、C

4　B、D

5　A、C、D

解 説　　**正解　2**　　TAC生の正答率　**56%**

A　✕　固定資産は、有形固定資産、無形固定資産、投資その他の資産に分類される。また、土地は非償却資産であるが、無形固定資産ではなく有形固定資産である。

B　✕　繰延資産は、すでに代価の支払が完了し、又は支払義務が確定し、これに対応する役務の提供を受けたにもかかわらず、その効果が将来にわたって発現するものと期待される費用を資産計上したものである。また、繰延資産は換金能力を有していない資産である。

C　✕　棚卸資産の評価方法のうち「先入先出法」とは、最も古く取得されたものから順次払出しが行われ、期末棚卸資産は最も新しく取得されたものからなるとみなして期末棚卸資産の価額を算定する方法であり、「個別法」とは、取得原価の異なる棚卸資産を区別して記録し、その個々の実際原価によって期末棚卸資産の価額を算定する方法である。なお、本記述後半の「取得した棚卸資産の平均原価を算定し、この平均原価によって期末の棚卸資産価額を求める方法」は「平均原価法」である。

D　〇

引当金に関する次の記述のうち、妥当なのはどれか。

1　引当金とは、将来の資産の減少（費用又は損失の発生）に備え、当期の負担に属する金額を費用又は損失として計上するために設定される借方項目である。例えば、賞与引当金は、固定負債として計上される。

2　引当金は、負債性引当金と評価性引当金に分類され、負債性引当金の例としては売上割戻引当金や修繕引当金があり、評価性引当金の例としては貸倒引当金や退職給付引当金がある。いずれも貸借対照表には流動負債又は固定負債として計上される。

3　引当金のうち、負債性引当金には法的債務性を有する引当金と法的債務性を有しない引当金がある。法的債務性を有する引当金の例としては債務保証損失引当金が、法的債務性を有しない引当金の例としては製品保証引当金がある。

4　引当金を設定するには、将来の特定の費用又は損失が見込まれること、その発生が当期以前の事象に起因していること、その発生の可能性が高いこと、その金額を合理的に見積もることができることの四つの要件を全て満たしていなければならない。

5　退職給付引当金については、企業が外部に積み立てている年金資産を退職給付債務から控除した金額を計上することとされている。一般に、この年金資産は、積立時点での積立額の累計額で表され、その運用収益を退職給付債務から控除することは認められていない。

解説　正解　4　TAC生の正答率　43%

1　×　引当金とは、適正な期間損益計算の見地から、将来の特定の費用・損失を当期の費用・損失としてあらかじめ見越計上した場合に生じる貸方項目である。また、賞与引当金は、通常、流動負債として計上される。

2　×　貸倒引当金は評価性引当金であるが、退職給付引当金は負債性引当金である。また、貸倒引当金は、負債ではなく資産の評価勘定として計上される。さらに、退職給付引当金は、通常、固定負債である。なお、現行制度上は、収益認識基準に従い、予想される売上割戻は売上割戻引当金を計上するのではなく、売上から控除する。

3　×　製品保証引当金は、法的債務性を有する引当金（条件付き債務）であり、債務保証損失引当金は、通常、法的債務性がないと解釈されることが多い引当金である。

4　○

5　×　本肢前半部分は概ね正しい。しかし、年金資産は運用収益の分だけ増加し、その運用収益の部分は、退職給付引当金を計算する際に退職給付債務から控除される。

会計学	資本会計	2022年度 専門 No.10

資本会計に関する次の記述のうち、妥当なのはどれか。

1　資本は、資本主の払込み、その払込資本の利用による利益の稼得だけでなく、その他有価証券評価差額金などの貨幣価値の著しい変動がある場合における資産の評価替えによっても増加するが、国や地方公共団体からの補助金の受入れ、需要者からの工事負担金の徴収、債権者からの債務免除によって増加することはない。

2　会社法では、企業が株式を発行して調達した資金は全て資本金として計上することを原則としているが、実際の払込金額の2分の1までは資本金に計上しないことができる。この場合において、資本金として計上しなかった部分については、資本準備金として計上しなければならないとされている。

3　利益準備金は、株主への配当による企業資産の社外流出が生じた場合に、資本金の2分の1に達するまで、社外流出額の10分の1の額を積み立てることが会社法により義務付けられている。これは、会社債権者の保護を目的としているため、欠損補填等のためであっても会社が任意に取り崩すことはできない。

4　その他利益剰余金のうち、任意積立金とは利益準備金以外の利益留保額であり、株主総会の決議を経ずに会社側の任意で設定することができる。一方で、任意積立金の設定をする際は、積立ての目的を明らかにしなければならない旨、会社法によって規定されている。

5　合併の会計処理方法として、持分プーリング法とパーチェス法がある。持分プーリング法によれば、受入資産は公正な時価で測定記帳され、吸収会社又は新設会社側の払込資本はその受入財産額の範囲内で増額され、消滅会社の合併前の資本構成は無視される。一方で、パーチェス法によれば、合併当事会社の資産は、原則として、元の価額のまま引き継がれ、資本構成も元のまま存続される。

解 説　　**正解　2**　　　　　　　　　　　　TAC生の正答率　**53%**

1　✕　国や地方公共団体からの補助金の受入れ、需要者からの工事負担金の徴収、債権者からの債務免除によっても資本は増加する。

2　○

3　✕　利益準備金は、株主への配当などの場合に、準備金が資本金の4分の1に達するまで、配当の10分の1の額を積み立てることが会社法により義務付けられている。また利益準備金などの準備金は債権者保護手続きなどを経れば、欠損補填などの目的で取り崩すことが認められている。

4　✕　その他利益剰余金のうち、任意積立金とは繰越利益剰余金以外の利益留保額である。利益準備金以外ではない。また、特定の目的のない積立金（別途積立金）の積立も認められている。

5　✕　持分プーリング法とパーチェス法の意義が概ね逆である。受入資産が公正な時価で評価され、消滅会社の合併前の資本構成が無視されるのはパーチェス法である。また、合併当事会社の資産が元の価額のまま引き継がれ、資本構成も元のまま存続されるのは持分プーリング法である。現行制度では、合併の会計処理は、基本的にはパーチェス法による。

負債会計に関するA〜Dの記述のうち、妥当なもののみを挙げているのはどれか。

A　引当金の設定要件としては、将来の特定の費用又は損失について、その金額の合理的な見積りが可能であることが挙げられる。一方で、その発生原因が当期又は当期より前の事象に起因している必要はなく、その発生の可能性が高いことは要求されない。

B　引当金を貸借対照表の見地から分類すると、評価性引当金と減価償却引当金の2種類に大別される。建設業や造船業などで計上される工事補償引当金は、評価性引当金の例であり、貸借対照表の負債の部に計上される項目である。

C　前受収益とは、一定の契約に従って継続して役務の提供を行う場合に、いまだ提供していない役務に対し支払を受けた対価をいい、当期の損益計算から除去し貸借対照表の負債の部に計上する。

D　社債を割引発行するなど、社債の額面金額と払込金額との間に差額が生じることになる場合には、その差額は償却原価法によって償還期に至るまで毎期一定の方法で貸借対照表価額に加算又は減算される。

1　A、B

2　A、C

3　B、C

4　B、D

5　C、D

解 説　　**正解　5**　　TAC生の正答率　49%

A　✕　引当金の設定要件は、将来の特定の費用又は損失であって、その発生が当期以前の事象に起因し、発生の可能性が高く、かつ、その金額を合理的に見積ることができるという4つである。

B　✕　引当金は評価性引当金と負債性引当金に大別される。工事保証引当金は負債性引当金の例である。評価性引当金は貸借対照表の資産の部に計上される。

C　〇

D　〇

会計学	負債・資本会計	2021年度 専門 No.10

会社の設立と純資産会計に関する次の記述のうち、妥当なのはどれか。

1 株式会社設立時の資本金は、設立に際して株主となる者が当該会社に対して払い込んだ金額の全額となる。ただし、払い込んだ額の3分の2の金額まで、資本金とせずに別段預金として計上することができる。

2 開業費は、会社の負担に帰すべき設立費用である。定款作成費・株券印刷費・事務所賃借料など会社設立事務に関する費用、発起人への報酬、設立登記の登録免許税などがこれに該当する。開業費は原則として支出時に営業外費用として処理するが、繰延資産に計上することもできる。この場合には会社の設立の時から3年以内のその効果の及ぶ期間にわたって、定額法により償却しなければならない。

3 利益準備金は、株式会社の資本を充実させるために、会社の資産を強い拘束力を伴って留保させる額であり、会社法によって積み立てることを強制されている。「その他利益剰余金」のみから配当を行う場合、配当額の10分の1を、資本準備金と利益準備金の合計額が資本金の4分の1に達するまで利益準備金として積み立てることとされている。

4 自己株式は「金庫株」とも呼ばれ、株主総会の決議に基づき、会社が発行した株式について、発行後にその会社自身が取得し保有している株式のことをいう。会社が自己株式を取得できるのは消却や新株予約権の行使者への交付など特定の目的の場合に限定され、保有する数量や期間に一定の制限が課せられている。

5 任意積立金は、会社の定款の規定又は株主総会や取締役会の決議によって任意に積み立てられた利益留保額である。このうち新築積立金や事業拡張積立金、減債積立金等の設定目的が特定された任意積立金を「別途積立金」という。

解説　**正解　3**　　　　　　　　　　　　TAC生の正答率　**35%**

1 × 株式会社設立時や増資時において、株主からの払込金額の2分の1の金額まで、資本金とせずに資本準備金として計上することができる。

2 × 開業費とは、会社成立後営業開始時までに支出した開業準備のための費用をいう。本肢の記述は概ね創立費に関するものである。また、開業費は、繰延資産として計上した場合には、5年以内の定額法により償却する。

3 ○

4 × 本肢前半部分の記述は概ね正しい。ただし、自己株式の取得は、一定の場合には取締役会決議で行うことができる。また、自己株式の取得は、消却や新株予約権の権利行使者への交付だけではなく、譲渡制限付株式の取得、合併消滅会社からの取得、単元未満株の買取りなど様々な場合に認められている。

5 × 別途積立金とは、設定目的が特定されていない任意積立金である。

会計学	企業財務分析	2021年度 専門 No.14

企業財務分析に関する次の記述のうち、妥当なのはどれか。

1 企業の短期的な債務支払能力を表す指標として、流動比率と当座比率があり、流動比率は、流動資産を流動負債で除した比率である。また、当座比率は、当座資産を流動負債で除した比率であり、一般に100%以上が望ましいとされている。

2 資本回転率は、資本を売上高で除した比率であり、その比率が低いほど、資本の利用状況が効率的となり望ましいとされている。また、売上高利益率に資本利益率を乗じると、資本回転率に一致する。

3 売上債権や棚卸資産などの資産の種類別に、各資産の回転状況を分析することができる。売上債権回転率が高い場合、売上債権の回収期間が短く、期日までに回収できない不良債権が発生しているおそれがあると判断される。また、棚卸資産回転率が高い場合、不良在庫が滞留しているおそれがあると判断される。

4 損益分岐点の分析において、実際の売上高が損益分岐点の売上高を大きく上回っていると、実際の売上高が損益分岐点の売上高に近いときと比べて、売上高のわずかな減少が増幅されて利益が激減する。こうした作用のことを財務レバレッジという。

5 ROE（自己資本利益率）は、自己資本を当期純利益で除した比率である。ROEはROA（総資産利益率）と異なり、資本構成の影響を受けず、株主資本の経営効率を判断することができるとされている。

解 説　　**正解　1**　　　TAC生の正答率 **14%**

1 ○

2 ✕　資本回転率は、売上高を資本で除した比率であり、その比率が高いほど資本の利用状況が効率的であることを意味する。売上高利益率（＝利益÷売上高）に資本利益率（＝利益÷資本）を乗じても資本回転率（＝売上高÷資本）とは一致しない。売上高利益率（＝利益÷売上高）に資本回転率（＝売上高÷資本）を乗じると、資本利益率（＝利益÷資本）に一致する。

3 ✕　売上債権回転率とは、売上高を売上債権で除したものであり、売上債権回転率が高い場合、売上債権の回収期間が短く、効率的に回収されることを意味しており、本肢のように、不良債権が発生している恐れがあることを意味しない。棚卸資産回転率（在庫回転率）とは、売上高を棚卸資産で除したものであり、棚卸資産回転率が高い場合、商品の仕入や販売が効率的であることを意味しており、本肢のように、不良在庫が滞留していることを意味しない。

4 ✕　財務レバレッジとは、総資本を自己資本で除したものであり、自己資本比率の逆数である。財務レバレッジが高ければ、借入金や社債といった他人資本の比率が高いことを意味している。

5 ✕　ROE（自己資本利益率）は、（当期純）利益を自己資本で除したものである。ROEは資本構成の影響を受け、株主資本の経営効率を判断することができるといわれる。

会計学	損益会計	2023年度 専門 No.13

収益認識に関する次の記述のうち、最も妥当なのはどれか。

1 委託販売とは、企業が自己の商品の販売を他企業（受託者）に依頼する取引をいう。委託販売による売上収益は、委託者から受託者への商品引渡時ではなく、受託者が商品を最終消費者に販売した時点で計上する。

2 割賦販売とは、比較的高価な商品の販売に関して、その代金を何回かに分割し、定期的に均等額ずつ受け取る販売方法をいう。回収上の危険率は低いが、事後費用が発生するため、その商品を引き渡した日をもって売上高を計上することはできない。

3 試用販売では、商品を得意先の希望によって発送した時点で売買が成立し、これを買取意思表示基準という。したがって、販売者が得意先に対して商品を発送した日をもって売上高を計上することができる。

4 予約販売では、受け取った予約金をその受領時に予約販売前受金として全額収益に計上する。その上で、商品の引渡し又は役務の提供が完了した部分については、貸借対照表の負債の部に記載し、次期以降に売上高に振り替える。

5 長期請負工事に適用される収益認識基準のうち、各期間の工事進捗度を見積もり、工事収益総額の一部をそれぞれの期間の収益として計上する基準を工事完成基準という。2021年4月1日以降開始する事業年度から、全ての企業に対し、この基準が強制適用となった。

解説　　**正解 1**　　　TAC生の正答率 **36%**

1 ○

2 × 割賦販売については、商品等を引き渡した日をもって売上収益の実現の日とする。

3 × 試用販売については、得意先が買取の意思を表示することによって売上が実現するのであるから、それまでは、当期の売上高に計上してはならない。試用販売では、販売者が得意先に対して商品を発送した日に売上を計上することはできない。

4 × 予約販売については、予約金受取額のうち、決算日までに商品の引渡又は役務の給付が完了した分だけを当期の売上高に計上し、残額は貸借対照表の負債の部に記載して次期以降に繰り延べなければならない。

5 × 各期間の工事進捗度を見積もり、工事収益総額の一部をそれぞれの期間の収益として計上する基準は、工事完成基準ではなく工事進行基準である。また、工事完成基準は強制適用とはなっていない。

会計学 損益計算書

　表は、ある企業の前期と当期における損益計算書の抜粋である。次のうち、変動費率及び固定費の組合せとして妥当なのはどれか。なお、変動費と固定費の分解については総費用法を用いることとし、費用の合計は「売上原価」と「販売費及び一般管理費」の合計として計算するものとする。

（単位：千円）

	前期	当期
売上高	25,000	30,500
売上原価	13,700	16,000
販売費及び一般管理費	10,900	11,900
営業利益	400	2,600

	変動費率	固定費（千円）
1	0.5	12,100
2	0.5	12,300
3	0.6	9,200
4	0.6	9,400
5	0.6	9,600

解 説　　正解　**5**

TAC生の正答率 21%

　総費用法とは、固定費と変動費の分解方法の一つであり2期間の売上と費用を比較し、売上の増加に比例して増加する費用を変動費とする方法である。総費用法においては以下の計算式で変動費、固定費を算定する。

①変動費率 ＝ $\dfrac{\text{費用の増加額}}{\text{売上の増加額}}$

②変動費 ＝ 売上高 × 変動費率

③固定費 ＝ 総費用 − 変動費

今回の問題の資料を算式に当てはめると以下のようになる。

①変動費率 ＝ $\dfrac{(16{,}000 + 11{,}900) - (13{,}700 + 10{,}900)}{30{,}500 - 25{,}000} = \dfrac{3{,}300}{5{,}500} = 0.6$

②変動費 ＝ 30,500 × 0.6 ＝ 18,300 〈当期の変動費〉

　　　　　　　　　または

　　　　＝ 25,000 × 0.6 ＝ 15,000 〈前期の変動費〉

③固定費 ＝ (16,000 + 11,900) − 18,300 ＝ 9,600 〈当期の固定費〉

　　　　　　　　　または

　　　　＝ (13,700 + 10,900) − 15,000 ＝ 9,600 〈前期の固定費〉

会計学　　財務諸表

次の文のア、イ、ウに当てはまるものの組合せとして妥当なのはどれか。なお、文中の空欄
　　　に入るそれぞれの語句は、設問の都合上、伏せてある。

収益及び費用といったフローの情報を提供するのが　　　であるのに対し、資産や負債などのストックの情報を提供するのが　ア　である。　ア　上、資産は流動資産、固定資産及び　　　の三つに分類される。流動資産と固定資産の分類に際しては、まず　イ　を適用し、当該基準で分類し得ない資産項目については　　　を適用する。流動資産は一般に、現金や預金などの当座資産、商品や原材料などの　ウ　、その他の流動資産に分類される。

	ア	イ	ウ
1	損益計算書	１年基準	棚卸資産
2	損益計算書	正常営業循環基準	繰延資産
3	貸借対照表	１年基準	棚卸資産
4	貸借対照表	１年基準	繰延資産
5	貸借対照表	正常営業循環基準	棚卸資産

解 説　　**正解　5**　　TAC生の正答率　**34%**

正しい文章は以下となる。

収益及び費用といったフローの情報を提供するのが（損益計算書）であるのに対し、資産や負債などのストックの情報を提供するのが（ア：貸借対照表）である。（ア：貸借対照表）上、資産は流動資産、固定資産及び（繰延資産）の三つに分類される。流動資産と固定資産の分類に際しては、まず（イ：正常営業循環基準）を適用し、当該基準で分類し得ない資産項目については（一年基準）を適用する。流動資産は一般に、現金や預金などの当座資産、商品や原材料などの（ウ：棚卸資産）、その他の流動資産に分類される。

財務諸表に関する次の記述のうち、妥当なのはどれか。

1 貸借対照表は、継続企業における一会計期間の経営成績を明らかにし、これに関する会計情報を株主、債権者その他の利害関係者に報告するための書類である。ここでいう経営成績とは、当該期間に生じた全ての費用及び収益から構成される当期の純利益を指すとされる。

2 キャッシュ・フロー計算書は、現金及び現金同等物をどのような源泉から獲得し、どのように利用したかを明らかにする計算書であり、営業活動によるキャッシュ・フローと投資活動によるキャッシュ・フローの二つの区分で表示される。キャッシュ・フローの表示方法のうち、「間接法」とは、主要な取引ごとに収入総額と支出総額を表示する方法である。

3 損益計算書の総額主義とは、損益計算書上に収益項目と費用項目の金額をそれぞれ記載し、両者の差額として利益を表示する方法をいい、純額主義とは、収益項目と費用項目の金額を直接に相殺して差額のみを表示する方法をいう。損益計算書は純額主義ではなく総額主義で作成しなければならない。

4 財務諸表の作成に当たって、固定資産の減価償却方法などに代表される重要な会計方針は、財務諸表本体に記載する必要があり、注記に記載することは許されない。一方、当期の決算日後に発生した事象で当期の財政状態に影響を及ぼすものは後発事象と呼ばれるが、重要な後発事象については注記に記載しなければならない。

5 勘定式の損益計算書は、まず初めに売上高を記載し、それに順次項目を加減しながら、上から下へ表示していく様式であり、報告式の損益計算書は、紙面を左右に二分し、複式簿記の原理に従い貸方に収益項目を、借方に費用項目を記載する様式である。一般に公表される損益計算書は、報告式ではなく勘定式で表示されることが多い。

解説　　**正解　3**　　TAC生の正答率 **47%**

1　✕　貸借対照表は、一定時点の財政状態を明らかにする財務諸表である。

2　✕　キャッシュ・フロー計算書が、現金及び現金同等物をどのような源泉から獲得し、どのように利用したかを明らかにする計算書であるという記述は概ね正しい。しかし、キャッシュ・フロー計算書は、営業活動によるキャッシュ・フロー、投資活動によるキャッシュ・フロー、財務活動によるキャッシュ・フローの3つの区分で表示される。また、キャッシュ・フローの表示方法のうち、「間接法」とは、税引前当期純利益に非資金損益項目、営業活動に係る資産及び負債の増減などを加減して表示する方法である。なお、本肢記述の「主要な取引ごとに収入総額と支出総額を表示する方法」は直接法である。

3　○

4　✕　重要な会計方針は、財務諸表本体に記載するのではなく注記に記載する。また、注記する重要な後発事象とは、貸借対照表日後に発生した事象で、次期以後の財政状態及び経営成績に影響を及ぼすものをいう。

5　✕　勘定式と報告式の意義が逆である。勘定式の損益計算書は、紙面を左右に二分し、複式簿記の原理に従い貸方に収益項目を、借方に費用項目を記載する様式であり、報告式の損益計算書は、まず初めに売上高を記載し、それに順次項目を加減しながら、上から下へ表示していく様式である。また、一般に公表される損益計算書は報告式であることが多い。

会計学 キャッシュ・フロー計算書

キャッシュ・フロー計算書に関するA～Dの記述のうち、妥当なもののみを全て挙げているのはどれか。

A　キャッシュ・フロー計算書が対象とする資金の範囲は、現金に限らず、取得日から満期日又は償還日までの期間が3か月以内の短期投資である定期預金等も含む。しかし、株式は、たとえ短期利殖目的で保有する市場性のある銘柄であっても資金の範囲に含まれない。

B　キャッシュ・フロー計算書は、基本財務諸表である貸借対照表と損益計算書を補完する書類として、金融商品取引法により、上場会社では作成が義務付けられている一方で、その公開は義務付けられていない。

C　キャッシュ・フロー計算書を分析する指標として経常収支比率があり、この指標により、企業の財務活動の状況を判断することができる。その判断基準として、当該比率が100％以下であることが望ましいとされている。

D　キャッシュ・フロー計算書は、キャッシュ・フローが営業、投資又は財務活動のいずれから生じるかによって分類されている。貸付金の回収による収入や有形固定資産の取得のための支出は財務活動によるキャッシュ・フローに該当し、社債の借入や借入金返済は投資活動によるキャッシュ・フローに該当する。

1　A

2　C

3　A、C

4　B、D

5　C、D

解説　正解　**1**　　　TAC生の正答率　**16**％

A　**○**

B　**✕**　金融商品取引法や財務諸表等規則の開示制度の適用を受ける会社は、キャッシュ・フロー計算書の作成・公開が要求されている。

C　**✕**　キャッシュ・フロー計算書の分析指標である経常収支比率とは、企業の総合的なキャッシュ・フローや資金繰りを示す指標であり、経常収入（売上収入や営業外収入などの収入額）を経常支出（売上原価、販売費及び一般管理費、営業外費用の支出額）で除した比率である。したがって、財務活動の状況のみを示すわけではない。また、経常収支比率は、100％を上回ることが望ましい。

D　**✕**　貸付金の回収による収入や有形固定資産の取得のための支出は投資活動によるキャッシュ・フローに該当し、社債の借入や借入金返済は財務活動によるキャッシュ・フローに該当する。

会計学　連結財務諸表

連結財務諸表に関するA～Eの記述のうち、妥当なもののみを全て挙げているのはどれか。

A　連結財務諸表を作成するに当たり、例えば、P社がS1社の議決権を80％、S2社の議決権を45％保有し、S1社がS2社の議決権を25％保有する場合、支配力基準に照らし、P社はS2社を連結の範囲に含めない。

B　連結財務諸表を作成するに当たり、親会社と子会社の決算日が異なる場合においては、その差異が3か月を超えない場合には、親会社は子会社の正規の決算に基づいて連結決算を行うことができる。

C　非支配株主が存在する子会社において、例えば、親会社の出資額が800万円、非支配株主の出資額が200万円の子会社が、1,500万円の債務超過となった場合、親会社の持分による負担は1,200万円、非支配株主の持分による負担は300万円となる。

D　資本金1,000万円の会社を1,500万円で買収した場合、資本連結によって500万円がのれんとして貸借対照表の借方に計上される。その後、原則としてのれんは20年以内のその効果の及ぶ期間で、定額法その他の合理的な方法により規則的に償却する。

E　経済的単一体説の立場では、連結財務諸表は、非支配株主のためではなく親会社の株主のために作成されると考える。そのため、非支配株主による出資持分については、株主資本以外の純資産又は負債として取り扱う。

1　A、B

2　A、C

3　B、D

4　C、E

5　D、E

解説　　**正解　3**　　TAC生の正答率　**50%**

A　✗　親会社（Ｐ社）と子会社（S1社）が合わせて過半数の株式を取得しているため、S2社もＰ社の子会社となり、連結の範囲に含められる。

B　○

C　✗　非支配株主がいる子会社に欠損が発生し、債務超過となった場合、非支配株主が負担する金額は、通常、非支配株主の出資額に限定されるため、非支配株主がマイナスになることはない。したがって非支配株主の出資額が200万円であれば、1,500万円の債務超過となった場合の非支配株主の持分による負担額は300万円ではなく200万円となる。

D　○

E　✗　経済的単一体説の立場では、連結財務諸表は非支配株主も含めた企業集団全体の株主の立場から作成されると考え、非支配株主持分は株主資本と考える。なお、連結財務諸表は親会社株主のために作成されると考え、非支配株主持分を負債と考えるのは親会社説である。

会計学 　連結財務諸表 　2020年度 専門 No.15

連結財務諸表に関するA～Dの記述のうち、妥当なもののみを全て挙げているのはどれか。

A　連結財務諸表を親会社の株主のみのために作成されるものと捉える経済的単一体概念に立つと、子会社の株主持分のうち親会社持分以外の持分は、連結貸借対照表には表示されないことになる。

B　連結財務諸表の対象となる企業集団の範囲の決定基準として、持分基準と支配力基準がある。持分基準とは、親会社が直接又は間接に議決権の過半数を所有する会社を子会社と定義し連結対象にする考え方であり、支配力基準とは、人事あるいは財務、営業上の重要な契約等を通じてその会社の経営を支配している会社を子会社と定義し連結対象にする考え方である。

C　のれんとは、取得企業が支払った対価と被取得企業の純資産の公正価値との差額で決まる残余価値をいう。現行制度会計上、のれんは企業結合の場合のように対価を支払って取得された買入のれんに限らず、企業が経営内部で形成する競争優位の諸要因である自己創設のれんも、資産計上される。

D　親会社は、取得した子会社の資産及び負債の評価について、支配獲得時の時価ではなく、子会社の個別財務諸表の簿価によって評価しなければならない。全面時価評価法とは、子会社の資産及び負債の全てを子会社の個別財務諸表の簿価により評価する方法である。

1　A

2　B

3　A、D

4　B、C

5　C、D

解説 **正解 2**

A　✕　連結財務諸表を親会社の株主のみのために作成されるものと捉えるのは、経済的単一体説ではなく親会社説である。また、子会社の株主持分のうち親会社持分以外の持分（非支配株主持分）は、どちらの立場であっても連結貸借対照表には表示されるが、経済的単一体説では株主資本の一種、親会社説では株主資本ではない（負債）と考えることになる。

B　〇

C　✕　のれんの意義に関する本記述前半部分の記述は概ね正しい。しかし、現行制度では、自己創設のれんの計上は認められていない。

D　✕　親会社は、取得した子会社の資産及び負債の評価について、子会社の個別財務諸表の簿価ではなく、支配獲得時の時価で評価する。全面時価評価法とは、子会社の資産及び負債の全てを支配獲得時の時価により評価する方法である。

国際化に伴う会計に関する次の記述のうち、最も妥当なのはどれか。

1　売買価額その他取引価額が外国通貨で表示されている外貨建取引は、各取引が発生した時点の為替相場による外貨をもって記録する必要がある。外貨表示の項目の換算方法には複数の種類があるが、実務上、全ての項目を単一レートで換算する方法は認められていない。

2　流動・非流動法とは、外貨表示の項目を流動項目と非流動項目に分類し、流動項目には決算時の為替相場を適用し、非流動項目には過去における取得時又は発生時の為替相場を適用して換算を行う方法である。

3　決算日レート法とは、外貨表示の各項目の金額が取得原価を表すか時価を表すかによって分類を行い、外貨による取得原価で評価されている項目には決算時の為替相場を適用し、時価で評価されている項目には過去における取得時又は発生時の為替相場を適用して換算を行う方法である。

4　外国為替相場は、外貨と自国通貨の交換・受渡しを行う時期により、外貨との交換が当日又は翌日中に行われる場合に適用される先物為替相場と、将来の時点で外貨と交換することを契約する取引に適用される直物為替相場の二つに大別される。

5　国際的な会計基準として、国際会計基準審議会（IASB）により設定された、国際財務報告基準（IFRS）がある。我が国は、上場企業に対してはIFRSの適用を義務付けているものの、非上場企業に対しては我が国の企業会計基準の適用しか認めていない。

解 説　　**正解　2**　　　　　　　　　　　　　　TAC生の正答率 **48**%

1　×　外貨建取引は、取引発生時には、原則として、当該取引発生時の為替相場による円換算額をもって記録する。しかし、外国通貨や外貨建金銭債権債務などは決算時に決算時の為替相場に換算替えする。また、例えば、在外子会社等の財務諸表項目の換算には、決算日レート法が適用されるが、決算日レート法は、原則としてすべての外貨建財務諸表項目を決算時の為替相場によって円換算する方法である。

2　○

3　×　決算日レート法とは、原則としてすべての外貨建財務諸表項目を決算時の為替相場によって円換算する方法である。

4　×　直物為替相場は、外貨との交換が現在行われる場合に適用される為替相場であり、先物為替相場は、外貨との交換が将来の時点で行われる場合に適用される為替相場である。

5　×　日本では、上場企業に対してIFRSの任意適用を認めているが、適用を義務付けてはいない。

会計学　税効果会計・損益会計

税効果会計や損益会計に関する次の記述のうち、妥当なのはどれか。

1　企業会計の収益・費用と法人税務の益金・損金には、永久差異と一時差異と呼ばれる差異が存在する。永久差異は税効果会計の対象となり、典型的な永久差異として、退職給付引当金の損金不算入額が挙げられる。

2　一時差異は、将来減算一時差異と将来加算一時差異とに分類される。将来減算一時差異は、一時差異の解消時に課税所得を減額する効果をもつ差異であり、基本的に税法の限度額を超える減価償却や貸倒引当金への繰入れなどを行った場合に生じる。

3　将来加算一時差異の発生時の期には、実際の法人税等支払額は、税引前当期純利益に税率を乗じた額よりも大きくなり、税金の繰延べ効果を有する。したがって、貸借対照表上は、これを繰延税金資産として計上しなければならない。

4　営業利益は、売上総利益から販売費及び一般管理費を控除して計算するものである。販売費及び一般管理費とは、例えば、交際費、広告宣伝費、支払利息等が挙げられる。経常利益は、営業利益に営業外収益と営業外費用を加減して計算するものである。営業外費用とは、例えば、販売手数料、社債利息、有価証券売却損等が挙げられる。

5　収益認識基準では履行義務を充足した時に又は充足するにつれて収益を認識するが、割賦販売及び委託販売のような特殊な販売形態においては、収益認識基準は適用されない。

1　✕　永久差異は税効果会計の対象とはならない。また、退職給付引当金の損金不算入額は、永久差異ではなく一時差異である。

2　○

3　✕　将来加算一時差異は、発生時の期には実際の法人税等支払額は、税引前当期純利益に税率を乗じた額よりも小さくなり、税金の見越し効果を有する。したがって、貸借対照表上は、これを繰延税金負債として計上しなければならない。なお、本肢の記述は、将来加算一時差異ではなく、将来減算一時差異に関するものである。

4　✕　営業利益とは、売上総利益から販売費及び一般管理費を控除して計算するものであるという本肢前半の部分の記述は正しい。しかし、交際費や広告宣伝費は、販売費及び一般管理費であるが、支払利息は、営業外費用である。また、経常利益は、営業利益に営業外収益と営業外費用を加減して計算するものであるという本肢の記述は正しい。しかし、社債利息や有価証券売却損は、営業外費用であるが、販売手数料は、販売費及び一般管理費である。

5　✕　本肢前半の収益認識基準に関する記述は正しい。収益認識基準は収益の計上に関する包括的な基準であり、顧客との契約から生じる収益（つまり売上）については、（他の基準の定めがあるなど）一部の例外を除いてこの基準に従って収益を計上する。したがって、割賦販売や委託販売もこの基準の適用を受けるため、本肢後半が誤った内容である。なお、結果として、割賦販売は販売時に収益を計上し、委託販売は受託者が販売した時に収益を計上することになる。

民法Ⅰ

民法Ⅱ

商法

会計学

憲法

行政法

ミクロ経済学

会計学	仕訳	2023年度 専門 No.16

次の取引に関するＡ社の仕訳として最も妥当なのはどれか。

1 Ａ社はＢ社に商品50,000円を売り上げ、代金のうち30,000円はＢ社振出しの小切手を受け取り、残額は月末に受け取ることとした。

(借) 当 座 預 金　　30,000　　(貸) 売　　　　　上　　50,000
　　 未　収　金　　20,000

2 Ａ社はＣ社から商品10,000円を仕入れ、代金は引取運賃900円と共に現金で支払い、引取運賃は付随費用（副費）として処理をした。

(借) 仕　　　　　入　　10,000　　(貸) 現　　　　　金　　10,900
　　 引 取 運 賃　　　 900

3 Ａ社はＤ社からの仕入代金20,000円の支払として、Ｅ社振出しＡ社宛の約束手形20,000円を裏書譲渡した。

(借) 仕　　　　　入　　20,000　　(貸) 支 払 手 形　　20,000

4 Ａ社は、決算において、当期の６月１日（決算日は３月31日、間接法で記帳）に購入した車両（取得原価3,000,000円）について、生産高比例法（残存価額なし、総走行可能距離50,000km）により減価償却を行った。この車両の当期の走行距離は5,000kmであった。

(借) 減 価 償 却 費　　250,000　　(貸) 減価償却累計額　　250,000

5 Ａ社は、会社の設立に当たり、株式400株を１株8,000円で発行し、全株式の払込みを受け、払込金額は当座預金とした。払込金額のうち、会社法で認められる最低額を資本金に組み入れた。

(借) 当 座 預 金　3,200,000　　(貸) 資　　本　　金　1,600,000
　　　　　　　　　　　　　　　　 資 本 準 備 金　1,600,000

1　×　正しい仕訳は次のとおりである。

（借）　当 座 預 金　30,000　　　（貸）　売　　　　　上　50,000
　　　　売　掛　金　20,000

2　×　正しい仕訳は次のとおりである。

（借）　仕　　　　　入　10,900　　　（貸）　現　　　　　金　10,900

3　×　正しい仕訳は次のとおりである。

（借）　仕　　　　　入　20,000　　　（貸）　受 取 手 形　20,000

4　×　正しい仕訳は次のとおりである。

（借）　減 価 償 却 費　300,000　　　（貸）　減価償却累計額　300,000

（注）計算過程は次のとおりである。生産高比例法は期中購入であっても月割計算する必要がない点に注意してもらいたい。

　　　3,000,000 × 5,000km ÷ 50,000km = 300,000

5　○　正しい仕訳である。

| 会計学 | 仕訳 | 2022年度 専門 No.16 |

次のA社の仕訳として妥当なのはどれか。

1 A社は、備品を100,000円分購入し、20,000円は現金で支払い、残りの80,000円は来月に支払うこととした。

（借）備　　　　　品　100,000　（貸）現　　　　　金　20,000
　　　　　　　　　　　　　　　　　　買　掛　金　80,000

2 A社は、現金の実際有高が帳簿残高より23,000円不足していたため、現金過不足勘定で処理をしていた。その後、原因を調べたところ、交際費15,000円の記帳漏れが判明した。しかし、残りの不足額については、決算日になっても不明である。

（借）現　金　過　不　足　23,000　（貸）交　　際　　費　15,000
　　　　　　　　　　　　　　　　　　雑　　　　　損　8,000

3 A社は、決算整理を行うに当たって、一般債権に分類される売掛金及び受取手形の期末残高に対して3％の割合で貸倒引当金を設定する。なお、貸倒引当金勘定の残高は50,000円、一般債権に分類される売掛金及び受取手形の期末残高の合計額は3,000,000円とし、差額補充法で仕訳を行うこととする。

（借）貸　倒　引　当　金　50,000　（貸）貸倒引当金戻入益　50,000
　　　貸倒引当金繰入額　90,000　　　　貸　倒　引　当　金　90,000

4 A社は、売買目的有価証券1,000,000円（帳簿価額）を1,500,000円で売却し、その代金は来月に受け取ることとした。

（借）未　収　収　益　1,500,000　（貸）売買目的有価証券　1,000,000
　　　　　　　　　　　　　　　　　　有価証券売却益　500,000

5 A社は、転換社債6,000,000円について、保有者から普通株式への転換請求を受けた。この転換社債は、転換価格500円の条件で、額面価額によって発行したものであり、一括法で会計処理している。なお、資本金として、3,000,000円を組み入れることとした。

（借）転　換　社　債　6,000,000　（貸）資　　本　　金　3,000,000
　　　　　　　　　　　　　　　　　　資　本　準　備　金　3,000,000

1　✕　正しい仕訳は次のとおりである。

（借）	備　　　　品	100,000	（貸）	現　　　　金	20,000
				未　払　金	80,000

2　✕　正しい仕訳は次のとおりである。

（借）	交　際　費	15,000	（貸）	現 金 過 不 足	23,000
	雑　　　　損	8,000			

3　✕　正しい仕訳は次のとおりである。

（借）	貸倒引当金繰入額	40,000	（貸）	貸 倒 引 当 金	40,000

4　✕　正しい仕訳は次のとおりである。

（借）	未 収 入 金	1,500,000	（貸）	売買目的有価証券	1,000,000
				有価証券売却益	500,000

5　〇　正しい仕訳である。

次の取引に関するA社の仕訳として妥当なのはどれか。

1　A社は、B社に商品¥15,000を売り上げ、B社振出の小切手を受け取った。

　　　　（借）当 座 預 金　　15,000　　（貸）売　　　　　　上　　15,000

2　A社は、総額¥10,000,000の社債を額面¥100につき¥98で発行し、全額の払込みを受け、これを当座預金に預け入れた。

　　　　（借）当 座 預 金　9,800,000　　（貸）社　　　　　債　10,000,000
　　　　　　　社 債 発 行 費　　200,000

3　A社は、建物について定期的な修繕のための工事を行い、代金¥1,000,000は月末に支払うこととした。なお、定期的な修繕のための修繕引当金が既に¥300,000設定されている。

　　　　（借）建　　　　　物　　700,000　　（貸）未　払　　金　1,000,000
　　　　　　　修 繕 引 当 金　　300,000

4　A社は、決算に当たり、当期の10月1日に購入した取得原価¥300,000の車両について、生産高比例法により減価償却を行った。残存価額は取得原価の10％、総走行可能距離は10,000km、当期の走行距離は800kmである。なお、決算日は3月31日、記帳方法は間接法である。

　　　　（借）減 価 償 却 費　　21,600　　（貸）車両運搬具減価償却累計額　　21,600

5　A社が保有しているB社振出の約束手形¥10,000が不渡りとなった。

　　　　（借）受 取 手 形　　10,000　　（貸）不 渡 手 形　　10,000

解説　　**正解　4**　　TAC生の正答率　**26%**

1　✕　正しい仕訳は次のとおりである。

　　（借）　現　　　　　金　15,000　　（貸）　売　　　　　上　　15,000

2　✕　正しい仕訳は次のとおりである。

　　（借）　当 座 預 金　9,800,000　　（貸）　社　　　　債　9,800,000

3　✕　正しい仕訳は次のとおりである。

　　（借）　修　　繕　　費　700,000　　（貸）　未　払　　金　1,000,000
　　　　　　修 繕 引 当 金　300,000

4　○　正しい仕訳である。生産高比例法は、減価償却費の月割計算をしない点に注意してもらいたい。

　　減価償却費：$300,000 \times 0.9 \times \dfrac{800\text{km}}{10,000\text{km}} = 21,600$

5　✕　正しい仕訳は次のとおりである。

　　（借）　不 渡 手 形　10,000　　（貸）　受 取 手 形　　10,000

次の取引に関するA社の仕訳として、妥当なのはどれか。

1 A社は、所有しているB社の社債の利払日になったため、利札¥3,000を切り取り、銀行で現金を受け取った。

　　　　　　（借）現　　　　　　金　　3,000　　（貸）有価証券評価益　　3,000

2 A社は、B社に商品¥2,000を売り上げ、約束手形を受け取った。

　　　　　　（借）支　払　手　形　　2,000　　（貸）売　　　　　　上　　2,000

3 A社は、売買目的でB社の株式200株を1株につき¥100で購入し、代金は手数料¥1,000とともに現金で支払った。

　　　　　　（借）売買目的有価証券　　20,000　　（貸）現　　　　　　金　　21,000
　　　　　　　　　売　買　手　数　料　　1,000

4 A社は、所有しているB社の配当として配当金領収証¥20,000を受け取った。

　　　　　　（借）売買目的有価証券　　20,000　　（貸）受　取　配　当　金　　20,000

5 A社は、B社から受け取っていた受取手形¥10,000を割り引き、割引料¥200を差し引いた残額を当座預金に預け入れた。

　　　　　　（借）当　座　預　金　　9,800　　（貸）受　取　手　形　　10,000
　　　　　　　　　手　形　売　却　損　　200

解　説　　**正解　5**　　　　　　　　　TAC生の正答率　**29%**

1　✕　正しい仕訳は次のとおりである。
　　（借）現　　　　　　金　　3,000　　　　（貸）有価証券利息　　3,000

2　✕　正しい仕訳は次のとおりである。
　　（借）受　取　手　形　　2,000　　　　（貸）売　　　　　　上　　2,000

3　✕　正しい仕訳は次のとおりである。
　　（借）売買目的有価証券　　21,000　　　（貸）現　　　　　　金　　21,000

4　✕　正しい仕訳は次のとおりである。
　　（借）現　　　　　　金　　20,000　　　（貸）受　取　配　当　金　　20,000

5　○

憲法 　人権の享有主体

人権の享有主体に関するア〜オの記述のうち、妥当なもののみを全て挙げているのはどれか。

ア　天皇や皇族も、日本国籍を有する日本国民であり、一般国民と同様の権利が保障されるため、選挙権及び被選挙権が認められている。

イ　法人にも、権利の性質上可能な限り人権規定が適用されるため、宗教法人には信教の自由が、学校法人には学問及び教育の自由が保障される。

ウ　外国人にも、権利の性質上可能な限り人権規定が適用されるため、永住資格を有する定住外国人には国政の選挙権及び被選挙権が認められている。

エ　我が国に在留する外国人には、入国の自由が保障されず、また、外国へ一時旅行する自由を保障されているものでもないから、再入国の自由も保障されないとするのが判例である。

オ　法人たる会社は、自然人たる国民と同様、国や政党の特定の政策を支持、推進し又は反対するなどの政治的行為をなす自由を有しており、その自由の一環として、公共の福祉に反しない限り、政党に対する政治資金の寄附の自由を有するとするのが判例である。

1　ア、ウ

2　イ、エ

3　エ、オ

4　ア、ウ、オ

5　イ、エ、オ

解説　**正解　5**　TAC生の選択率 **98%**　TAC生の正答率 **69%**

ア　✕　「一般国民と同様の権利が保障されるため、選挙権及び被選挙権が認められている」という部分が妥当でない。天皇や皇族も日本国籍を有する日本国民であるが、憲法第三章の人権享有主体としての「国民」に含まれるかは争いがある。もっとも、天皇や皇族が人権享有主体としての「国民」に含まれるとしても、選挙権及び被選挙権が認められないなど、一般国民とは異なる制約に服することは許容されると解されている。

イ　○　判例・通説により妥当である。法人の人権享有主体性につき、判例は、人権の性質を検討し、その権利の性質上可能な限り内国の法人にも人権規定が適用されるという性質説（通説）に立つ（最大判昭45.6.24、八幡製鉄政治献金事件）。また、性質説の立場からは、宗教法人には信教の自由（20条）が、学校法人には学問及び教育の自由（23条）が保障されると解されている。

ウ　✕　「永住資格を有する定住外国人には国政の選挙権及び被選挙権が認められている」という部分が妥当でない。外国人の人権享有主体性につき、判例は、人権の性質を検討し、その権利の性質上可能な限り外国人にも人権規定が適用されるという性質説に立つ（最大判昭53.10.4、マクリーン事件）。したがって、前段の記述は妥当である。しかし、性質説の立場からは、国政の選挙権及び被選挙権は、たとえ永住資格を有していたとしても外国人には保障されないと解されている（国政の選挙権について最判平5.2.26）。国政の最終的な決定権は日本国民にあるとする国民主権の原理に反するからである。

エ　○　判例により妥当である。判例は、性質説の立場から、我が国に在留する外国人には入国の自由が保障されないとする（最大判昭53.10.4、マクリーン事件）。国際慣習法上、外国人を受け入れるかどうかは、国家の自由裁量に属すると解されるからである。また、外国へ一時旅行する自由についても、外国人には保障されないとする（最判平4.11.16、森川キャサリーン事件）。したがって、判例の立場からは、外国への一時旅行を前提とする再入国の自由も保障されないことになる。

オ　○　判例により妥当である。会社の政治献金の可否が問題となった事案において、判例は、法人たる会社は、自然人たる国民と同様、国や政党の特定の政策を支持、推進し又は反対するなどの政治的行為をなす自由を有しており、その自由の一環として、公共の福祉に反しない限り、政党に対する政治資金の寄附の自由を有するとしている（最大判昭45.6.24、八幡製鉄政治献金事件）。

　以上より、妥当なものはイ、エ、オであり、正解は**5**である。

憲法　｜　幸福追求権

幸福追求権に関するア～エの記述のうち、妥当なもののみを全て挙げているのはどれか。

ア　憲法第13条の幸福追求権には、個別的な基本権の規定によって明文で保障されていない基本権の受け皿としての役割が想定されており、したがって、幸福追求権と個別的な基本権とは一般法と特別法の関係に立つと一般に解されている。

イ　犯罪捜査のために行われる警察官による写真撮影は、現に犯罪が行われ又は行われたのち間がないと認められる場合であって、証拠保全の必要性及び緊急性があり、かつ、その撮影が一般的に許容される限度をこえない相当な方法をもって行われるときは、その対象の中に、犯人の容ぼう等のほか、犯人の身近にいたためこれを除外できない状況にある第三者の容ぼう等を含むことになっても、憲法第13条に違反しないとするのが判例である。

ウ　公共の利害に関する事項についての表現行為の事前差止めを仮処分によって命ずる場合には、口頭弁論又は債務者の審尋を経ることを要し、裁判所がこれらの手続を経ずに事前差止めを命ずる仮処分命令を発することは、債権者の提出した資料によって、その表現内容が真実でないか又は専ら公益を図る目的のものでないことが明白であり、かつ、債権者が重大にして著しく回復困難な損害を被るおそれがあると認められるときであっても、憲法第21条の趣旨に反するとするのが判例である。

エ　前科及び犯罪経歴は人の名誉、信用に直接関わる事項であり、これをみだりに公開されないことは法律上の保護に値する利益であるが、市区町村長が弁護士法に基づく弁護士会の照会に応じ、犯罪人名簿に記載されている前科等について回答することは、当該市区町村長が弁護士会を裁判所に準じる官公署と考え、回答内容がみだりに公開されるおそれはないと判断して回答した場合には、違法な公権力の行使には当たらないとするのが判例である。

1　ア、イ

2　ア、ウ

3　ウ、エ

4　ア、イ、エ

5　イ、ウ、エ

ア　**○**　通説により妥当である。憲法13条の幸福追求権は、憲法に列挙されていない新しい人権の根拠となる一般的かつ包括的な権利であり、幸福追求権によって根拠づけられる個々の権利は、裁判上の救済を受けることができる具体的権利であると一般に解されている。ここでの「一般的」とは、幸福追求権と個別的な基本権（憲法14条以下の人権規定）が一般法と特別法の関係にあり、後者の保障が及ばない権利を保障する意味を持つ。

イ　**○**　判例により妥当である。判例は、撮影される本人の同意がなく、また裁判官の令状がない場合における警察官による個人の容ぼう等の写真撮影は、現に犯罪が行われもしくは行われたのち間がないと認められる場合であって、しかも証拠保全の必要性および緊急性があり、かつその撮影が一般的に許容される限度をこえない相当な方法をもって行われるときには、その対象の中に、犯人の容ぼう等のほか、犯人の身近にいたためこれを除外できない状況にある第三者の容ぼう等を含むことになっても、憲法13条等に違反しないとしている（最大判昭44.12.24、京都府学連デモ事件）。

ウ　**×**　「憲法第21条の趣旨に反するとするのが判例である」という部分が妥当でない。判例は、公共の利害に関する事項についての表現行為の事前差止めを仮処分によって命ずる場合には、口頭弁論又は債務者の審尋を行い、表現内容の真実性等の主張立証の機会を与えることを原則とすべきものとする。ただし、差止めの対象が公共の利害に関する事項についての表現行為である場合においても、口頭弁論を開き又は債務者の審尋を行うまでもなく、債権者の提出した資料によって、その表現内容が真実でなく、又はそれが専ら公益を図る目的のものでないことが明白であり、かつ、債権者が重大にして著しく回復困難な損害を被るおそれがあると認められるときは、口頭弁論又は債務者の審尋を経ないで差止めの仮処分命令を発したとしても、憲法21条の趣旨に反しないとしている（最大判昭61.6.11、北方ジャーナル事件）。

エ　**×**　「当該市区町村長が弁護士会を裁判所に準じる官公署と考え、回答内容がみだりに公開されるおそれはないと判断して回答した場合には、違法な公権力の行使には当たらないとするのが判例である」という部分が妥当でない。判例は、前科及び犯罪経歴（以下「前科等」という）は、人の名誉、信用に直接にかかわる事項であり、前科等のある者もこれをみだりに公開されないという法律上の保護に値する利益を有するとしたうえで、区長が弁護士会からの照会に対して、犯罪の種類、軽重を問わずに前科等のすべてを報告することは、公権力の違法な行使にあたるとしている（最判昭56.4.14、前科照会事件）。なお、弁護士会を裁判所に準じる官公署と考え、内容がみだりに公開されないと判断して回答した市区町村長の行為が、特段の事情がない限り、公権力の違法な行使には当たらないと述べたのは、同判例の反対意見においてである。

以上より、妥当なものはア、イであり、正解は**1**となる。

法の下の平等に関するア〜オの記述のうち、妥当なもののみを全て挙げているのはどれか。

ア　会社の就業規則中、女子の定年年齢を男子より低く定めた部分は、専ら女子であることのみを理由として差別したことに帰着するものであり、性別のみによる不合理な差別を定めたものとして、憲法第14条第1項の規定に違反し無効であるとするのが判例である。

イ　憲法第14条第1項にいう法の下の平等とは、各人の性別、能力、年齢、財産などの種々の事実的・実質的差異を前提として、法の与える特権の面でも法の課する義務の面でも、同一の事情と条件の下では均等に取り扱うことを意味すると一般に解されている。

ウ　国籍法の規定が、日本国民である父と日本国民でない母との間に出生した後に父から認知された子について、父母の婚姻により嫡出子たる身分を取得した場合に限り届出による日本国籍の取得を認めていることによって、認知されたにとどまる子と父母の婚姻により嫡出子たる身分を取得した子との間に日本国籍の取得に関する区別を生じさせていることは、当該区別を生じさせた立法目的自体に合理的な根拠が認められず、憲法第14条第1項に違反するとするのが判例である。

エ　社会保障給付の全般的公平を図るため公的年金相互間における併給調整を行うかどうかは、立法府の裁量の範囲に属する事柄であるものの、併給調整条項の適用により障害福祉年金（当時）受給者とそうでない者との間に児童扶養手当の受給に関して差別が生じることは、立法府の広範な裁量を考慮しても、合理的理由のない不当なものであり、憲法第14条第1項に違反するとするのが判例である。

オ　嫡出でない子の相続分を嫡出子の相続分の2分の1とする民法の規定が遅くとも平成13年7月当時において憲法第14条第1項に違反していたとする最高裁判所の判断は、その当時から同判断時までの間に開始された他の相続につき、当該民法の規定を前提としてされた遺産の分割の審判その他の裁判、遺産の分割の協議その他の合意等により確定的なものとなった法律関係に影響を及ぼすものではないとするのが判例である。

1　ア、ウ

2　ア、エ

3　イ、ウ

4　イ、オ

5　エ、オ

解 説　　**正解　4**　　TAC生の選択率　**98%**　　TAC生の正答率　**40%**

ア　✕　「憲法第14条第1項の規定に違反し無効であるとするのが判例である」という部分が妥当でない。判例は、男性の定年年齢を60歳、女性の定年年齢を55歳と定める就業規則は、女性であることのみを理由として差別するものであり、性別による不合理な差別を定めたものとして民法90条の規定により無効であるとしている（最判昭56.3.24、日産自動車事件）。

イ　〇　通説により妥当である。憲法14条1項の「法の下に平等」とは、各人の性別、能力、年齢など種々の事実的・実質的差異を前提として、同一の事情と条件の下では均等に取り扱うこと（相対的平等）を意味し、社会通念上合理的な区別は許されると解するのが通説である。

ウ　✕　「当該区別を生じさせた立法目的自体に合理的な根拠が認められず」という部分が妥当でない。判例は、旧国籍法3条1項の規定の合憲性が争われた事件において、当該規定の立法目的は、国籍法の基本的な原則である血統主義を基調としつつ、日本国民との法律上の親子関係の存在に加え我が国との密接な結び付きの指標となる一定の要件を設けて、これらを満たす場合に限り出生後における日本国籍の取得を認めることとしたものと解され、この立法目的には合理的な根拠があるとする。しかし、立法目的との間における合理的関連性は、内外における社会的環境の変化等によって失われており、今日において、当該規定が、認知されたにとどまる子と父母の婚姻により嫡出子たる身分を取得した子との間に日本国籍の取得に関する区別を生じさせていることは、憲法14条1項に反するとしている（最大判平20.6.4、国籍法事件）。

エ　✕　「立法府の広範な裁量を考慮しても、合理的理由のない不当なものであり、憲法第14条第1項に違反するとするのが判例である」という部分が妥当でない。判例は、障害福祉年金を受けることができる地位にある者とそのような地位にない者との間に児童扶養手当の受給に関して差別を生ずることになるとしても、当該差別がなんら合理的理由のない不当なものであるとはいえないとした原審の判断は、正当として是認することができるとして、憲法14条1項に反しないとしている（最大判昭57.7.7、堀木訴訟）。

オ　〇　判例により妥当である。判例は、本決定の違憲判断（嫡出でない子の相続分を嫡出子の相続分の2分の1とする民法の規定が遅くとも平成13年7月当時において憲法14条1項に違反していたとする最高裁判所の判断）が、先例としての事実上の拘束性という形で既に行われた遺産の分割等の効力にも影響し、いわば解決済みの事案にも効果が及ぶとすることは、著しく法的安定性を害すると述べる。そのうえで、本決定の違憲判断は、相続の開始時から本決定までの間に開始された他の相続につき、当該民法の規定を前提としてされた遺産の分割の審判その他の裁判、遺産の分割の協議その他の合意等により確定的なものとなった法律関係に影響を及ぼすものではないとしている（最大決平25.9.4、非嫡出子相続分差別事件）。

以上より、妥当なものはイ、オであり、正解は**4**となる。

憲法　　思想・良心の自由

思想及び良心の自由に関するア～オの記述のうち、妥当なもののみを全て挙げているのはどれか。

ア　思想及び良心の自由の保障は、いかなる内面的精神活動であっても、それが内心の領域にとどまる限りは絶対的に自由であることをも意味している。

イ　思想及び良心の自由は、思想についての沈黙の自由を含むものであり、国民がいかなる思想を抱いているかについて、国家権力が露顕を強制することは許されない。

ウ　謝罪広告を強制執行することは、それが単に事態の真相を告白し陳謝の意を表するにとどまる程度のものであっても、当人の人格を無視し著しくその名誉を毀損し意思決定の自由ないし良心の自由を不当に制限することになるため、憲法第19条に違反するとするのが判例である。

エ　公立中学校の校長が作成する内申書に、生徒が学生運動へ参加した旨やビラ配布などの活動をした旨を記載することは、当該生徒の思想、信条を推知せしめるものであり、当該生徒の思想、信条自体を高校の入学者選抜の資料に供したものと解されるため、憲法第19条に違反するとするのが判例である。

オ　卒業式における国歌斉唱の際の起立斉唱行為を命ずる公立高校の校長の職務命令は、思想及び良心の自由についての間接的な制約となる面はあるものの、職務命令の目的及び内容並びに制約の態様等を総合的に較量すれば、当該制約を許容し得る程度の必要性及び合理性が認められ、憲法第19条に違反しないとするのが判例である。

1　イ、ウ

2　エ、オ

3　ア、イ、エ

4　ア、イ、オ

5　ウ、エ、オ

解 説　　**正解 4**　　TAC生の選択率 **98%**　　TAC生の正答率 **97%**

ア　○　通説により妥当である。国家権力が人の内心に立ち入るべきではないという近代民主主義国家の基本的理念から、思想及び良心の自由については、それが内心の領域にとどまる限りは絶対的保障であると解されている。

イ　○　通説により妥当である。国家権力による人の内心への介入を防止するという観点から、個人の内面の思想及び良心の自由には、本記述のような人の内心の表白を強制されないという沈黙の自由が含まれると解されている。

ウ　✕　全体が妥当でない。判例は、単に事態の真相を告白し陳謝の意を表明するにとどまる程度の謝罪広告について、これを強制執行したとしても、当人の名誉を毀損し意思決定の自由や良心の自由を不当に侵害するものではなく、憲法19条に違反しないとした（最大判昭31.7.4、謝罪広告事件）。

エ　✕　全体が妥当でない。判例は、内申書の記載は生徒の思想、信条自体を了知し得るものではなく、思想、信条自体を高校入学者選抜の資料に供したものと解することもできないとして、憲法19条に違反しないとしている（最判昭63.7.15、麹町中学内申書事件）。

オ　○　判例により妥当である。判例は、本記述と同様の起立斉唱を命ずる校長の職務命令は、思想及び良心の自由について間接的な制約となる面があることは認めた上で、職務命令の目的及び内容並びに制約の態様等を総合的に較量すれば、制約を許容し得るだけの必要性及び合理性が認められるため、憲法19条に違反しないとした（最判平23.5.30）。

以上より、妥当なものはア、イ、オであり、正解は**4**となる。

表現の自由に関するア～オの記述のうち、妥当なもののみを全て挙げているのはどれか。

ア　憲法第21条第2項にいう「検閲」とは、行政権又は司法権が主体となって、思想内容等の表現物を対象とし、その全部又は一部の流通の禁止を目的として、対象とされる一定の表現物につき網羅的一般的に、流通前にその内容を審査した上、不適当と認めるものの流通を禁止することを、その特質として備えるものを指すとするのが判例である。

イ　表現の自由は、単に表現の送り手の自由だけでなく、表現の受け手の自由をも含むものであり、この表現の受け手の自由が知る権利として捉えられている。知る権利は、国家に対して積極的に情報の公開を要求する請求権的性格を有しており、情報公開法（行政機関の保有する情報の公開に関する法律）においても、知る権利として明文で規定されている。

ウ　公立図書館の職員である公務員が、閲覧に供されている図書の廃棄について、基本的な職務上の義務に反し、著作者又は著作物に対する独断的な評価や個人的な好みによって不公正な取扱いをした場合、かかる取扱いは、当該著作者に認められた著作物によってその思想、意見等を公的な場で公衆に伝達する権利を不当に制限するものであり、憲法第21条第1項に違反するとするのが判例である。

エ　有害図書の自動販売機への収納の禁止は、青少年に対する関係において、憲法第21条第1項に違反しないことはもとより、成人に対する関係においても、有害図書の流通を幾分制約することにはなるものの、青少年の健全な育成を阻害する有害環境を浄化するための規制に伴う必要やむを得ない制約であるから、憲法第21条第1項に違反するものではないとするのが判例である。

オ　人格権としての名誉権に基づく出版物の頒布等の事前差止めは、その対象が公務員又は公職選挙の候補者に対する評価、批判等の表現行為に関するものである場合には原則として許されないが、その表現内容が真実でなく、又はそれが専ら公益を図る目的のものでないことが明白であって、かつ、被害者が重大にして著しく回復困難な損害を被るおそれがあるときは、例外的に事前差止めが許されるとするのが判例である。

1　ア、ウ

2　ア、エ

3　イ、ウ

4　イ、オ

5　エ、オ

ア　✕　「又は司法権」、「流通の禁止を目的」、「流通前に」、「流通を禁止すること」という部分が妥当でない。判例は、21条2項の「検閲」の意義について、行政権が主体となって、思想内容等の表現物を対象とし、その全部又は一部の発表の禁止を目的として、対象とされる一定の表現物につき網羅的一般的に、発表前にその内容を審査した上、不適当と認めるものの発表を禁止することを、その特質として備えるものであるとしている（最大判昭59.12.12、札幌税関検査事件）。したがって、判例の定義では、主体に司法権を含まず、流通の禁止を目的とするわけではない。

イ　✕　「情報公開法（行政機関の保有する情報の公開に関する法律）においても、知る権利として明文で規定されている」という部分が妥当でない。表現の自由は、送り手の自由だけでなく受け手の自由も含み、この受け手の自由が知る権利である。そして、知る権利は、情報の受領を国家に妨げられないとする自由権的性格とともに、国家に情報公開を要求する請求権的性格も併有すると解されている。もっとも、情報公開法では、知る権利については明文規定を設けていない。

ウ　✕　「当該著作者に認められた著作物によってその思想、意見等を公的な場で公衆に伝達する権利を不当に制限するものであり、憲法第21条第1項に違反するとするのが判例である」という部分が妥当でない。判例は、公立図書館が、住民に図書館資料を提供するための公的な場であるということは、そこで閲覧に供された図書の著作者にとって、その思想、意見等を公衆に伝達する公的な場でもあるとする。そのうえで、公立図書館において著作物が閲覧に供されている著作者が有する利益は、法的保護に値する人格的利益であるから、公立図書館の図書館職員である公務員が、図書の廃棄について、基本的な職務上の義務に反し、著作者又は著作物に対する独断的な評価や個人的な好みによって不公正な取扱いをしたときは、当該図書の著作者の人格的利益を侵害するものとして国家賠償法上違法となるというべきであるとしている（最判平17.7.14、船橋市西図書館事件）。したがって、同判例は憲法21条1項違反を認めたものではない。

エ　○　判例により妥当である。判例は、有害図書が一般に思慮分別の未熟な青少年の性に関する価値観に悪い影響を及ぼし、性的な逸脱行為や残虐な行為を容認する風潮の助長につながるものであって、青少年の健全な育成に有害であることは、既に社会共通の認識になっているとする。そのうえで、有害図書の自動販売機への収納の禁止は、青少年に対する関係において、憲法21条1項に違反しないことはもとより、成人に対する関係においても、有害図書の流通を幾分制約することにはなるものの、青少年の健全な育成を阻害する有害環境を浄化するための規制に伴う必要やむをえない制約であるから、憲法21条1項に違反するものではないとしている（最判平1.9.19、岐阜県青少年保護条例事件）。

オ　○　判例により妥当である。判例は、出版物の頒布等の事前差止めの対象が公職選挙の候補者に対する評価等の表現行為に関するものである場合には、その表現が私人の名誉権に優先する社会的価値を含み憲法上特に保護されるべきであることにかんがみると、当該表現行為に対する事前差止めは、原則として許されないが、その表現内容が真実でなく、又はそれが専ら公益を図る目的のものでないことが明白であって、かつ、被害者が重大にして著しく回復困難な損害を被る虞（おそれ）があるときは、例外的に事前差止めが許されるとしている（最大判昭61.6.11、北方ジャーナル事件）。

以上より、妥当なものはエ、オであり、正解は**5**となる。

財産権に関するア〜エの記述のうち、判例に照らし、妥当なもののみを挙げているのはどれか。

ア　財産権に対して加えられる規制が憲法第29条第2項にいう公共の福祉に適合するものとして是認されるべきものであるかどうかは、規制の目的、必要性、内容、その規制によって制限される財産権の種類、性質及び制限の程度等を比較考量して決すべきものである。

イ　森林法が定める持分価格2分の1以下の森林共有者に対し共有物分割請求権を認めない旨の規定は、当該規定の立法目的が、森林の細分化を防止することによって森林経営の安定を図り、ひいては森林の保続培養と森林の生産力の増進を図るとするいわゆる消極目的の規制であることからすると、公共の福祉に合致しないことが明らかであり、憲法第29条第2項に違反する。

ウ　憲法第29条第1項は、「財産権は、これを侵してはならない。」と規定しており、法律で一旦定められた財産権の内容を事後の法律で変更することは、国民の財産権への期待を裏切ることとなり、公共の福祉に適合するようにされたものであっても許されない。

エ　自作農創設特別措置法による農地改革は、耕作者の地位を安定させ、その労働の成果を公正に享受させるため自作農を急速かつ広汎に創設し、また、土地の農業上の利用を増進し、もって農業生産力の発展と農村における民主的傾向の促進を図るという公共の福祉のための必要に基づいたものであるから、同法により買収された農地、宅地、建物等が買収申請人である特定の者に売り渡されるとしても、当該買収の公共性は否定されない。

1　ア、イ

2　ア、エ

3　イ、ウ

4　イ、エ

5　ウ、エ

解説　　**正解　2**　　TAC生の選択率　**98%**　　TAC生の正答率　**73%**

ア　**○**　判例により妥当である。判例は、財産権に対して加えられる規制が憲法29条2項にいう公共の福祉に適合するものとして是認されるべきものであるかどうかは、規制の目的、必要性、内容、その規制によって制限される財産権の種類、性質及び制限の程度等を比較考量して決すべきとする。そのうえで、規制目的が公共の福祉に合致しないことが明らかであるか、又は規制手段が目的を達成するための手段として必要性若しくは合理性に欠けていることが明らかであって、立法府の裁量の範囲を超える場合に憲法29条2項に反するとしている（最大判昭62.4.22、森林法事件）。

イ　**✕**　「いわゆる消極目的の規制であることからすると、公共の福祉に合致しないことが明らかであり」という部分が妥当でない。判例は、森林法186条（当時）の立法目的は、森林の細分化を防止することによって森林経営の安定を図り、ひいては森林の保続培養と森林の生産力の増進を図り、もって国民経済の発展に資することにあると解すべきであり、この目的が公共の福祉に合致しないことが明らかであるとはいえないとしており、消極目的の規制であると明言してはいない。そのうえで、森林法186条が共有森林につき持分価額2分の1以下の共有者に分割請求権を否定しているのは、森林法186条の立法目的との関係において、合理性と必要性のいずれをも肯定することのできないことが明らかであって、この点に関する立法府の判断は、その合理的裁量の範囲を超えるものであるといわなければならないから、森林法186条は、憲法29条2項に違反し、無効というべきであるとしている（最大判昭62.4.22、森林法事件）。

ウ　**✕**　「国民の財産権への期待を裏切ることとなり、公共の福祉に適合するようにされたものであっても許されない」という部分が妥当でない。判例は、農地改革による買収農地である国有農地のうち買収目的の消滅した農地を旧所有者に売り払う場合において、旧所有者に売却する価格を買収の対価相当額から時価の7割に相当する額に変更することが争われた事案で、法律で一旦定められた財産権の内容を事後の法律で変更しても、それが公共の福祉に適合するようにされたものである限り、これをもって違憲の立法ということができないとしている（最大判昭53.7.12）。

エ　**○**　判例により妥当である。判例は、自創法による農地改革は、耕作者の地位を安定し、その労働の成果を公正に享受させるため自作農を急速且つ広汎に創設し、又、土地の農業上の利用を増進し、以て農業生産力の発展と農村における民主的傾向の促進を図るという公共の福祉の為の必要に基いたものであるから、自創法により買収された農地、宅地、建物等が買収申請人である特定の者に売渡されるとしても、それは農地改革を目的とする公共の福祉の為の必要に基いて制定された自創法の運用による当然の結果に外ならないのであるから、この事象のみを捉えて本件買収の公共性を否定することはできないとしている（最判昭29.1.22）。

以上より、妥当なものはア、エであり、正解は**2**となる。

憲法　　社会権

社会権に関するア〜オの記述のうち、判例に照らし、妥当なもののみを全て挙げているのはどれか。

ア　憲法第25条第1項は、全ての国民が健康で文化的な最低限度の生活を営み得るように国政を運営すべきことを国の責務として宣言したにとどまるため、この規定の趣旨に応えてどのような立法措置を講ずるかの選択決定は立法府の広い裁量に委ねられているから、立法府の判断が著しく合理性を欠き明らかに裁量の逸脱・濫用となる場合であっても、司法審査は及ばない。

イ　憲法第26条第1項は全ての国民に教育を受ける権利を保障しているところ、その教育内容について、国は必要かつ相当と認められる範囲においてのみ決定する権能を有するにすぎないため、国が定める学習指導要領は法規としての性質を有しない。

ウ　憲法第28条の労働基本権の保障の狙いは、憲法第25条に定める生存権の保障を基本理念とし、経済上劣位に立つ勤労者に対して実質的な自由と平等とを確保するための手段として、その団結権、団体交渉権、争議権等を保障しようとするものである。また、労働基本権は、単に私企業の労働者だけについて保障されるのではなく、国家公務員や地方公務員も、憲法第28条にいう勤労者にほかならない以上、原則的にその保障を受ける。

エ　労働組合が組合員に対して有する統制権は、当該組合の目的を達成するために必要であり、かつ合理的な範囲内である場合に限って認められるところ、労働組合が実施した政治的活動に参加して不利益処分を受けた組合員を救済する費用として徴収する臨時組合費については、労働組合の統制権の合理的な範囲を超えた強制に当たり、組合員はこれを納付する義務を負わない。

オ　争議権の保障は、市民法上の権利・自由との衝突を必然的に伴うものであるが、その目的は使用者と労働者との間に実質的な対等を実現することにあるから、労働組合が使用者側の自由意思を抑圧し、財産に対する支配を阻止するような手段を用いて争議行為を行った場合であっても、労働者が不当な目的で争議行為を行ったなどの特段の事情のない限り、正当な争議行為として認められる。

1　ウ

2　ア、イ

3　ウ、エ

4　ア、イ、オ

5　ウ、エ、オ

解説　　正解　1　　TAC生の選択率　98%　　TAC生の正答率　47%

ア　✕　「立法府の判断が著しく合理性を欠き明らかに裁量の逸脱・濫用となる場合であっても、司法審査は及ばない」という部分が妥当でない。判例は、憲法25条1項の規定は、すべての国民が健康で文化的な最低限度の生活を営み得るように国政を運営すべきことを国の責務として宣言したにとどまるものとする（最大判昭42.5.24、朝日訴訟）。そして、憲法25条の規定の趣旨にこたえて具

体的にどのような立法措置を講ずるかの選択決定は、立法府の広い裁量にゆだねられており、それが著しく合理性を欠き明らかに裁量の逸脱・濫用と見ざるをえないような場合を除き、裁判所が審査判断するのに適しない事柄であるとしている（最大判昭57.7.7、堀木訴訟）。したがって、立法府の判断が著しく合理性を欠き明らかに裁量の逸脱・濫用となる場合には、司法審査は及ぶことになる。

イ　×　「国が定める学習指導要領は法規としての性質を有しない」という部分が妥当でない。憲法26条1項は、全ての国民に教育を受ける権利を保障しているところ、その教育内容の決定を含む教育権の所在については条文上明らかでない。この点につき、判例は、親や教師にも一定の教育権があることを認めながらも、それ以外の領域においては、国は必要かつ相当と認められる範囲において、教育内容についてもこれを決定する権能を有するとしている（最大判昭51.5.21、旭川学力テスト事件）。そして、判例は、国が定める学習指導要領は、法規としての性質を有するとしている（最判平2.1.18、伝習館高校事件）。

ウ　○　判例により妥当である。判例は、憲法28条の労働基本権の保障の狙いは、憲法25条に定める生存権の保障を基本理念とし、経済上劣位に立つ勤労者に対して実質的な自由と平等とを確保するための手段として、その団結権、団体交渉権、争議権等を保障しようとするものであるとしたうえで、労働基本権は、単に私企業の労働者だけについて保障されるのではなく、公共企業体の職員はもとよりのこと、国家公務員や地方公務員も、憲法28条にいう勤労者にほかならない以上、原則的には、その保障を受けるべきものと解されるとしている（最大判昭52.5.4、全逓名古屋中郵事件）。

エ　×　「労働組合の統制権の合理的な範囲を超えた強制に当たり、組合員はこれを納付する義務を負わない」という部分が妥当でない。判例は、憲法28条による労働者の団結権保障の効果として、労働組合は、その目的を達成するために必要であり、かつ、合理的な範囲内において、その組合員に対する統制権を有するものと解すべきとする（最大判昭43.12.4、三井美唄労組事件）。そして、労働組合が実施した政治的活動に参加して不利益処分を受けた組合員を救済する費用の負担（本記述の臨時組合費の納付）について、労働組合の目的とする組合員の経済的地位の向上は、当該組合かぎりの活動のみによってではなく、広く他組合との連帯行動によって実現することが予定されており、その支援活動は当然に労働組合の目的と関連性をもつとしたうえで、支援活動をするかどうかは、専ら当該組合が自主的に判断すべき政策問題であって、多数決によりそれが決定された場合には、これに対する組合員の協力義務を否定すべき理由はないとしている（最判昭50.11.28、国労広島地本事件）。したがって、組合員は、本記述の臨時組合費については納付義務を負うことになる。

オ　×　「労働組合が使用者側の自由意思を抑圧し、財産に対する支配を阻止するような手段を用いて争議行為を行った場合であっても、労働者が不当な目的で争議行為を行ったなどの特段の事情のない限り、正当な争議行為として認められる」という部分が妥当でない。判例は、一般的基本的人権と労働者の権利との調和を破らないことが、争議権の正当性の限界であり、その調和点を何処に求めるべきかは、法律制度の精神を全般的に考察して決すべきであるとしたうえで、争議行為において使用者側の自由意思を抑圧し、財産に対する支配を阻止することは許されるべきではなく、正当な争議行為として認められないとしている（最大判昭25.11.15、山田鋼業所事件）。

以上より、妥当なものはウのみであり、正解は**1**となる。

憲法	国務請求権・参政権	2023年度 専門 No.18

国務請求権・参政権に関するア～エの記述のうち、判例に照らし、妥当なもののみを挙げているのはどれか。

ア　憲法第3章に定める国民の権利及び義務の各条項は、性質上可能な限り、内国の法人にも適用されるものであるから、会社は、公共の福祉に反しない限り、政治的行為の自由の一環として、政党に対する政治資金の寄附の自由を有する。

イ　憲法は投票の秘密を保障しているから、村議会議員の選挙における議員の当選の効力を定めるに当たり、誰が誰に投票したかを証拠調べによって明らかにすることはもちろん、詐偽投票等の犯罪捜査に当たり、誰が誰に投票したかを同様に明らかにすることも許されない。

ウ　憲法第32条は、訴訟の当事者が訴訟の目的たる権利関係につき裁判所の判断を求める法律上の利益を有することを前提として、かかる訴訟につき本案の裁判を受ける権利を保障したものであって、当該利益の有無にかかわらず、常に本案につき裁判を受ける権利を保障したものではない。

エ　地方公共団体が日本国民である職員に限って管理職に昇任することができることとする措置をとることは、当該地方公共団体が、公権力の行使に当たる行為を行うことなどを職務とする地方公務員の職とこれに昇任するのに必要な職務経験を積むために経るべき職とを包含する一体的な管理職の任用制度を構築している場合であっても、憲法第14条第1項に違反し許されない。

1　ア、イ

2　ア、ウ

3　ア、エ

4　イ、ウ

5　イ、エ

ア　**○**　判例により妥当である。判例は、憲法第三章に定める国民の権利および義務の各条項は、性質上可能なかぎり、内国の法人にも適用されるものと解すべきであるから、会社は、自然人たる国民と同様、国や政党の特定の政策を支持、推進し、または反対するなどの政治的行為をする自由を有し、政治資金の寄付もまさにその自由の一環であり、会社によってそれがなされた場合、政治の動向に影響を与えることがあったとしても、これを自然人たる国民による寄付と別異に扱うべき憲法上の要請があるわけではないとしている（最大判昭45.6.24、八幡製鉄事件）。

イ　**✕**　「誰が誰に投票したかを同様に明らかにすることも許されない」という部分が妥当でない。判例は、旧衆議院議員選挙法にある、何人といえども選挙人の投票した被選挙人の氏名を陳述する義務がないとする規定、及び官吏又は吏員が選挙人に対してその投票した被選挙人の氏名の表示を求めることを罰則をもって禁止する規定（以下、「当該規定」という）は、選挙権の有無にかかわらず選挙人の全てについて適用されるが、法律の他の規定から当該規定が排除される趣旨が明らかな場合はこの限りではないとする。そして、旧衆議院議員選挙法は、詐偽投票を犯罪として処罰しているところ、その犯罪捜査には投票者及び被選挙人を明らかにする必要があることから、当該規定が排除されることは明らかであるとしている（最判昭23.6.1）。なお、同判例は、議員の当選の効力を定める手続については、当該規定を排除する趣旨の規定がないことから、選挙権のない者が何人に対して投票したかを証拠調べによって明らかにすることは法律の許さないところであるとしている。

ウ　**○**　判例により妥当である。判例は、憲法32条は、訴訟の当事者の目的たる権利関係につき裁判所の判断を求める法律上の利益を有することを前提として、かかる訴訟につき本案の裁判を受ける権利を保障したものであって、法律上の利益の有無にかかわらず常に本案につき裁判を受ける権利を保障したものではないとしている（最大判昭35.12.7）。

エ　**✕**　「憲法第14条第1項に違反し許されない」という部分が妥当でない。判例は、普通地方公共団体が、公権力行使等地方公務員の職とこれに昇任するのに必要な職務経験を積むために経るべき職とを包含する一体的な管理職の任用制度を構築した上で、日本国民である職員に限って管理職に昇任することができることとする措置を執ることは、合理的な理由に基づいて日本国民である職員と在留外国人である職員とを区別するものであり、憲法14条1項に違反するものではないとしている（最大判平17.1.26、東京都管理職選考受験訴訟）。

　以上より、妥当なものはア、ウであり、正解は**2**となる。

国会に関する次の記述のうち、妥当なのはどれか。

1 衆議院は、参議院が衆議院の可決した法律案を受け取った後、国会休会中の期間を除いて60日以内に議決せず、その後さらに両院協議会を開いても意見が一致しない場合に限り、参議院がその法律案を否決したものとみなすことができる。

2 両議院の議員は、法律の定める場合を除き、国会の会期中は逮捕されないが、会期前に逮捕された場合には、その議院からの要求があっても、会期中に釈放されることはない。

3 条約の締結に必要な国会の承認について、参議院で衆議院と異なる議決をした場合、両院協議会を開いても意見が一致しないときは、衆議院で出席議員の3分の2以上の多数で再び可決すれば、衆議院の議決が国会の議決となる。

4 憲法上、国会議員は、議院で行った演説、討論又は表決について、院外で責任を問われることはないとされていることから、政党が党員たる議員の発言や表決について除名等の責任を問うことは許されないと一般に解されている。

5 衆議院が解散された場合、参議院は同時に閉会となるが、内閣は、国に緊急の必要があるときは、参議院の緊急集会を求めることができる。ただし、緊急集会において採られた措置は、臨時のものであって、次の国会開会後10日以内に衆議院の同意がない場合には、その効力を失う。

1　✕　「その後さらに両院協議会を開いても意見が一致しない場合に限り」という部分が妥当でない。参議院が、衆議院の可決した法律案を受け取った後、国会休会中の期間を除いて60日以内に、議決しないときは、衆議院は、参議院がその法律案を否決したものとみなすことができる（59条4項）。したがって、両院協議会を開くことが、参議院が否決したものとみなすための要件とはされていない。

2　✕　「その議院からの要求があっても、会期中に釈放されることはない」という部分が妥当でない。両議院の議員は、法律の定める場合を除いては、国会の会期中逮捕されず、会期前に逮捕された議員は、その議院の要求があれば、会期中これを釈放しなければならない（50条、不逮捕特権）。

3　✕　「衆議院で出席議員の3分の2以上の多数で再び可決すれば、衆議院の議決が国会の議決となる」という部分が妥当でない。条約の締結に必要な国会の承認については、予算に関する憲法60条2項が準用される。したがって、①参議院で衆議院と異なった議決をした場合に、法律の定めるところにより、両院協議会を開いても意見が一致しないとき、又は、②参議院が、衆議院が承認した条約を受け取った後、国会休会中の期間を除いて30日以内に議決しないときは、衆議院の議決を国会の議決とする（61条、60条2項）。法律案とは異なり、衆議院で出席議員の3分の2以上の多数で再び可決する再可決制度（59条2項参照）のような規定はない。

4　✕　「政党が党員たる議員の発言や表決について除名等の責任を問うことは許されないと一般に解されている」という部分が妥当でない。憲法51条は、両議院の議員は、議院で行った演説、討論又は表決について、院外で責任を問われないと規定しており（免責特権）、ここでの「責任」とは、民事責任、刑事責任などの法的責任を意味すると一般的に解されていることから、政党が党員たる議員の発言や表決について除名等の政治的責任を問うことは許される。

5　○　条文により妥当である。衆議院が解散された場合、参議院は同時に閉会となるが（54条2項本文）、内閣は、国に緊急の必要があるときは、参議院の緊急集会を求めることができる（54条2項但書）。ただし、緊急集会において採られた措置は、臨時のものであって（54条3項前段）、次の国会開会後10日以内に衆議院の同意がない場合には、その効力を失う（54条3項後段）。

内閣に関する次の記述のうち、妥当なのはどれか。

1 憲法上、議院内閣制を採用している旨の明文の規定はないものの、内閣の連帯責任の原則（第66条第3項）、内閣不信任決議権（第69条）及び内閣総理大臣による行政各部の指揮監督権（第72条）の規定はいずれも、憲法が議院内閣制を採用している根拠であると一般に解されている。

2 内閣総理大臣が衆議院議員である場合、衆議院が解散したとき、又は衆議院議員の任期が満了したときは、内閣総理大臣がその地位を失うため、内閣は直ちに総辞職をしなければならない。ただし、衆議院議員総選挙後に初めて国会が召集されるまでは、行政の継続性を確保する観点から、内閣は総辞職をしてもなお引き続きその職務を行うこととされている。

3 内閣の構成員である国務大臣は、内閣総理大臣が任命し、天皇が認証する。国務大臣は、両議院のいずれかに議席を有するか否かにかかわらず、いつでも議案について発言するために議院に出席することができるが、ここでいう「議院」は衆議院又は参議院の本会議を指し、委員会は含まれないとされている。

4 国務大臣は、その在任中に、内閣総理大臣の同意がなければ訴追されない。ただし、訴追の権利は害されないとされていることから、訴追に内閣総理大臣の同意がない場合には公訴時効の進行は停止し、国務大臣を退職するとともに訴追が可能となると一般に解されている。

5 閣議は、内閣総理大臣が主宰するとされているが、その定足数や表決数等の議事に関する原則については憲法や法律で規定されておらず、従来からの慣例によって運営されている。また、閣議は、高度に政治的な判断を行う場であるため、その議事は非公開とされており、議事録についても公表されることはない。

正解 **4** TAC生の選択率 **98%** TAC生の正答率 **38%**

1 ×　「及び内閣総理大臣による行政各部の指揮監督権（第72条）」という部分が妥当でない。憲法が議院内閣制を採用している旨の明文の規定はないが、以下の規定により採用していることは明らかであるとされている。具体的には、内閣の連帯責任の原則（66条3項）、内閣不信任決議権（69条）、内閣総理大臣を国会が指名すること（67条）、内閣総理大臣および国務大臣の過半数は国会議員であること（67条1項、68条1項但書）が挙げられている。

2 ×　「内閣総理大臣がその地位を失うため、内閣は直ちに総辞職をしなければならない」、「衆議院議員総選挙後に初めて国会が召集されるまでは、行政の継続性を確保する観点から、内閣は総辞職をしてもなお引き続きその職務を行うこととされている」という部分が妥当でない。内閣総理大臣は、国会議員の中から国会の議決で指名されるので（67条1項）、国会議員であることは在職要件であると解されている。したがって、死亡、辞職、除名（58条2項但書）等により国会議員の資格を失ったときは、同時に内閣総理大臣としての地位も失うので、「内閣総理大臣が欠けたとき」に該当し、内閣は総辞職をしなければならない（70条）。もう一つ、内閣が総辞職をしなければならない事由として、「衆議院議員総選挙の後に初めて国会の召集があつたとき」がある（70条）ところ、衆議院議員総選挙とは、衆議院の解散又は任期満了による総選挙のことを指す。したがって、衆議院の解散または任期満了により内閣総理大臣が国会議員の地位を失うとしても、内閣は、直ちに総辞職をする必要はなく、衆議院議員総選挙の後に初めて国会の召集があった時点で総辞職をすることになる。そして、総辞職をした内閣は、新たに内閣総理大臣が任命されるまで、引き続きその職務を行うこととされている（71条）。

3 ×　「ここでいう『議院』は衆議院又は参議院の本会議を指し、委員会は含まれないとされている」という部分が妥当でない。内閣総理大臣その他の国務大臣は、両議院の一に議席を有すると有しないとにかかわらず、何時でも議案について発言するため議院に出席することができる。又、答弁又は説明のため出席を求められたときは、出席しなければならない（63条）。出席できる議院には、本会議のみではなく、委員会も含まれる。国会法もそれを前提として規定を置いている（国会法70条、71条）。

4 ○　条文・通説により妥当である。国務大臣は、その在任中、内閣総理大臣の同意がなければ、訴追されない。但し、これがため、訴追の権利は、害されない（75条）。「害されない」とは、公訴時効が停止すると解されている。したがって、国務大臣を退職すると訴追が可能となる。

5 ×　「議事録についても公表されることはない」という部分が妥当でない。内閣の職権は、閣議により行われる（内閣法4条1項）。閣議は、内閣総理大臣がこれを主宰する（同法4条2項前段）。もっとも、その定足数や表決数等の議事に関する原則については憲法や法律で規定されておらず、従来からの慣例によって運営されている。また、閣議の議事は非公開とされているが、2014年から閣議の議事録の作成及び公表が行われている。なお、議事録の作成及び公表についても憲法や法律で規定されておらず、閣議決定に基づいて行われている。

内閣に関するア〜オの記述のうち、妥当なもののみを全て挙げているのはどれか。

ア　内閣総理大臣及びその他の国務大臣は、合議体としての内閣の構成員である。また、行政事務を分担管理しない無任所の大臣が存在することは想定されていない。

イ　内閣は、衆議院が内閣不信任の決議案を可決した場合、10日以内に衆議院が解散されない限り、総辞職をしなければならないが、衆議院が内閣信任の決議案を否決した場合については、この限りでない。

ウ　内閣が実質的な衆議院の解散決定権を有しているわけではないため、衆議院の解散は、憲法第7条のみならず憲法第69条にも基づく場合でなければ行うことができないと一般に解されており、実際に憲法第69条に基づかない衆議院の解散は行われていない。

エ　明治憲法においては、内閣総理大臣は、同輩中の首席であって、他の国務大臣と対等の地位にあるにすぎず、国務大臣を罷免する権限は有していなかった。

オ　内閣は行政全般に直接の指揮監督権を有しているため、内閣の指揮監督から独立している機関が行政作用を担当することは、その機関に国会のコントロールが直接に及ぶとしても、憲法第65条に違反すると一般に解されている。

1　エ

2　ア、オ

3　イ、エ

4　イ、オ

5　ア、ウ、エ

解 説 **正解 1** TAC生の選択率 **98**% TAC生の正答率 **67**%

ア ✕ 「行政事務を分担管理しない無任所の大臣が存在することは想定されていない」という部分
が妥当でない。すべての国務大臣が必ず行政事務を分担管理しなければならないというわけではな
く、行政事務を分担管理しない、いわゆる無任所大臣が存在することは想定されている（内閣法3
条2項）。

イ ✕ 「衆議院が内閣信任の決議案を否決した場合については、この限りでない」という部分が妥
当でない。憲法69条は、内閣は、衆議院で不信任の決議案を可決し、又は信任の決議案を否決した
ときは、10日以内に衆議院が解散されない限り、総辞職をしなければならないと規定している。し
たがって、衆議院が内閣信任の決議案を否決しても、総辞職をしなければならない場合がある。

ウ ✕ 全体が妥当でない。衆議院の解散に関する現在の慣行は、憲法7条3号で定める衆議院の解
散という天皇の国事行為に対する内閣の助言と承認を根拠として、内閣に実質的解散権があるとす
るものである。この慣行によれば、憲法69条に基づく場合に限定されずに衆議院を解散することが
でき、実際に憲法69条に基づかない衆議院の解散が行われている。

エ 〇 条文により妥当である。明治憲法下では、内閣及び内閣総理大臣について特段に規定される
ことがなく、天皇を輔弼する関係においては、内閣総理大臣も同輩中の首席として、他の国務大臣
と同格であった（明治憲法55条1項参照）。よって、他の国務大臣と対等の地位にあるにすぎない
内閣総理大臣は、国務大臣を罷免する権限を有していなかった。

オ ✕ 「憲法第65条に違反すると一般に解されている」という部分が妥当でない。内閣から独立し
て行政作用を行う機関（独立行政委員会）は、国会によるコントロールが直接に及ぶのであれば、
憲法65条に反しないと解されている。

以上より、妥当なものはエのみであるから、正解は**1**である。

財政に関するア～エの記述のうち、妥当なもののみを全て挙げているのはどれか。

ア　予見し難い予算の不足に充てるため、国会の議決に基づいて予備費を設け、内閣の責任でこれを支出することができる。予備費の支出については、内閣は、事前又は事後に国会の承諾を得なければならない。

イ　形式的には租税ではないとしても、国民から強制的に徴収する金銭は、実質的に租税と同視し得るものであるから、道路占有料などの負担金や電気・ガス料金などの公益事業の料金は、いずれも憲法第84条にいう「租税」に当たり、これらについては具体的金額も含め、法律で定められている。

ウ　内閣は、国会に対し、定期に、少なくとも毎年一回、国の財政状況について報告しなければならないが、国民に対する報告を義務付ける明文の規定は存在しない。

エ　内閣は、毎会計年度の予算を作成し、国会に提出して、その審議を受け議決を経なければならないとされ、国会は、議決に際し、内閣の予算提出権を損なわない範囲内で、予算の減額修正だけでなく、増額修正を行うことができる。

1　ウ

2　エ

3　ア、イ

4　ア、ウ

5　イ、エ

解 説　　**正解　2**　　

ア　✕　「事前又は」という部分が妥当でない。予見し難い予算の不足に充てるため、国会の議決に基づいて予備費を設け、内閣の責任でこれを支出することができる（87条1項）。また、すべて予備費の支出については、内閣は、事後に国会の承諾を経なければならない（87条2項）。予備費の支出についての国会の承諾は事後のものが要求されているのみである。

イ　✕　「いずれも憲法第84条にいう『租税』に当たり、これらについては具体的金額も含め、法律で定められている」という部分が妥当でない。判例は、国民健康保険料が憲法84条の租税に当たるか争われた事案において、憲法84条の規定する租税とは、その形式のいかんにかかわらず、国又は地方公共団体が、課税権に基づき、その経費に充てるための資金を調達する目的をもって、特別の給付に対する反対給付としてではなく、一定の要件に該当するすべての者に対して課する金銭給付をいうとして、市町村が行う国民健康保険の保険料は租税にはあたらず、憲法84条が直接に適用されることはないとする（最大判平18.3.1、旭川市国民健康保険条例事件）。同判例に照らすと、負担金や公益事業の料金は憲法84条にいう「租税」には当たらない。なお、同判例は、憲法84条に規定する租税ではないという理由だけから、そのすべてが当然に憲法84条に現れた法原則のうち外にあると判断することは憲法84条の趣旨に照らし相当ではなく、国民健康保険の保険料にも憲法84条の趣旨が及ぶとしている。また、電気・ガス料金については、その具体的金額が法律で定められているわけША、政府が価格改定を認可する方式が採用されている。

ウ　✕　「国民に対する報告を義務付ける明文の規定は存在しない」という部分が妥当でない。内閣は、国会及び国民に対し、定期に、少なくとも毎年一回、国の財政状況について報告しなければならない（91条）。したがって、国民に対しても報告をすることが義務付けられている。

エ　◯　条文・通説により妥当である。内閣は、毎会計年度の予算を作成し、国会に提出して、その審議を受け議決を経なければならない（86条）。国会による予算の修正については、財政民主主義の観点から、減額修正・増額修正はともに可能であると解されている。そして、国会は予算を否決できることから減額修正については限界がないと解されているが、増額修正については、憲法が内閣に予算の作成、提出を専属させている趣旨から、内閣の予算提出権を損なわない範囲（予算の同一性を損なわない範囲）という限界があると解されている。

以上より、妥当なものはエのみであり、正解は**2**となる。

行政法　行政行為

　行政行為と裁量に関するア〜エの記述のうち、判例に照らし、妥当なもののみを全て挙げているのはどれか。

ア　市立高等専門学校の校長が学生に対し原級留置処分を行うかどうかの判断は、校長の合理的な裁量に委ねられるべきものであるが、当該学校においては、内規の定めにより原級留置処分が2回連続してされると退学処分につながるものであるなどの事情を考慮すると、その学生に与える不利益の大きさに照らして、原級留置処分の決定に当たっても、退学処分の決定と同様に、慎重な配慮が要求される。

イ　土地収用法における補償金の額は、「相当な価格」などの不確定概念をもって定められており、通常人の経験則及び社会通念に従って客観的に認定され得るものとは解されないから、収用委員会には、補償の範囲及びその額の決定について裁量権が認められる。

ウ　高等学校用の教科用図書の検定の審査、判断は、申請図書について様々な観点から多角的に行われるもので、学術的、教育的な専門技術的判断であるから、事柄の性質上、文部大臣（当時）の合理的裁量に委ねられる。したがって、合否の判定、条件付合格の条件の付与等についての教科用図書検定調査審議会の判断の過程に看過し難い過誤があり、文部大臣の判断がこれに依拠してされたと認められる場合には、文部大臣の判断は裁量権の範囲を逸脱したといえる。

エ　県知事が行った児童遊園設置認可処分が、個室付浴場の営業の規制を主たる動機・目的としてなされたものであることが明らかである場合、当該認可処分は、政治的・道義的に非難されるべきものではあるが、行政権の濫用に相当する違法性があるとまではいえない。

1　ア

2　イ

3　ア、ウ

4　イ、エ

5　ウ、エ

ア　**○**　判例により妥当である。判例は、公立高等専門学校（以下、「当該高専」という）の校長が学生に対し原級留置処分又は退学処分を行うかどうかの判断は、校長の合理的な教育的裁量にゆだねられるべきものとする。もっとも、当該高専においては、原級留置処分が2回連続してされることにより退学処分にもつながるものであるから、その学生に与える不利益の大きさに照らして、原級留置処分の決定に当たっても、退学処分と同様に慎重な配慮が要求されるものというべきであり、このような原級留置処分の性質にかんがみれば、原級留置処分に至るまでに何らかの代替措置を採ることの是非、その方法、態様等について十分に考慮するべきであったとしている（最判平8.3.8、エホバの証人剣道実技拒否事件）。

イ　**✕**　「通常人の経験則及び社会通念に従って客観的に認定され得るものとは解されないから、収用委員会には、補償の範囲及びその額の決定について裁量権が認められる」という部分が妥当でない。判例は、土地収用法による補償金の額は、「相当な価格」（土地収用法71条参照）等の不確定概念をもって定められているものではあるが、通常人の経験則及び社会通念に従って、客観的に認定され得るものであり、かつ、認定すべきものであって、補償の範囲及びその額の決定につき収用委員会に裁量権が認められるものと解することはできないとしている（最判平9.1.28）。

ウ　**○**　判例により妥当である。判例は、教科書検定の審査判断は、申請図書について、内容が学問的に正確であるか、中立・公正であるか、教科書の目標等を達成するうえで適切であるか、児童、生徒の心身の発達段階に適応しているか、などの様々な観点から多角的に行われるもので、学術的、教育的な専門技術的判断であるから、事柄の性質上、文部大臣（当時）の合理的な裁量に委ねられるものというべきであるとする。そのうえで、教科用図書検定調査審議会の判断過程に看過し難い過誤があり、これに依拠して文部大臣が判断している場合には、文部大臣の判断は、裁量権の範囲を逸脱したものとして国家賠償法上違法となるとしている（最判平5.3.16、第一次家永教科書訴訟）。

エ　**✕**　「政治的・道義的に非難されるべきものではあるが、行政権の濫用に相当する違法性があるとまではいえない」という部分が妥当でない。判例は、児童遊園は、児童の健康増進を図る目的で設置されるべきものなので、個室付浴場業の開業を阻止することを主たる目的としてなされた知事の児童遊園設置認可処分は、たとえ児童遊園が設置基準に適合しているものであっても、行政権の濫用に相当する違法性があるとしている（最判昭53.6.16、余目町個室付浴場事件）。

以上より、妥当なものはア、ウであり、正解は**3**となる。

行政法　　行政手続法

　行政手続法上の申請に対する処分に関するア〜オの記述のうち、妥当なもののみを全て挙げているのはどれか。

ア　行政庁は、申請がその事務所に到達してから当該申請に対する処分をするまでに通常要すべき標準的な期間を定めなければならない。

イ　行政庁は、行政上特別の支障があるときを除き、法令により申請の提出先とされている機関の事務所における備付けその他の適当な方法により審査基準を公にしておかなければならない。

ウ　行政庁は、申請により求められた許認可等を拒否する処分をする場合は、原則として、申請者に対し、同時に、当該処分の理由を示さなければならない。

エ　行政庁は、申請書に必要な書類が添付されていないなど、法令に定められた形式上の要件に適合しない申請については、申請者に対し、当該申請の受理を拒否しなければならない。

オ　行政庁は、申請に対する処分であって、申請者以外の者の利害を考慮すべきことが当該法令において許認可等の要件とされているものを行う場合には、公聴会の開催その他の適当な方法により当該申請者以外の者の意見を聴く機会を設けなければならない。

1　ア、イ

2　ア、エ

3　イ、ウ

4　ウ、オ

5　エ、オ

解説　　**正解　3**　　TAC生の選択率　**98%**　　TAC生の正答率　**65%**

ア　✕　「通常要すべき標準的な期間を定めなければならない」という部分が妥当でない。行政庁は、申請がその事務所に到達してから当該申請に対する処分をするまでに通常要すべき標準的な期間を定めるよう努めなければならない（6条）。標準処理期間を定めることは努力義務として規定されている。なお、標準処理期間を定めた場合には、これを公にしておかなければならない（同条）。

イ　〇　条文により妥当である。行政庁は、行政上特別の支障があるときを除き、法令により申請の提出先とされている機関の事務所における備付けその他の適当な方法により審査基準を公にしておかなければならない（5条3項）。本記述は、5条3項が規定するとおりである。同条1項、2項が許認可等の性質に照らしてできる限り具体的な審査基準を定めるものとすると規定していることと合わせて、行政機関の恣意的、独断的判断を防ぎ、また国民が行政機関の意思決定について予測をしたうえで申請することが可能となるようにしている。

ウ　〇　条文により妥当である。行政庁は、申請により求められた許認可等を拒否する処分をする場合は、申請者に対し、同時に、当該処分の理由を示さなければならない（8条1項本文）。本記述は8条1項本文が規定するとおりである。行政庁の判断の慎重、合理性を担保し恣意を防ぐとともに、拒否理由を明らかにすることにより拒否処分の相手方が不服申立てにより拒否処分を争う場合に便宜を与える趣旨である。なお、本記述で「原則として」とあるのは、「法令に定められた許認可等の要件又は公にされた審査基準が数量的指標その他の客観的指標により明確に定められている場合であって、当該申請がこれらに適合しないことが申請書の記載又は添付書類その他の申請の内容から明らかであるときは、申請者の求めがあったときにこれを示せば足りる」（同条項ただし書）という例外が存在するためである。

エ　✕　「当該申請の受理を拒否しなければならない」という部分が妥当でない。法令に定められた形式上の要件に適合しない申請に対して、行政庁は、申請者に対し相当の期間を定めて当該申請の補正を求め、または当該申請により求められた許認可等を拒否しなければならない（7条）ため、「申請の受理を拒否」することはできない。なお、行政庁は大量の案件を扱うことから、事務処理上の都合を考慮して補正を求めることは義務付けられていない。

オ　✕　「意見を聴く機会を設けなければならない」という部分が妥当でない。申請に対する処分について、申請者以外の者の利害を考慮すべきことが当該法令において許認可等の要件とされているものを行う場合は、公聴会の開催その他の適当な方法により当該申請者以外の意見を聴く機会を設けるよう努めなければならない（10条）。公聴会の開催等は努力義務として規定されている。

以上より、妥当なものはイ、ウであり、正解は**3**となる。

行政立法に関するア～オの記述のうち、判例に照らし、妥当なもののみを全て挙げているのはどれか。

ア　14歳未満の者と被勾留者との接見を原則として許さないこととする旧監獄法施行規則の規定は、当該規定が事物を弁別する能力の未発達な幼年者の心情を害することがないようにという配慮の下に設けられたものであるとしても、法の委任の範囲を超え、無効である。

イ　教科書検定の審査の内容及び基準並びに検定の手続について、学校教育法には具体的な規定がなく、省令や告示でこれを定めていることは、教育基本法や学校教育法の関係条文から教科書の満たすべき要件が明らかであっても、法律の委任を欠き、違法である。

ウ　銃砲刀剣類登録規則が、文化財的価値のある刀剣類の鑑定基準として、美術品として文化財的価値を有する日本刀に限る旨を定め、この基準に合致するもののみを文化財的価値を有するものとして登録の対象にすべきものとしていることは、これをもって法の委任の趣旨を逸脱する無効のものということはできない。

エ　酒税法が、酒類の製造業者又は販売業者に帳簿の記載義務を課し、その違反に対して罰則を定め、具体的な帳簿記載事項については同法施行規則に委任している場合、帳簿の記載事項が罰則の構成要件を規定することになるため、同規則で税務署長に記載事項の規律を再委任することは、同法の委任の趣旨に反し、許されない。

オ　農地法が、国が強制買収により取得した農地につき売払いの対象となるべき土地を定める基準を同法施行令に委任している場合に、売払いの対象となる場合を同令所定の場合に限ることとし、それ以外の明らかに同法が売払いの対象として予定しているものを除外することになったとしても、法の委任の趣旨を逸脱する無効のものとはいえない。

1　ア、イ

2　ア、ウ

3　イ、エ

4　ウ、オ

5　エ、オ

ア　**○**　判例により妥当である。判例は、旧監獄法において未決勾留者に対して認められうる制限は「逃亡又は罪証隠滅の防止」、「監獄内の規律及び秩序維持」などの目的を有するものに限られるため、「幼年者の心情保護」という目的によって接見を制限する旧監獄法施行規則の規定は、旧監獄法の委任の範囲を超え無効であるとしている（最判平3.7.9）。

イ　**✕**　「法律の委任を欠き、違法である」という部分が妥当でない。判例は、教育基本法、学校教育法の関係条文によれば、教科書は、内容が正確かつ中立・公正であり、当該学校の目的、教育目標、教科内容に適合し、内容の程度が児童、生徒の心身の発達段階に応じたもので、児童、生徒の使用の便宜に適うものでなければならないことはおのずと明らかであるとする。そして、旧検定規則、旧検定基準は、その関係法律から明らかな教科書の要件を審査の内容及び基準として具体化したものにすぎず、文部大臣（当時）が、学校教育法88条（当時）の規定（「この法律に規定するもののほか、この法律施行のため必要な事項で、地方公共団体の機関が処理しなければならないものについては政令で、その他のものについては監督庁が、これを定める」、現在は学校教育法142条に同趣旨の規定がある）に基づいて、審査の内容及び基準並びに検定の施行細則である検定の手続を定めたことが、法律の委任を欠くとまではいえないとしている（最判平5.3.16、第一次教科書訴訟）。

ウ　**○**　判例により妥当である。判例は、銃砲刀剣類所持等取締法上の登録の対象となる刀剣類の鑑定基準の定立を規則（銃砲刀剣類登録規則）に委任している事例につき、いかなる鑑定の基準を定めるかについては、法の委任の趣旨を逸脱しない範囲内において、所管行政庁に専門的技術的な観点からの一定の裁量権が認められているとした上で、規則が登録の対象となる文化的価値のある刀剣類の鑑定基準として、美術品として文化財的価値を有する日本刀に限る旨を定めていることは、法の委任の趣旨を逸脱するものではないとしている（最判平2.2.1、サーベル事件）。

エ　**✕**　「同法の委任の趣旨に反し、許されない」という部分が妥当でない。判例は、酒税法施行規則は、帳簿に記載すべき事項を具体的且つ詳細に規定しており、これらの規定に洩れた事項で、各地方の実状に即し記載事項とするを必要とするものを税務署長の指定に委せたものであって、酒税法施行規則においてこのような規定を置いたとしても、酒税法条の委任の趣旨に反しないものであり、違憲であるということはできないとしている（最大判昭33.7.9）。

オ　**✕**　「法の委任の趣旨を逸脱する無効のものとはいえない」という部分が妥当でない。判例は、農地法施行令28条（当時）が、自作農創設特別措置法3条（当時）による買収農地につき、農地法80条（当時）の認定をすることのできる場合を、農地法施行令16条4号（当時）所定の場合に限ることとし、当該買収農地自体、社会的、経済的にみて、すでにその農地としての現況を将来にわたって維持すべき意義を失い、近く農地以外のものとすることを相当とするもののような、明らかに農地法が売払いの対象として予定しているものにつき、同法80条の認定をすることができないとしたことは、法の委任を越えるもので、無効というべきであるとしている（最大判昭46.1.20）。

以上より、妥当なものはア、ウであり、正解は**2**となる。

行政指導に関するア～エの記述のうち、妥当なもののみを全て挙げているのはどれか。

ア　行政指導に携わる者は、その相手方に対して、当該行政指導の趣旨及び内容を書面で明確に示さなければならず、また、その相手方から当該行政指導の責任者の教示を求められたときは、口頭又は書面で示さなければならない。

イ　法令に違反する行為の是正を求める行政指導であって、その根拠となる規定が法律に置かれているものの相手方は、当該行政指導がその相手方について弁明その他意見陳述のための手続を経てされた場合を除き、当該行政指導が当該法律に規定する要件に適合しないと思料するときは、当該行政指導をした行政機関に対し、その旨を申し出て、当該行政指導の中止その他必要な措置をとることを求めることができる。

ウ　地域の生活環境の維持、向上を図るために、建築主に対し、建築物の建築計画につき一定の譲歩・協力を求める行政指導を行い、建築主が任意にこれに応じていると認められる場合には、建築主事が、社会通念上合理的と認められる期間、申請に係る建築計画に対する確認処分を留保しても、これをもって直ちに違法であるとはいえないとするのが判例である。

エ　同一の行政目的を実現するため一定の条件に該当する複数の者に対し行政指導をしようとするときは、行政機関は、あらかじめ、事案に応じ、行政指導指針を定めるよう努めなければならず、かつ、行政上特別の支障がない限り、これを公表するよう努めなければならない。

1　ア、エ

2　イ、ウ

3　ウ、エ

4　ア、イ、ウ

5　イ、ウ、エ

民法Ⅰ　民法Ⅱ　商法　会計学　憲法　行政法　ミクロ経済学

解 説 **正解 2** TAC生の選択率 98% TAC生の正答率 41%

ア **✕** 全体が妥当でない。行政指導に携わる者は、その相手方に対して、当該行政指導の趣旨及び内容並びに責任者を明確に示さなければならない（行政手続法35条1項）。この場合、行政指導に携わる者は、相手方から求められていなくても、行政指導の趣旨及び内容だけでなく、責任者も明確に示さなければならないが、これらを口頭で示すことも認められている。そして、行政指導が口頭でされた場合において、その相手方から行政手続法35条1項、2項に規定する事項を記載した書面の交付を求められたときは、当該行政指導に携わる者は、行政上特別の支障のない限り、これを交付しなければならない（行政手続法35条3項）。

イ **〇** 条文により妥当である。法令に違反する行為の是正を求める行政指導であって、その根拠となる規定が法律に置かれているものの相手方は、当該行政指導がその相手方について弁明その他意見陳述のための手続を経てされたものであるときを除き、当該行政指導が当該法律に規定する要件に適合しないと思料するときは、当該行政指導をした行政機関に対し、その旨を申し出て、当該行政指導の中止その他必要な措置をとることを求めることができる（行政手続法36条の2第1項）。

ウ **〇** 判例により妥当である。判例は、地域の生活環境の維持、向上を図るために、建築主に対し、建築物の建築計画につき一定の譲歩・協力を求める行政指導を行い、建築主が任意に応じていると認められる場合は、社会通念上合理的と認められる期間、建築主事が建築計画に対する確認処分を留保しても、直ちに違法な措置であるとはいえないとする（最判昭60.7.16、品川マンション事件）。なお、同判決は、建築主が行政指導に不協力・不服従の意思を表明している場合には、建築主が受ける不利益と行政指導の目的とする公益上の必要性とを比較衡量して、行政指導に対する建築主の不協力が社会通念上正義の観念に反するといえる特段の事情が存在しない限り、行政指導が行われているとの理由だけで確認処分を留保することは違法であるとしている。

エ **✕** 「行政指導指針を定めるよう努めなければならず」、「これを公表するよう努めなければならない」という部分が妥当でない。同一の行政目的を実現するため一定の条件に該当する複数の者に対し行政指導をしようとするときは、行政機関は、あらかじめ、事案に応じ、行政指導指針を定め、かつ、行政上特別の支障がない限り、これを公表しなければならない（行政手続法36条）。本条の場合における行政指導指針の策定・公表は、努力義務ではなく行為義務となる。

以上より、妥当なものはイ、ウであり、正解は**2**となる。

行政法 | 国家賠償法

国家賠償法に関するア〜オの記述のうち、判例に照らし、妥当なもののみを全て挙げているのはどれか。

ア　国会議員は、立法に関しては、国民全体に対する関係で政治的責任を負っており、また、立法行為を通して個別の国民の権利に対応した関係での法的義務も負っているから、国会議員の立法行為は、立法の内容が憲法の一義的な文言に違反している場合には、国家賠償法第1条第1項の規定の適用上、違法の評価を受ける。

イ　税務署長が行う所得税の更正は、課税要件事実を認定・判断する上において、必要な資料を収集せず、職務上通常尽くすべき注意義務を尽くすことなく漫然と更正をしたと認め得るような場合は当然のこと、所得金額を過大に認定し更正処分を行った場合においては、そのことを理由として直ちに国家賠償法第1条第1項にいう違法の評価を受ける。

ウ　宅地建物取引業法における免許制度は、宅地建物取引業者の不正な行為により個々の取引関係者が被る具体的な損害の防止等を直接的な目的とするものではなく、こうした損害の救済は一般の不法行為規範等に委ねられているというべきであるから、知事等による免許の付与ないし更新それ自体は、法所定の免許基準に適合しない場合であっても、当該業者の不正な行為により損害を被った取引関係者に対する関係において直ちに国家賠償法第1条第1項にいう違法な行為に当たるものではない。

エ　国又は公共団体の公務員による一連の職務上の行為の過程において他人に被害を生ぜしめた場合において、それが具体的にどの公務員のどのような違法行為によるものであるかを特定することができなくても、一連の行為のうちのいずれかに行為者の故意又は過失による違法行為が存在しなければ、被害が生じることはなかったであろうと認められ、かつ、それがどの行為であるにせよ、これによる被害につき行為者の属する国又は公共団体が法律上賠償の責任を負うべき関係が存在するときは、国又は公共団体は、加害行為の不特定を理由に国家賠償法上の損害賠償責任を免れることができない。

オ　およそ警察官は、異常な挙動その他周囲の事情から合理的に判断して何らかの犯罪を犯したと疑うに足りる相当な理由のある者を停止させて質問し、現行犯人を現認した場合には速やかにその検挙又は逮捕に当たる職責を負っていることから、警察官のパトカーによる追跡を受けて車両で逃走する者が惹起した事故により第三者が損害を被った場合において、当該追跡行為の違法性を判断するに当たっては、その目的が正当かつ合理的なものであるか否かについてのみ判断すれば足りる。

1　ア、オ

2　イ、ウ

3　ウ、エ

4　ア、エ、オ

5　イ、ウ、エ

解説　**正解　3**　TAC生の選択率 98%　TAC生の正答率 87%

ア　✕　「立法行為を通して個別の国民の権利に対応した関係での法的義務も負っているから、国会議員の立法行為は、立法の内容が憲法の一義的な文言に違反している場合には、国家賠償法第1条第1項の規定の適用上、違法の評価を受ける」という部分が妥当でない。判例は、国会議員は、立法に関しては、原則として国民全体に対する関係で政治的責任を負うにとどまり、個別の国民の権利に対応した関係での法的義務を負うものではないとする。そのうえで、国会議員の立法行為は、立法の内容が憲法の一義的な文言に違反しているにもかかわらず国会があえて当該立法を行うというがごとき例外的な場合でない限り、国家賠償法1条1項の規定の適用上、違法の評価を受けないとしている（最判昭60.11.21、在宅投票制度廃止違憲訴訟）。

イ　✕　全体が妥当でない。判例は、税務署長のする所得税の更正は、所得金額を過大に認定していたとしても、そのことから直ちに国家賠償法1条1項にいう違法があったとの評価を受けるものではなく、税務署長が資料を収集し、これに基づき課税要件事実を判断、認定する上において、職務上通常尽くすべき注意義務を尽くすことなく漫然と更正したと認め得るような事情がある場合に限り国家賠償法上違法の評価を受けるとしている（最判平5.3.11、奈良税務署事件）。

ウ　〇　判例により妥当である。判例は、宅地建物取引業法が免許制度を設けた趣旨は、直接的には宅地建物取引の安全を害するおそれのある業者の関与を未然に防止し、取引の公正の確保や宅地建物の円滑な流通を図ることにあり、免許を付与された業者の不正な行為により個々の取引関係者が被る具体的な損害の防止等を直接的な目的とするものではないとする。そして、知事等による免許の付与ないし更新それ自体は、宅地建物取引業法所定の免許基準に適合しない場合であっても、当該業者との個々の取引関係者に対する関係において直ちに国家賠償法1条1項にいう違法な行為に当たるものではないとしている（最判平元.11.24）。

エ　〇　判例により妥当である。判例は、役所内の定期検診における診断ミスが争われた事案において（医師のレントゲン写真の見落とし、結果の報告漏れ等、損害の原因となった可能性のある行為として複数の公務員の行為が関与していた）、国又は公共団体の公務員による一連の職務上の行為の過程において他人に被害を生ぜしめた場合において、それが具体的にどの公務員のどのような違法行為によるものであるかを特定することができなくても、一連の行為のうちのいずれかに行為者の故意又は過失による違法行為があったのでなければ被害が生ずることはなかったであろうと認められ、かつ、それがどの行為であるにせよこれによる被害につき行為者の属する国又は公共団体が法律上賠償の責任を負うべき関係が存在するときは、国又は公共団体は、国家賠償法又は民法上の損害賠償責任を免れることができないとしている（最判昭57.4.1、岡山税務署健康診断事件）。

オ　✕　「当該追跡行為の違法性を判断するに当たっては、その目的が正当かつ合理的なものであるか否かについてのみ判断すれば足りる」という部分が妥当でない。判例は、パトカーの追跡行為が違法であるというためには、追跡が職務目的を遂行する上で不必要であるか、又は逃走車両の逃走の態様及び道路交通状況等から予測される被害発生の具体的危険性の有無及び内容に照らし、追跡の開始・継続若しくは追跡の方法が不相当であることを要するとしている（最判昭61.2.27、パトカー追跡事件）。

以上より、妥当なものはウ、エであり、正解は**3**となる。

国家賠償に関するア～エの記述のうち、判例に照らし、妥当なもののみを全て挙げているのはどれか。

ア　公権力の行使に当たる公務員の職務行為に基づく損害については、国又は公共団体が賠償責任を負うが、当該職務を執行した公務員に過失があった場合には、当該公務員も行政機関としての地位において賠償責任を負う。

イ　国又は公共団体の公務員による一連の職務上の行為の過程で他人に被害を生ぜしめた場合において、それが具体的にどの公務員のどのような違法行為によるものであるかを特定することができないときは、加害行為を特定することができない以上、国又は公共団体が国家賠償法第1条第1項の責任を負うことはない。

ウ　国家賠償法第2条第1項の国及び公共団体の賠償責任は無過失責任であるため、営造物の通常の用法に即しない行動の結果事故が生じた場合、その営造物として本来備えるべき安全性に欠けるところがなく、その行動が営造物の設置管理者において通常予測することのできないものであっても、同項に基づく賠償責任が生じる。

エ　国家賠償法第3条第1項の定める営造物の設置費用の負担者には、当該営造物の設置費用につき法律上負担義務を負う者のほか、この者と同等又はこれに近い設置費用を負担し、実質的にはこの者と当該営造物による事業を共同して執行していると認められる者であって、当該営造物の瑕疵による危険を効果的に防止し得る者も含まれる。

1　ア

2　エ

3　ア、イ

4　イ、ウ

5　ウ、エ

解 説 **正解 2** TAC生の選択率 **98%** TAC生の正答率 **92%**

ア **×** 「当該公務員も行政機関としての地位において賠償責任を負う」という部分が妥当でない。公務員の個人責任について、判例は、公務員が行政機関としての地位において賠償の責任を負うものではなく、また公務員個人もその責任を負うものではないとしている（最判昭30.4.19）。

イ **×** 全体が妥当でない。判例は、国又は公共団体の公務員による一連の職務上の行為の過程において他人に被害を生ぜしめた場合において、それが具体的にどの公務員のどのような違法行為によるものであるかを特定することができなくても、当該一連の行為のうちいずれかに行為者の故意又は過失による違法行為があったのでなければ当該被害が生ずることはなかったであろうと認められ、かつ、それがどの行為であるにせよこれによる被害につき行為者の帰属する国又は公共団体が法律上賠償の責任を負うべき関係が存在するときは、国家賠償法上の責任を免れることはできないとしている（最判昭57.4.1、岡山税務署健康診断事件）。

ウ **×** 「同項に基づく賠償責任が生じる」という部分が妥当でない。判例は、国家賠償法2条1項の賠償責任は無過失責任とするので（最判昭45.8.20、高知落石事件）、この点は妥当である。しかし、判例は、営造物の通常の用法に即しない行動の結果事故が生じた場合、その営造物として本来有すべき安全性に欠けるところがなく、当該行動が設置管理者において通常予測することのできないものであるときは、当該事故が営造物の設置又は管理の瑕疵によるものであるということはできず、国家賠償法2条1項の賠償責任が生じないとしている（最判昭53.7.4、夢野台高校転落事件）。

エ **○** 判例により妥当である。判例は、国家賠償法3条1項所定の設置費用の負担者には、営造物の設置費用につき法律上負担義務を負う者のほか、この者と同等若しくはこれに近い設置費用を負担し、実質的にはこの者と当該営造物による事業を共同して執行していると認められる者であって、当該営造物の瑕疵による危険を効果的に防止しうる者も含まれるとしている（最判昭50.11.28、鬼ヶ城転覆事件）。

　以上より、妥当なものはエのみであり、正解は**2**となる。

行政法	損失補償	2023年度 専門 No.22

　損失補償に関するア～エの記述のうち、判例に照らし、妥当なもののみを全て挙げているのはどれか。

ア　道路工事の施行の結果、警察法規に違反する状態が生じたため、ガソリンの地下貯蔵タンクの所有者が、当該警察法規の定める技術上の基準に適合するように当該地下貯蔵タンクの移転等を余儀なくされ、これによって損失を被った場合、当該損失は、道路工事の施行を直接の原因として生じた損失であり、道路法の定める補償の対象となる。

イ　土地収用法に基づく収用の対象となった土地が経済的・財産的価値でない学術的・文化財的価値を有している場合には、当該価値が広く客観性を有するものであると認められるときに限り、土地収用法にいう通常受ける損失として補償の対象となる。

ウ　河川附近地制限令の定める制限は、河川管理上支障のある事態の発生を事前に防止するための一般的な制限であって、何人もこれを受忍すべきものであり、また、当該制限について損失補償に関する規定もない以上、その補償を請求することはできない。

エ　行政財産たる土地につき使用許可によって与えられた使用権は、それが期間の定めのない場合であれば、当該行政財産本来の用途又は目的上の必要を生じたときはその時点において原則として消滅すべきものであり、使用権者は、特別の事情がない限り、使用許可の取消しによる土地使用権喪失についての補償を請求することはできない。

1　ウ

2　エ

3　ア、イ

4　ア、エ

5　イ、ウ

解 説 **正解 2** TAC生の選択率 **98%** TAC生の正答率 **84%**

ア **×** 「道路工事の施行を直接の原因として生じた損失であり、道路法の定める補償の対象となる」という部分が妥当でない。判例は、本記述と同様の事案において、危険物保有者が技術上の基準に適合するように工作物の移転等を余儀なくされ、これによって損失を被ったとしても、それは道路工事の施行によって警察規制に基づく損失がたまたま現実化するに至ったものにすぎず、このような損失は補償の対象にはならないとしている（最判昭58.2.18、モービル石油事件）。

イ **×** 「当該価値が広く客観性を有するものであると認められるときに限り、土地収用法にいう通常受ける損失として補償の対象となる」という部分が妥当でない。判例は、福原輪中堤の文化財的価値についての補償が争われた事案において、土地収用法にいう「通常受ける損失」とは、経済的価値でない特殊な価値まで補償の対象とする趣旨ではないとしている（最判昭63.1.21、福原輪中堤事件）。なお、同判例は、福原輪中堤については、江戸時代初期から水害より村落共同体を守ってきた輪中堤の典型の1つとして歴史的、社会的、学術的価値を内包しているが、それ以上に堤防の不動産としての市場価格を形成する要素となり得るような価値を有するわけでないと認定して、このような価値は補償の対象となり得ないとしている。

ウ **×** 「その補償を請求することはできない」という部分が妥当でない。判例は、河川附近地制限令による制限について損失補償に関する規定がないからといって、あらゆる場合について一切の損失補償を全く否定する趣旨とまでは解されず、その損失を具体的に主張立証して、別途、直接憲法29条3項を根拠にして、補償請求をする余地が全くないわけではないとしている（最大判昭43.11.27、河川付近地制限令違反事件）。なお、河川附近地制限令による制限が一般的な制限であって、何人もこれを受忍すべきであるとの点は正しい。

エ **○** 判例により妥当である。判例は、東京都が所有する土地の使用許可の撤回についての補償が争われた事案において、都有行政財産である土地について使用許可によって与えられた使用権は、それが期間の定めのない場合であれば、当該行政財産本来の用途又は目的上の必要を生じたときはその時点において原則として消滅すべきものであり、また、権利自体にそのような制約が内在して付与されているものとみるのが相当であるから、特別の事情がない限り、将来にわたるその取消しに当たり損失補償は必要でないとしている（最判昭49.2.5）。

以上より、妥当なものはエのみであり、正解は**2**となる。

損失補償に関する次の記述のうち、妥当なのはどれか。

1 警察法規が一定の危険物の保管場所等について技術上の基準を定めている場合において、道路工事の施工の結果、警察法規違反の状態を生じ、危険物保有者がその技術上の基準に適合するように既存の工作物の移転等を余儀なくされ、これによって損失を被ったときは、当該危険物保有者はその損失の補償を請求することができるとするのが判例である。

2 財産上の犠牲が単に一般的に当然に受忍すべきものとされる制限の範囲を超え、特別の犠牲を課したものである場合であっても、これについて損失補償に関する規定がないときは、当該制限については補償を要しないとするのが立法上の趣旨であると解すべきであり、直接憲法第29条第3項を根拠にして補償請求をすることはできないとするのが判例である。

3 土地収用法に基づく収用の場合における損失の補償には、収用される権利の対価の補償のみならず、被収用地に存在する物件の移転料の補償や、営業の中断に伴う損失の補償など、収用によって被収用者が通常受ける付随的な損失の補償も含まれる。

4 都市計画法に基づく建築物の建築制限は、それのみで直ちに憲法第29条第3項にいう私有財産を公共のために用いることにはならず、同項にいう正当な補償を必要とするものではないが、当該制限が60年以上の長期間にわたって課せられている場合、当該制限は、その制限の内容を考慮するまでもなく、その期間に照らして当然に権利者に受忍限度を超えて特別の犠牲を課すものであり、損失の補償が必要であるとするのが判例である。

5 国家が私人の財産を公共の用に供するには、これによって私人の被るべき損害を填補するに足りるだけの相当な賠償をしなければならないことはいうまでもないが、憲法は、これに加えて、補償の時期についても、補償が財産の供与と交換的に同時に履行されるべきことを保障しているとするのが判例である。

解説　正解　**3**　　TAC生の選択率　98%　　TAC生の正答率　83%

1　×　「当該危険物保有者はその損失の補償を請求することができるとするのが判例である」という部分が妥当でない。判例は、警察法規が一定の危険物の保管場所等につき保安物件との間に一定の離隔距離を保持すべきことなどを内容とする技術上の基準を定めている場合、道路工事の施行の結果、警察違反の状態を生じ、危険物保有者が当該技術上の基準に適合するように工作物の移転等を余儀なくされ、これによって損失を被ったとしても、それは道路工事の施行によって警察規制に基づく損失がたまたま現実化するに至ったものにすぎず、このような損失は、道路法70条1項の定める補償の対象に属しないとしている（最判昭58.2.18、モービル石油事件）。

2　×　「当該制限については補償を要しないとするのが立法上の趣旨であると解すべきであり、直接憲法第29条第3項を根拠にして補償請求をすることはできないとするのが判例である」という部分が妥当でない。判例は、法令の規定による制限について、当該規定に損失補償に関する規定がないからといって、当該規定があらゆる場合について一切の損失補償を全く否定する趣旨とまでは解されず、直接憲法29条3項を根拠にして、補償請求をする余地が全くないわけではないとしている（最大判昭43.11.27、河川付近地制限令違反事件）。

3　○　条文により妥当である。土地収用法は、収用される権利の対価の補償（権利対価補償）のみならず、みぞかき補償（土地収用法75条）、移転料補償（同法77条）、その他離作料、営業上の損失、建物の移転による賃貸料の損失その他の土地を収用し、又は使用することによって土地所有者または関係人が通常受ける損失を補償することとしている（同法88条）。一般に、通損補償と称されるものである。

4　×　「その制限の内容を考慮するまでもなく、その期間に照らして当然に権利者に受忍限度を超えて特別の犠牲を課すものであり、損失の補償が必要であるとするのが判例である」という部分が妥当でない。判例は、昭和13年に決定された都市計画に係る計画道路の区域内にその一部が含まれる土地に、都市計画法に基づく建築物の建築の制限が課せられているが、都市計画法の基準による都道府県知事の許可を得て建築物を建築することや土地を処分することは可能であること等の事実関係の下においては、権利者らが受けた損失は、一般的に当然に受忍すべきものとされる制限の範囲を超えて特別の犠牲を課せられたものということがいまだ困難であるから、権利者らは、直接憲法29条3項を根拠として損失につき補償請求をすることはできないとしている（最判平17.11.1）。

5　×　「これに加えて、補償の時期についても、補償が財産の供与と交換的に同時に履行されるべきことを保障しているとするのが判例である」という部分が妥当でない。判例は、国家が私人の財産を公共の用に供するには、これによって私人の被る損害を填補するに足りるだけの相当な賠償をしなければならないが、憲法の規定は、補償の時期について少しも言明していないので、補償が財産の供与と交換的に同時に履行されるべきことについては、憲法の保障するところではないとしている（最大判昭24.7.13）。

行政法	行政事件訴訟法	2023年度 専門 No.21

取消訴訟の判決に関する次の記述のうち、最も妥当なのはどれか。

1 取消訴訟において、処分が違法として取り消された場合、その判決の効力は第三者に対しても及ぶため、行政事件訴訟法は、第三者の訴訟参加や再審の訴えを規定して、第三者を手続的に保護している。

2 取消訴訟において、処分が違法として取り消された場合、その処分の効力は、行政庁による取消しを要することなく、その判決の時点から失われる。

3 取消訴訟において、申請を拒否した処分が違法として取り消された場合、処分庁は、申請者から新たな申請がなされたときに限り、その判決の趣旨に従って、改めて申請に対する処分をしなければならない。

4 取消訴訟において、裁判所は、相当と認めるときであっても、終局判決前に、判決をもって、処分又は裁決が違法であることを宣言することはできない。

5 取消訴訟は、処分又は裁決が法律に適合しているかどうかを裁判所が審査するものであるから、当事者が訴えを取り下げることによって終了させることはできず、裁判上の和解もすることができない。

解 説　**正解**　**1**　　TAC生の選択率　**98%**　　TAC生の正答率　**65%**

1　○　条文により妥当である。処分又は裁決を取り消す判決は、第三者に対しても効力を有する（行政事件訴訟法32条1項、対世効）。対世効が認められることにより、第三者の利害も大きな影響を受けることから、第三者の手続保障のために、裁判継続中には第三者の訴訟参加（同法22条）、判決確定後には第三者の再審の訴え（同法34条）が認められている。

2　×　「その判決の時点から失われる」という部分が妥当でない。処分の取消判決がなされた場合に生ずる処分の取消しの効力は、将来に向かってのみ生ずるものではなく、処分がなされた当初に遡って生ずるものである（遡及効）。

3　×　「申請者から新たな申請がなされたときに限り」という部分が妥当でない。申請の拒否処分が取消判決によって取り消された場合、当該処分をした行政庁は、判決の趣旨に従い、改めて申請に対する処分をしなければならない（行政事件訴訟法33条2項）。これは、取消判決の確定により、処分等をした行政庁その他の関係行政庁に対し、当該取消判決の趣旨に従って行動することを義務付ける効力（拘束力）の1つである。

4　×　「処分又は裁決が違法であることを宣言することはできない」という部分が妥当でない。裁判所は、相当と認めるときは、終局判決前に、判決をもって、処分又は裁決が違法であることを宣言することができる（行政事件訴訟法31条2項、中間違法宣言判決）。中間違法宣言判決は行政庁自身に事前に原告の損害防止のための措置の実現を期待し、個人の権利の犠牲を最小限にとどめることで事情判決への移行を容易にすることを目的とする。

5　×　「当事者が訴えを取り下げることによって終了させることはできず」という部分が妥当でない。行政事件訴訟に関し、行政事件訴訟法に定めがない事項については、民事訴訟の例によるので（行政事件訴訟法7条）、取消訴訟については、民事訴訟の審理手続のルールである処分権主義が適用される。処分権主義とは、訴訟手続の開始、審判範囲の特定、訴訟手続の終了については、当事者に処分権能が認められ、当事者の自律的な判断にゆだねられるとする原則のことをいい、取消訴訟においても訴えの取下げにより訴訟を終了させることは認められる。なお、訴訟当事者の合意により訴訟を終了させることは、法律による行政の原理に抵触するおそれもあることから、裁判上の和解が認められるか否かについては見解が分かれている。

行政法　｜　行政事件訴訟法

原告適格に関するア〜エの記述のうち、判例に照らし、妥当なもののみを全て挙げているのはどれか。

ア　森林法は、森林の存続によって不特定多数者の受ける生活利益のうち一定範囲のものを公益と並んで保護すべき個人の個別的利益として捉え、当該利益の帰属者に対し保安林の指定につき直接の利害関係を有する者としてその利益主張をすることができる地位を法律上付与しているものと解されるところ、かかる直接の利害関係を有する者は、保安林の指定が違法に解除され、それによって自己の利益を害される場合には、当該解除処分に対する取消しの訴えを提起する原告適格を有する。

イ　文化財保護法及び同法に基づく県文化財保護条例は、史跡等の文化財の保存・活用から個々の国民あるいは県民が受ける利益については、これを本来同法及び同条例がその目的としている公益の中に吸収解消させ、その保護は専ら当該公益の実現を通じて図ることとしているものと解され、文化財の学術研究者の学問研究上の利益について、一般の国民あるいは県民が文化財の保存・活用から受ける利益を超えてその保護を図ろうとする趣旨を認めることはできないから、県指定の史跡を研究対象としている学術研究者であっても、同条例に基づく当該史跡の指定解除処分の取消しを求める原告適格を有しない。

ウ　自転車競技法及び同法施行規則が場外車券発売施設の設置許可要件として定める位置基準によって保護しようとしているのは、不特定多数者の利益であるところ、それは、性質上、一般的公益に属する利益であって、原告適格を基礎付けるには足りないものであるといわざるを得ないから、当該施設の設置、運営に伴い著しい業務上の支障が生ずるおそれがあると位置的に認められる区域に医療施設を開設する者であっても、当該位置基準を根拠として当該施設の設置許可の取消しを求める原告適格を有しない。

エ　処分を定めた行政法規が、不特定多数者の具体的利益をそれが帰属する個々人の具体的利益としても保護すべきものとする趣旨を含むか否かは、当該行政法規の趣旨・目的、当該行政法規が当該処分を通して保護しようとしている利益の内容・性質等を考慮して判断すべきであるところ、核原料物質、核燃料物質及び原子炉の規制に関する法律は、専ら公衆の生命、身体の安全、環境上の利益を一般的公益として保護しようとするものと解されるから、設置許可申請に係る原子炉の近隣地域に居住する住民は、当該原子炉の設置許可処分の無効確認を求める原告適格を有しない。

1　ア、イ

2　ア、ウ

3　イ、ウ

4　イ、エ

5　ウ、エ

解 説　　**正解　1**　　TAC生の選択率　**98%**　　TAC生の正答率　**81%**

ア　**○**　判例により妥当である。判例は、森林法は、森林の存続によって不特定多数者の受ける生活
利益のうち一定範囲のものを公益と並んで保護すべき個人の個別的利益としてとらえ、かかる利益
の帰属者に対し保安林の指定につき「直接の利害関係を有する者」としてその利益主張をすること
ができる地位を法律上付与しているものと解するのが相当であるとする。そのうえで、かかる「直
接の利害関係を有する者」は、保安林の指定が違法に解除され、それによって自己の利益を害され
た場合には、解除処分に対する取消しの訴えを提起する原告適格を有する者ということができると
している（最判昭57.9.9、長沼ナイキ事件）。

イ　**○**　判例により妥当である。判例は、文化財保護法等において、文化財の学術研究者の学問研究
上の利益の保護について特段の配慮をしていると解しうる規定を見出すことはできないとして、学
術研究者は「法律上の利益を有する者」に当たらず、史跡指定解除処分の取消訴訟における原告適
格を否定している（最判平1.6.20、伊場遺跡訴訟）。

ウ　**✕**　全体が妥当でない。判例は、場外車券発売施設の設置許可要件として定める位置基準は、一
般的公益を保護する趣旨に加えて、業務上の支障が具体的に生ずるおそれのある医療施設等の開設
者において、健全で静穏な環境の下で円滑に業務を行うことのできる利益を、個々の開設者の個別
的利益として保護する趣旨をも含む規定であるというべきであるから、当該場外施設の設置、運営
に伴い著しい業務上の支障が生ずるおそれがあると位置的に認められる区域に医療施設等を開設す
る者は、位置基準を根拠として当該場外施設の設置許可の取消しを求める原告適格を有するとして
いる（最判平21.10.15、サテライト大阪事件）。

エ　**✕**　「専ら公衆の生命、身体の安全、環境上の利益を一般的公益として保護しようとするものと
解されるから、設置許可申請に係る原子炉の近隣地域に居住する住民は、当該原子炉の設置許可処
分の無効確認を求める原告適格を有しない」という部分が妥当でない。判例は、核原料物質、核燃
料物質及び原子炉の規制に関する法律は、単に公衆の生命、身体の安全、環境上の利益を一般的公
益として保護しようとするにとどまらず、原子炉施設周辺に居住し、事故等がもたらす災害により
直接的かつ重大な被害を受けることが想定される範囲の住民の生命、身体の安全等を個々人の個別
的利益としても保護すべきものとする趣旨を含むと解するのが相当であるとする。そのうえで、設
置許可申請に係る原子炉の周辺に居住し、原子炉事故等がもたらす災害により生命・身体等に直接
的かつ重大な被害を受けることが想定される範囲の住民は、原子炉設置許可処分の無効確認を求め
るにつき、行政事件訴訟法36条にいう「法律上の利益を有する者」に該当するとしている（最判平
4.9.22、もんじゅ訴訟）。

以上より、妥当なものはア、イであり、正解は**1**となる。

訴えの利益に関するア〜オの記述のうち、判例に照らし、妥当なもののみを全て挙げているのはどれか。

ア　森林法に基づく保安林指定解除処分の取消訴訟において、いわゆる代替施設の設置によって洪水、渇水の危険が解消され、その防止上からは保安林の存続の必要性がなくなったと認められるに至ったときは、当該防止上の利益侵害を基礎として当該訴訟の原告適格を認められた者の訴えの利益は失われる。

イ　土地改良法に基づく土地改良事業の施行認可処分が行われ、当該処分の取消しを求める訴訟の係属中に当該事業の事業計画に係る工事及び換地処分が全て完了し、当該事業施行地域を当該事業施行以前の原状に回復することが社会通念上不可能となった場合、当該処分の取消しを求める訴えの利益は消滅する。

ウ　設置許可申請に係る原子炉の周辺に居住する住民が当該原子炉の設置者に対しその建設又は運転の差止めを求める民事訴訟を提起している場合には、当該住民が当該原子炉の設置許可処分の無効確認訴訟を提起することは、不適法である。

エ　自動車運転免許の効力を停止する処分は、当該処分の日から一定の期間が経過し、当該処分を理由に道路交通法上不利益を受けるおそれがなくなった後においても、当該処分の記載のある免許証を被処分者が所持することで警察官に当該処分の存在を知られ、被処分者の名誉等を損なう可能性が常時継続して存在し、かつ、その排除は法の保護に値するものであるから、これを理由として、被処分者には当該処分の取消しを求める訴えの利益が認められる。

オ　建築基準法に基づく建築確認は、それを受けなければ建物の建築に関する工事をすることができないという法的効果を付与されているにすぎないものであり、当該工事が完了した場合には、建築確認の取消しを求める訴えの利益は消滅する。

1　ア、イ

2　ア、オ

3　イ、エ

4　ウ、エ

5　エ、オ

解 説　　**正解 2**　　TAC生の選択率 **98%**　　TAC生の正答率 **84%**

ア **○** 判例により妥当である。判例は、保安林指定解除処分の取消訴訟における原告適格の基礎は、保安林指定解除処分に基づく立木竹の伐採に伴う理水機能の低下の影響を直接受ける点において当該保安林の存在による洪水や渇水の防止上の利益を侵害されているところにあるから、いわゆる代替施設の設置によって洪水や渇水の危険が解消され、その防止上からは当該保安林の存続の必要性がなくなったと認められるに至ったときは、保安林指定解除処分の取消しを求める訴えの利益は失われるに至ったとしている（最判昭57.9.9、長沼ナイキ事件）。

イ **×** 「訴えの利益は消滅する」という部分が妥当でない。判例は、土地改良事業の工事及び換地処分が完了して原状回復が社会通念上不可能になっているとしても、そのような事情は行政事件訴訟法31条の事情判決制度の適用に関して考慮されるべきものであって、土地改良事業の認可処分取消しを求める訴えの利益を消滅させるものではないとしている（最判平4.1.24）。

ウ **×** 「不適法である」という部分が妥当でない。判例は、処分の無効確認訴訟の要件の一つである、当該処分の効力の有無を前提とする現在の法律関係に関する訴えによって目的を達することができない場合とは、当該処分に起因する紛争を解決するための争訟形態として、当該処分の無効を前提とする当事者訴訟又は民事訴訟との比較において、当該処分の無効確認を求める訴えのほうがより直截的で適切な争訟形態であるとみるべき場合も含むとする。そして、原子炉の建設ないし運転の差止めを求める民事訴訟は、行政事件訴訟法36条にいう当該処分の効力の有無を前提とする現在の法律関係に関する訴えに該当するものとみることはできず、また、本件無効確認訴訟と比較して、原子炉の設置許可処分に起因する紛争を解決するための争訟形態としてより直截的で適切なものであるともいえないから、当該民事訴訟が提起されていることは本件無効確認訴訟の前記要件を欠くことの根拠とはなり得ないとしている（最判平4.9.22、もんじゅ訴訟）。

エ **×** 「被処分者の名誉等を損なう可能性が常時継続して存在し、かつ、その排除は法の保護に値するものであるから、これを理由として、被処分者には当該処分の取消しを求める訴えの利益が認められる」という部分が妥当でない。判例は、自動車運転免許の効力停止処分を受けた者は、停止期間を経過し、かつ当該処分の日から無違反・無処分で1年を経過したときは、当該処分の取消しによって回復すべき法律上の利益を有しないとしている（最判昭55.11.25）。名誉、感情、信用等を損なう可能性が認められるとしても、それは免許停止による事実上の効果にすぎないものであり、法律上の利益を有することの根拠にはならないからである。

オ **○** 判例により妥当である。判例は、建築確認は、建築基準法の建築物の建築等の工事が着手される前に、当該建築物の計画が建築関係規定に適合していることを公権的に判断する行為であって、それを受けなければ当該工事をすることができないという法的効果を付与されているにすぎないことから、当該工事が完了した場合においては、建築確認の取消しを求める訴えの利益は失われるとしている（最判昭59.10.26）。

以上より、妥当なものはア、オであり、正解は **2** となる。

行政法	行政事件訴訟法	2020年度 専門 No.21

　行政事件訴訟法上の執行停止に関するア～オの記述のうち、妥当なもののみを全て挙げているのはどれか。

ア　行政事件訴訟法は、執行停止の内容として、処分の効力の停止、処分の執行の停止及び処分の手続の続行の停止の三種類を規定している。これらのうち、処分の効力の停止は、処分の執行又は手続の続行の停止によって目的を達することができる場合には、することができない。

イ　執行停止の申立て又は決定があった場合、内閣総理大臣は、裁判所に対し、異議を述べることができ、当該異議には原則として理由を付さなければならないが、やむを得ず理由を付すことができないときは、次の常会において国会に当該理由を報告しなければならない。

ウ　執行停止の効果は遡及効を持つため、執行停止決定により農地買収計画に基づく買収手続の進行が停止した場合、既に執行された買収手続の効果も失われ、買収された農地の元所有者はその所有権を回復するとするのが判例である。

エ　執行停止の決定が確定した後に、その理由が消滅し、その他事情が変更したときは、裁判所は、相手方の申立てがなくても、職権により、決定をもって、執行停止の決定を取り消すことができる。

オ　裁判所は、本案訴訟である取消訴訟が係属していないとき、又は本案について理由がないとみえるときには、執行停止の決定を行うことはできない。

1　ア、ウ

2　ア、オ

3　イ、ウ

4　イ、エ

5　エ、オ

ア　**○**　条文により妥当である。執行停止の内容は、本記述の通りの3種類である（25条2項本文）。しかし、これら3種類のうち、処分の効力の停止は、処分の執行又は手続の続行の停止によって目的を達することができる場合には、することができないと規定されている（同条項ただし書）。処分の効力の停止は、もっとも強力な執行停止であるため、このような補充性が定められている。

イ　**✕**　「やむを得ず理由を付すことができないときは、次の常会において国会に当該理由を報告しなければならない」という部分が妥当でない。内閣総理大臣は、やむをえない場合でなければ、執行停止の申立てまたは決定に対して異議を述べてはならず、異議を述べたときは、次の常会において国会にこれを報告しなければならない（27条6項）。また、異議には理由を付さなければならず（同条2項）、例外として異議を述べる際に理由を付さなくてよい場合は規定されていない。

ウ　**✕**　全体が妥当でない。執行停止の効果について、通説は、処分時に遡らず、将来に向かってのみ生ずると解している（将来効）。判例も同様の解釈を前提にしていると考えられている。例えば、本記述と同様の事案において、執行停止決定は、すでに執行された手続の効果を覆滅して買収された農地の元所有者の所有権を確定する効力を有しないとしている（最判昭29.6.22）。

エ　**✕**　「相手方の申立てがなくても、職権により、決定をもって、執行停止の決定を取り消すことができる」という部分が妥当でない。執行停止決定の取消しをするには、相手方の申立てが必要である（26条1項）。行政事件訴訟法には、行政不服審査法と異なり、職権による執行停止の決定の取消しを可能とする旨の規定は存在しない。

オ　**○**　条文により妥当である。執行停止の要件に関し、第一に、本案訴訟である取消訴訟（又は無効等確認訴訟）が係属していることが必要である。なぜなら、行政事件訴訟法25条2項は、「処分の取消しの訴えの提起があった場合において」と規定しているからである。第二に、消極的要件として「本案について理由がないとみえるとき」に該当しないことが必要である（同条4項）。なぜなら、本案訴訟である取消訴訟での勝訴可能性があるがゆえに暫定的に仮の救済を与える、という執行停止の制度趣旨に鑑みると、本案（処分を取り消すべきという原告の主張）に理由がなく勝訴の見込みがなければ仮の救済も必要がなくなるからである。

以上より、妥当なものはア、オであり、正解は**2**となる。

ミクロ経済学　｜　総費用曲線

　図のような逆S字型の形状である総費用曲線（*TC*）を持つ企業に関する次のA〜Eの記述のうち、妥当なもののみを全て挙げているのはどれか。

　ただし、図において、*OO'* は固定費用を表す。また、*TC*の接線の傾きは、$x = x_1$ のとき最小となり、xがx_1を超えて増加するにつれてその傾きは大きくなる。さらに、点*b*、*c*はそれぞれ*O'*、*O*を通る直線と*TC*との接点である。

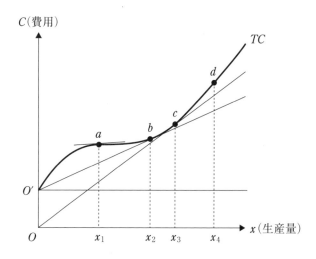

A　$0 < x \leq x_4$では、xが増加するにつれて、平均費用は逓減する。

B　点*a*において、限界費用は最小となる。

C　$x = x_2$のとき、平均可変費用は最大となる。

D　$x = x_3$のとき、平均費用が限界費用と等しくなる。

E　点*a* 〜 *d*のうち、平均固定費用は点*d*において最小となる。

1　A、B、D

2　A、C

3　B、D、E

4　C、E

5　D、E

解 説　　**正解　3**　　　　TAC生の選択率 **78**%　　TAC生の正答率 **78**%

A　✕　原点と点cを通る直線の傾きは平均費用の最小値（損益分岐価格）を表すから、$x>x_3$でxが増加すると、平均費用もまた増加する。

B　◯　TCの接線の傾きは限界費用を表しているから、与件より、点aで最小となる。

C　✕　TCの縦軸切片と点bを通る直線の傾きは平均可変費用の最小値（操業停止価格）を表す。

D　◯　原点と点cを通る直線はこの点においてTCと接するから、平均費用と限界費用が一致する。

E　◯　平均固定費用は生産量が増加するにつれて正の値からゼロに近づく。よって、この4つの点のうち、生産量が最も大きい点dにおける平均固定費用が一番小さい。

　以上より、**3**が正解となる。

ミクロ経済学　　操業停止点

　完全競争市場での企業の利潤最大化行動を考える。財の生産量を$x(>0)$ とすると、ある企業の総費用関数は、以下の式によって表される。

　　　$TC(x) = x^3 - 4x^2 + 8x + 24$

　このとき、操業停止点における生産量xと財の価格Pの組合せとして妥当なのはどれか。

	x	P
1	2	4
2	2	6
3	3	8
4	3	11
5	4	8

　題意の総費用関数より、可変費用VCが、

$$VC = x^3 - 4x^2 + 8x$$

となり、平均可変費用AVCは、

$$AVC = \frac{VC}{x}$$
$$= x^2 - 4x + 8 \quad \cdots\cdots(1)$$

と求められるが、平均可変費用曲線の最低点が操業停止点であることから、(1)式を生産量xで微分して最小化を図ることにより、操業停止点における生産量が、

$$\frac{dAVC}{dx} = 0 \quad \rightarrow \quad 2x - 4 = 0$$
$$\therefore \quad x = 2$$

と求められる。これを(1)式に代入すれば、操業停止点における財の価格が4と求められる。よって、**1**が正解となる。

ミクロ経済学 | 生産関数

完全競争市場の下で、ある企業の生産関数が以下のように示される。

$Y = 4K^{0.25}L^{0.25}$ （Y：生産量、K：資本投入量、L：労働投入量）

いま、生産物価格が32、資本1単位の価格が16、労働1単位の価格が1である。この企業の利潤が最大になる場合の生産量はいくらか。

1 　4

2 　8

3 　16

4 　24

5 　32

まず、資本の限界生産力MP_Kと労働の限界生産力MP_Lを、それぞれ求める。

$$MP_K = \frac{\partial Y}{\partial K}$$
$$= 0.25 \times 4K^{0.25-1}L^{0.25}$$
$$= 0.25K^{-1} \times 4K^{0.25}L^{0.25}$$
$$= 0.25 \times \frac{Y}{K} \quad \leftarrow 生産関数を代入$$

$$MP_L = \frac{\partial Y}{\partial L}$$
$$= 0.25 \times 4K^{0.25}L^{0.25-1}$$
$$= 0.25L^{-1} \times 4K^{0.25}L^{0.25}$$
$$= 0.25 \times \frac{Y}{L} \quad \leftarrow 生産関数を代入$$

次に、生産物価格をp、資本1単位の価格をr、労働1単位の価格をwとすると、利潤最大化条件が、

$$MP_K = \frac{r}{p}$$

$$MP_L = \frac{w}{p}$$

と表されることから、上記の結果と与件を代入すると、

$$0.25 \times \frac{Y}{K} = \frac{16}{32}$$
$$\therefore \quad K = 0.5Y \quad \cdots\cdots①$$
$$0.25 \times \frac{Y}{L} = \frac{1}{32}$$
$$\therefore \quad L = 8Y \quad \cdots\cdots②$$

と求められる。さらに、題意の生産関数を、

$$Y = 4(KL)^{\frac{1}{4}}$$

と変形して①式、②式を代入すれば、

$$Y = 4(0.5Y \times 8Y)^{\frac{1}{4}}$$
$$= 4(4Y^2)^{\frac{1}{4}}$$
$$Y^{\frac{1}{2}} = 4 \times 2^{\frac{1}{2}} \quad (\because \quad 4^{\frac{1}{4}} = (2^2)^{\frac{1}{4}} = 2^{2 \times \frac{1}{4}} = 2^{\frac{1}{2}})$$
$$\therefore \quad Y = 4^2 \times 2$$
$$= 32$$

と求められる。

以上より、正解は**5**となる。

ミクロ経済学 — 需要の価格弾力性

ある財の需要関数が、以下のように与えられる。

$X = -2P + 70$　（X：需要量、P：価格）

$X = 10$であるときの需要の価格弾力性として最も妥当なのはどれか。

1　$\dfrac{1}{6}$

2　$\dfrac{1}{3}$

3　2

4　3

5　6

解 説　　**正解　5**　　TAC生の選択率 **78%**　　TAC生の正答率 **85%**

与件$X = 10$となるときの価格は、

$X = -2P + 70 \rightarrow 2P = 60 \rightarrow P = 30$

である。したがって、需要の価格弾力性eは、$-\Delta X/\Delta P = 2$だから、

$X = -2P + 70 \rightarrow e = \dfrac{2P}{X} = \dfrac{2 \times 30}{10} = 6$

X財とY財の2財を消費する、ある消費者の効用関数が、

$u = x^{0.2}y^{0.8}$ （x：X財の消費量、y：Y財の消費量）

で示される。この消費者の所得をM、X財、Y財の価格をそれぞれP_x、P_yとしたとき、最適消費点におけるY財の消費量として妥当なのはどれか。

1 $\dfrac{4M}{P_xP_y}$

2 $\dfrac{4M}{5P_xP_y}$

3 $\dfrac{4M}{P_y}$

4 $\dfrac{M}{5P_y}$

5 $\dfrac{4M}{5P_y}$

解 説　　　　**正解　5**　　　TAC生の選択率 **62%**　　TAC生の正答率 **88%**

コブ＝ダグラス型効用関数の計算公式を用いて、最適消費点におけるY財の消費量を求めると、

$$y = \frac{0.8}{0.2 + 0.8} \times \frac{M}{P_y}$$
$$= \frac{4M}{5P_y}$$

となる。よって、**5**が正解となる。

ミクロ経済学 — 効用最大化

財X、財Yの二つの財を消費する消費者の効用関数が、

$$u = x^{\frac{1}{2}} y^{\frac{1}{2}} \quad (u：効用水準、x：財Xの消費量、y：財Yの消費量)$$

で与えられている。また、財Xの価格は1、財Yの価格は9である。いま、この消費者の効用水準 u が100であるとき、最適消費点における所得はいくらか。

1 360

2 420

3 480

4 540

5 600

解 説　　**正解 5**　　TAC生の選択率 **61%**　　TAC生の正答率 **80%**

この消費者の所得を M とすれば、効用関数がコブ＝ダグラス型なので、公式を用いることで財X と財Yの消費量がそれぞれ、

$$x = \frac{\frac{1}{2}}{\frac{1}{2} + \frac{1}{2}} \times \frac{M}{1}$$

$$= \frac{M}{2}$$

$$y = \frac{\frac{1}{2}}{\frac{1}{2} + \frac{1}{2}} \times \frac{M}{9}$$

$$= \frac{M}{18}$$

と求められる。ここで、それぞれの消費量から得られる効用水準が100であることから、

$$u = \left(\frac{M}{2}\right)^{\frac{1}{2}} \times \left(\frac{M}{18}\right)^{\frac{1}{2}}$$

$$= \frac{M}{6}$$

$$100 = \frac{M}{6}$$

となり、これを解けば、$M = 600$ と求められる。

以上より、正解は **5** となる。

ミクロ経済学　消費者行動理論

　二つの財を消費する消費者の選好に関するA〜Dの記述のうち、妥当なもののみを全て挙げているのはどれか。ただし、無差別曲線は原点に対して凸の形状を考えるものとする。

A　ともに上級財であるA財とB財のみを消費する消費者がいる。所得が一定の下、A財の価格が上昇した場合、代替効果はA財の需要量を減少させる方向へ働く。一方、実質所得は増加するため、所得効果はA財の需要量を増加させる方向へ働く。したがって、総効果では、A財の需要量が増加するか減少するかは確定しない。

B　無差別曲線は、同一線上の全ての点において、消費者が同一の満足を得られることを示すものである。消費者の無差別曲線は複数存在し、必ず上方にある無差別曲線上の点の方が、下方にある無差別曲線上の点よりも好まれる。また、無差別曲線は互いに交わることがある。

C　無差別曲線に対する接線の傾きの絶対値を限界代替率という。一方の財の価格の変化は最適消費点における限界代替率に影響を及ぼすが、財の価格は変化せず所得が変化したときは、最適消費点における限界代替率に影響を及ぼさない。

D　下級財については、その価格が上昇すると、所得効果は需要量を増加させる方向へ働く。しかし、代替効果は需要量を減少させる方向へ働くため、総効果をみると需要量が増加する場合もあれば減少する場合もある。また、ギッフェン財は、その価格が上昇すると、負の代替効果を正の所得効果が上回り、需要量が増加する財である。

1　A、B

2　A、D

3　B、C

4　B、D

5　C、D

解説　　正解 **5**　　TAC生の選択率 **74%**　　TAC生の正答率 **73%**

A　✕　上級財であるA財の価格が上昇した場合、代替効果に関する記述は妥当であるが、実質所得は減少するため、所得効果はA財の需要量を減少させる方向で働く。したがって、総効果では、A財の需要量は必ず減少する。すなわち、上級財であるA財がギッフェン財となることはなく、A財の価格の上昇はA財の需要量を必ず減少させるといえる。

B　✕　無差別曲線が互いに交わることはあり得ない。

C　〇

D　〇

　図は、ある財の市場について、縦軸に価格を、横軸に需要量・供給量をとり需要曲線Dと供給曲線Sを示したものである。いま、政府は、生産者からこの財を全て購入価格p_sで購入し、消費者に対しては全て販売価格p_dで販売する政策を実施した。それらの価格の下でのこの財の供給量をx_s、需要量をx_dとする。この政策の実施により生じる超過負担を表す領域として妥当なのはどれか。

　ただし、$p_s > p_d$、$x_s > x_d$であるとする。また、過剰生産された$x_s - x_d$の量の財は転売することができず価値がないものとする。

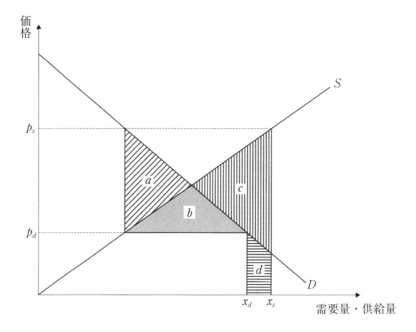

1　$a + c$

2　$a + c + d$

3　$a + d$

4　$b + c$

5　$c + d$

題意の図に、各領域を表す文字を加筆した図を再掲する。

ここで、政府が購入価格p_sで生産者から財を購入する場合、生産者の利潤最大化行動から、生産量はx_sとなる。このとき、生産者余剰PSは、

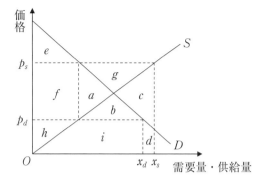

$$PS = a + f + g + h$$

の大きさで表される。

また、政府が販売価格p_dで消費者に対して財を販売する場合、消費者の効用最大化行動から、消費量はx_dとなる。このとき、消費者余剰CSは、

$$CS = a + b + e + f$$

の大きさの和で表される。

さらに、政府の余剰GSは、消費者からの収入から生産者への支出を差し引いた大きさとなるため、

$$GS = (h + i) - (a + b + c + d + f + g + h + i)$$
$$= -(a + b + c + d + f + g)$$

の大きさで表される。

よって、この政策を実施した場合の社会的総余剰TSは、

$$TS = PS + CS + GS$$
$$= (a + f + g + h) + (a + b + e + f) - (a + b + c + d + f + g)$$
$$= (a + e + f + h) - (c + d)$$

となる。

一方、この財の市場が完全競争市場であった場合の社会的総余剰TS^*は、

$$TS^* = (a + e + f + h)$$

となることから、この政策を実施したことによる超過負担の大きさは、

$$超過負担 = TS - TS^*$$
$$= -(c + d)$$

と求められる。よって、正解は**5**となる。

マクロ経済学

経済事情

財政学

経営学

政治学

社会学

社会事情

マクロ経済学 | 45度線分析

45度線分析の枠組みで考える。ある国のマクロ経済が以下のように示されている。

$$Y = C + I + G$$

$$C = 50 + 0.8Y$$

（Y：国民所得、C：消費、I：投資、G：政府支出）

ここで、$I = 150$、$G = 200$であるとする。

いま、この経済のデフレ・ギャップが20であるとき、現在の均衡国民所得は、完全雇用国民所得をどれだけ下回っているか。

1　25

2　50

3　75

4　100

5　150

解説　　**正解　4**　　TAC生の選択率　**74%**　　TAC生の正答率　**80%**

　デフレ・ギャップを解消することと、完全雇用国民所得を実現することは同値であり、デフレ・ギャップの大きさだけ需要（政府支出、または、投資）が増えれば、現在の均衡国民所得（Y^*）から完全雇用国民所得（Y_F）まで国民所得が増加することになる。この状況を示したものが右の図である。

　財市場の需給均衡条件式に与件を代入して変化分をとると、

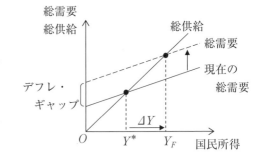

$$Y = 50 + 0.8Y + I + G$$

$$\rightarrow \Delta Y = 0.8\Delta Y + \Delta I + \Delta G$$

$$\rightarrow \Delta Y = 5(\Delta I + \Delta G)$$

となる。ここで、題意よりデフレ・ギャップを解消するために必要な需要の増加分が20であることから、$\Delta I + \Delta G = 20$を代入すれば、国民所得の増加分が100と求められる。すなわち、現在の均衡国民所得は、完全雇用国民所得を100だけ下回っていることがわかる。

　以上から、正解は**4**となる。

マクロ経済学

経済事情

財政学

経営学

政治学

社会学

社会事情

マクロ経済学 | 貨幣乗数

　ある経済において、市中銀行は預金残高の5％を預金準備として保有し、預金準備以外を貸出に充てている。一方、家計の現金預金比率は20％である。いま、中央銀行が金融緩和政策を実施し、ハイパワードマネーを5兆円増加させた。この場合のマネーストックの増加分はいくらか。

1　24兆円

2　28兆円

3　32兆円

4　36兆円

5　40兆円

解 説　　**正解　1**　　　TAC生の選択率 **74%**　　TAC生の正答率 **86%**

　マネーストック（マネーサプライ）MとハイパワードマネーHの関係式（貨幣乗数式）は、

$$M = \frac{c+1}{c+r} \times H \quad (c：現金預金比率、r：預金準備率)$$

と表される。この式に、与件（家計の現金預金比率$c = 0.2$、市中銀行の預金準備率$r = 0.05$）を代入し、変化分をとれば、

$$\Delta M = \frac{0.2+1}{0.2+0.05} \times \Delta H$$
$$= 4.8 \times \Delta H$$

を得る。題意より、ハイパワードマネーの増加分が$\Delta H = 5$であることから、マネーストックの増加分ΔMは、

$$\Delta M = 4.8 \times 5$$
$$= 24$$

と求められる。よって、正解は**1**となる。

マクロ経済学

経済事情

財政学

経営学

政治学

社会学

社会事情

マクロ経済学　IS-LM分析

マクロ経済モデルが、以下のように与えられている。

財市場均衡条件：$Y = C + I + G$

消費関数：$C = 0.8(Y-T) + 20$

投資関数：$I = 40 - 2r$

$\left[\begin{array}{l} Y：国民所得、\ G：政府支出、\ T：租税、\\ r：利子率、\ M：貨幣供給、\ P：物価水準 \end{array} \right]$

貨幣市場均衡条件：$\dfrac{M}{P} = L$

実質貨幣需要関数：$L = 0.4Y - 8r + 20$

当初、$G = 12$、$T = 15$、$M = 20$、$P = 1$ であった。いま、その他の条件を一定として、政府支出のみを15だけ増加させることを考える。このときの国民所得Yの変化として最も妥当なのはどれか。

1 30増加

2 50減少

3 50増加

4 100減少

5 変化なし

解説　　　正解　**3**　　　TAC生の選択率　**78%**　　TAC生の正答率　**94%**

貨幣市場の均衡について、実質貨幣需要は不変だから、第5式より、

$$0.4\Delta Y - 8\Delta r = 0 \ \rightarrow \ 2\Delta r = 0.1\Delta Y$$

よって、投資関数より、

$$\Delta I = -2\Delta r = -0.1\Delta Y$$

となる。この結果を考慮すると、政府支出が増加するとき、新たな均衡において、次の連立方程式が成り立つ。

$\left. \begin{array}{l} \Delta Y = \Delta C + \Delta I + \Delta G \\ \Delta C = 0.8\Delta Y \\ \Delta I = -0.1\Delta Y \\ \Delta G = 15 \end{array} \right\}$ $\rightarrow$ $\Delta Y = 0.8\Delta Y - 0.1\Delta Y + 15$ $\rightarrow$ $\Delta Y = 50$

したがって、国民所得は50増加する。

マクロ経済学
経済事情
財政学
経営学
政治学
社会学
社会事情

マクロ経済学 | 総供給関数

ある経済のマクロ的生産関数が以下のように示される。

$Y = 4\sqrt{N}$ （Y：総生産量、N：労働投入量）

古典派の第一公準が満たされており、名目賃金率Wが12で一定であるとすると、この経済における総供給関数として妥当なのはどれか。ただし、Pは物価水準を表すものとする。

1 $Y = \dfrac{P}{6}$

2 $Y = \dfrac{2}{3}P$

3 $Y = \dfrac{3}{2}P$

4 $Y = 4P$

5 $Y = 6P$

解説　　**正解 2**　　TAC生の選択率 **61%**　　TAC生の正答率 **52%**

古典派の第1公準から総供給関数を計算する問題である。まず、題意の生産関数を次のように書き直す。

生産関数：$Y = 4N^{\frac{1}{2}}$

この生産関数と与件（名目賃金率$W = 12$）を用いて、古典派の第1公準（労働の限界生産力＝実質賃金率）を導出する。

労働の限界生産力：$\dfrac{dY}{dN} = 2N^{-\frac{1}{2}}$

古典派の第1公準：$2N^{-\frac{1}{2}} = \dfrac{12}{P}$

古典派の第1公準をNについて解けば、雇用量（労働需要量）が求められる。

雇用量：$N = \dfrac{P^2}{36}$

この雇用量を題意の生産関数に代入すれば、総供給関数が求められる。

総供給関数：$Y = 4\left(\dfrac{P^2}{36}\right)^{\frac{1}{2}}$

$= \dfrac{2}{3}P$

以上より、正解は**2**となる。なお、計算の過程で古典派の第1公準を雇用量Nについて解くのではなく、$N^{\frac{1}{2}}$について解くほうが、後の計算が楽になることを付記しておく。

マクロ経済学　AD-AS分析

マクロ経済学

経済事情

財政学

経営学

政治学

社会学

社会事情

　ある国の経済について、総需要曲線及び総供給曲線が以下のように与えられ、完全雇用国民所得が150であることが分かっている。

　　　総需要曲線：$Y = 300 - 4P$

　　　総供給曲線：$Y = 20 + 3P$　　　（Y：国民所得、P：物価水準）

　この経済に関する記述として最も妥当なのはどれか。

　ただし、縦軸に物価水準、横軸に国民所得をとるものとする。

1　完全雇用国民所得を達成するために、政府支出の増加等の拡張的な財政政策を行った場合、総需要曲線は右方へシフトし、物価は上昇することとなる。

2　完全雇用国民所得を達成するために、貨幣供給量の減少等の金融引締め政策を行った場合、総需要曲線は左方へシフトし、物価は下落することとなる。

3　完全雇用国民所得を達成するために、貨幣供給量の増加等の金融緩和政策を行った場合、総供給曲線は右方へシフトし、物価は下落することとなる。

4　農作物の凶作や原油価格上昇等により、企業の生産費用が上昇した場合、総供給曲線は右方へシフトする。このとき、均衡国民所得は増加し、物価は上昇することとなる。

5　農作物の凶作や原油価格上昇等により、企業の生産費用が上昇した場合、総供給曲線は左方へシフトする。このとき、均衡国民所得は減少し、物価は下落することとなる。

解説　　**正解　1**　　

1　〇　拡張的な財政政策によって総需要曲線が右方シフトする。このとき、総供給曲線はシフトしないから、新たな均衡において物価が上昇する。

2　×　完全雇用国民所得150を用いて総需要と総供給を求めると、

$$150 = 300 - 4P \rightarrow P = \frac{75}{2} = 37.5 \, (\equiv P_D)$$
$$150 = 20 + 3P \rightarrow P = \frac{130}{3} > 43 \, (\equiv P_S)$$

$\rightarrow P_D < P_S$

が成り立つ。つまり、現状の国民所得は完全雇用国民所得を下回るから、金融引締め政策によって完全雇用国民所得を達成することはできない。

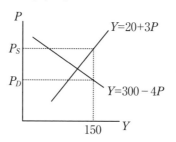

3　×　金融緩和政策を行っても総供給曲線はシフトしない。右方シフトするのは総需要曲線である。

4　×　企業の生産費用が上昇すると、総供給曲線は左方へシフトする。これは任意の価格水準ついて生産量（国民所得）を減らすためである。

5　×　総供給曲線が左方へシフトすると物価は上昇する。

マクロ経済学

経済事情

財政学

経営学

政治学

社会学

社会事情

フィリップス曲線及び自然失業率仮説に関する次の記述のうち、妥当なのはどれか。

ただし、フィリップス曲線、総供給曲線は、それぞれ、縦軸に物価上昇率、物価水準をとるものとする。

1 フィリップス曲線は、物価上昇率と失業率との間の正の相関関係を示す右上がりの曲線であり、1970年代のアメリカ合衆国のスタグフレーションの状況を説明するために導かれたものである。

2 1990年代後半の我が国においては、1970年代、1980年代と比べて、高い物価上昇率の下で、傾きの急なフィリップス曲線が観測されている。

3 短期フィリップス曲線と総供給曲線の関係についてみると、供給量の減少により総供給曲線が左方にシフトした場合、短期フィリップス曲線は右方にシフトする。

4 M.フリードマンは、自然失業率について、産業構造の変化などの経済の構造的・制度的要因ではなく、貨幣的要因に依存してその水準が決定されるものであるとした。

5 自然失業率仮説によると、貨幣錯覚が修正された後の長期フィリップス曲線は垂直となり、このとき、中央銀行の金融緩和政策には、自然失業率を下げる効果があるとされている。

解説 　**正解 3** 　TAC生の選択率 **62%** 　TAC生の正答率 **35%**

1 × フィリップス曲線は、物価上昇率と失業率との間の負の相関関係を示す右下がりの曲線である。

2 × 縦軸に物価上昇率、横軸に失業率をとる平面を用いると、1990年代後半の我が国においては、1970年代、1980年代と比べて、低い物価上昇率の下で、傾きの緩やかなフィリップス曲線が観測されている。

3 〇

4 × M.フリードマンは、自然失業率について、貨幣的要因ではなく、経済の構造的・制度的要因に依存してその水準が決定されるものであるとした。

5 × 自然失業率仮説によると、貨幣錯覚が修正された後の長期フィリップス曲線は垂直となり、このとき、中央銀行の金融緩和政策では、自然失業率を下げることはできないとした。

マクロ経済学

経済事情

財政学

経営学

政治学

社会学

社会事情

マクロ経済学 | 新古典派投資理論

新古典派の投資理論の枠組みで考える。ある財を生産する企業のt期における資本ストックがK_tのときの資本の限界生産性MPKは$\frac{4}{\sqrt{K_t}}$である。また、t期の望ましい資本ストックを$K_t{}^*$、資本減耗率をdとすると、t期の粗投資I_tは、$I_t = K_t{}^* - (1-d)K_{t-1}$である。

また、$t-1$期において、利子率は15％、資本減耗率は5％であり、資本ストックは望ましい水準にあった。

いま、t期において資本減耗率に変化はなく、利子率が5％に低下した。t期においても資本ストックを望ましい水準にする場合のt期における粗投資I_tはいくらか。

ただし、財の価格及び資本ストック1単位当たりの価格はともに1であるとする。

1 1220

2 1270

3 1320

4 1370

5 1420

解説　　　**正解　1**　　　TAC生の選択率 **62%**　　TAC生の正答率 **18%**

まず、$t-1$期における望ましい資本ストック水準を求める。新古典派の投資理論において、望ましい資本ストックは、資本の限界生産性と、利子率と資本減耗率の和で表される資本の使用者費用（ユーザー・コスト）が等しくなるように決まることから、$t-1$期における望ましい資本ストック水準は、

$$\frac{4}{\sqrt{K_{t-1}}} = 0.15 + 0.05$$
$$\therefore \quad K_{t-1} = 400$$

と求められる。

次に、t期における望ましい資本ストック水準を求める。利子率が0.05になったときのt期における望ましい資本ストック水準は、同様にして、

$$\frac{4}{\sqrt{K_t}} = 0.05 + 0.05$$

によって決まり、$K_t{}^* = 1600$と求められる。

したがって、以上の結果を与式に代入すれば、t期における粗投資I_tは、

$$I_t = 1600 - (1 - 0.05) \times 400$$
$$= 1220$$

と求められる。よって、**1**が正解となる。

マクロ経済学

経済事情

財政学

経営学

政治学

社会学

社会事情

| マクロ経済学 | 成長会計方程式 | 2021年度
専門 No.26 |

成長会計におけるマクロ的生産関数が以下のように示されている。

$$Y = AK^{0.4}L^{0.6} \quad \begin{cases} Y: 産出量、A: 全要素生産性（TFP） \\ K: 資本ストック量、L: 労働投入量 \end{cases}$$

全要素生産性の増加率が1.2%、資本ストック量の増加率が4.4%、労働投入量の増加率が0.9%のとき、経済成長率（産出量の増加率）はいくらか。

1 2.0%

2 2.5%

3 3.0%

4 3.5%

5 4.0%

解説 **正解 4** TAC生の選択率 **61%** TAC生の正答率 **85%**

まず、題意のマクロ生産関数から、成長会計方程式を求める。

$$\frac{\Delta Y}{Y} = \frac{\Delta A}{A} + 0.4 \times \frac{\Delta K}{K} + 0.6 \times \frac{\Delta L}{L} \quad \cdots\cdots(1)$$

ここで、全要素生産性の増加率 $\frac{\Delta A}{A} = 1.2$%、資本ストック量の増加率 $\frac{\Delta K}{K} = 4.4$%、労働投入量の増加率 $\frac{\Delta L}{L} = 0.9$%を(1)式に代入すれば、経済成長率（産出量の増加率）が、

$$\frac{\Delta Y}{Y} = 1.2 + 0.4 \times 4.4 + 0.6 \times 0.9$$

$$= 3.5\%$$

と求められる。よって、正解は**4**となる。

経済事情	国内経済事情	2023年度 専門 No.27

　我が国の経済の状況に関するA～Dの記述のうち、妥当なもののみを挙げているのはどれか。なお、データは「令和4年版 経済財政白書」による。

A　我が国の2022年1－3月期の実質GDPについて、需要項目別に新型コロナウイルス感染症の感染拡大前（2019年10－12月期）と比較すると、個人消費や設備投資が感染拡大前の水準を大きく上回っている一方で、中国でのロックダウンの影響により、輸出の回復が遅れている。

B　我が国の貯蓄・投資バランス（一国の総貯蓄と総投資の差額）についてみると、高い家計貯蓄率や、企業部門が1990年代半ば以降大幅な貯蓄超過に転じたことを背景として、1990年代後半以降でみると2020年まで貯蓄超過が継続している。

C　2021年9月から2022年6月までの為替レートは円高方向で推移しており、一時的に1ドル90円台となった。これにより、輸出企業や海外展開をしている事業者等の収益が改善する一方で、仕入価格の下落を通じた企業の収益悪化や、消費者への負担の増加が問題となった。

D　欧米を中心として、世界的に新型コロナウイルス感染症後の需要回復が進展したこと等により、我が国企業は半導体不足等の供給制約に直面した。半導体は、電気・情報通信機械の生産にも使われており、当該業種の生産は2021年半ば頃に大きな減少がみられた。

1　A、B

2　A、C

3　B、C

4　B、D

5　C、D

解 説　　**正解　4**　　TAC生の選択率 **78%**　TAC生の正答率 **82%**

A　✘　個人消費や設備投資が新型コロナウイルス感染症の感染拡大前の水準を大きく上回ったという事実はない。

B　〇

C　✘　近年、為替レートは円安方向で推移していることに鑑みれば誤りであると判断できる。

D　〇

　以上を踏まえて、記述AとCについて正誤判定が容易であるため、消去法で正解が得られるであろう。

マクロ経済学

経済事情

財政学

経営学

政治学

社会学

社会事情

		2023年度 専門 No.28
経済事情	国際経済事情	

　表のA〜Dは、ある四つの国について、実質GDP成長率（前年比）及び消費者物価上昇率（前年比）を表したものである。次のア〜エの記述のうち、妥当なもののみを挙げているのはどれか。ただし、表中の数値は、一部推計値となっている。

(%)

		2019年	2020年	2021年	2022年
A	実質GDP成長率	1.7	▲9.3	7.4	3.6
	消費者物価上昇率	1.8	0.9	2.6	9.1
B	実質GDP成長率	2.2	▲2.7	4.7	▲3.4
	消費者物価上昇率	4.5	3.4	6.7	13.8
C	実質GDP成長率	3.7	▲6.6	8.7	6.8
	消費者物価上昇率	4.8	6.2	5.5	6.9
D	実質GDP成長率	1.2	▲3.9	4.6	2.8
	消費者物価上昇率	3.7	3.2	8.3	9.4

　（注）IMF「World Economic Outlook Database」（October 2022）により作成。

ア　Aはドイツである。2020年の実質GDP成長率はコロナショックにより大幅なマイナスとなり、同年の失業率は8％程度となった。一方で、迅速なワクチン普及や好調な乗用車の生産に後押しされ、2021年の実質GDP成長率はユーロ圏全体の成長率を上回った。

イ　Bはロシアである。同国は、世界のエネルギー・食料供給で大きなシェアを占めており、原油や小麦は同国の主要な輸出品目となっている。中東・アフリカ諸国を中心に、途上国においてはロシアへの食料輸入依存度が高くなっている。

ウ　Cはインドである。インド与党は2030年までに経済規模で世界3位となることを目指している。新型コロナウイルス感染症の感染拡大に伴う活動制限によりサプライチェーンが寸断されたこと等の影響もあり、2020年に食料価格が急速に上昇した。

エ　Dはブラジルである。新型コロナウイルス感染症の感染拡大以降、同国は政策金利の引下げを続け、2022年5月時点では実質ゼロ金利となっている。また、ウクライナ情勢の緊迫化を背景に、資源に乏しく食料等の一次産品輸入国であるブラジルの通貨レアルは、2022年の2月から4月にかけて、大幅な通貨安が進行した。

1　ア、イ

2　ア、エ

3　イ、ウ

4　イ、エ

5　ウ、エ

マクロ経済学

経済事情

財政学

経営学

政治学

社会学

社会事情

解 説　　正解　**3**　　TAC生の選択率　**78%**　　TAC生の正答率　**48%**

ア　✕　ドイツはEUの中でも経済状況が良い国であることがイメージできれば、2020年の実質GDP
成長率が他国よりも大きくマイナスとなっている表Aをドイツとしている記述が誤りであると判断
できる。また、ドイツの失業率は近年、概ね5％を下回って推移している。

イ　〇

ウ　〇

エ　✕　ブラジルは資源国であり鉄鉱石などが主な輸出品であることに鑑みれば誤りの選択肢である
と判断できる。

　以上を踏まえて、記述アとエについて正誤判定が容易であるため、消去法で正解が得られるであろ
う。

マクロ経済学

経済事情

財政学

経営学

政治学

社会学

社会事情

| 財政学 | 財政制度 | 2023年度 専門 No.31 |

我が国の財政制度に関する次の記述のうち、最も妥当なのはどれか。

1 予算はその目的のとおり執行しなければならないが、予算編成後、情勢の変化などによって当初の予算どおり執行することが不適切となる場合は、暫定予算を組むことができる。暫定予算は、本予算と異なり、国会の議決を必要とせず財務大臣の承認を経て認められる。

2 本予算の執行過程において、天災地変や経済情勢の変化により、当初の予算どおり執行することが不可能となった場合に限り、国会の議決を経て補正予算を組むことができるが、補正予算は必要最低限にとどめる必要があるため、財政法において、1会計年度に2回までしか組むことができないこととされている。

3 建設国債の償還は、満期ごとに規則的に一部を借り換え、一部を一般財源で償還し、全体として30年間で完全に一般財源で償還し終える仕組みとなっている。これは建設国債を発行して行った公共事業による公共施設等が国民に便益を提供できる期間が約30年間であるとの考え方に基づいており、特例公債や復興債、財投債は借換えが禁止されている。

4 財政法第5条は、国債を日本銀行が直接引き受ける形で発行することを原則として禁止している。ただし、特別の事由がある場合は、国会の議決を経た金額の範囲内で可能とされており、現在、日本銀行が保有する国債の償還額の範囲内で借換債を引き受ける「日銀乗換」が行われている。

5 財政投融資とは、財投債の発行によって調達した資金を原資として、政策的必要性はあるもののリスクが高く民間では十分に対応できない分野に対して、短期・低利の融資やリスクマネーの供給を行う投融資活動であり、その対象は主に政府系金融機関や独立行政法人で、地方公共団体は含まれていない。

解説　　**正解　4**　　TAC生の選択率 **78%**　TAC生の正答率 **87%**

1 ✕　選択肢の記述は補正予算に関するものであり、暫定予算としているのが誤りであるが、国会の議決を不要としている点も誤りである。

2 ✕　補正（予算）の回数の上限は設けられていない。

3 ✕　建設国債は60年償還ルールが適用される。

4 ◯

5 ✕　独立行政法人や地方公共団体は財政投融資対象機関である。

経済事情

財政学

経営学

政治学

社会学

社会事情

財政学 ｜ 財政制度

我が国の財政制度等に関するA〜Dの記述のうち、妥当なもののみを全て挙げているのはどれか。

A　予算は財政民主主義の観点から毎会計年度これを作成し、国会の議決を経なければならないという「予算の単年度主義」を原則としているが、例外として、「過年度収入及び過年度支出」のほか、「継続費」が認められている。「継続費」とは、歳出予算のうち、その性質上又は予算成立後の事由により年度内にその支出が終わらない見込みのあるものについて、あらかじめ国会の議決を経て、翌年度に繰り越して使用することができるものである。

B　予算の種類として、一般会計予算、特別会計予算、政府関係機関予算があり、このうち政府関係機関予算は、令和3年度時点では、沖縄振興開発金融公庫、株式会社日本政策金融公庫などの4機関の予算である。この4機関の事業は、公共の利益を目的としており国の事業に近いものであるため、その予算は国の予算と同様に国会の議決を受けることになっている。

C　特別会計は、国が特定の事業を行う場合、あるいは特定の資金を保有してその運用を行う場合、その他特定の歳入をもって特定の歳出に充て一般の歳入歳出と区分して経理する必要がある場合に限り、法律をもって設置するものとされており、令和3年度時点では、13の特別会計が設置されている。

D　一般会計においては、決算の結果生じた剰余金は、通常、剰余金が生じた年度の翌年度の歳入に繰り入れられる。この決算上の剰余金のうち、その年度に新たに生じた剰余金から歳出予算の繰越額を除いた額を純剰余金といい、この純剰余金の3分の1を下らない金額は、当該剰余金の生じた年度から5年度以内に公債の償還財源に充てることとされている。

1　A

2　A、B

3　B、C

4　C、D

5　D

マクロ経済学

経済事情

財政学

経営学

政治学

社会学

社会事情

解 説　　**正解　3**　　

A　✖　予算単年度主義の例外は一般的に継続費、繰越明許費、国庫債務負担行為が挙げられる。過年度収入及び過年度支出は会計年度独立の原則の例外とされる（ただし、過年度収入及び過年度支出を予算単年度主義の例外としている説もあるので、正誤判定をする際は、他の記述との兼ね合いで判断してほしい）。また、後半にある記述は繰越明許費に関するものである。

B　〇

C　〇

D　✖　前半の記述は正しい。後半の記述については、純剰余金は2分の1を下回らない金額を当該剰余金の生じた翌々年度までに公債の償還財源に充てることとされているとするのが正しい。

財政学	財政制度	2021年度 専門 No.31

我が国の財政制度等に関するA〜Dの記述のうち、妥当なもののみを全て挙げているのはどれか。

A　予算の流用とは、同一項内の目と目の間の経費の融通であり、あらかじめ予算をもって国会の議決を経ておくことを要件としていないが、財務大臣の承認を要件としている。

B　予算につき、参議院が衆議院の可決した予算案を受け取った後30日以内（国会休会中の期間を除く）に議決しない場合、衆議院の議決が国会の議決となる。

C　国庫債務負担行為は、あらかじめ予算をもって国会の議決を経ておくことを要件としていないが、財務大臣の承認を要件としている。また、その対象経費は工事、製造その他の事業に限定されている。

D　政府関係機関を国から切り離して別個の機関としているのは、その予算に弾力性をもたせ、企業的経営によって能率をあげるためである。そのため、国の予算と異なり、政府関係機関の予算については国会の議決を必要としない。

1　C

2　A、B

3　A、D

4　B、C

5　A、B、D

解 説　　**正解　2**　　TAC生の選択率　89%　TAC生の正答率　83%

A　〇

B　〇

C　✕　国庫債務負担行為は、あらかじめ予算をもって国会の議決を経ておくことを要件としている。

D　✕　政府関係機関の予算は国会の議決を必要とする。

我が国の地方財政制度に関する次の記述のうち、最も妥当なのはどれか。

1 地方交付税の各地方公共団体への配分は、毎年固定の基準で算定される基準財政需要額や基準財政収入額を考慮して決定される。そのうち普通交付税については前年度3月末までに、特別交付税については6月と12月に、財務大臣により決定される。

2 地方債の発行については、地域の自主性及び自立性を高める観点から見直しが行われてきているが、実質収支の赤字が一定以上の団体、公債費などの比率が一定以上の団体等が地方債を発行する場合は、総務大臣又は都道府県知事の許可を受けなければならない。

3 国庫支出金とは、それぞれの法律の目的・経緯に基づき国税として徴収した租税を、客観的基準によって地方公共団体に譲与するものであり、所得税、酒税、地方揮発油譲与税、森林環境譲与税、石油ガス譲与税、特別法人事業譲与税等で構成されている。

4 国は地方公共団体に対して補助金、交付金、負担金、補給金など様々な名称で支出金を交付しているが、そのうち地方交付税など特定財源であるものを除く、使途を特定しない支出金のことを、地方特例交付金という。

5 地方公営企業は、透明性を確保するため地方公共団体から独立して経営されており、上・下水道、病院、交通等の地域住民の生活に不可欠なサービスについて提供し、その料金収入のみによって維持されている。

解説 **正解 2** TAC生の選択率 **78%** TAC生の正答率 **70%**

1 × 地方自治を監督するのは総務省（総務大臣）である。

2 ○

3 × 国庫支出金は国から地方公共団体に委託された事業等にかかる経費を国から地方に供与するものである。また、国庫支出金の財源は特定の税が充てられているわけではない。

4 × 地方交付税は一般財源である。

5 × 地方公営企業は原則独立採算とされるが、経費の性格として企業負担をさせることが適当でないと認められるものについては、地方の普通会計や国庫からの財政措置が講じられているほか、地方公営企業が発行する地方債について財政融資資金等による引き受けが行われている。

マクロ経済学

経済事情

財政学

経営学

政治学

社会学

社会事情

| 財政学 | 地方財政 | 2022年度 専門 No.34 |

我が国の地方財政に関する次の記述のうち、妥当なのはどれか。

1 　地方財政計画は、地方公共団体の経済活動である地方財政を総体的に捉えたものであり、内閣が国会に提出する。その歳出規模（通常収支分）は令和3年度で約90兆円であり、同年度の国の一般会計当初予算の規模を下回っている。

2 　地方交付税の総額は、地方財政計画の歳入と歳出の差額を補填する中で決定され、具体的には国税である所得税と法人税の合計額の15%である。また、地方交付税の使途は社会保障や公共事業など一定のものに限定されている。

3 　地方公共団体は、当該年度の歳出を地方債以外の歳入で賄えない場合、地方債許可制度に基づき、総務大臣の許可を得た上で地方債を発行できる。令和3年度地方財政計画（通常収支分）において、歳入に対する地方債の割合は4割程度となっている。

4 　平成24年度から令和3年度までの地方財政計画（通常収支分）の歳出をみると、緩やかな減少傾向で推移している。また、令和3年度地方財政計画（通常収支分）の歳出についてみると、給与関係経費は約40兆円となっており同計画の5割強を占めている。

5 　地方財政の近年の大きな改革として、小泉純一郎内閣によって行われた、いわゆる「三位一体改革」がある。この「三位一体改革」とは、国、地方公共団体、地域住民が一体となって地方分権を推進することを意味するものであり、これにより地方交付税の削減と国庫補助負担金の大幅な増額が行われた。

解 説　　　　**正解　1**　　　TAC生の選択率 **87%**　　TAC生の正答率 **70%**

1 　〇

2 　✕　　地方交付税の総額は、所得税と法人税の33.1%、消費税の19.5%、酒税の50%、地方法人税の全額の合計となっている。また、地方交付税は社会保障の経費に充てられる消費税分を除いては使途の制限はない（一般財源）。

3 　✕　　現在、基本的には起債協議制度に基づき地方債が発行される（ただし、一定の条件を満たす地方公共団体については、起債届出制度、起債許可制度に基づいて地方債が発行される）。また、令和3年度地方財政計画において歳入に対する地方債の割合は1割程度（約12.5%）となっている。

4 　✕　　近年の地方財政計画の歳出総額は緩やかに増加傾向にあるが、令和3年度は対前年比で減少となった。また、歳出総額に占める給与関係費の割合は概ね2割程度で推移している。

5 　✕　　「三位一体の改革」とは、地方交付税と国庫補助負担金の削減と、国から地方への税源移譲が三位一体で行われたことをいう。

　ある国では、所得額が300万円以上の者について、300万円を超える分の所得に対して、一律20％の税率で所得税を課し、一方で所得額が300万円以下の者には所得額から300万円を引いた額に対して一律50％の税率で「負の所得税（税による給付）」を課している。このとき、所得額が200万円の者と500万円の者との課税後所得額の差はいくらか。

1　120万円

2　150万円

3　180万円

4　210万円

5　250万円

解 説　　　**正解　4**　　　TAC生の選択率　**87％**　　　TAC生の正答率　**81％**

　所得額が200万円の者への課税額は、

　　$(200 - 300) \times 0.5 = -50$［万円］

であるので、課税後所得額は、

　　$200 - (-50) = 250$［万円］

となる。一方、所得額が500万円の者への課税額は、

　　$(500 - 300) \times 0.2 = 40$［万円］

であるので、課税後所得額は、

　　$500 - 40 = 460$［万円］

となる。よって、課税後所得額の差は、

　　$460 - 250 = 210$［万円］

と求められることから、**4**が正解となる。

財政学　租税制度

我が国の税制に関する次の記述のうち、最も妥当なのはどれか。

1 令和4年度税制改正においては、住宅ローン控除制度について、適用期限の延長に加え、2050年カーボンニュートラルの実現に向けた見直しを行った。また、法人課税については、積極的な賃上げ等を促すための措置を講じた。

2 令和4年度税制改正においては、ふるさと納税制度について、高所得者への優遇との批判を受けて、特例控除額の上限引下げが行われたほか、一定の条件を満たす場合には確定申告をすることなく寄附金控除が受けられる、いわゆるワンストップ特例制度が導入された。

3 令和3年度税制改正においては、医療費控除の特例として認められているセルフメディケーション税制について、制度の簡素化の観点から医療費控除への一本化を目指し、控除限度額を段階的に縮小し令和13年度に廃止することとした。

4 令和3年度税制改正においては、住宅取得資金や教育資金等に係る贈与税の非課税措置について、節税的な利用が常態化していること等を踏まえ、非課税枠の大幅な縮小を行った。また、出国1回につき5,000円の負担を求める国際観光旅客税を創設することとした。

5 令和2年度税制改正においては、老後資金の安定的な確保を図るため、NISA（少額投資非課税）制度の見直しを行った。これにより、つみたてNISAの口座開設可能期間・非課税期間が共に無期限に延長されたため、これまでの一般NISAは同年度末に終了することとなった。

解説　正解　**1**

TAC生の選択率 **78%**　TAC生の正答率 **55%**

1 ○

2 ×　ふるさと納税のワンストップ特例は平成27（2015）年度に創設された。

3 ×　セルフメディケーション税制は平成29（2019）年1月に創設された。

4 ×　国際観光旅客税は平成29（2019）年1月7日から出国1回につき1,000円が徴収されることとなった。

5 ×　一般NISAは令和5（2023）年までとされている。

| 財政学 | 租税制度 | 2022年度 専門 No.32 |

我が国の租税制度等に関するA～Dの記述のうち、妥当なもののみを全て挙げているのはどれか。

A　所得税については、所得額から基礎控除や配偶者控除などの所得控除を差し引いた課税所得を基に算出された税額から、税額控除を差し引いて実際に支払う税額が算出される。

B　法人税に関して、国税分として法人事業税が課されており、これについては、資本金1億円超の普通法人に対し、所得に応じた所得割は課されておらず、資本金の額や付加価値額を課税の基準とする外形標準課税が導入されている。

C　消費税については、令和元年10月に税率が10％へ引き上げられ、その際、低所得者対策として「酒類・外食を除く飲食料品」及び「定期購読契約が締結された週2回以上発行される新聞」について、軽減税率制度が導入された。

D　シャウプ税制改革勧告以降、国税については間接税中心となったほか、地方税については道府県税が重視され、広域行政を担う都道府県についてのみ固定資産税を創設したことなどにより、令和3年度地方財政計画における税収は市町村税よりも道府県税の方が多くなっている。

1　A、B

2　A、C

3　B、C

4　B、D

5　C、D

解説　　**正解　2**　　TAC生の選択率 **87%**　　TAC生の正答率 **59%**

A　**○**

B　**×**　（法人）事業税は道府県税であり国税ではない。また、事業税では所得割も課されている。本記述の「法人税」とは、国税の法人税と道府県税の事業税をあわせたいわゆる「法人税」と判断しよう。

C　**○**　本記述の「消費税」とは、国税の消費税と道府県税の地方消費税をあわせたいわゆる「消費税」と判断しよう。

D　**×**　シャウプ勧告では国税について直接税中心主義がとられた。また、地方税については市町村税重点主義がとられ、市町村税に固定資産税が創設された。また、令和3年度地方財政計画における税収は市町村税の方が道府県税よりも多くなっている。

財政学 | 租税制度

我が国の租税制度に関するA～Dの記述のうち、妥当なもののみを全て挙げているのはどれか。

A　所得税については、所得の発生形態によって所得を分類し、原則としてその所得金額を合計した金額から所得控除額を差し引き、その残額に対して所得税額を計算する総合課税の仕組みがとられている。ただし、退職所得や山林所得のようにその所得の特殊性から、他の所得とは分離して課税されている所得もある。

B　法人税は、法人を株主とは独立した存在とみる法人擬制説の考え方に基づき、法人の企業活動により得られる所得に課せられる。また税率については、法人の所得の増加に応じて税率を累進的に増加させていく累進課税制度が適用されている。

C　消費税については、税の累積を排除するために生産や流通など各段階では課税されず、最終段階である販売段階でのみ課税され、実質的な税の負担者は消費者のみとなっている。また、令和元年10月の消費税率引上げと同時に、手続き簡素化のためインボイス制度は廃止された。

D　相続税は、相続や遺贈（遺言による贈与）などにより財産を取得した者に対して、その財産を取得したときにおける時価を課税価格として課せられる。なお、一定の事由、条件の下で延納が認められ、延納によっても金銭で納付することが困難な場合には、国債、不動産、株式等による物納が認められている。

1　A、B

2　A、D

3　B、C

4　B、D

5　C、D

解説　　**正解　2**　　TAC生の選択率 **89%**　TAC生の正答率 **76%**

A　**○**

B　**✕**　法人税は累進税ではなく比例税である。

C　**✕**　2019（令和元）年10月までインボイス方式が採用されていた事実はない（消費税が導入された1989（平成元）年からはアカウント方式、消費税率（国税＋地方税）が３％から５％に増税された1997（平成９）年以降は、請求書等保存方式が採用されている。）。また、2023（令和５）年10月より適格請求書保存方式（いわゆるインボイス方式）が導入されることとなっている。

D　**○**

財政学	公債	2023年度 専門 No.30

公債負担に関するA～Dの記述のうち、妥当なもののみを挙げているのはどれか。

A　ブキャナンは、一国全体の効用あるいは利用可能な資源が強制的に減少させられることを、負担と定義し、負担は公債の購入時点には生じるが、公債の元利払いが実施される時点には生じないとした。

B　モディリアーニは、公債の負担を生涯消費の減少と定義した。この定義によれば、公債の償還が同一世代で行われる場合、公債による財源の調達よりも、租税による財源の調達の方が消費を大きく減少させるため、公債による財源の調達が望ましいとされる。

C　リカードの中立命題では、政府支出が一定であるという条件の下で、公債の発行と償還が同一世代に限定され、個人が生涯にわたる予算制約式（生涯所得）に基づいて最適化行動をとるならば、財源調達の手段が租税であるか公債であるかにかかわらず、政策の効果は同一であるとされる。

D　バローの中立命題が成立する場合、公債の発行と償還が世代を超えて行われても、個人は将来世代の効用も自分の効用と考えて、適切に資産を残して増税に備えるため、公債負担は将来世代には転嫁されないこととなる。

1　A、B

2　A、C

3　A、D

4　B、C

5　C、D

解 説　　**正解　5**　　TAC生の選択率　**78%**　　TAC生の正答率　**63%**

A　✗　そもそも公債負担論は将来世代へ負担が転嫁されるかどうかに関する議論である。選択肢の記述にある「負担は購入時点には生じるが、公債の元利払いが実施される時点には生じないとした」という部分が理屈に合わない。負担は元利払いの財源を負担する将来世代が負うものである。

B　✗　モディリアーニの主張は政府支出の生産性向上効果（政府支出を増加させたことによる国民所得の増加分）と民間投資の生産性向上効果（民間投資を増加させたことによる国民所得の増加分）を比較した場合、後者が前者を上回るときに将来世代への負担の転嫁が生じるとしたものである。

C　⭕

D　⭕

　以上を踏まえて、記述AとBについて正誤判定が難しくとも、記述CとDは容易に正しい記述である判断できるようにして、確実に得点できるようにしておこう。

マクロ経済学

経済事情

財政学

経営学

政治学

社会学

社会事情

財政学	公債	2021年度 専門 No.32

国債に関する次の記述のうち、妥当なのはどれか。

1　国債を償還期限別に見た場合、償還期限が1年、2年のものを短期国債、5年、10年、20年のものを中期国債、30年のものを長期国債、40年以上のものを超長期国債という。また、政府短期証券の償還期限は、3ヶ月と6ヶ月に限られている。

2　財政法第4条第1項は、「国の歳出は、公債又は借入金以外の歳入を以て、その財源としなければならない」とする一方、同項ただし書において、「公共事業費、出資金及び貸付金の財源については、国会の議決を経た金額の範囲内で、公債を発行し又は借入金をなすことができる」と定めており、この規定に基づき建設国債が発行される。

3　財政法第5条は、かつて日本銀行が大量の国債発行を引き受けた結果、激しいインフレーションを引き起こした反省に基づき、財務省証券や一時借入金を含め、国債の日本銀行引受けによる発行を禁じている。同条ただし書において、特別の事由がある場合には、この限りでないとされているが、特別の事由としていわゆる日銀乗換は認められていない。

4　国債の償還については、減税特例国債や復興債を含め、満期ごとに規則的に一部を借り換え、一部を一般財源で償還し、全体として60年間で完全に一般財源で償還される仕組みとなっている。

5　国債の発行については、公募入札方式により発行価格が決定され、発行後はシンジケート団により引き受けられる。また、国債の販売については、個人向け国債は、取扱機関が郵便局に限定されている。

解説　　**正解　2**　　TAC生の選択率 **89%**　TAC生の正答率 **74%**

1　**×**　長期国債の償還期限は10年であり、それよりも償還期限が長いもの（40年・30年・20年）を超長期国債という。また、短期国債は償還期限が1年であり、それよりも償還期限が長く10年未満のもの（5年・2年）を中期国債という。また、政府短期証券は償還期限が1年、6か月、3か月、2か月程度の4種類が存在する。

2　**○**

3　**×**　財政法第5条では政府短期証券の日本銀行による引き受けを禁止していない。あくまで新規国債の引き受けを禁止している。また、借換債については財政法第5条のただし書きにおいて、日本銀行による引き受け（日銀乗換）が認められている。

4　**×**　減税特例公債の償還期限は20年、復興債の償還期限は25年となっている。

5　**×**　シンジケート団による国債の引受け（シ団引受制度）はすでに廃止されている。また、個人向け国債の販売が郵便局に限定されているという事実はない。

我が国の財政投融資に関する次の記述のうち、妥当なのはどれか。

1 財政投融資は、国民生活にとって必要な大規模な事業及び極めて長期のプロジェクトの実施に対し資金供給を行う国の投融資活動であるが、財源の大半は税収であるため、民間金融では対応が難しいリスクの高い事業には資金供給できない。

2 財政投融資については、財政融資、産業投資、政府保証の三つの手法を用いて、政策金融機関などを通じて、中小企業・小規模事業者の資金繰り支援、インフラの海外展開支援などの分野に資金供給を行っている。

3 2000年代の財政投融資改革以降、国は、資金運用部資金に加え、財投債を発行して資金を調達することが可能となった。一方、財投機関が自ら財投機関債を発行し資金調達することは禁じられている。

4 財政投融資計画は、国会での審議や議決を経る必要はないものの、国会への報告義務が課されている。また、年度の途中において、補正予算のように計画額を増額改定することはできないため、財政投融資は、災害等による緊急の資金需要には対応できない。

5 財政投融資計画額（当初計画ベース）は、財政投融資改革以降、平成20年度頃まで、ほぼ横ばいで推移していたが、平成23年度以降、東日本大震災に伴う国・地方への資金供給の必要性等から増加傾向に転じ、令和元年度では30兆円を上回っている。

解 説　　**正解　2**　　TAC生の選択率　89%　TAC生の正答率　76%

1 ✕　財政投融資に用いられる財源の大半は、財投債の発行によるものである。また、民間金融では対応が難しいリスクの高い事業には資金供給できないとしているのも誤りである。

2 ○

3 ✕　財政投融資改革以降、資金運用部資金は廃止となった。また、財投機関が自ら財投機関債の発行を通じて資金調達することが可能となった。

4 ✕　年度の途中においても、政府保証の限度額を50%の範囲内で増額できるなどの「弾力条項」が存在するため、災害等による緊急の資金需要に対応可能となっている。

5 ✕　財政投融資改革以降、財政投融資計画額（当初予算ベース）は減少傾向にあり、2019（令和元）年度では約13兆円となっており30兆円を下回っている。

マクロ経済学

経済事情

財政学

経営学

政治学

社会学

社会事情

財政学	年金財政方式	2022年度 専門 No.30

年金に関するA〜Dの記述のうち、妥当なもののみを全て挙げているのはどれか。

A 確定給付型年金とは、高齢期の1人当たり年金給付額をあらかじめ定める形で保険料負担を求める年金である。他方、確定拠出型年金とは、若年期の1人当たり年金保険料をあらかじめ定める形で給付を行う年金である。

B 賦課方式とは、高齢世代への年金給付の財源を、その時の若年世代から保険料として徴収する方式である。他方、積立方式とは、若年期に保険料を払い、将来（高齢期）の自らの年金受給のために積み立てておく方式である。

C 賦課方式での年金保険料の水準は、若年世代（保険料負担者）人口に対する高齢世代（年金受給者）人口の比率が高いほど、つまり、人口成長率が低いほど多くなる。また、積立方式はインフレーションによる年金給付の実質価値の目減りを回避しやすいという特徴がある。

D 賦課方式から積立方式へ移行することによって、効用水準の世代間格差を解消することができる。この場合、積立方式から賦課方式への移行と異なり、移行期の若年世代が高齢世代への給付と自分の将来のための積立を同時に行う、いわゆる「二重の負担」は発生しない。

1 A、B

2 A、C

3 A、D

4 B、C

5 C、D

解 説　　**正解　1**　　TAC生の選択率　**87%**　　TAC生の正答率　**84%**

A ○

B ○

C ✕ 賦課方式は若年世代（保険料負担者）人口に対する高齢世代（年金受給者）人口の比率が高いほど、若年世代（保険料負担者）人口1人あたりで支える高齢者数が多いということなので、つまり、他の条件を一定として人口成長率が低いほど保険料水準は高く（多く）なる。よって、前半部分は正しい。一方、積立方式はインフレーションが生じると、インフレーションが生じる前に拠出した保険料の運用実績に応じて年金給付額が決定するため、年金給付の実質価値が目減りし、生活を支える社会保障制度として年金が機能しなくなる可能性がある。

D ✕ 賦課方式から積立方式へ移行することで、効用水準の世代間格差を解消することができる保証はない。また、賦課方式から積立方式への移行は、いわゆる「二重の負担」は生じる。

本問に関しては、（記述AとDについても常識的な判断で正誤判定をできなくもないが）記述BとCの記述の正誤について判断できれば、消去法で正解が得られる。

財政学　財政理論

財政理論に関するA～Dの記述のうち、妥当なもののみを全て挙げているのはどれか。

A　F.モディリアーニは、公債の負担を、民間部門の資本の蓄積の阻害による将来世代の所得の減少と捉え、公債発行によって将来世代に負担が転嫁されると主張した。また、公債発行は課税に比べて、より一層の将来の生産力の低下と所得の減少を招き、将来世代の負担を発生させることになると主張した。

B　ビルトイン・スタビライザーは、景気変動に応じて自動的に経済を安定化させる機能である。例えば、失業保険についてみると、不況で失業率が高いときにはその給付総額は増大し、個人の可処分所得の落ち込みを緩和し、民間消費支出の減少を抑制する。

C　貨幣需要の利子弾力性が0でも無限大でもない場合、公債発行により政府支出が拡大すると、民間の資金調達が減少し投資が抑制される、いわゆるクラウディング・アウトが発生する可能性がある。公債の発行について、市中消化の場合は、クラウディング・アウトは発生しないが、中央銀行引受けの場合は、クラウディング・アウトが発生する。

D　政府が、政府支出を、ある一定額だけ増加させる一方で、その全部を一括固定税による増税によって賄う場合、政府支出の増加に伴う乗数効果が増税に伴う乗数効果によって減少するため、経済全体の総需要の増加額は、政府支出の増加額よりも小さくなる。

1　A、B
2　A、C
3　B、C
4　B、D
5　C、D

解説　正解　1　TAC生の選択率 89%　TAC生の正答率 61%

A　○

B　○

C　×　貨幣需要の利子弾力性が0でも無限大でもない場合、LM曲線は右上がりとなる。ここで、政府支出を拡大させるための財源として、市中消化により公債を発行した場合、IS曲線のみが右シフトするため、クラウディング・アウトが発生する。一方、中央銀行引受けにより公債を発行した場合、IS曲線が右シフトするとともに、LM曲線も右シフトすることから、クラウディング・アウトが発生しない可能性がある。

D　×　政府が、政府支出の増加額と同規模で一括固定税の増税を行った場合、海外との貿易を行っていなければ、経済全体の総需要の増加額は、政府支出の増加額と等しくなる（均衡予算定理）。

よって、AとBが妥当な記述となることから、正解は1となる。

課税の理論に関する次の記述のうち、妥当なのはどれか。

1　A.スミスは、「公平」「明確」「便宜」「中立」の四つの租税原則を提唱した。彼の唱える「公平」の原則とは、各人が国家から受ける利益や各人の能力にかかわらず、同一の税負担をするべきであるという原則である。

2　A.ワグナーは、租税原則に関して二つの大原則とともに「税収の十分性」や「徴税費最小」などの七つの小原則を提唱した。その上で、財政政策上の原則を最重要の原則とし、一定の税収の下で、財政需要をできるだけ小さくするべきであるとした。

3　H.サイモンズは、資産の純増と消費支出の和を包括的所得と定義し、この包括的所得に対して課税することが公平であるとした。

4　E.R.リンダールは、公共財のただ乗り問題を解決するため、リンダール均衡というプロセスを提唱した。これによれば、政府は各個人の税の負担能力に応じた負担比率を提示し、各個人にはその負担比率に応じた公共財の需要量を表明させ、その合計が公共財の供給量となる。

5　政府が個別の財に対する間接税によってある一定額の税収を得ようとするとき、ラムゼイ・ルールでは、需要の価格弾力性が高い財になるほど、高い税率を課すことによって厚生損失が小さくなり効率的となる。

マクロ経済学

経済事情

財政学

経営学

政治学

社会学

社会事情

解 説 　 **正解 3** 　

1 ✕ 　A.スミスは、「公平」、「明確」、「便宜」、「課税費最小」の四つの原則を提唱し、各人が国家から受ける利益に応じて租税を負担することをもって「公平」とした。

2 ✕ 　A.ワグナーは、租税原則に関して四つの大原則とともに「税収の十分性」や「課税費最小」などの九つの小原則を提唱した。

3 ◯

4 ✕ 　E.R.リンダールは、政府による公共財の最適供給を実現するために、リンダール均衡というプロセスを提唱した。これによれば、政府は各人に公共財費用の負担比率を提示し、各個人にはその負担比率に応じた公共財の需要量を表明させ、その需要量が一致した水準が公共財の供給量となる。しかし、リンダール均衡においても、ただ乗り問題を回避する仕組みは内在しなかった。

5 ✕ 　ラムゼイ・ルールでは、需要の価格弾力性が低い財になるほど、高い税率を課すことによって厚生損失が小さくなり効率的となる。

ある財の需要曲線と供給曲線は、それぞれ以下のように与えられる。

　　需要曲線：$D = -P + 400$

　　供給曲線：$S = 2P + 10$　　（D：需要量、S：供給量、P：価格）

　いま、政府が補助金政策として、この財を1単位当たり145の価格で生産者から買い取り、それらを全て1単位当たり100の価格で消費者に売却することを考える。

　このとき、①この政策を実行するために必要な補助金の額と、②発生する死荷重の大きさの組合せとして最も妥当なのはどれか。

	①	②
1	12150	675
2	12150	1350
3	12150	2025
4	13500	675
5	13500	1350

政府が価格145で生産者から買い取る財の数量は、

$$S = 2 \times 145 + 10 = 300$$

であり、価格100で売却する数量は、

$$D = -100 + 400 = 300$$

である。よって、財1単位当たり45の赤字となるから、これに数量300をかけた大きさが補助金の総額①となる（四角形abcdの面積）。

$$45 \times 300 = 13500$$

また、この政策により三角形bceの面積に等しい死荷重が発生する。点eにおける数量を求める。$D = S = x$で置き換えると、

$$\left.\begin{array}{l}(D)\,P = 400 - x \\ (S)\,x = 2P + 10\end{array}\right\} \rightarrow (S)\,x = 2\underbrace{(400-x)}_{(D)\,P} + 10 \rightarrow x = 270$$

よって、死荷重②は、底辺bc = 45、高さ300 − 270 = 30より、

$$45 \times 30 \div 2 = 675$$

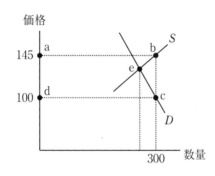

財政学　余剰分析

完全競争市場において、ある財の需要関数と供給関数が、それぞれ以下のように示されている。

$$D = -\frac{3}{4}P + 60 \quad (D：需要量、S：供給量、P：価格)$$

$$S = \frac{3}{5}P$$

この財に納税義務者を企業として政府が20％の従価税をかけた場合の税収はいくらか。

1 172

2 180

3 192

4 204

5 210

解 説　　正解 **3**　　TAC生の選択率 **89%**　TAC生の正答率 **80%**

まず、需給均衡条件式より、$D = S = x$とおき（x：財の取引量）、与式を次のように書き直す。

需要曲線：$p = -\frac{4}{3}x + 80$ 　……(1)

供給曲線：$p = \frac{5}{3}x$ 　……(2)

ここで、生産者に対して20％の従価税が課されると、供給曲線が上方へ1.2倍されることから、(2)式は次のようになる。

課税後の供給曲線：$p = (1 + 0.2) \times \frac{5}{3}x$

$\rightarrow p = 2x$ 　……(3)

(1)式、(2)式、(3)式を図示したものが右図である。

まず、(1)式と(3)式より、課税後の均衡点Eにおける取引量が24となる。この取引量を(1)式（または(3)式）に代入すると、課税後の価格である点Eの高さが48となり、(2)式に代入すると、点Fの高さが40となる。このとき、1単位当たりの税収が、

1単位当たりの税収 = 48 - 40

= 8

となることから、政府の税収は、

税収 = 8 × 24

= 192

と求められる。よって、正解は**3**となる。

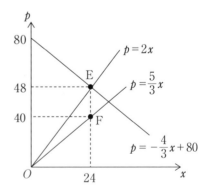

財政学　｜　公共財

公共財に関するA～Dの記述のうち、妥当なもののみを全て挙げているのはどれか。

A　ティブーは、地方公共財の供給に関して「足による投票」と呼ばれる考え方を示し、人々が各地方政府間を自由に移動することで、各地方政府が公共財の供給をめぐって競争し、結果として資源の最適配分が達成可能となるとした。

B　公共財の供給水準を決定する考え方として「中位投票者定理」がある。これによれば、投票者の選好が単峰型であることなどの条件の下で行った多数決によって決まる均衡は、投票者の選好分布のちょうど真ん中にいる投票者（中位投票者）の公共財の選好を反映する水準となる。

C　フリーライダーとは、公共財がもつ非排除性の性質により、公共財にどれだけの価値を認めているかを正直に申告せず費用負担を避けることである。リンダール・メカニズムにおいては、各消費者の相異なる公共財の需要水準に応じて費用を負担することから、フリーライダーの問題は生じない。

D　政府自らが公共財の供給に関する便益や費用を計算し、供給の是非や最適供給水準を検討する枠組みとして費用便益分析がある。この分析は、「支出時点における便益」から「直接支出された金銭費用」を差し引いた純便益を割引率を用いず正確に測定できる反面、外部経済効果や振替効果、将来発生する便益を分析の対象としていないという欠点が指摘されている。

1　A

2　B

3　A、B

4　B、C

5　A、C、D

解 説　　正解　3　　TAC生の選択率 89%　　TAC生の正答率 35%

A　○

B　○

C　✕　リンダール・メカニズムにおいて、フリーライダー問題の発生を回避する仕組みは内在していない。なお、前半の記述は正しい。

D　✕　費用便益分析では、「支出時点における便益」から「直接支出された金銭費用」を差し引いた純便益を、割引率を用いて現在の価値に割り引くことで測定することになるが、割引率をどのように設定するかによって純便益の測定値が左右されるという問題点がある。なお、その他の記述は正しい。

よって、AとBが妥当な記述となることから、正解は**3**となる。

マクロ経済学

経済事情

財政学

経営学

政治学

社会学

社会事情

財政学　財政事情

我が国の財政の状況に関する次の記述のうち、最も妥当なのはどれか。

1　政府は、令和3年度において、2度の補正予算を編成した。うち第1次補正予算についてみると、新型コロナウイルス感染症への対策に万全を期すため、当初予算では計上されていなかった新型コロナウイルス感染症対策予備費が10兆円計上された。

2　令和4年度一般会計当初予算における歳出のうち、社会保障関係費についてみると、約36兆円となっている。その内訳をみると、診療報酬が約2％のマイナス改定となったこともあり、介護給付費が医療給付費を上回り、4割以上を占めている。

3　令和4年度一般会計当初予算における歳入のうち、租税及び印紙収入についてみると、約65兆円となっている。また、所得税、法人税及び消費税の各税目において、令和3年度一般会計当初予算の水準を上回っている。

4　令和4年度の一般会計当初予算において、公債依存度（一般会計歳入総額に占める公債金発行額の割合）は40％を超えている。また、同年度の公債金に占める建設公債の割合は約6割であり、平成11年度以降、建設公債発行額は特例公債発行額を上回って推移している。

5　令和5年1月には、官民の高度専門人材を結集し、デジタル社会形成の司令塔機能を有するデジタル庁が設置された。令和4年度一般会計当初予算において、政府は情報システム予算の一括計上を進め、同庁に5兆円規模の予算を措置している。

解説　　**正解　3**　　TAC生の選択率 78%　TAC生の正答率 80%

1　✗　令和3年度の当初予算段階で新型コロナウイルス感染症対策予備費は計上されている。

2　✗　介護給付費が社会保障関係費の4割以上を占めている事実はない。

3　○

4　✗　近年、建設国債の発行額は特例公債の発行額を大きく下回っている。

5　✗　デジタル庁の予算に5兆円規模の予算を計上した事実はない。

経済事情

財政学

経営学

政治学

社会学

社会事情

| 財政学 | 財政事情 | 2022年度 専門 No.33 |

我が国の財政の状況に関する次の記述のうち、妥当なのはどれか。ただし、令和元年度及び２年度の一般会計当初予算については、「臨時・特別の措置」を含むものとする。

1　新型コロナウイルス感染症対策のため、政府は令和２年度において、四度の補正予算を編成した。令和２年度当初予算及び四度の補正予算を合わせた令和２年度一般会計予算は、150兆円弱にまで達し、公債依存度は約55％となった。

2　令和３年度一般会計当初予算の歳出総額についてみると、10兆円規模の新型コロナウイルス感染症対策予備費を計上したほか、公共事業関係費が増加したことから、前年度当初予算と比較して10兆円以上増加し、当初予算ベースで初めて100兆円を超える規模となった。

3　令和３年度一般会計当初予算の一般歳出（「基礎的財政収支対象経費」から「地方交付税交付金等」を除いたもの）についてみると、新型コロナウイルス感染症対策予備費の計上や防衛関係費が前年度当初予算と比較して10％程度増加したことから、一般会計当初予算の一般歳出に占める社会保障関係費の割合は５年ぶりに50％を下回った。

4　令和３年度一般会計当初予算の歳入についてみると、公債発行額は前年度当初予算より５兆円程度減少した。一方で、消費税や所得税による税収がいずれも増加したことから、租税及び印紙収入は前年度よりも増加しており、当初予算に占める割合は60％を超えた。

5　国の普通国債残高は近年増加し続けており、令和２年度末には前年度末から50兆円以上増加して約950兆円となり、対GDP比で約180％となった。また、国の普通国債残高の内訳をみると、約７割を特例公債が占めている。

マクロ経済学

経済事情

財政学

経営学

政治学

社会学

社会事情

解 説　　**正解　5**　　TAC生の選択率　**87%**　　TAC生の正答率　**56%**

1　✕　令和２年度は３次補正までしか行われていない（暗記の必要なし）。本肢を誤りとするポイントは、令和２年度の当初予算が概ね100兆円程度、税収比率が概ね50〜60％程度とイメージできれば、補正予算で仮に予算総額が150兆円となり、補正予算の財源として税収を充てることは一般的には考えられないので、公債金収入を充てるとすると、総額150兆円のうち90〜100兆円程度は公債金収入によるものであると判断できよう。そうすれば公債依存度はおよそ総額の３分の２、つまり66.6％程度となると推測できる。よって、選択肢の記述にある公債依存度が55％としている部分に矛盾があると考えて誤りと判断するのが妥当といえる。

2　✕　一般会計当初予算総額が100兆円を超えたのは令和元（2019）年度である。

3　✕　令和３年度一般会計当初予算の社会保障関係費（33.6％）の一般歳出（62.8％）（＝一般会計予算総額（100％）－国債費（約22.3％）－地方交付税交付金等（約15％））に占める割合は、50％を上回っている（一般会計予算総額に占める割合）。

4　✕　令和３年度一般会計当初予算の公債金収入は増加している。また、消費税や所得税の税収、租税及び印紙収入は対前年比で減少しており、税収比率は60％を下回っている。新型コロナウイルス感染症拡大による景気低迷から税収が増加するはずがないと判断できよう。

5　〇

財政学　一般会計予算の推移

　図のA、B、Cは、我が国の一般会計歳出の主要経費のうち、公共事業関係費、社会保障関係費、地方交付税交付金等の推移（額、決算ベース）を表したものである。一方、折れ線グラフDは、建設公債、特例公債のうちのいずれかの推移（額、決算ベース）を表したものである。A～Dの組合せとして妥当なのはどれか。

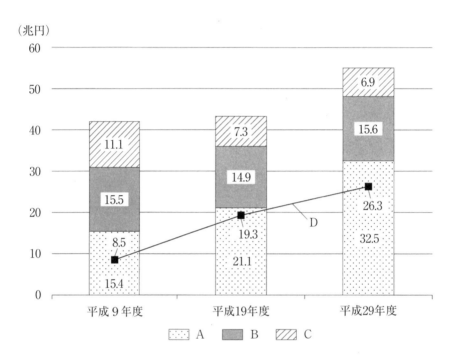

	A	B	C	D
1	社会保障関係費	公共事業関係費	地方交付税交付金等	特例公債
2	社会保障関係費	公共事業関係費	地方交付税交付金等	建設公債
3	社会保障関係費	地方交付税交付金等	公共事業関係費	特例公債
4	地方交付税交付金等	社会保障関係費	公共事業関係費	特例公債
5	地方交付税交付金等	社会保障関係費	公共事業関係費	建設公債

マクロ経済学

経済事情

財政学

経営学

政治学

社会学

社会事情

解 説　正解　**3**

TAC生の選択率　**89%**　　TAC生の正答率　**84%**

　まず、Ａに該当するものは、平成29（2017）年度に32.5兆円を記録していることに鑑みれば、社会保障関係費であると判断できよう。

　Ｂは平成29（2017）年度に15.6兆円を記録していることから、地方交付税交付金等であると判断できる。

　次にＤは平成29（2017）年度に26.3兆円を記録していることや建設国債よりも特例公債の発行額が圧倒的に多いこと、公共事業関係費が一般会計予算に占める割合が6％程度であり予算額で5〜6兆円規模であり、その公共事業の財源を確保するために発行される国債が建設国債であることから、特例公債であると判断できよう。

　以上より、**3**の組合せが妥当である。

マクロ経済学

経済事情

財政学

経営学

政治学

社会学

社会事情

財政学	財政史	2021年度 専門 No.34

1980年代半ば以降の我が国の財政等に関する次の記述のうち、妥当なのはどれか。

1 1980年代半ばの円高不況に伴う景気低迷により税収の減少が続き、一般会計歳出（決算）における公債依存度は、1985年度から1990年度まで上昇傾向で推移した。1980年代末、竹下内閣は消費税を導入するとともに国鉄など三公社の民営化を行い財政の健全化を図った。

2 1990年代前半、連立政権として細川内閣が発足すると、一般歳出の増加を抑えるためマイナス・シーリングと呼ばれる方式を初めて導入して緊縮財政を推進した。この結果、一般会計歳出（決算）における公債依存度は1992年度から1996年度までの間で、顕著な低下が見られた。

3 小泉内閣は、2000年代初頭に政権が発足した後、国から地方への税源移譲をはじめとする三位一体改革や郵政民営化などを推進するとともに歳出・歳入一体改革として国と地方を合わせた基礎的財政収支を黒字化する目標を掲げた。

4 鳩山内閣が2000年代末に発足すると、2010年度を「財政構造改革元年」と位置付け、大胆な歳出の見直しを行い、消費税率を3％から5％に引き上げた。これらの影響もあり2011年度の一般会計歳出（決算）の規模は85兆円を下回った。

5 第2次安倍内閣が2010年代前半に成立すると、消費税収の最大2分の1を社会保障財源に充てることを内容とする社会保障・税一体改革の方針を打ち出した。また、財政健全化目標として、2030年度までに国と地方を合わせた基礎的財政収支を黒字化することを示した。

解説　　**正解　3**　　TAC生の選択率　**89%**　　TAC生の正答率　**77%**

1 ✕　三公社民営化を行ったのは中曽根内閣である。

2 ✕　マイナス・シーリングを初めて導入したのは中曽根内閣である。

3 〇

4 ✕　消費税率を3％から5％に引き上げたのは橋本内閣である。

5 ✕　社会保障・税一体改革において、消費税は社会保障目的税化された（全額社会保障財源とされた）。また、財政健全化目標として2013（平成25）年には2020年度までに国・地方を合わせた基礎的財政収支を黒字化することを掲げていたが、その後、2018（平成30）年には黒字化の目標年度を2025（令和7）年度に延期している。

経営学	企業論	2021年度 専門 No.39

株式会社に関するア～エの記述のうち、妥当なもののみを全て挙げているのはどれか。

ア　出資者である株主は、会社の事業によって得た利益を配当として得る権利を有する一方、会社債務について無限責任を負う。株式会社では、一般的に株主のみがステイクホルダーとされ、取引先や顧客などはステイクホルダーには含まれない。

イ　2015年施行の改正会社法において、監査役会設置会社が新たに制度化された。これは、近年、コーポレート・ガバナンス強化の流れの中で、取締役を構成メンバーとする監査役会を設置することで、取締役会からの独立性を確保するとともに、取締役会の監視を強化するものである。

ウ　株式会社の役員や従業員が自社株をあらかじめ定められた価格で取得することができる権利はストック・オプションと呼ばれる。一般に、ストック・オプションには、自社の株価に対する意識を高め、業績向上への意欲を高める効果があるとされる。

エ　A.A.バーリとG.C.ミーンズは、1920年代における米国の大企業の株式所有状況を調査したところ、いわゆる株式の集約が進み、株主数が減少するにつれて、株主が会社に対する実質的な支配権を失っている状況を発見した。このように所有と支配が分離している状況を「経営者支配」と呼んだ。

1　ア

2　ウ

3　イ、ウ

4　イ、エ

5　ウ、エ

解説　　**正解　2**　　TAC生の選択率 **50%**　　TAC生の正答率 **48%**

ア　✕　株式会社の株主は、無限責任ではなく有限責任を負う。また、株主以外の取引先や顧客などもステイクホルダーに含まれる。

イ　✕　2015（平成27）年施行の会社法で制度化されたのは監査役会設置会社ではなく、監査等委員会設置会社である。

ウ　〇

エ　✕　バーリとミーンズは、1920年代終わりの米国の大企業の株式所有状況を分析し、株式の分散が進み、株主が会社に対する実質的な支配権を失っている状況、すなわち所有と支配（所有と経営）が分離している状況を発見し、経営者支配と呼んだ。

経営学	企業集中	2022年度 専門 No.36

企業の結合等に関するA～Dの記述のうち、妥当なもののみを全て挙げているのはどれか。

A　事業者が他の事業者と共同して相互にその事業活動を拘束することにより、公共の利益に反して市場における競争を実質的に制限する行為を「カルテル」という。具体的には、価格カルテルや入札談合、数量制限カルテルなどがある。

B　企業が市場支配を目的に、資本的に統合する企業結合形態を「コンツェルン」という。これには、同一業種で生産過程も同一な複数企業が結合する「垂直的合同」と、同一業種で生産過程の異なる複数企業が結合する「水平的合同」の二つの形態がある。

C　「トラスト」とは、異業種で生産過程も関連のない複数企業が株式取得によって結合して多角化する混合型合併の企業結合形態であり、複合企業とも呼ばれる。「トラスト」の例としては、戦前に我が国において存在した財閥が挙げられる。

D　「コンビナート」とは、複数企業が原料・燃料等の総合的利用や輸送費の節約など生産の効率化・合理化を目的に、資本的関係よりも技術的関係を重視し、工程・地域面で結合した企業集団のことをいう。

1　A

2　A、D

3　B、C

4　C、D

5　D

解 説　　**正解　2**　　　TAC生の選択率 **58%**　　TAC生の正答率 **52%**

A　〇

B　✕　コンツェルンとは、企業連携、財閥ともよばれ、異なる業種に属する独立した多数の大企業が、通常は金融機関や同族を中心として結合した複数企業のグループのことをいう。

C　✕　トラストとは、企業合同ともよばれ、一般的には、同業種内で議決権信託や株式所有（持株会社）を利用し、形成された独占的大企業のことをいう。複合企業と呼ばれるのはコングロマリットである。戦前に我が国において存在した財閥は、一般的には、トラストではなくコンツェルンの例とされる。

D　〇

マクロ経済学

経済事情

財政学

経営学

政治学

社会学

社会事情

経営学	**企業活動**

企業活動に関する次の記述のうち、妥当なのはどれか。

1 我が国には、戦後に解体された財閥が再結合した六つの企業集団が存在し、六大企業集団と呼ばれてきた。これらの企業集団においては、グループ内の企業は相互に関係が深いものの、相互に株式を保持することは行われていない点に特徴がある。また、1970年代に企業集団の枠を超えた金融機関の統合等が活発化し、六大企業集団の編成は大きく崩れた。

2 企業の社会的責任（CSR）の一環として行われる社会貢献を総称して企業メセナといい、この中で特に文化、芸術等への支援活動を企業フィランソロピーと呼ぶ。なお、現在国際連合においてCSRの規格化・標準化の取組が行われているが、関係団体の多さから調整作業が難航しており、2021年3月時点では完成に至っていない。

3 ベンチャービジネスとは、規模は中小であっても革新的で将来急成長を遂げる可能性を持つ企業を表す和製英語であり、我が国においては1970年代にベンチャービジネスの第一次ブームが起こった。しかし、第一次石油ショックにより苦境に陥るベンチャービジネスが多発した結果、第一次ブームは沈静化した。

4 タックス・ヘイブンとは、全く課税がなされない国や地域を指す。タックス・ヘイブンを利用した国際租税回避は、企業活動のグローバル化に伴いその重要度が高まっており、我が国においても自国企業の国際租税回避の推進を行っている。

5 第二次世界大戦後の日本企業の資金調達の特徴は、銀行借入れを中心とする直接金融による資金調達が多いことであり、多くの企業はリスクの分散のためメインバンクを持たずに複数の銀行との取引を行っていた。しかし、バブル経済の崩壊に伴う銀行業界全体の経営状況の悪化により、多くの企業が株式発行等の間接金融による資金調達にシフトした。

解 説　　**正解　3**　　　TAC生の選択率 ▷ **50%**　　TAC生の正答率 ▷ **50%**

1　✕　いわゆる六大企業集団では株式相互持合いが行われていた。また、六大企業集団が崩れたのは1990年代以降である。

2　✕　企業フィランソロピーとは、社会貢献の総称であり、文化、芸術等の支援活動を企業メセナという。また、国連が主導したCSRに関連する概念としてはグローバル・コンパクトがある。これは、1999年にダボスで開催された世界経済フォーラムで、当時のアナン国連事務総長が提唱したもので、人権、労働、環境、腐敗防止の4分野における10原則（当初は9原則）を掲げ、世界の企業に遵守するように要請している。

3　〇

4　✕　タックス・ヘイブンを用いたグローバル企業の租税回避は国際的な問題となっており、我が国など先進国では自国企業の国際租税回避は制限している。

5　✕　第二次世界大戦後の日本企業の資金調達の特徴は銀行借入れを中心とする間接金融による資金調達が多いことであり、特定のメインバンクを持っていたことである。その後、日本企業の資金調達は間接金融から直接金融へとシフトしていった。

| 経営学 | 経営管理論 | 2022年度 専門 No.37 |

経営管理に関する次の記述のうち、妥当なのはどれか。

1 M.ヴェーバーは、『国富論』で官僚制の特徴として階層性、文書主義等を指摘した。ヴェーバーは官僚制について合理性を最も高い水準で達成する組織形態であると評価する一方で、構成員が規則を遵守しようとするあまり、融通のきかない形式的な行動をとるなど非効率な結果を招くという問題点も指摘した。

2 ドイツの社会学者であるR.K.マートンは、ヴェーバーの官僚制への評価は官僚制の積極的な機能や長所を強調しているだけで、官僚制の構造が持つ内部的緊迫や緊張を全く無視していると批判し、官僚制はひとたび形成されると破壊することのできない最も困難な社会現象であり、永続性を持っていると問題点を指摘した。

3 J.H.ファヨールは、自身の経験に基づいて著した『産業ならびに一般の管理』において、企業が行う六つの職能について言及した。このうち、五つの職能が原材料や資金などの物理的な対象に働きかける一方で、管理職能は主体的な人を対象としている点で、その独自性を指摘した。

4 T.バーンズとG.M.ストーカーは、米国の自動車メーカーの研究から、組織構造には、ピラミッド型の官僚制組織に代表される「有機的組織」と、水平的に協働関係が発展した柔軟な構造である「機械的組織」の二つがあるとした。その上で、安定した環境の下での仕事には前者がより有効であるとした。

5 H.A.サイモンは、企業内部の研究開発部門、販売部門、製造部門の組織特性と管理の在り方との適合関係について研究した。その結果、組織によって分化と統合の程度は異なるものの、どの組織においても普遍的に成り立つ理想的な組織編成が存在すると提唱し、これを組織均衡論と名付けた。

マクロ経済学

経済事情

財政学

経営学

政治学

社会学

社会事情

解説　　**正解　3**　　TAC生の選択率　**58**%　TAC生の正答率　**74**%

1　×　『国富論』を著したのは、ヴェーバーではなくアダム・スミスである。また、ヴェーバーは官僚制論を展開した研究者である。官僚制の逆機能を研究したのは、マートン、グールドナー、セルズニックなどである。

2　×　マートンは、ドイツではなく米国の社会学者であり、官僚制の逆機能を指摘した研究者である。

3　○

4　×　バーンズとストーカーは、英国の企業の研究から、組織構造には、ピラミッド型の官僚制組織に代表される「機械的組織」と、水平的に協働関係が発展した柔軟な構造である「有機的組織」の二つがあるとした。また、安定した環境の下での仕事には、機械的組織がより有効であるとした。

5　×　分化と統合の概念を提唱したのはサイモンではなく、ローレンスとローシュである。ローレンスとローシュのコンティンジェンシー理論では、どの組織においても普遍的に成り立つ理想的な組織編成は存在しないと主張した。

マクロ経済学

経済事情

財政学

経営学

政治学

社会学

社会事情

　製品開発及び生産管理に関するア～オの記述のうち、妥当なもののみを全て挙げているのはどれか。

ア　「生産性のジレンマ」とは、業界のリーダー企業が、既存の顧客を重視し、積極的に技術、製品、設備に投資しているにもかかわらず、ある種のイノベーションに直面すると急速に市場での優位性を失うことがあるという現象のことである。

イ　ジョブ・ショップ生産方式とは、機械設備等を機能中心に配置し、異なる工程順を持つ製品を生産する方式のことであり、新製品の開発等に柔軟に対応できる反面、分業による生産性の向上を十分にいかしていないというデメリットがある。

ウ　カンバン方式とは、「必要なときに必要なだけ生産する」ことを目指す生産方式のことである。この方式は、中間在庫を極力減らすことができる一方で、一部の生産プロセスの故障がシステム全体の停止を引き起こすというリスクも抱えている。

エ　ある製品についての部品の構成や部品間の結合に関する在り方のことを製品アーキテクチャという。このうち、自由に組み合わせられる特性を持った製品をインテグラル型の製品と呼び、量的変動に対応しやすいだけでなく、ライバル企業に対する差別化も容易である。

オ　フォード生産方式とは、設計、材料、作業方法等の標準化と単純化を進め、コストの切下げと品質の安定化を図った自動車の大量生産方式のことである。その作業方法は、作業者のグループが、作業工程に応じて移動しながら部品を取り付けていく移動組立方式である。

1　ア、エ

2　ア、オ

3　イ、ウ

4　イ、エ

5　ウ、オ

解 説　　**正解　3**　　TAC生の選択率　**50%**　　TAC生の正答率　**55%**

ア　✗　生産性のジレンマとは、固定期に入ると生産性は上昇するが、大きなイノベーションが生じなくなる現象のことである。本肢の記述は「イノベーションのジレンマ」に関するものである。

イ　○

ウ　○

エ　✗　インテグラル型の製品とは、すり合わせ型の製品である。自由に組み合わせられるのはどちらかといえばモジュラー型の製品である。

オ　✗　移動組立方式とは、作業者が移動する方法ではなく、ベルトコンベヤー・システムのことである。

マクロ経済学

経済事情

財政学

経営学

政治学

社会学

社会事情

動機づけ理論に関する次の記述のうち、妥当なのはどれか。

1　A.H.マズローは、人間の欲求について低次元のものから順に、生理的欲求、安全欲求、愛情欲求、尊厳欲求、自己実現欲求の5段階に分類した。その上で、人間の欲求満足化行動は低次欲求から高次欲求へと逐次的に移行すると主張した。

2　一般的に動機づけ理論は、「人間にはいかなる欲求が存在するのか」という動機づけの内容を解明する理論と、「なぜ個人の欲求が生まれてくるのか」という動機づけのプロセスを解明する理論に分けられる。例えば、内発的動機づけ理論の代表である、V.H.ブルームの期待理論は前者に分類される。

3　20世紀初頭までまん延していた組織的怠業の問題を解決すべく、平均的な労働者の動作・作業時間を基準に1日当たりの標準作業量を設定した「科学的管理法」が考え出された。この「科学的管理法」は、労働者の人間像として「自己実現人モデル」を前提としている。

4　D.マクレガーは、人間の本質を二つの側面から捉え、X理論では「高次欲求を持ち、命令されるより放任されることを好む」とし、Y理論では「まだ低次欲求レベルにあり、強制されなければ働かない」とした。その上で、Y理論に基づく従業員管理の限界から、X理論に基づく従業員管理が優れていると主張した。

5　F.ハーズバーグは、モチベーションの決定要因を、会社の方針や給与などの整備により満足をもたらす動機づけ要因と、仕事の達成や承認などが十分でないことで職務への不満足の原因となる衛生要因に分類した。また、彼は、二つの要因は互いに比例関係にあるため、動機づけ要因を改善することにより、衛生要因の改善も同時に達成できると主張した。

1　○

2　×　「人間にはいかなる欲求が存在するのか」という動機づけの内容を解明する理論は「内容説」とよばれ、「なぜ個人の欲求が生まれてくるのか」という動機づけのプロセスを解明する理論は「過程説」とよばれる。期待理論は内容説ではなく過程説の一種である。なお、内発的動機づけ理論はブルームではなくデシの研究である。また、期待理論は、内発的動機づけ理論の代表ではない。

3　×　動作研究や時間研究は、平均的な労働者ではなく一流の熟練労働者の作業をもとに設定された。また、科学的管理法における労働者の人間像は「自己実現人モデル」ではなく「経済人モデル」である。

4　×　X理論とY理論の記述が概ね逆である。「高次欲求を持ち、命令されるより放任されることを好む」のはどちらかといえばY理論であり、「まだ低次欲求レベルにあり、強制されなければ働かない」のはどちらかといえばX理論である。また、マクレガーは、社会が豊かになった現代では、X理論ではなくY理論に基づく従業員管理が必要であると主張した。

5　×　ハーズバーグによれば、会社の給与は動機づけ要因ではなく衛生要因であり、仕事の達成や承認は衛生要因ではなく動機づけ要因である。また、衛生要因と動機づけ要因は互いに比例関係にはなく、動機づけ要因を改善しても衛生要因は改善しない。

経営学	モチベーション論	2021年度 専門 No.36

動機づけ理論等に関する次の記述のうち、妥当なのはどれか。

1　D.マグレガーは、人間は生来働くことが嫌いというわけではないが、強制、統制、命令がなければ十分に力を発揮せず、命令されるのが好きで、何よりもまず安全を求めるという考えをX理論とし、それに対し、人間は生来働くことを好まないが、条件次第で仕事は満足の源泉となり得るという考えをY理論として、状況に応じてX理論とY理論を臨機応変に使い分ける経営管理が望ましいと主張した。

2　A.H.マズローは、人間の欲求は、最低次欲求である生理的欲求から最高次欲求である自己実現の欲求までの五つの階層に分類されるという欲求階層説を唱えた。これによれば、低次の欲求を満たさなければ高次の欲求は出現しない。その後、C.P.アルダーファはマズローの欲求階層説を修正してE・R・G理論を提唱した。

3　D.C.マクレランドは、人間の欲求を生存欲求、達成欲求、親和欲求の三つに分類した。このうち、生存欲求は全ての人にとって最も強い欲求である一方、達成欲求と親和欲求については、全ての人に多少ともあるものであるが、その強さの程度は人によって違い、それがその人の個性をなすと主張した。

4　F.ハーズバーグは、人々が仕事上で満足感を得る要因と不満足を感じる要因の二種類があるとして、動機づけ・衛生理論を提唱した。このうち、給与や人間関係といった衛生要因は、職務満足をもたらす要因であり、この要因を改善することで、従業員の満足を向上させることができるとされる。

5　E.L.デシは、動機づけの期待理論を提唱し、「行為→成果（一次の結果）→報酬（二次の結果）」という関係を示した。これによれば、その人がある行為をする動機づけの強さは、どのような報酬が得られるのかに対する主観的確率である「期待」、どのような成果が得られるのかに対する主観的確率である「手段性」、得られた報酬に対する効用である「誘意性」の積によって決まるとした。

マクロ経済学

経済事情

財政学

経営学

政治学

社会学

社会事情

解 説　　**正解 2**　　TAC生の選択率 **50%**　　TAC生の正答率 **75%**

1 ✕　マグレガーは、人間は生来働くことが嫌いであり、強制、統制、命令が必要であるという考えをX理論とし、人間は生来働くことを好むという考えをY理論として、社会が豊かになった現代ではY理論に基づいた経営管理が望ましいと主張した。

2 ◯

3 ✕　マクレランドは、人間の欲求を、達成欲求、権力欲求、親和欲求の3つに分類した。生存欲求ではない。

4 ✕　ハーズバーグによれば、給与や人間関係といった衛生要因は、職務不満足をもたらす要因である。衛生要因の改善は従業員の満足の向上にはつながらず、仕事自体のやりがいといった動機づけ要因が従業員の満足の向上につながる。

5 ✕　本肢にある期待理論を提唱したのはデシではなく、ヴルームである。デシは内発的動機づけ論を提唱した研究者である。

経営学	意思決定論	2023年度 専門 No.35

意思決定論に関する次の記述のうち、最も妥当なのはどれか。

1　C.I.バーナードは、組織の各メンバーには無関心圏が存在し、その圏内では命令の内容は意識的に反問することなく受容され得るとした。そして、無関心圏が大きい組織のメンバーは、上司の命令に対して忠実で従順である反面、受動的であると考えた。

2　C.I.バーナードは、組織の有効性とは個人の動機が満たされた度合いを意味し、組織の能率とは組織の共通目的の達成度合いを意味するとした。そして、有効性と能率の少なくとも一方が達成されていれば、組織は長期的に存続すると考えた。

3　C.I.バーナードは、組織を2人以上の人々の無意識的に行われた活動や諸力の体系と定義し、こうした組織が成立するためには、共通目的、貢献意欲及び衛生要因の三つの条件がそろわなければならないとした。

4　H.A.サイモンは、現実の組織の意思決定において、「選択機会」をゴミ箱に、「問題、解、意思決定者」をゴミに例えた。そのゴミ箱にそれらのゴミが投げ込まれ、ゴミ箱が一杯になるタイミングで、論理必然的にそれらのゴミが結び付き、意思決定がなされるとするゴミ箱モデルを提唱した。

5　H.A.サイモンは、人間の意思決定には限界はなく、全ての代替案に関して生じる結果を把握し、その中から最も良いものを選ぶことができると考えた。また、彼はこのような考えから、バーナードによって提唱された近代組織論を否定した。

解説　　**正解　1**　　TAC生の選択率　**52%**　　TAC生の正答率　**86%**

1　○

2　✕　組織の有効性とは、組織の共通目的の達成度合いを意味し、組織の能率とは個人の貢献を確保できる度合い、突き詰めれば、個人の動機を満足できるかどうかの度合いを意味する。また、有効性と能率は両者とも達成される必要がある。

3　✕　バーナードによれば、組織とは「2人以上の人びとの意識的に調整された活動や諸力の体系」である。また、組織の成立条件は、共通目的、貢献意欲、コミュニケーションである。

4　✕　ゴミ箱モデルはサイモンではなく、コーエン、マーチ、オルセンらの研究である。ゴミ箱モデルで、ゴミ箱に例えられているのは「選択機会」であり、ゴミに例えられているのは、「問題、解、参加者（意思決定者）」である、という記述は正しい。しかし、ゴミ箱モデルでは、決定は論理必然的ではなく、偶発的に行われる。

5　✕　サイモンは限定合理性の人間仮定をおいている。本肢にある人間仮定は完全合理性と呼ばれる。また、サイモンはバーナードの考え方を否定はしていない。

意思決定論に関するア～エの記述のうち、妥当なもののみを全て挙げているのはどれか。

ア　H.A.サイモンは、人間は意思決定を行う際に、完全情報・完全知識の下で完全合理的な行動ができるものではなく、限られた情報や知識の下で合理的に行動するものであるとした。こうした人間観を「経営人」と呼んだ。

イ　J.G.マーチ、J.P.オルセンらは現実の組織的意思決定を分析する枠組みとして、ゴミ箱モデルを提唱した。現実の意思決定状況は、①あやふやな選好、②不明確な技術、③流動的な参加という三つの特徴があると指摘し、意思決定は、選択機会と問題・解・意思決定者が偶然のタイミングで結び付いて行われるものであるとした。

ウ　H.I.アンゾフは、企業において行われる意思決定のうち、経営トップ層が担当する企業の長期的な成長と発展に関わる意思決定を管理的意思決定、経営ミドル層が担当する戦術を組み立てる意思決定を戦略的意思決定とした。

エ　C.I.バーナードは、組織を「意識的に調整された人間の活動ないし諸力のシステム」と捉え、こうした組織が成立する条件として、「共通の目的」「コミュニケーション」「統制」「有効性」の4点を挙げた。また、組織が存続する条件として、目的の達成のための自発的な「協働意欲」と個人的貢献を引き出すのに足りるだけの誘因を提供する能力を表す「能率」の充足を挙げた。

1　ア、イ

2　ア、ウ

3　ア、エ

4　イ、ウ

5　イ、エ

解 説　　**正解　1**　　TAC生の選択率　55%　　TAC生の正答率　70%

ア　○

イ　○

ウ　✕　アンゾフによれば、経営トップ層が担当する意思決定は戦略的意思決定、経営ミドル層が担当する意思決定は管理的意思決定とよばれる。

エ　✕　バーナードによれば、組織が成立する条件は、共通目的、協働意欲、コミュニケーションであり、組織が維持・存続される条件は、有効性と能率である。

経営学　人的資源管理

人的資源管理に関する次の記述のうち、最も妥当なのはどれか。

1　職務の再設計の手法として、職務充実と職務拡大が挙げられる。このうち、職務充実とは、職務のレベルを高度化し、上位者の仕事や権限を与えること等により、職務を質的・垂直的に拡大させることを指し、職務拡大とは、作業範囲を拡大すること等により、職務を量的・水平的に拡大させることを指す。

2　OJTとは、業務遂行の過程外の教育訓練のことであり、Off－JTが「仕事をしながら訓練する」のに対して、「仕事を離れて訓練する」場合を指す。OJTのデメリットとして、直接上司の指導を受けることができないことが挙げられる。

3　カフェテリア・プランとは、労働者が日々の始業・終業時刻、労働時間を自ら決めることによって、生活と業務との調和を図りながら効率的に働くことができる制度である。我が国においては、1990年代に導入されたが、制度設計のコストが多大なため、2000年代以降、導入企業数は縮小傾向にある。

4　職務給とは、給与水準を潜在的な仕事を遂行する能力と結び付ける制度のことであり、職能給とは、給与水準を仕事の内容と直接結び付ける制度のことをいう。我が国の企業においては、職務給が広く定着している。

5　ジョブ・ローテーションとは、従業員を特定の職務に長く従事させることにより、特定分野に特化した人材を育成する制度である。しかし、ジョブ・ローテーションを行うことによって、従業員の適性を発見することが難しくなる。

解 説　　**正解　1**　　TAC生の選択率　**52%**　　TAC生の正答率　**87%**

1　○

2　✕　OJTとOFF－JTの意義が概ね逆である。OJTは、仕事をしながら訓練する方法であり、直接上司の指導を受けることができる。それに対してOFF－JTは、仕事を離れて職場外で訓練する方法である。

3　✕　カフェテリア・プランとは、企業の福利厚生制度などを従業員が自由に選択できるようにした制度であり、近年導入する会社は増加している。

4　✕　職務給とは、職務（仕事・業務内容）で賃金などを決定する方法であり、基本的に同一労働・同一賃金となる方法である。職務給は、コンビニのバイトなどの非正規労働を除けば、日本で広く定着した制度とはいいがたい。職能給とは、職務ではなく担当する労働者の職務遂行能力で賃金などを決定する方法であり、日本の年功序列は、職能給の一種である。

5　✕　ジョブ・ローテーションとは定期的な配置転換のことであり、従業員の適性を発見することができる制度である。

経営組織論に関する次の記述のうち、妥当なのはどれか。

1 マトリックス組織では、メンバーは機能部門長と事業部長の両方を上司として持つことになる。この組織形態は、機能別の専門性の確保と、製品や地域といった市場ごとの対応の両方を目指したものであるが、機能部門長と事業部長が同等の立場である場合、責任の所在が不明確になるという問題もある。

2 ライン・アンド・スタッフ組織とは、スタッフ部門の下位にライン部門を位置付けたものである。この組織形態は専門化の効果を発揮しにくいことから、その欠点を克服するものとしてファンクショナル組織が考案された。

3 M.ヴェーバーは、官僚制組織の特徴として、明確な職務規定から生じる逆機能について指摘した。これは、組織メンバーが規則を遵守することで、顧客の個別のニーズへの対応ができず、顧客とのトラブルが増えることから、規則の遵守が更に徹底され、それ自体が目的となり、組織が合理的に機能しないことを指す。

4 事業部制組織とは、カンパニー制組織において、事業の細分化が進むことで最新の市場動向を把握できず、商品開発力の弱体化につながるという問題に対応するために考案されたものである。また、カンパニー制組織では、経営トップ層は戦略策定と役員人事だけに専念することはできないが、事業部制組織では専念することができるとされる。

5 プロジェクト組織とは、ある特定の目的を達成するために複数の異なる組織から組織横断的にメンバーを選抜して編成される常設的な組織であり、その業務は、企画業務など複数の部門の意見を集約する必要があるものに限られる。

解 説　　**正解　1**　　TAC生の選択率 **55%**　TAC生の正答率 **87%**

1 ○

2 ✕ ライン・アンド・スタッフ組織では、スタッフ部門はライン部門をサポートする部門であり、スタッフ部門の下位にライン組織が位置付けられるわけではない。また、ファンクショナル組織は、ライン・アンド・スタッフ組織の欠点を克服するために考案されたとはいえない。

3 ✕ 官僚制の逆機能論は、ヴェーバーではなく、マートン、グールドナー、セルズニックなどが展開した。

4 ✕ 事業部制組織はカンパニー制組織の問題点を克服するために考案された組織ではない。カンパニー制組織が、事業部制組織よりも独立性や自律性を高めた組織である。また、事業部制組織とカンパニー制組織では、どちらも経営トップ層は戦略策定などに専念することができる。

5 ✕ プロジェクト組織は常設的ではなく臨時の組織である。

マクロ経済学

経済事情

財政学

経営学

政治学

社会学

社会事情

企業の経営戦略に関する次の記述のうち、最も妥当なのはどれか。

1 A.D.チャンドラーは、『経営戦略と組織』の中で、米国の大企業における多角化戦略の形成と事業部制組織の成立を歴史的に分析し、「戦略は組織に従う」という命題を示した。また、彼は、企業組織における資源配分は、経営者による見える手よりも市場の見えざる手が重要であることを指摘した。

2 垂直的統合（垂直的多角化）とは、原材料の生産から製品の販売に至る業務を垂直的な流れとみて、二つ以上の生産段階や流通段階を一つの企業内にまとめることをいう。その際、納入業者や研究開発機能を持つ会社を買収して内部化することや、部品・素材を供給する資源を自ら蓄積することを川上統合（後方統合）と呼ぶ。

3 M＆Aは1960年代に我が国で広く普及し、1980年代以降、その中心は米国に移り、経営戦略上の一般的な手段の一つとなっている。M＆Aの一形態であるMBO（マネジメント・バイアウト）とは、被買収企業の従業員が主体となって、株式を買い取り経営者に代わって経営権を取得することをいう。

4 米国企業であるボストン・コンサルティング・グループが考案したPPM（プロダクト・ポートフォリオ・マネジメント）は、市場成長率と市場競争力の二つの基準によって既存の事業を四つに分類していく手法であり、現在の市場の成長率・競争力が共に高い事業は、「金のなる木」に分類される。

5 P.コトラーは、市場における企業の競争上の地位をリーダー、チャレンジャー、フォロワーの三つに分類し、それぞれの戦略が異なることを示した。このうちフォロワーとは、上位企業のいない独特の市場領域で、その顧客ニーズの充足を図ることで独自のポジションを構築する戦略を採るものである。

解 説　　**正解　2**　　TAC生の選択率　**52%**　　TAC生の正答率　**80%**

1　✕　チャンドラー命題は「組織は戦略に従う」である。また、チャンドラーは、経営者の「見える手」の重要性を指摘した。

2　○

3　✕　M＆Aは、従来から米国で広く普及し、その後、日本でも普及した。また、MBOとは、企業経営者や特定の事業部の事業部長が自分の企業や事業部を買収することをいう。なお、従業員が株式を買い取り経営権を取得するのは、エンプロイー・バイアウト（EBO；Employee Buyout）と呼ばれる。

4　✕　PPMの軸は市場成長率と相対的市場シェアである。「金のなる木」は市場成長率は低いが、相対的市場シェアは高い事業である。

5　✕　コトラーの競争地位別戦略では、リーダー、チャレンジャー、フォロワー、ニッチャーの4つに分類する。フォロワーとは、リーダーやチャレンジャーより劣る市場シェアや業界での地位を持つ企業のことである。

企業のイノベーション・マネジメントに関する次の記述のうち、最も妥当なのはどれか。

1　H.W.チェスブロウは、企業内部と外部のアイデアを有機的に結合させ、新たな価値を創造するオープン・イノベーションという概念を提示した。オープン・イノベーションにおいては、自社で生み出したアイデアを自社で商品化するだけではなく、そのアイデアを社外に出すことによって利益を得る方法も考える必要がある。

2　W.J.アバナシーらは、イノベーションの発生頻度の変化によって、産業は、移行期、流動期、固定期という順を経て変化していくことを示した。また、このうち固定期において、標準化された生産過程の中で生産性が高まる一方で、技術革新が起こりにくくなる現象をイノベーターのジレンマと呼んだ。

3　業界標準のうち、市場による競争を経ることなく事前に複数の企業が協議した結果、市場の大勢を占めることとなり、事実上の標準として機能するようになったものをデファクト・スタンダードと呼ぶ。この典型例としては、国際標準化機構によるISO規格や日本産業標準調査会によるJIS規格がある。

4　E.M.ロジャーズは、『イノベーション普及学』の中で、新製品や新サービスの購入までに要する時間に応じて、顧客を五つのカテゴリーに分類し、そのうち最も購入時期が早い人々を初期少数採用者と呼んだ。また、初期少数採用者に普及していく過程で急激に製品等の普及率が上がっていくことを示した。

5　イノベーションがどのように生み出されるかについての考え方には、企業による技術の進歩が新しい製品開発を刺激した結果であると考えるディマンド・プルと、市場のニーズを受けて技術開発が盛んになった結果であると考えるテクノロジー・プッシュがある。これらはトレード・オフの関係にあり、両立することは困難であると考えられている。

1　○

2　×　アバナシーによれば、産業は流動期、移行期、固定期の順で変化する。また、固定期になると生産性が高まるが技術革新が起こりにくくなる現象は、生産性のジレンマと呼ばれる。

3　×　デファクト・スタンダードとは、市場での競争に勝利するなどにより実質的な標準となった規格である。事前に複数の企業が協議して決定する業界標準は、コンソーシアム型やコンセンサス標準と呼ばれる。

4　×　ロジャーズは、最も購入時期が早い人々をイノベーター（革新的採用者）と呼んだ。アーリー・アダプター（初期少数採用者）は、イノベーターの次に購入するカテゴリーである。イノベーターの段階では製品の普及率はそれほど上昇しない。

5　×　イノベーションの種に関しては、企業による技術の進歩が新しい製品開発を刺激した結果であると考えるのはテクノロジー・プッシュであり、市場のニーズを受けて技術開発が盛んになった結果であると考えるのはディマンド・プルである。また、この2つは両立することができる。

マクロ経済学

経済事情

財政学

経営学

政治学

社会学

社会事情

経営学	経営戦略論	2022年度 専門 No.35

経営戦略に関する次の記述のうち、妥当なのはどれか。

1 J.B.バーニーは、シナジー効果を、異なる経営資源を組み合わせることで、経営資源間の相乗効果を発揮することであると定義した。さらに、事業間のシナジー効果には、複数の事業間で生産技術や製品技術を共用する「生産シナジー」や、広告・販売促進ノウハウ、ブランドなどを共用する「管理シナジー」があるとした。

2 PPM（プロダクト・ポートフォリオ・マネジメント）とは、英国企業が開発した企業戦略である。これは、多角化した企業の最適な資源配分を示すために、企業の保有する各事業について、市場成長率と市場占有率の二つの指標によるマトリックスを用いて分析するものであり、両指標が高い「金のなる木」に分類される事業は、将来の「花形」となるよう引き続き投資を行う必要性が高いとされる。

3 経営戦略には、環境の側から組織をみる「アウトサイド・イン」の発想により、組織の外部を重視する立場と、組織の内側から環境をみる「インサイド・アウト」の発想により、組織の内部を重視する立場とがある。例えば、M.E.ポーターの提唱したファイブ・フォース・モデルは前者の立場に分類される。

4 経営の多角化を目的として企業の合併や買収を行うことをR&Dという。R&Dには、買収の対象となる会社の支配権を、経営陣の合意を得ないで獲得する「敵対的買収」と、買収の対象となる会社の支配権を、経営陣や従業員の合意を得て獲得する「友好的買収」がある。我が国では従来から、「敵対的買収」が主流となっている。

5 G.ハメルとC.K.プラハラードにより提唱された三つの基本戦略のうち、競合他社よりも低コストの製品を販売することで優位なポジションを得ようとする戦略を「差別化戦略」という。この戦略を選択する場合、企業は業界の特定分野に経営資源を集中させることで、他社製品とコスト面での差別化を図る必要があるとした。

マクロ経済学

経済事情

財政学

経営学

政治学

社会学

社会事情

解　説　　**正解　3**　　TAC生の選択率　**58**%　　TAC生の正答率　**72**%

1　✕　シナジー効果を、生産シナジー、販売シナジー、投資シナジー、管理（マネジメント）シナジーに分類したのはバーニーではなくアンゾフである。また、管理シナジーは、新事業分野に進出するにあたって、企業の経営者が既存の事業分野で身につけてきたマネジメントのノウハウ、スキルを利用できることをいう。

2　✕　PPMを開発したのは英国企業ではなくボストン・コンサルティング・グループ（BCG）である。PPMでは、市場成長率と市場占有率（相対的市場シェア）の両指標が高いのは「金のなる木」ではなく「花形」である。

3　○

4　✕　合併や買収はM＆Aとよばれる。R＆Dは研究開発のことである。敵対的買収や友好的買収の意義は概ね正しいが、わが国では従来から友好的買収が主流である。

5　✕　三つの基本戦略はハメルとプラハラードではなくポーターの研究である。また、競合他社よりも低コストの製品を販売することで優位なポジションを得ようとする戦略は、コスト・リーダーシップ戦略である。

経営学	経営戦略論	2021年度 専門 No.35

経営戦略に関する次の記述のうち、妥当なのはどれか。

1　SWOT分析とは、競合企業の強みと弱み、外部環境の機会と脅威を比較・分析することで適切な戦略を導く手法である。この分析は、従来のリソース・ベースド・ビュー（RBV）が、外部環境を分析の対象としていない点を補完するものとして提唱されたものである。

2　M.E.ポーターは、市場において優位なポジションを築くためには、コスト・リーダーシップ戦略、差別化戦略、情報戦略及び集中戦略の四つの戦略が重要であると主張した。なお、集中戦略は、特定顧客に他の顧客とは異なる特別な価値を提供することに集中する差別化集中戦略と、高いコストをかけ高付加価値を提供するコスト集中戦略に分類することができる。

3　R.P.ルメルトの主張した成長ベクトルとは、成長戦略を導き出すための分析手法であり、既存の製品を用いて既存の市場シェアの向上を目指す市場浸透、新規の製品を用いて新しい市場に進出する市場開拓、新規の製品を既存の市場に投入する製品開発及び既存の製品を新しい市場に投入する多角化に分けることができる。

4　G.ハメルとC.K.プラハラードの主張したコア・コンピタンスとは、顧客に対して、他社には模倣のできない自社特有の価値を提供する企業の中核を担う力を意味する。具体的には、組織内に蓄積されてきた経営上あるいは技術上のノウハウや経験などが該当する。

5　H.I.アンゾフは、企業の経営資源がその企業にとっての強みとなっているか否かを判断する枠組みであるVRIOフレームワークを提唱した。このフレームワークにおいては、経営資源を経済価値、弾力性、模倣困難性及び特異性の四つの側面から評価を行う。

解説　**正解　4**　TAC生の選択率 **50%**　TAC生の正答率 **65%**

1　✕　SWOT分析では、競合他社ではなく自社（企業内部）の強み（Strength）と弱み（Weakness）、外部環境（企業外部）の機会（Opportunity）と脅威（Threat）を分析する。また、SWOT分析は、もともと事業戦略論が誕生する以前の1960年代頃に生み出された経営計画策定ツールを起源とするとされており、1980年代に登場したRBVよりも前に登場している。しかし、近年、SWOT分析は、ポジショニング・アプローチとRBVを統合するものであると再評価されている。

2　✕　ポーターの競争戦略は、コスト・リーダーシップ戦略、差別化戦略、集中戦略の3つからなる。また、集中戦略は、コスト集中戦略と差別化集中戦略に分類することができる。

3　✕　成長ベクトルを提唱したのはルメルトではなくアンゾフである。また、新規の製品を用いて新しい市場に進出するのは多角化戦略、新規の製品を既存の市場に投入するのは製品開発戦略、既存の製品を新しい市場に投入するのは市場開拓戦略である。

4　◯

5　✕　VRIOフレームワークを提唱したのは、アンゾフではなくバーニーである。VRIOでは、経営資源を価値（Value）、希少性（Rarity）、模倣困難性（Imitability）、組織（Organization）の能力の観点から評価する。

マクロ経済学

経済事情

財政学

経営学

政治学

社会学

社会事情

経営学	経営戦略論	2020年度 専門 No.37

経営戦略に関するア〜エの記述のうち、妥当なもののみを全て挙げているのはどれか。

ア　A.D.チャンドラーは、『経営者の時代』において、19世紀以降のフランス経済について調査・分析した結果、大企業の組織構造の複雑化と経営の多様化が進むにつれて、大企業の経営管理による「見える手」よりも市場の「見えざる手」による調整機能の方が、重要な役割を果たすようになったと指摘した。

イ　コスト・リーダーシップ戦略とは、消費者が他の製品に切り替える際のコストを高めることで、優位性を保つ戦略である。一方、差別化戦略とは、ブランド・イメージ、デザイン、アフターサービスなどで業界内の特異な地位を築くことを目指す戦略である。M.E.ポーターは、両戦略は同時に追求することが重要であり、一方のみでは効果を発揮できないと指摘した。

ウ　M&Aの一手法であるレバレッジド・バイアウト（LBO）とは、買収を行う企業単独の資産を担保として金融機関などから資金調達を行い、買収を行う手法であり、少ない自己資金で大きな企業買収を行えるメリットがある。しかし、借入金に対する依存度が高まり債務不履行に陥る可能性も高まるため、現在、我が国では禁止されている手法である。

エ　敵対的買収に対する防衛策の一つとして、「白馬の騎士（ホワイトナイト）」と呼ばれる手法がある。これは、買収される側の企業が敵対的買収企業に対抗して、別の買収者に友好的な買収提案をしてもらう手法を指す。このような、友好的買収者による提案の例としては、対象企業株式の第三者割当増資の引受け、企業結合などが挙げられる。

1　ア

2　エ

3　ア、イ

4　イ、ウ

5　ウ、エ

解 説　**正解 2**　　TAC生の選択率 **55%**　TAC生の正答率 **88%**

ア　✕　チャンドラーは『経営者の時代』（1977）のなかで、18・19世紀からの米国の企業史・経営史を研究した。また、この著書の原題は『The Visible Hand（見える手)』であり、チャンドラーは、市場の「見えざる手」よりも、企業の「見える手」を重要視した。

イ　✕　コスト・リーダーシップ戦略とは、製品コストの削減などにより価格を引き下げることにより他社に勝利する戦略である。本記述にある『消費者が他の製品に切り替える際のコスト』はスイッチング・コストである。また、ポーターによればコスト・リーダーシップ戦略と差別化戦略は両立するのが困難である（スタック・イン・ザ・ミドル）。

ウ　✕　M&Aの一手法であるレバレッジド・バイアウト（LBO）とは、買収を行う企業ではなく、被買収企業の資産や将来キャッシュ・フローを担保に資金調達を行う手法である。また、レバレッジド・バイアウトは、現在、我が国では禁止されているわけではない。

エ　○

マクロ経済学

経済事情

財政学

経営学

政治学

社会学

社会事情

| 経営学 | 国際経営論 | 2023年度
専門 No.40 |

経営の国際比較や国際経営に関する次の記述のうち、最も妥当なのはどれか。

1 C.A.バートレットとS.ゴシャールは、グローバル化する企業を三つの類型に分けている。そのうち、インターナショナル企業とは、資産や能力が海外子会社に分散され、各国拠点が自立している企業であり、マルチナショナル企業とは、国籍を意識することなく地球規模で柔軟な戦略展開をする企業である。

2 リーン生産方式とは、マサチューセッツ工科大学の研究チームが米国の自動車生産の現場に着目し、提示した大量生産モデルのことであり、生産コストをより削減できるため、日本企業が採用している自動車生産方式よりも効率的とされた。

3 M.E.ポーターは、プロダクト・サイクル仮説を唱え、新製品が成熟商品、標準化商品へと推移するに従って、発展途上国から先進国へと対外直接投資がシフトしていき、最終的には先進国から発展途上国にそれらの商品の輸出が行われるようになるとした。

4 海外直接投資とは、外国企業への継続的な支配・経営参加を目的とした投資であり、外国における現地子会社の設立などによって行われる。他方、金利や配当といった収益分配金、株式や債券等の売却益を目的とした外国企業への投資は、海外間接投資と呼ばれる。

5 H.V.パールミュッターは、多国籍企業をその経営志向により四つに分類し、海外子会社の主要な意思決定が本国親会社により行われている多国籍企業を現地志向型、各国拠点が相互に依存し合い、本社と海外子会社が協調している多国籍企業を地域志向型と呼んだ。

マクロ経済学

経済事情

財政学

経営学

政治学

社会学

社会事情

解 説　　**正解　4**　　TAC生の選択率 **52%**　　TAC生の正答率 **83%**

1　✕　バートレットとゴシャールの研究では、インターナショナル企業とは、中核的な能力は本国に集中させ、その他は海外子会社に分散させ、海外子会社は本国親会社の能力を現地適用し活用するタイプの企業である。また、マルチナショナル企業とは。資産や能力が海外子会社に分散され、各国拠点が自立しているタイプの企業である。

2　✕　リーン生産方式はマサチューセッツ工科大学の研究チームが日本の自動車生産の現場に着目し、提示した大量生産モデルである。

3　✕　本肢記述のようなプロダクト・サイクル仮説を提唱したのはポーターではなく、バーノンである。また、バーノンのプロダクト・サイクル仮説では、当初は先進国への輸出・生産拠点の移転から国際化が始まり、その後、発展途上国への輸出・生産拠点の移転へとシフトしていくと考えられている。

4　〇

5　✕　パールミュッターは、企業の国際化モデルを4つに類型化し、ERPGプロファイルと呼んだ。パールミュッターによれば、現地志向とは、重要な決定は本国で行うが、現地にある程度権限委譲を行い日常業務レベルの決定は現地の会社が行うタイプであり、地域志向とは、海外での事業について、国単位ではなく、アジア圏、欧州圏といった地域単位を束ねた形での意思決定にシフトしたタイプである。

国際経営などに関する次の記述のうち、妥当なのはどれか。

1　C.A.バートレットとS.ゴシャールは、多国籍企業を、四つの類型に分類した。この類型のうち、トランスナショナル型は、資産や能力が分散し、効率が悪い上、マルチナショナル型よりも現地適応の能力が低いとされている。それらの欠点を乗り越えるためにはグローバル型を目指すことが望ましいとされる。

2　H.V.パールミュッターは、海外子会社の重要なポストの多くが海外の現地人幹部によって占められていくことによって生じる、本国経営層や海外駐在員が抱く不満を本国中心主義と呼んだ。こうした不満が海外駐在員の獲得・維持を困難にする可能性があるとした。

3　企業の海外進出方法の一つに、ライセンシングが挙げられる。これは、他の企業に自社が持つ特許、商標、技術ノウハウなどへのアクセスを一定期間認めるものである。一般に、ライセンシーへのコントロールが難しく、技術流出の懸念があるとされる。

4　海外直接投資とは、外国企業の株式や証券などを直接購入し、その配当や利回りを得ることを目的とした投資であり、海外間接投資とは利殖目的でなく、投資対象の企業を海外子会社として経営することを目的とした投資である。

5　ある企業がある地域・国で海外投資をすると、他の企業が競合を恐れ、その地域・国には進出せず、他の地域・国へ新規に乗り出していく現象がある。この現象のことをバンド・ワゴン効果と呼び、米国やヨーロッパ企業ではよく見られたが、日本企業ではあまり見られない。

解 説　　　**正解　3**　　　　TAC生の選択率　**55**%　　TAC生の正答率　**78**%

1 ✕ バートレットとゴシャールは、多国籍企業の組織形態をインターナショナル型、マルチナショナル型、グローバル型の3つに分類した。また、トランスナショナル型とはこれら3つのタイプを超えて、グローバル統合、現地ニーズへの適応、各国拠点からの学習のすべてにおいて強みを持つタイプをいう。

2 ✕ パールミュッターは、トップ・マネジメントの海外事業に関する姿勢から企業の国際化モデルを4つに類型化したERPGプロファイルを提唱した。その中で本国志向（Ethnocentric）とは、意思決定は全て本国で行い、現地では現地人は登用せず、本国の本社が現地での活動すべてをコントロールする志向にあるタイプであり、日本企業に多いタイプの企業である。

3 〇

4 ✕ 海外直接投資と海外間接投資の意義が逆となっている。海外直接投資とは、利殖目的でなく、投資対象の企業を海外子会社として経営することを目的とした投資であり、海外間接投資とは、外国企業の株式や証券などを購入し、その配当や利回りを得ることを目的とした投資である。

5 ✕ 企業の海外進出におけるバンド・ワゴン行動（効果）とは、企業の海外進出する場合において、1社がある国で海外投資を開始すると他社も追随する行動のことであり、日本企業では多く見ることができる。

マクロ経済学

経済事情

財政学

経営学

政治学

社会学

社会事情

| 経営学 | 日本の会社形態 | 2022年度 専門 No.39 |

次は、我が国の会社形態に関する記述であるが、ア～エに当てはまるものの組合せとして妥当なのはどれか。

我が国の会社形態は、会社法により株式会社と持分会社の大きく二つに分類されている。

株式会社は、出資者全員が有限責任社員で構成されており、最高意思決定機関は　ア　である。2006年施行の会社法により、最低資本金制度が廃止されたため、資本金が1円でも会社を設立できるようになった。

持分会社には、合名会社、合資会社などがある。合名会社は、　イ　で構成されており、出資は財産のほか、信用や労務の提供も認められている。社員同士の強い信頼関係を重視する人的会社で、家族的な企業に適した企業形態である。合資会社は、　ウ　で構成されており、定款に別段の定めがない限り全社員が業務執行権と代表権を有する。中世イタリアの商業都市で発生した　エ　が起源とされている。

	ア	イ	ウ	エ
1	株主総会	出資者全員が無限責任社員	無限責任社員と有限責任社員	コンメンダ
2	株主総会	出資者全員が無限責任社員	出資者全員が有限責任社員	ソキエタス
3	株主総会	出資者全員が有限責任社員	無限責任社員と有限責任社員	コンメンダ
4	取締役会	出資者全員が無限責任社員	出資者全員が有限責任社員	ソキエタス
5	取締役会	無限責任社員と有限責任社員	出資者全員が有限責任社員	ソキエタス

解説　　**正解**　**1**　　TAC生の選択率 **58%**　　TAC生の正答率 **83%**

正しい文章は以下となる。

我が国の会社形態は、会社法により株式会社と持分会社の大きく二つに分類されている。

　株式会社は、出資者全員が有限責任社員で構成されており、最高意思決定機関は（ア：株主総会）である。2006年施行の会社法により、最低資本金制度が廃止されたため、資本金が1円でも会社を設立できるようになった。

　持分会社には、合名会社、合資会社などがある。合名会社は、（イ：出資者全員が無限責任社員）で構成されており、出資は財産のほか、信用や労務の提供も認められている。社員同士の強い信頼関係を重視する人的会社で、家族的な企業に適した企業形態である。合資会社は、（ウ：無限責任社員と有限責任社員）で構成されており、定款に別段の定めがない限り全社員が業務執行権と代表権を有する。中世イタリアの商業都市で発生した（エ：コンメンダ）が起源とされている。

マクロ経済学

経済事情

財政学

経営学

政治学

社会学

社会事情

マクロ経済学

経済事情

財政学

経営学

政治学

社会学

社会事情

経営学　日本的経営論

日本的経営に関するA～Eの記述のうち、妥当なもののみを全て挙げているのはどれか。

A　J.C.アベグレンは、『日本の経営』において、1950年代の日本の工場の特徴として終身雇用を挙げ、米国の工場と比較すると社員の教育がOff-JTを中心に行われている点を指摘した。その上で、このような日本の工場組織の特徴が、高い生産性の源泉であると評価した。

B　小野豊明は、『日本的経営と稟議制度』において、日本の企業経営の中心的な概念として「稟議制度」を取り上げた。稟議制度とは、組織の上位者から起案文書に押印し、意思決定を行うトップダウン方式の意思決定プロセスで、同著においては、決定に時間がかかるが実行は早いシステムであると評価されている。

C　P.F.ドラッカーは、日本の経営者が直面する最重要課題として、①効率的な生産技術、②意思決定の迅速化、③若手管理者の育成の三つを指摘した。特に③若手管理者の育成について、日本企業においては、大学の先輩・後輩からなる非公式なグループに縛られた人事考課システムとなっているため、非効率であると指摘した。

D　1972年に出版された『OECD対日労働報告書』において、日本的経営の特徴である終身雇用、年功賃金、企業別労働組合は、「日本的雇用制度」（Japanese Employment System）と位置付けられ、日本の高度成長の要因の一つとして肯定的に評価されている。

E　W.G.オオウチは、『セオリーZ』において、日本企業の組織の理念型としてのタイプJと、米国企業の組織の理念型としてのタイプAを比較した上で、米国においてもタイプJと類似した日本的な経営手法で成功している企業が存在することを指摘し、それらの企業をタイプZと呼んだ。

1　A、B

2　A、E

3　B、C

4　C、D

5　D、E

解 説　　**正解　5**　　TAC生の選択率　**58**%　　TAC生の正答率　**84**%

A　✕　アベグレンが、『日本の経営』（1958）の著者であるという記述は正しい。しかし、日本企業の社員教育は、Off-JTではなくOJTが主流であった。

B　✕　小野豊明が『日本的経営と稟議制度』（1960）の著者であるという記述は正しい。しかし、稟議制度は、最終的な意思決定に至る過程で、複数の管理者・担当者からの合意を取りつけるという集団の合意形成を重視した仕組みであり、ボトムアップ型の意思決定プロセスである。

C　✕　ドラッカーは、日本的経営の特徴として、①稟議制度などの効果的な意思決定、②終身雇用と年功序列を背景にした雇用保障と生産性との調和、③大学の学閥からなる非公式な人間関係にのっとった教育と人事のシステムによる効果的な若手管理者の育成などの点を指摘した。ドラッカーはこれらの特徴を日本的経営の長所と考えている。

D　○

E　○

我が国の企業経営などに関する次の記述のうち、妥当なのはどれか。

1　J.C.アベグレンは、『日本の経営』の中で日本企業の人事労務慣行の特徴である終身雇用・年功序列・企業別労働組合を「三種の神器」と呼び、高度経済成長を支えたと指摘した。また、P.F.ドラッカーは、日本の稟議制度に代表される全体の総意による意思決定は、決定に時間がかかる上、制約が多く実行も遅くなると指摘した。

2　W.G.オオウチは、日本企業の組織の特徴として、終身雇用、非専門的なキャリアパス、個人による意思決定を挙げ、その理念型をタイプ J とし、日本企業の組織とは逆の特徴を持つ米国企業の組織の理念型をタイプ A とした。また、日本企業の中で、タイプ A と類似した特徴を持つ企業をタイプ Z と呼んだ。

3　戦後の高度経済成長期の日本企業の資金調達は、株式市場・債券市場が未発達・不完全であり、旺盛な資金需要を満たす上でより効率的な直接金融が中心であった。そのため、日本企業の自己資本比率は、高度経済成長期が20％程度であったのに対し、現在は70％を上回っている。

4　我が国の一部の企業で従業員に付与されているコールオプションとは、従業員が自社株を毎年一定価格で購入することができる権利のことである。権利を行使できるのは退職時に限られており、自社の利益が向上するほど株価が上昇し、退職時の自身の利益も大きくなるため、仕事に対する意欲を喚起する効果が見込める。

5　同一労働同一賃金の原則とは、質と量が同じ労働に対しては、同額の賃金を支払うべきとする考え方である。我が国では、2020年 4 月施行のいわゆる「パートタイム・有期雇用労働法」において、同一企業内の正規雇用労働者と非正規雇用労働者との間の基本給や賞与などについて不合理な待遇差を設けることが禁止されている。

解 説　**正解　5**　　　TAC生の選択率 **55%**　　TAC生の正答率 **72%**

1　✕　アベグレンは、『日本の経営』のなかで終身雇用などの日本的経営の特徴を指摘したという記述は正しい。しかし、ドラッカーは、日本の稟議制度に代表される全体の総意による意思決定は、決定には時間がかかるが、実行は早くなると指摘した。

2　✕　オオウチは、日本企業の組織の特徴として、終身雇用、非専門的なキャリアパス、集団的意思決定を挙げ、その理念型をタイプ J とよんだ。個人による意思決定ではない。また、米国企業の組織の理念型をタイプ A としたという記述は正しいが、タイプ Z とは、米国企業の中で、タイプ J と類似した特徴を持つ企業でる。

3　✕　戦後の高度経済成長期の日本企業の資金調達は、直接金融ではなく間接金融が中心であった。また、日本企業の自己資本比率は、高度経済成長期から比較すれば現在は上昇しているとはいえ、70％を上回ることはなく40％前後であるといわれる。

4　✕　従業員が自社株を権利行使価格で購入することができる権利はストック・オプション（コール・オプションの一種）と呼ばれるが、毎年購入できるわけではないし、権利行使は退職時に限られているわけではない。本肢後半のストック・オプションが、仕事に対する意欲を喚起する効果があるなどの記述は正しい。

5　○

| 経営学 | リーダーシップ論 | 2021年度 専門 No.37 |

リーダーシップ論に関する次の記述のうち、妥当なのはどれか。

1　K.レヴィンは、リーダーシップ・スタイルの類型として、リーダーが全ての仕事を取り仕切る専制型、リーダーが集団のメンバーの意見を取り入れつつ集団の運営を行う代表型、集団のメンバーに自由に仕事をさせる民主型の三つを設定し、1960年代の米国企業を対象としてリーダーシップに関する実験を行った。

2　F.E.フィードラーは、リーダーシップ・スタイルはリーダーとメンバーの間の人間関係、タスクが構造化されている程度及びリーダーの性格の三つによって決定されるとする、リーダーシップのコンティンジェンシー理論を提唱した。実証研究の結果、状況好意性が高いときと低いときでは、人間関係志向のリーダーの成果が高いことが分かった。

3　P.ハーシーとK.H.ブランチャードは、リーダーシップ・スタイルは教示的リーダーシップ、説得的リーダーシップ、参加的リーダーシップの三つに分類できると主張し、その中でも最も有効となるリーダーシップ・スタイルは部下への指示を積極的に行いつつも人間関係の維持も重視する、説得的リーダーシップであるとした。

4　ミシガン研究では、高い業績を挙げている集団とそうでない集団のリーダーシップ・スタイルの比較が行われた。この研究において、高い業績を挙げている集団のリーダーは、従業員中心的な監督行動や、部下の失敗を学習の機会としていかすための支援的行動などをとっていた。

5　オハイオ研究では、高い業績を挙げている集団に限定して実証研究を行い、「構造づくり」と「配慮」という二つの次元を用いてリーダーシップ・スタイルのリスト化を行った。この研究では、集団の業績に強い影響を及ぼすリーダーシップ・スタイルは構造づくりではなく配慮であるという結果となった。

1　✕　レヴィンらは、アイオワ研究において、リーダーシップ・スタイルを専制的、民主的、自由放任的に分類し、成果などとの関係を調査した。

2　✕　フィードラーによれば、リーダーシップの有効性に影響を与える状況要因は、リーダーと部下の関係の良好度、タスクの構造化の程度、リーダーの権限の強弱の3つである。また、状況好意性が高い又は低い場合には、人間関係志向型ではなくタスク志向型が有効であるとした。

3　✕　ハーシーとブランチャードは、シチュエーショナル・リーダーシップ理論（SL理論）において、リーダーシップ・スタイルを教示的、説得的、参加的、委任的の4つに分類した。なお、説得的リーダーシップとは、課業志向と対人関係志向が共に高いスタイルである。

4　○

5　✕　オハイオ研究で、リーダーシップ・スタイルを構造づくりと配慮に分類したという記述は正しい。しかし、本肢のように「集団の業績に強い影響を及ぼすリーダーシップ・スタイルは構造づくりではなく配慮である」というわけではない。オハイオ研究によれば、構造づくりと配慮はともに高いレベルであるリーダーシップ・スタイルが有効であった。

マクロ経済学

経済事情

財政学

経営学

政治学

社会学

社会事情

経営学 | 財務管理論

企業の財務管理に関するA〜Dの記述のうち、妥当なもののみを挙げているのはどれか。

A　損益分岐点とは、売上高と総費用が一致して、利益がゼロとなる売上高、販売量を指す。これは、企業の総費用を販売量とは関係なく生じる固定費と販売量に応じて変動する変動費に分けたとき、固定費を回収できる売上高ないし販売量である。

B　総資本利益率（ROA）とは、株主が投資した資金に対して企業がどれだけ効率的に利益を上げたかを示し、経営者の能力を示す重要な指標の一つとされている。この数値が低いほど手元の資金で多くの利益を上げていることとなり、経営効率が良いと判断される。

C　M.E.ポーターが提唱したMM理論によると、法人税などが存在しない完全資本市場の下で企業価値は、資本構成の影響を受けないが、配当政策の影響は受けるとされた。MM理論は、それまでの伝統理論においてあるとされてきた最適資本構成を否定し、それ以降の財務理論に大きな影響を与えた。

D　内部利益率法とは、投資決定に関する方法の一つである。投資額と一定期間内の将来の収益の現在価値合計が等しくなる割引率である内部利益率を求め、それと資本コストを比較し、内部利益率が資本コストを上回る場合、一般的に有利な投資として判断される。

1　A、B

2　A、C

3　A、D

4　B、C

5　C、D

A　○

B　✕　総資本利益率（ROA）とは、株主だけでなく債権者も含めた関係者から集めた資本が効率的に利用されているかどうかを判断するための指標である。本肢記述にある株主が投資した資金に対して企業がどれだけ効率的に利益を上げたかを示すのは、株主資本利益率（ROE）である。

C　✕　MM理論を提唱したのはポーターではなく、モジリアーニとミラーである。

D　○

マクロ経済学

経済事情

財政学

経営学

政治学

社会学

社会事情

マクロ経済学

経済事情

財政学

経営学

政治学

社会学

社会事情

経営学	マーケティング論	2020年度 専門 No.38

マーケティング論に関する次の記述のうち、妥当なのはどれか。

1 デジュール・スタンダードは、市場において他を圧倒するシェアを占めるようになった製品・サービスや規格のことを指す。この事実上の業界標準を獲得するためには、自社のみで補完財を供給するクローズドな政策がとられる。

2 価格の設定における市場浸透価格戦略とは、新製品の導入当初から高い価格を設定し、価格にそれほど敏感でない顧客層に販売を行うことで、短期間で投資を回収し、パイオニアとして高いブランド・イメージを確立しようとする戦略である。

3 AIDMAモデルとは、消費者の購買心理を五段階に整理したものである。その五段階とは、まず商品・サービスに気付き、関心を持ち、その商品・サービスについて調べた後、その結果を基に購入し、その知識や感想を他人と共有することとされている。

4 市場対応の在り方は、無差別マーケティングと集中マーケティングの二つの類型に分類される。このうち集中マーケティングとは、市場をいくつかのグループに分けて捉え、細分化された全ての市場へ対応しようとするアプローチのことを指す。

5 比較広告とは、直接競合する他社製品を引き合いに出して比較し、単純比較にとどまらず、自社製品の優位性をより強くアピールする広告表現手法であり、米国などで盛んに取り入れられている手法の一つである。

マクロ経済学

経済事情

財政学

経営学

政治学

社会学

社会事情

解 説　　**正解 5**　　

1 ✕　デジュール・スタンダードとは公的な標準規格のことである。事実上の業界標準は、デファクト・スタンダードとよばれる。また、デファクト・スタンダードを獲得するためには、必ずしもクローズな政策をとるわけではなく、オープンな政策をとることもある。

2 ✕　市場浸透価格戦略とは、新製品の導入当初から低い価格を設定する戦略である。

3 ✕　アイドマ（AIDMA）モデルは、Attention（消費者の注意をひく）、Interest（消費者が関心を持つ）、Desire（消費者が欲求をもつ）、Memory（消費者が商品の名前などを記憶する）、Action（購買行動を起こす）の頭文字をとったものである。本肢記述にある、商品・サービスに気付き（Attention）、関心を持ち（Interest）、その商品・サービスについて調べた後（Search）、その結果を基に購入し（Action）、その知識や感想を他人と共有する（Share）というモデルはAISASモデルと呼ばれることがある。AISASモデルは、近年のインターネットを通じた消費者の購買行動のプロセスモデルである。

4 ✕　マーケティングは、どの市場セグメントを対象とするか（ターゲティング）の観点から無差別（型）マーケティング、分化・差別（型）マーケティング、集中（型）マーケティングに分類することができる。集中（型）マーケティングとは、市場を細分化した上で、1つあるいは少数の市場をターゲットとし、絞り込んだ市場に、経営資源の多くを集中する手法である。本肢記述にある「市場をいくつかのグループに分けて捉え、細分化された全ての市場へ対応しようとするアプローチ」は分化・差別（型）マーケティングとよばれる。

5 ○

政治学　福祉国家

福祉国家に関する次の記述のうち、最も妥当なのはどれか。

1　H.L.ウィレンスキーは、国家における福祉の進展度合いを測るため、世界の国々を対象に分析を行い、福祉の進展度合いを決定するのは経済の発展水準であることを明らかにした。これは、どのような国家であっても経済成長が進むにつれて同じように福祉国家になっていくことを意味し、こうした福祉国家発展の考え方を収斂理論という。

2　J.M.ケインズは、1929年に起こった世界恐慌を踏まえ、不況下においては、政府は公共事業の実施などを控え、市場での自由な経済活動を保護することで、市場での有効供給を創出・増加させ、完全雇用を実現して経済活動を活性化させるべきだと主張した。この考え方は、第二次世界大戦後に多くの国で受け入れられ、ケインズ主義的福祉国家とも呼ばれる類型を生み出した。

3　W.ベヴァリッジは、1942年に提出したベヴァリッジ報告において、加入者の所得に応じた額の保険料が拠出される累進拠出の原則を適用する社会保険を中心に、公的扶助や任意保険を組み合わせることで、国民全体に対して最低限度の生活保障を行うことを提言した。この報告を基に、第二次世界大戦後、ドイツは法律上の制度として世界で初めて社会保険制度を導入した。

4　J.ロールズは、『正義論』において、人間には自身の社会的地位などの特定の状況に関する知識を持たない自然状態で合理的な選択が要求されることを想定し、正義の二原理が導き出されると主張した。この正義の二原理とは「平等な自由原理」と「合理的な努力原理」であり、「平等な自由原理」においては、社会的・経済的不平等は、それが最も不遇な人々の最大の利益に資するように編成される必要があるとしている。

5　可能な限り政府の役割を小さくし、個人の自由を最大限尊重しようとする功利主義の代表的論者にF.ハイエクやR.ノージックが挙げられる。ハイエクは、『アナーキー・国家・ユートピア』において、私的所有を始めとする個人の権利は絶対的に尊重すべきだと主張した。また、ノージックは『隷従への道』において、本来歴史過程において自生的に形成されてきた秩序（自生的秩序）が、秩序を合理的にコントロールしようとすることにより破壊されてしまうと主張した。

解説　　**正解　1**　　TAC生の選択率　**65%**　　TAC生の正答率　**37%**

1　○　ウィレンスキーの収斂理論は、国家の経済発展に伴い福祉が充実していくというものであり、1980年代までの福祉国家研究では主流の学説であった。しかし、現在はエスピン＝アンデルセンが論じたように、福祉国家にも多様な形態があるという考え方が主流となっている。

2　×　第１文の「公共事業の実施などを控え、市場での自由な経済活動を保護する」が誤り。ケインズは、不況は有効需要の不足によって生じるものであるので、政府は積極的に市場に介入して有効需要を創出すべきと主張した。

3　×　まず、第１文の「累進拠出」が誤り。ベヴァレッジが提言したのは加入者が所得とは無関係に均一の保険料を拠出する均一拠出である。また、第２文の「第二次世界大戦後」も誤り。ドイツが世界で初めて制度化した社会保険制度は、ビスマルクの疾病保険法（1883年）である。

4　×　まず、第１文の「自然状態」が誤り。ロールズは正義原理が構想される以前の状況を原初状態と名付けている。また、第２文の「合理的な努力原理」も誤り。正義の二原理は、第一原理である平等な自由原理と第二原理である社会的・経済的不平等にかかわる原理（公正な機会均等原理と格差原理から構成される）である。さらに、第２文の「社会的・経済的不平等は」以降の記述は、平等な自由原理ではなく格差原理の説明である。

5　×　まず第１文は、功利主義ではなくリバタリアニズム（自由至上主義）の説明である。また、功利主義の代表的論者は、ハイエクやノージックではなく、Ｊ.ベンサムである。さらに、第２文はノージック、第３文はハイエクに関する記述となっている。

マクロ経済学

経済事情

財政学

経営学

政治学

社会学

社会事情

政治学 | 福祉国家

G.エスピン＝アンデルセンによる福祉国家の分類に関する次の記述のうち、妥当なのはどれか。

1 彼は、国民が平等に福祉を受けることができるかどうかという「脱商品化」と、国民が市場の影響から独立して適切な生活水準を維持できるかどうかという「階層化」という二つの福祉指標を作成した。彼は、これらの指標をもとに、福祉国家を六つの類型に分類できることを示した。

2 彼は、脱商品化の程度が高く、階層化の程度が低い国の類型を保守主義モデルと名付け、代表的な国としてドイツとオランダ等を挙げた。これらの国では、一般に保守派と官僚や管理職労働者などのホワイトカラーとの連合が成立し、普遍主義的な社会保障が実現されている。

3 彼は、脱商品化の程度が低く、階層化の程度も低い国の類型を社会民主主義モデルと名付け、代表的な国としてスウェーデンとカナダ等を挙げた。これらの国では、一般に福祉サービスの担い手は国家とされ、社会保障関連の政府支出の規模が大きく、国による所得再分配の程度は高い。

4 彼は、脱商品化の程度が低く、階層化の程度が高い国の類型を自由主義モデルと名付け、代表的な国として米国やオーストラリア等を挙げた。これらの国では、一般に選別主義の傾向が強く、社会保障関連の政府支出の規模は小さく、国による所得再分配の程度は低い。

5 彼は、日本については、脱商品化指標からみると保守主義モデル、階層化指標からみると自由主義モデルであるため、保守主義モデルと自由主義モデルの混合形態であるとした。また、福祉サービスの担い手として国家の役割が大きいという側面は社会民主主義モデルと同一であると指摘した。

解 説　　**正解　4**　　TAC生の選択率　**74%**　　TAC生の正答率　**57%**

1　×　まず、前半の「脱商品化」と「階層化」の説明内容が逆である。また、後半の「福祉国家を六つの類型に分類」という点が誤り。エスピン＝アンデルセンは、福祉国家を「社会民主主義モデル」、「自由主義モデル」、「保守主義モデル」の3つに類型化した。ちなみに、彼は後にジェンダー研究者からの批判を受け、新たに「脱家族化」という3つ目の指標を加えている。ゆえに、これら3つの指標という記述であっても正しい説明となるため注意されたい。

2　×　「階層化の程度が低い」という点が誤り。保守主義モデルではこの階層化が高いとされる。階層化とはどの程度、福祉における平等が実現しているかという点に着目するため、階層化が高いほど不平等ということになる。したがって、後半の「普遍主義的な社会保障が実現」という点も誤りである。

3　×　まず「脱商品化の程度が低く」という点が誤り。社会民主主義モデルでは脱商品化が高いとされており、該当国はスウェーデンなどの北欧諸国である。したがって、「カナダ」も誤り。カナダは自由主義モデルの該当国であるとされている。

4　○　自由主義モデルの説明として妥当である。アメリカなど、このモデルを採用している諸国においては、市場の役割を重視した社会保障の仕組みを形成している。

5　×　後半の「福祉サービスの担い手として国家の役割が大きい」という点が明確な誤り。エスピン＝アンデルセンによると、日本は国家による社会保障支出の規模は大きくなく、この点では自由主義モデルに近い。また、職業別に編成された社会保険という点では保守主義モデルに近く、その結果として、日本は自由主義モデルと保守主義モデルの中間に位置付けられている。

各国の政治制度に関する次の記述のうち、妥当なのはどれか。

1　議院内閣制の発達した英国では、議会の多数派から内閣が組閣され、内閣は議会に対して責任を負う。2022年3月末現在において、首相は、議会の同意なく解散権を行使することができるのに対して、議会多数派も内閣不信任決議を成立させることで対抗することができる。また、N.ポルスビーによれば、英国の議会は与野党が次の選挙を意識しつつ争点を明確化する「変換型議会」に整理される。

2　連邦制国家であるドイツでは、各州政府の権限が非常に強く、州政府の代表である大統領が連邦議会の代表である首相よりも優位な立場にあり、憲法上、大統領は首相を一方的に罷免することができる。こうしたドイツの制度は首相公選制として、1990年代のイスラエルにおいて採用されていた。

3　国民の直接選挙によって選出される米国の大統領は、議会とは異なる選挙で選出されるため、大統領と議会とは対立することがある。大統領は、法案や予算案を議会に提出できない代わりに、議会の解散権を行使することができ、また、教書を議会に送付して法律の制定を勧告することができる。さらに、議会の可決した法案に対する拒否権も持つが、議会も上下両院の出席議員の3分の2以上の賛成により、大統領の不信任決議をすることができる。

4　第五共和制下のフランスの大統領は、国民の直接選挙によって選出され、首相や閣僚の任免権を持つほか、議会の解散権を持つなど、強力な権限を有する。フランスの執政制度は、「半大統領制」と呼ばれ、大統領は外交や国防を担当する一方で、首相は内政を担当するなど、執政権限を大統領と首相とで二分する状況がみられる。

5　我が国の議会では、衆議院には、首相の指名や予算・条約については優越が認められているが、法律は衆参両院の議決の一致が求められ、衆議院とは異なる議決を参議院がした場合、衆議院に回付され、出席議員の過半数で再議決すれば衆議院案が法律となる。また、内閣不信任案の提出も衆議院のみに認められ、可決されれば、内閣は30日以内に、衆議院を解散し総選挙を実施するか、総辞職をしなければならない。

1　✕　N.ポルスビーの分類では、英国の議会は「アリーナ型議会」である。「変換型議会」の典型例は米国議会である。なお、前半にある英国の首相による解散権については、2011年に議会任期固定法が制定され、英国の首相による解散権の制限が設けられた。しかし、2020年に同法の廃止案が提出され、いったん廃案となるも、2021年5月に同一内容の法案（解散および新議会召集法案）が議会に提出され、2022年3月24日に法律として成立しており、首相は議会の同意なく解散権を行使できるようになった。

2　✕　ドイツの大統領は州政府の代表と連邦議員によって開催される連邦会議によって選ばれる。また、大統領が首相を一方的に罷免できる権限もない。さらに、ドイツは首相公選制を採用したことはない。なお、1990年代から2000年代初頭にかけてイスラエルでは首相公選制が採用されていたことがあった。

3　✕　まず、米国の大統領は、形式的には大統領選挙人を介する間接選挙によって選出される。また、米国の大統領に議会の解散権はない。さらに、議会にも大統領を不信任する権限はない。

4　〇　フランスの行政府の内容として正しい内容である。

5　✕　一般の法案で参議院が衆議院と異なる議決をした場合、衆議院の出席議員の3分の2以上の賛成で再議決すれば、衆議院案が法律となる。また、内閣不信任案が可決された場合、内閣が衆議院を解散するか総辞職をするかの判断は10日以内となっている。

マクロ経済学

経済事情

財政学

経営学

政治学

社会学

社会事情

マクロ経済学

経済事情

財政学

経営学

政治学

社会学

社会事情

政治学 | 議会と政党

議会と政党に関する次の記述のうち、最も妥当なのはどれか。

1 N.ポルスビーは、各国の議会を類型化し、英国の議会を典型とする変換型議会と米国の議会を典型とするアリーナ型議会に整理した。政党や議員が社会の要望を取りまとめ、国民の意思を法律にするアリーナ型議会では、争点明示機能が議会における主な役割として重視される。

2 日本の議会では二院制を採用しており、両院で慎重な審議を行うために、全ての法案について会期をまたいで審議することを原則としている。一方で、国会としての意思決定ができなくなることを避けるため、両院での議決が一致しない場合、衆議院において出席議員の過半数の賛成で再可決されれば、法案が成立する。

3 米国では、議会とは別に行政府の長を選出する大統領制を採用している。米国の連邦議会は不信任決議により大統領を罷免することができるが、大統領は議会の解散権を持たない。また、議会は大統領の出席を認めておらず、法案成立に当たって、大統領の同意は不要である。

4 G.サルトーリは、政党システムを七つに分類した。そのうち、一党優位政党制は、複数政党間で競争が行われているにもかかわらず、一政党が継続して政権を担うシステムであり、1955年から1993年までの日本が例として挙げられる。また、多党制を穏健な多党制や分極的多党制などに分けている。

5 M.デュベルジェは、政党組織を政党の構造に注目して分類した。大衆政党は、18世紀に登場し、労働者など一般市民を支持基盤とし、選挙権の普及とともに得票数を増やした。一方で、幹部政党は、各地域社会における有力者である名望家層を中心として形成され、社会主義政党などがこの分類に該当する。

1　✕　　まず、変換型議会は米国の議会、アリーナ型議会は英国の議会が典型例である。また、「政党や議員が社会の要望を取りまとめ、国民の意思を法律にする」のは、アリーナ型議会ではなく変換型議会である。争点明示機能がアリーナ型議会の主な役割である点は正しい。

2　✕　　まず、「全ての法案について会期をまたいで審議する」が誤り。日本の国会には会期不継続の原則が存在し、会期末までに未成立の法案は、原則として審議未了として廃案となる。また第2文は、「過半数」ではなく3分の2である。

3　✕　　まず、米国の連邦議会は、大統領に対する不信任決議権を有していない。下院が弾劾訴追を決定し、上院が弾劾裁判で有罪とした場合にのみ、大統領は罷免される。また、法案成立に当たっては、大統領の署名が必要である。

4　○　　政党システムの分類としては、政党の数のみで一党制、二党制、多党制とするものが主流であった。しかし、サルトーリはこれを批判し、政党数という変数以外に、政党間のイデオロギー距離という変数も加えて新たな政党システム論を提唱した。

5　✕　　まず、第1文の「18世紀」が誤り。大衆政党は、20世紀以降の参政権の拡大を背景に、政治に参加する人々の数が急増した状況下で登場している。また、社会主義政党は大衆政党の例である。一般に、裕福な名望家が社会主義を支持することは少ない。

マクロ経済学

経済事情

財政学

経営学

政治学

社会学

社会事情

マクロ経済学

経済事情

財政学

経営学

政治学

社会学

社会事情

政治学	議会と政党	2020年度 専門 No.42

議会と政党に関する次の記述のうち、妥当なのはどれか。

1 日本の国会は、委員会主義を採っており、議長に提出された全ての法案は、本会議で趣旨説明が行われた後に、委員会に付託される。委員会では、提案者から趣旨説明がまずなされ、質疑、討論、採決という順で審議が進行し、衆議院、参議院の両委員会で可決されて初めて、それぞれの本会議に上程され、質疑、討論、採決と進んでいく。

2 日本の国会では、法案の成立、予算や条約の承認、内閣総理大臣の指名に当たっては、原則として衆議院、参議院それぞれの出席議員の過半数の賛成が求められる。これらへの賛否が両院で異なる場合、法案については、衆議院の議決が国会の議決となり、予算や条約の承認、内閣総理大臣の指名については、衆議院が出席議員の3分の2の多数をもって再可決すれば、衆議院の議決が国会の議決となる。

3 N.ポルスビーは、議会のタイプを変換型議会とアリーナ型議会に整理した。彼によれば、変換型では、政党や議員による意見の調整を通じて、国民の意思を法律に変換することが主な役割になるとし、英国がその典型とした一方、アリーナ型では、政権を担当する政党と、それ以外の政党が議論を闘わせる場としての役割が重視されるとし、米国がこれに対応するとした。

4 第二次世界大戦後の日本の政党政治における55年体制は、1955年にそれまで分裂していた日本社会党と日本共産党が統一されたことに対抗する意味で、保守政党の自由党と民主党とが合併し、自由民主党が結成されたことで成立した。この保守合同以降、自由民主党は、2009年の総選挙で過半数を割るまで、一貫して政権を担当してきた。

5 S.リプセットとS.ロッカンは、第二次世界大戦後の西欧諸国では、社会に存在する民族、言語、宗教、階級といった、人々を区分し、潜在的に対立を引き起こしうる分断線（社会的亀裂）に沿った形で政党が形成されており、1960年代の西欧諸国の政党システムは、少数の重要な例外を除いて、1920年代の亀裂構造を反映しているという政党システムの凍結仮説を唱えた。

解　説　　正解　5　　　TAC生の選択率　52%　　TAC生の正答率　74%

1　✕　まず、「全ての法案は、本会議で趣旨説明が行われた後に」という箇所が誤り。重要な法律案については、本会議で趣旨説明が行われた後に委員会に付託されることもあるが、趣旨説明なしにそのまま委員会に付託されることの方が一般的である。また、「衆議院、参議院の両委員会で可決されて初めて」という箇所も誤り。衆議院と参議院の法案審議は独立しており、衆議院先議の場合は衆議院（委員会→本会議）→参議院（委員会→本会議）、参議院先議の場合は参議院（委員会→本会議）→衆議院（委員会→本会議）と法案審議が進行する。

2　✕　第2文が誤り。賛否が両院で異なる場合、予算や条約の承認、内閣総理大臣の指名については、衆議院の議決が国会の議決となる（憲法60条2項、61条、67条2項）。また、法案については、衆議院が出席議員の3分の2の多数をもって再可決すれば、衆議院の議決が国会の議決となる（憲法59条2項）。

3　✕　変換型の典型例は米国、アリーナ型の典型例は英国である。

4　✕　「日本社会党と日本共産党が統一」という箇所が誤り。正しくは、「左派社会党と右派社会党が統一」である。また、「2009年の総選挙で過半数を割るまで、一貫して政権を担当」という箇所も誤り。自由民主党は、それ以前にも1993年の総選挙で過半数を割り、野党になっている。そもそも「55年体制」とは、1955年から1993年まで自由民主党が一貫して政権を担当していた時期の体制を指す言葉であるから、1993年には政権を失ったということも意味する。

5　◯　ただし、1970年代以降は政党システムの変動が大きくなり、凍結仮説の妥当性も失われていった。

政治学　マス・メディア

マスメディアの影響力に関する次の記述のうち、妥当なのはどれか。

1　コロンビア学派は、2000年の米国大統領選挙に際して、いわゆるエリー調査を実施し、「コミュニケーションの二段階の流れ」仮説を提唱した。この仮説は、一般の人々はマスメディアから直接情報を摂取するというよりも、政治的関心の高いバッファー・プレイヤーがまずマスメディアから情報をとり、それが日常会話などの中でのパーソナル・コミュニケーションによって周囲の人々に広められるとするものである。

2　M.マコームズとD.ショーは、米国大統領選挙におけるマスメディアの選挙報道の内容と有権者の意識を分析した。彼らは、マスメディアが強調する争点と有権者が重要と考える争点は一致しないことを発見し、マスメディアが人々の争点の認知に対して与える影響は限定的であると指摘した。

3　S.アイエンガーは、影響力のある少数派の人物の意見がマスメディアに取り上げられることによって、多数派が自らの意見を主張しなくなり、サイレント・マジョリティを形成するという、「沈黙の螺旋」理論を提唱した。その背景には、世論のムードを敏感に認知し、社会的孤立を回避しようとする民衆の心理があるとされている。

4　E.ノエル＝ノイマンは、マスメディアが報道するニュースは、議題設定機能を果たすだけでなく、受け手がどの政治的争点が重要かを判断する際の基準の形成にも影響を与えると主張した。これは「フレーミング効果」と呼ばれる。例えば、マスメディアが政治指導者の外交面の業績にばかり集中した報道をすると、ニュースの受け手である市民は外交面に関連する争点を政治指導者の判断基準とする可能性が強まるとされる。

5　「バンドワゴン効果」とは、マスメディアによって一方の候補者が有利だと報道されると、その候補者の得票が増加する効果であり、小選挙区制における選挙でよく見られる現象である。一方、「判官びいき効果」とは、マスメディアによって不利だと報道された候補者の得票が増加する効果であり、かつての我が国の中選挙区制における選挙でよく見られた現象である。

解 説　　**正解　5**　　TAC生の選択率　**74%**　　TAC生の正答率　**58%**

1 ✕　まず、「2000年の米国大統領選挙」という点が誤り。エリー調査とは、1940年の大統領選挙に際して、オハイオ州エリー郡にて実施された世論調査である。さらに「バッファー・プレイヤー」が誤り。コミュニケーションの二段階の流れとは、マス・メディアの情報は、身近にいる情報通であるオピニオン・リーダーを通して周囲の人々に口コミで伝えられるという仮説である。

2 ✕　まず、「争点は一致しない」という点が誤り。本肢の説明内容は、マコームズとショーによって提唱された議題設定機能に関するものであるが、彼らの研究は、マス・メディアが取り上げた争点が人々に重要なものとして認識されるというものである。この議論は、マス・メディアの新強力効果論の一つであり、したがって「限定的である」という点も誤りである。

3 ✕　「沈黙の螺旋」理論を提唱したのは、アイエンガーではなくノエル＝ノイマンである。この理論によれば、マス・メディアによって特定の見解が社会的に優勢だと報じられると、自らの見解を少数派と感じた人々は意見表明を控え、多数派とされる見解がさらに影響力を増すとされる。

4 ✕　「フレーミング効果」について論じたのは、ノエル＝ノイマンではなくアイエンガーである。ただし、本肢後半に挙げられている内容は、フレーミング効果ではなく「プライミング効果」の事例である。

5 ◯　「バンドワゴン効果」、「判官びいき効果」の説明として妥当である。本肢説明にあるように、マス・メディアによる選挙報道が有権者の投票行動に何らかの変化をもたらすことを「アナウンスメント効果」という。

政治学	政策過程論	2022年度 専門 No.42

利益団体・圧力団体と政策形成に関する次の記述のうち、妥当なのはどれか。

1　経営者側と労働者側とが、それぞれ単一又は少数の頂上組織を持ち、労使の頂上団体が賃金や物価上昇率などについて協議して一定の方針を固めて、政府もその方針が実現するように協力している体制をデュアリズムと呼ぶ。この体制は我が国において20世紀後半以降に激しいデフレ状態に見舞われたことを受けて、賃金の低下と製品価格の下落の悪循環を解決するための方法として生まれたが、多くの先進諸国における賃金の引下げなどの「抜け駆け」によって奏功しなかった。

2　エリート主義への対抗の中で生まれたコーポラティズムは、政治社会は多種多様な利益集団から構成され、公共政策はそれらの団体間での対立、競争、調整の中で生まれると考える。その上で、個別的な利益の表出が公共の利益の実現につながるためには、団体間のチェック・アンド・バランスが働くこと、大多数の個人が一つの特定の団体に加入して集中的に自らの利益の追求を行うこと、潜在的利益集団があること等の一定の条件が必要であるとする。

3　M.オルソンは、たとえ人々が共通の利益を持っていることを明確に認識していたとしても、コストをかけずに利益を得ようとする合理的なフリーライダーの発生によって、共通の利益を実現するためだけに組織化して利益団体が作られることはないと指摘した。こうした集合行為問題は、利益団体の規模が小さいときには発生しにくく、一人一人の活動の結果が左右する程度が大きいほど、フリーライダーは生じにくい。

4　欧州諸国では、圧力団体は、「ロビイスト」と呼ばれる議員と接触して要求を伝える者を雇用し、議員と接触を図ることで圧力活動を行うことが多いが、米国では、各圧力団体が官庁や審議会等に代表を派遣して、政策形成に影響を与えることが一般的である。また、我が国においては、伝統的に官庁よりも議員に対する圧力活動が根強く行われている。

5　政党の役割の一つに政策形成機能があるが、政策形成機能は、企業や業界団体、労働組合などの各種利益団体等が持つ利益や意見を政治過程に吸い上げる利益集約機能と、数多くの団体や個人等から表出された利益を調整して、それらを実際に政策の形にまとめる利益表出機能の二つに分けることができる。こうした二つの機能を通して、政党は数多くの相対する利害を政策にまとめている。

解説 **正解 3** TAC生の選択率 **69%** TAC生の正答率 **49%**

1 **✕** 選択肢の内容はデュアリズムではなく、コーポラティズム（ネオ・コーポラティズム）である。政治学におけるデュアリズムとは、特に労使の対等性を強調するコーポラティズムに対抗して、労働勢力の弱さを強調する体制である。また、コーポラティズムは、1970年代以降に先進諸国がインフレに襲われ、賃金の上昇と製品価格の上昇の悪循環を解決するため、産業団体は製品価格を引き上げず、産業別組合は賃金の上昇を要求しないことをそれぞれ約束し、しかもこの約束を「抜け駆け」することがあまり見られなかったことを説明するために、構想された概念である。

2 **✕** 選択肢の内容は、コーポラティズムではなく多元主義である。ただし、「大多数の個人が…自らの利益の追求を行うこと」は誤りで、正しくは「個人が複数の団体に加入する『重複メンバーシップ』が見られること」となる。

3 **○** オルソンの合理的行為論として妥当な内容である。

4 **✕** まず、欧米諸国と米国における圧力活動の内容が逆である。また、我が国の圧力活動は、議員ではなく官庁などの行政府に対して行われることが多い。

5 **✕** 後段も利益集約機能の説明になっているので誤り。各種利益団体等が持つ利益や意見を政治過程に吸い上げることだけでなく、数多くの団体や個人等から表出された利益を調整して、それらを実際の政策の形にまとめることも利益集約機能である。

マクロ経済学

経済事情

財政学

経営学

政治学

社会学

社会事情

政治学	政治思想	2023年度 専門 No.43

政治における多様性・多元性に関する次の記述のうち、最も妥当なのはどれか。

1 R.ダールは、多様な意見の存在する社会を前提とした民主政治のモデルを提示し、理想としての完全な民主体制であるポリアーキーについて論じた。ダールは、人民の政治参加の度合いである包括性や政治活動の自由度である競争性など、従来論じられてきた民主体制の基準を否定し、どれだけの集団が政治活動に参加しているかの度合いである複数性こそ重要であると主張した。

2 C.シュミットは、政治とは友と敵の区別に関わるものであると主張した。シュミットによると、民主主義とは、同じ意見を持つ者同士が友として集団を形成し、敵である他の集団と対立する多様性の下で生まれるものである。そのような民主主義体制下では、議会での討論が重要視される。

3 J.シュンペーターは、人民自らが政治的な決定に携わる民主政治モデルを理想としたが、人民は政治について全く無知であり、合理的な判断ができないことから、人民が政治を委ねるべき政治エリートを選ぶ役割を果たせないと考えた。そのため、政治エリートを生み出すための人民への政治教育によって、人民の意志に基づく自己決定をすべきであると主張した。

4 C.テイラーは、「ある人々が誰であるかについての理解」をアイデンティティ（自己同一性）と定義した。アイデンティティは、他人による承認や、その不在、歪んだ承認により形成され、国民国家の同質性から漏れ落ちるアイデンティティを人々は政治の場で承認させようとする。

5 E.ノエル＝ノイマンは、自らの意見が少数派であったとき、少数派は、マスメディアを通じて自らの意見を強く主張して多数派になり、重要な地位を占めようとするプライミング効果について指摘した。プライミング効果は、マスメディアと民衆の意見形成の関係についての理論である「限定理論」の一つである。

解 説　　**正解　4**　　TAC生の選択率　**65%**　　TAC生の正答率　**26%**

1 ×　まず、第1文の「理想としての完全な民主体制であるポリアーキー」が誤り。ダールがポリアーキー概念を提議したのは、理想・目標としての民主主義と現実の民主主義を区別するためであり、ポリアーキーは理想を完全には満たしていない現実の民主主義のことである。また、第2文の「従来論じられてきた民主体制の基準を否定」も誤り。包括性や競争性は、ダールが提唱するポリアーキーの指標である。

2 ×　まず、シュミットは民主主義を多様性ではなく治者と被治者の同一性だとし、代表者を選出する議会制民主主義と本来の民主主義とは異質なものであるとしている。また、シュミットは議会での討論を時間の無駄だとしている。

3 ×　まず、「人民自らが政治的な決定に携わる民主政治モデルを理想」と「人民の意志に基づく自己決定をすべき」が誤り。シュンペーターは、人民の理性的能力に懐疑的であり、その政治的判断力に期待していない。ただし、「政治エリートを選ぶ役割を果たせない」も誤り。シュンペーターは、人民は政策決定能力を有する政治的エリートを選挙で選出するぐらいの能力は有していると考えている。

4 ○　カナダのケベック州出身の政治哲学者テイラーは、承認をめぐる政治の重要性を説き、エスニック集団などにとって、独自の文化の承認が必要だとした。彼は多文化主義の代表的論者のひとりとして知られている。

5 ×　まず、「プライミング効果」が誤り。ノエル＝ノイマンが論じたのは沈黙の螺旋理論である。また、沈黙の螺旋理論では、「自らが少数派であると感じた人々は沈黙する一方で、多数派であると感じた人々は積極的に意見表明することから、多数派の意見がますます報道されるようになる」とされているため、第1文の説明も誤り。さらに、プライミング効果はマスメディアの効果論における新強力効果説にあたり「限定理論」（＝限定効果説）ではないため、第2文も誤り。

政治学　政治理論　

国際政治や政治理輪等に関する次の記述のうち、妥当なのはどれか。

1　リベラリズムの見方の一つである機能主義では、技術的・経済的分野での秩序形成が隣接分野に波及（スピルオーバー）し、最終的には安全保障分野でも秩序形成が行われるとして、地域経済統合から地域政治統合に進展するという主張がなされた。この考え方は、現在の欧州連合の発足といった政治的統合につながり、機能主義の代表的な論者であるR.コヘインによって、スピルオーバーは自動的に生じていくことが明らかになった。

2　H.ブルは、国際政治における秩序の在り方を、「ホッブズ的伝統」と「グロチウス的伝統」の二つに類型化した。その上で、国際秩序が無政府的で分権的な構造をとっても直ちに全面的な紛争状況をもたらすのではなく、国家はその構造の中で相互に十分社会的な関係を維持することができるという「グロチウス的伝統」は、現在の世界的な紛争状況を説明しきれていないとして批判した。

3　移民国家である米国では、建国当初より連邦政府による干渉を嫌い、個人の自由と機会の平等を強調する自由主義が普及していた。しかし、19世紀以降の産業化に伴い貧富の差が拡大したことを受けて、実質的な平等のためには一定の国家の介入を認める保守主義が台頭し、現在の二大政党制の基礎となった。G.エスピン＝アンデルセンによれば、現在の米国は脱商品化の度合いが低く階層化の度合いが高い、保守主義型の福祉政策が広く普及している。

4　E.ホブズボームは、近代以前の社会にもエスニックな共同体（エスニー）は存在していたものの、それは「国家」ほど強固な同一性意識で結ばれたものではなく、近代の「国民」はエスニーとの連続性を保ちながら、それを再現・再解釈する過程で成立したものであるとして、伝統が「発明」されるとしたE.ルナンらの根源主義的アプローチを批判した。

5　I.バーリンは、「自由」について、他者からの干渉を受けないことを意味する「消極的自由」と、自ら主体的に意思決定できることを意味する「積極的自由」の概念を示した。その上で、「積極的自由」については、判断力の未熟な個人に代わって、国家や階級、民族という個人の上位に立つ全体的な存在が、より合理的な選択肢を個人にあてがうという「自由への強制」という事態まで進みかねないものであるとして批判した。

解 説　　**正解　5**　　TAC生の選択率 **69**%　　TAC生の正答率 **74**%

1　✕　波及（スピルオーバー）によって、技術的・経済的分野での秩序形成が最終的に安全保障分野にも及ぶと主張したのは、E.ハースの新機能主義である。また、機能主義では、技術的・経済的分野といった非政治的な領域での協力に留まるとしており、代表的論者はD.ミトラニーであるので、この点でも誤りである。なお、選択肢にあるR.コヘインは国際レジーム論の代表的論者である。

2　✕　H.ブルは英国学派に属する国際関係論者であるが、英国学派による国際政治での秩序の在り方（国際関係理論の背景となっている思想的伝統）の分類は、「ホッブズ的伝統」と「グロチウス的伝統」、そして「カント的伝統」の三つである。また、この類型化を行ったのはブルの師にあたるM.ワイトである。

3　✕　米国における保守主義とは市場原理重視の立場である。選択肢にある貧富の差が拡大した後に台頭してきたのは、米国におけるリベラリズムである。また、G.エスピン＝アンデルセンは米国を典型的な自由主義型の福祉国家としているので、その点でも誤りである。彼が概念化した保守主義型では、脱商品化の度合いがやや高く階層化の度合いが高い。

4　✕　選択肢にあるような、ネイションの起源となる集団が前近代に存在したという主張を行ったのはアントニー・スミスである。E.ホブズボームは、ナショナリズムによって人々の時間に対する認識の変化が生まれたことを指摘し、国民が祖先から受け継がれてきた自分たちの伝統であると信じているシンボルは、時には国家によって最近になって捏造されてきた（＝伝統が発明された）と論じた人物である。また、E.ルナンは国民を「日々の人民投票」によるものと唱え、人々の言語や出身地の相違ではなく、その国家の理念に賛同する意思を持つ人間が国民であるべきとした人物であり、根源主義的アプローチは採らない。さらに、伝統が「発明」されるということは前近代との非連続性（断絶）を意味するので、前近代との連続性を意味する根源主義的アプローチとは結びつかないと考えられよう。

5　〇　I.バーリンによる消極的自由と積極的自由の分類、そしてそれらへの評価について正しい内容である。

マクロ経済学

経済事情

財政学

経営学

政治学

社会学

社会事情

| 政治学 | 近現代政治思想 | 2020年度
専門 No.41 |

政治思想に関するア～オの記述のうち、妥当なもののみを全て挙げているのはどれか。

ア　I.カントは、「何をすべきか」という道徳的判断は、それ自体が固有の普遍的原理であるだけでなく、「何をされたか」という経験的な事実からも導くことが可能であると主張した。彼は、全ての人間は、何らかの目的を達成するための手段として扱われるだけでなく、目的そのものとして尊重されなければならないと指摘した。

イ　F.ハイエクは、社会主義や全体主義といった社会を何らかの計画に基づいてコントロールしようとする思考は、本来歴史過程において自生的に形成されてきた秩序をいたずらに破壊してしまうと主張した。彼は、市場もまたこの自生的秩序であるとした上で、市場の失敗を人間の意図的なコントロールによって克服しようとする一切の試みが、本質的に危険であると指摘した。

ウ　R.ノージックは、個人の権利は絶対的に尊重すべきであり、課税を通じた所得の再分配は、権利の侵害であると主張した。彼は、国家は、生命や所有権等に対する個人の権利を防衛するという限定的な役割を果たせばよく、福祉国家が提供してきた一連の公共サービスは、もしそれに類するものが必要ならば、各人が任意に加入する民間の組織で十分代替可能であると指摘した。

エ　J.ロールズは、人々が、自分の社会的地位や経済状況、能力の程度や価値観等について、完全な知識を有した状態で何らかの社会的なルールを作ろうとする場合、勝ち負けによって極端な差が生じない分配のルールを選択すると主張した。彼は、人々は基本的自由に対して平等な権利を有するため、社会的・経済的不平等は、いかなる場合にも認められないと指摘した。

オ　M.サンデルは、人間が自らの持つ属性や自らの置かれた環境とは関係なく、独立した自我として思考していくことが、平等で正義にかなった意思決定を行うための条件であるとした。そして、政治権力の過大な行使を伴う積極的是正措置は、個人の自由や権利を不当に侵害するものであると批判した。

1　ア、エ

2　ア、オ

3　イ、ウ

4　イ、エ

5　ウ、オ

解説　　**正解　3**　　TAC生の選択率 **52%**　　TAC生の正答率 **57%**

ア　✕　カントは、「何をすべきか」という道徳的判断は、「何をされたか」という経験的な事実から導くことは不可能であると主張した。このような事実と規範の峻別がカント哲学の特徴である。

イ　○　ハイエクは、人間の合理性により望ましい社会制度が設計可能だという思考を「設計主義的合理主義」と呼んで批判した。

ウ　○　これは、ノージックの「最小国家論」に関する記述である。

エ　✕　まず「完全な知識を有した状態で」という箇所が誤り。ロールズは、社会の基礎構造が選択される前の原初状態から議論を開始し、原初状態において人々は「無知のヴェール」に覆われ、契約成立後の社会における自らの社会的地位や資産・才能・心理的特徴等の個別的な事情についてはいかなる知識も与えられない状態で判断を下すこととしている。また、「社会的・経済的不平等は、いかなる場合にも認められない」という箇所も誤り。ロールズは、一定程度の社会的・経済的不平等が生じることは前提として、どのような場合に不平等が認められるのか、その条件を考察して格差原理を示した。

オ　✕　まず、第1文が誤り。サンデルは、ロールズの理論は第1文のように想定していると批判し、自らが属する共同体の歴史や、他者と共通して追求する善や生の目的と結びつけられた「位置づけられた自己」として思考していくことが、平等で正義にかなった意思決定を行うための条件であるとした。また、第2文も誤り。サンデルによれば、リベラリズムの枠組みだけで思考すれば積極的是正措置に対する批判は免れえないが、国家の政治的行為の本質を共同体のメンバーが共有する「共通善」の実現行為だと理解すれば、積極的是正措置も肯定されると主張した。

マクロ経済学

経済事情

財政学

経営学

政治学

社会学

社会事情

政治学 ｜ 権力論

次は、M.フーコーの権力論に関する記述であるが、A、B、Cに当てはまるものの組合せとして妥当なのはどれか。

　M.フーコーは、『　A　』において、J.ベンサムが考案した「パノプティコン（一望監視装置）」という形態を用いて、近代的な権力を考察した。パノプティコンでは、監視される者は、いつ自分が監視されているか知ることができないために、自分の行動を常に律しておかなければならない。このような状態に置かれた監視される者は、次第に監視する者のまなざしを　B　して、自分で自分を監視するようになり、自発的に権力に服従するよう　C　される。フーコーは、こうした監視のシステムは、監獄のみならず、近代における学校、軍隊、工場、病院などにも適用可能であるとした。

	A	B	C
1	監獄の誕生	表面化	従属化
2	監獄の誕生	表面化	主体化
3	監獄の誕生	内面化	主体化
4	支配の諸類型	表面化	主体化
5	支配の諸類型	内面化	従属化

解説　　**正解　3**　　

　空欄Cはどちらともいえるのだが、空欄Aと空欄Bは明確であり、この2つが正しい組合せは**3**だけなので、正解が導き出せる。

A　『監獄の誕生』が該当する。『支配の諸類型』は、死後に編纂されたM.ウェーバーの大著『経済と社会』の2つの章を邦訳した著作のタイトルである。

B　「内面化」が該当する。監視する者のまなざしを、監視される者が採り入れるということである。

C　「主体化」が該当する。ただし、「従属化」でも完全に誤りとはいえない。フーコーは、英語のsubject（フランス語だとsujet）が、本来は逆の意味である「主体」と「従属」両方の意味を持つこと（二重性）を念頭において、「主体的に従属する」という意味を込めてこの議論を展開している。

　以上の組合せにより、**3**が正解となる。

マクロ経済学

経済事情

財政学

経営学

政治学

社会学

社会事情

政治学　｜　エリート理論

エリート論等に関する次の記述のうち、妥当なのはどれか。

1　V.パレートは、大衆は理性ではなく本能、衝動、習慣に基づいて行動することを観察して、大衆の政治判断の非合理性を指摘した。彼によると、大衆は、国旗や国歌、政治家の顔などに基づき、刺激に対する条件反射のように政治判断を下しており、エリートによる恣意的な操作を受けやすいため、デモクラシーは必ず失敗するとされた。

2　W.リップマンは、少数支配は共産主義社会を除くあらゆる社会に共通に見られる現象であり、それらの社会におけるいかなる政治体制においても消滅することはないと考えた。彼は、支配エリートは固定的ではなく、時代とともに交代すると指摘し、これを「エリートの周流」と呼んだ。

3　G.ウォーラスは、人間は自分を取り巻く環境を直接に把握することはできず、ステレオタイプ化された形で理解するにとどまるため、その判断や行動は非合理的にならざるを得ないと指摘した。彼は、民主政治の主要な担い手である「インサイダー」たる大衆は、政治という環境に直接接している「アウトサイダー」としての政治エリートの判断に従うべきであると論じた。

4　R.ミヘルスは、19世紀後半に、民主主義とエリート主義は両立するとした上で、民主主義を有能な指導者選出のための手段であると論じた。彼は、実質的・能動的に政治を担うのは政治エリートであるが、人々は、競争する政治エリートのうちの誰に政治を委ねるかを選ぶ能力があり、自らの指導者となり得る人材を選挙によって選出することができると考えた。

5　エリート主義においては、公共政策は少数のエリートによって独占的に決定されていると考えるのに対し、多元主義においては、政治社会は多種多様な利益団体から構成されており、様々な団体が競争して、互いに牽制したり調整したりしながら政治過程に参入して、政策決定に影響を及ぼすと考える。多元主義の論者の一人として、R.ダールが挙げられる。

解 説　　　　**正解　5**　　　TAC生の選択率 **74%**　　TAC生の正答率 **90%**

1 ✕　本肢は、パレートではなくウォーラスについての説明ならば妥当である。ウォーラスは人間の政治行動は必ずしも合理的ではないと指摘し、そのような人間の非合理性に目を向けない従来の政治学を批判し、政治学に心理学を導入することを提唱した。

2 ✕　本肢は、リップマンではなくパレートについての説明ならば妥当である。パレートは、少数支配するエリートは常に存在しており、政治体制が変化しても、それは支配するエリートが別のエリートに交代したに過ぎず、人民による民主主義など不可能だと論じた。

3 ✕　本肢の前半は、ウォーラスではなくリップマンについての説明ならば妥当である。ただし、後半の内容は、「『インサイダー』たる大衆」と「『アウトサイダー』としての政治エリート」という説明が逆である。リップマンは、ステレオタイプを通じて物事を判断する大衆が政治的判断を下すことは危険だとし、「アウトサイダー」たる大衆は「インサイダー」としての職業的政治家に判断を委ねるべきと主張した。

4 ✕　本肢は、ミヘルスではなくシュンペーターについての説明ならば妥当である。ただし、シュンペーターが民主主義論を展開したのは19世紀ではなく20世紀である。ミヘルスは、ドイツ社会民主党に参加した経験から、組織は大規模化すれば少数の指導者による支配が生ずるとする「寡頭制の鉄則」を唱えた。

5 〇　ダールらが主張した多元主義についての説明として妥当である。ダールはアメリカ都市の研究のなかで、政策や争点ごとに影響力を行使するアクターは異なり、すべての政策や争点に影響力を及ぼす単一のエリートは存在しないことを実証した。

政治学	国際政治	2020年度 専門 No.43

国際政治に関する次の記述のうち、妥当なのはどれか。

1 F.フクヤマは、人類の歴史は、支配的な政治体制に異なる政治体制又はイデオロギーが挑戦し、両者の本質的な統合を通じて、より優れた政治体制になるという弁証法的な発展を遂げてきたと主張した。彼は、自由民主主義もファシズムや共産主義の挑戦を受けてきたが、これに対抗し得るイデオロギーの出現は考えられず、人類の大きな理念的な対立には最終的な決着がついたと指摘した。

2 E.H.カーは、第一次世界大戦後の国際連盟や不戦条約に象徴される、戦争を違法化することで平和を実現できるという法律主義的、理想主義的な考え方を支持した。その上で、彼は、侵略戦争に対し集団で制裁を科すという集団的安全保障の仕組みを条約で作るという試みは、国家がその条約に従って行動するようになるため、歴史的に見て画期的であると指摘した。

3 C.キンドルバーガーは、国際秩序の安定には覇権国の存在を必要とするとした上で、20世紀前半の世界恐慌期に国際経済体制がブロック経済への道を歩み、極めて不安定な体制になったのは、かつての経済大国である米国が国際経済体制を支える能力を欠いており、当時、軍事力・経済力ともに超大国になりつつあった英国は、リーダーシップを欠いていたためであると主張した。

4 H.モーゲンソーは、経済的相互依存関係が国際関係におけるパワーの源泉になり得ると主張した。彼は、相互依存関係が断ち切られた場合に、それを回復するためにかかる費用を「脆弱性」、経済的な相互依存関係において、一国の経済的変化が他国の政府や社会に与える負の影響を「敏感性」とし、「脆弱性」を減らすことを経済安全保障上の課題として指摘した。

5 R.コヘインとJ.ナイは、20世紀前半のリベラリズムの隆盛が西洋文明の危機を招いたとし、「政治的リアリズム」の必要を論じた。彼らは、人間の性悪的な本質ゆえに、政治は常にパワーをめぐる闘争となり、国際政治もその例外ではなく、国家は自己目的化したパワーの最大化に努めると指摘した。その中で、諸国家間の関係が安定するためには勢力均衡が必要であるとした。

マクロ経済学

経済事情

財政学

経営学

政治学

社会学

社会事情

解 説　　**正解　1**　　TAC生の選択率 **52%**　　TAC生の正答率 **14%**

1　**○**　フクヤマの「歴史の終わり」に関する説明として妥当である。フクヤマはソ連の崩壊（冷戦の終結）をもって自由民主主義に挑戦するイデオロギーがなくなり、「歴史は終わった」と論じたのである。

2　**✕**　まず「法律主義的、理想主義的な考え方を支持」という点が誤り。カーは法律主義的、理想主義的な考え方をユートピアニズム（夢想主義）として批判したのである。また、集団安全保障の仕組みでは戦争を抑止できないと批判し、勢力を均衡させる必要性を説いたので、第2文の説明も誤りとなる。

3　**✕**　本肢は米国と英国の説明を入れ替えれば妥当な説明となる。つまり、20世紀前半の時期はかつての大国であった英国はその能力を欠いており、英国に代わる大国としての能力を持つ米国はリーダーシップを欠いていたため、国際経済はブロック化したとキンドルバーガーは論じたのである。

4　**✕**　本肢はモーゲンソーではなく、コヘインとナイの相互依存論についての説明である。本肢のようにコヘインらは脆弱性を減らすことが安全保障にとっては重要だと論じている。具体的には、米国が日本からの輸入制限を行うことは日本にとっては大きな損失をもたらすため、脆弱性は高い。しかし、日本が米国以外の輸出先を確保しておくことができれば、脆弱性は低くなる。

5　**✕**　本肢はコヘインとナイではなく、モーゲンソーについての説明であれば妥当である。モーゲンソーは国際関係における現実主義（リアリズム）の代表的論者である。**2**のカーが論じたように理想主義の立場からで戦争を防ぐことができなかったとの反省から、第二次世界大戦後の国際社会では現実主義の立場が支配的になった。

社会学　　シカゴ学派

シカゴ学派に関する記述として妥当なのはどれか。

1　R.E.パークは、愛着の対象になる集団を外集団、それと対比されて嫌悪や軽蔑、場合によっては敵意の対象になる集団を内集団とした。そして、その内集団に特有の態度を「儀礼的無関心」と呼んだ。

2　E.W.バージェスは、都市の拡大過程の形態を理念的に捉え、都市の空間的な構造を明らかにした。そして、中央ビジネス地区から、都市が同心円状に成長・発展していくという「同心円地帯理論」を提唱した。

3　L.ワースは、都市＝農村二分法を提唱し、都市と農村を一定の尺度上に位置付けられる連続的なものとして捉えようとした。さらに、決して完全に相互浸透し、融合することのない二つの文化の周辺にある人間を「マージナル・マン」と呼んだ。

4　W.G.サムナーは、シンボリック相互作用論を提唱し、言葉を中心とするシンボルを媒介とする人間の社会的相互作用における解釈過程に着目した。そして、他者という鏡に映っている自分の像のことを「鏡に映った自己」と呼んだ。

5　W.I.トマスは、F.ズナニエツキと共同で『ハマータウンの野郎ども』を著して、その中で都市に特徴的な生活様式として「アーバニズム」を提唱した。これは、人口量が大きく、密度が高く、社会的に異質の人々の集落としての都市から生ずるとした。

解説　　**正解　2**　　TAC生の選択率 **69%**　TAC生の正答率 **80%**

1　✕　まず、内集団と外集団を対比して論じたのは、パークではなくW.サムナーである。また、内集団と外集団の特徴が逆で、愛着の対象になる集団が内集団、敵意の対象になる集団が外集団である。さらに「儀礼的無関心」はE.ゴフマンが提示した概念であり、内集団に特有の態度でもない。

2　〇　「同心円地帯理論」によれば、都市は、中心ビジネス（業務）地区を中心として、遷移地帯→労働者住宅地帯→中流階級居住地帯→通勤者地帯の順に同心円状に取り囲む構造となっている。

3　✕　まず、ワースが提唱したアーバニズム論は、都市＝農村二分法ではなく都市＝農村連続法の先駆けとされる。また、「マージナル・マン」の概念を提示したのは、ワースではなくR.パークである。

4　✕　まず、シンボリック相互作用論を提唱したのは、サムナーではなくH.ブルーマーである。また、「鏡に映った自己」の概念を提示したのは、サムナーではなくC.H.クーリーである。

5　✕　まず、『ハマータウンの野郎ども』を著したのは、P.ウィリスである。トマスは、ズナニエツキと共同で『欧米におけるポーランド農民』を著した。また、「アーバニズム」を提唱したのは、L.ワースである。

マクロ経済学

経済事情

財政学

経営学

政治学

社会学

社会事情

社会学　社会的性格

パーソナリティや社会的性格に関する学説についての記述として最も妥当なのはどれか。

1　D.リースマンは、伝統の自明性に頼らず、明確な目標に導かれて行動する内部指向型の人々は内面にジャイロスコープ（羅針盤）を備えているのに対し、同時代の人間を行動の指針とする他人指向型の人々はレーダーをもっているとした。

2　G.ジンメルは、ファシズムや反ユダヤ主義などの反民主主義的なイデオロギーを受容しやすいパーソナリティ構造である権威主義的パーソナリティを分析し、そこに、上流階級特有の選民意識が存在すると指摘した。

3　K.マルクスは、『サモアの思春期』において、サモアとアメリカの若者を比較し、同じ肉体的な成長の過程をたどるのであれば、属する文化にかかわらず、その心理的な内実も同様に発達することを発見し、文化のパターンとパーソナリティ特性との相関関係を明らかにした。

4　中根千枝は、日本人の行動様式は恥を基調としたもので、自己の内面に確固たる行動基準をもつがゆえに、たとえ他者には知られない非行であっても、恥の意識にさいなまれるとして、罪を基調とする西洋人の行動様式とは大きく異なることを指摘した。

5　T.W.アドルノは、わざと他者の期待に背いた行動をする違背実験を通じて、一つの集団や階層の大部分の成員が共有している性格構造の本質的な中核であり、その集団や階層に共通な基本的経験と生活様式の結果である「社会的性格」を発見した。

マクロ経済学

経済事情

財政学

経営学

政治学

社会学

社会事情

1　○　なお、伝統を行動の指針とするパーソナリティ類型は、伝統指向型と呼ばれる。

2　×　まず、権威主義的パーソナリティ（性格）を分析したのは、ジンメルではなくT.アドルノやE.フロムなどである。ただし、権威主義的パーソナリティ（性格）は、上流階級ではなく下層中間（中産）階級の人々（小商店主、職人、下層ホワイトカラーなど）が有しやすいとされる。

3　×　まず、『サモアの思春期』において、サモアとアメリカの若者を比較したのは、マルクスではなくM.ミードである。ただし、ミードによれば、同じ肉体的な成長の過程をたどる場合でも、文化が異なれば、その心理的な内実の発達の仕方は異なる。「属する文化にかかわらず、…同様に発達する」のであれば、心理的な内実の発達の仕方に文化は影響しないということになり、文化のパターンとパーソナリティ特性は無相関となるはずである。

4　×　まず、「恥」という観点から日本人の行動様式を論じたのは、中根千枝ではなくR.ベネディクトである。ただし、ベネディクトによれば、恥を基調とした日本人の行動様式は、自己の内面に確固たる行動基準をもたず、他者に対して恥をかくことを避けるという外面的な基準に従っていることから、他者に知られない非行であれば恥の意識をもつこともない。

5　×　まず、「違背実験」は、アドルノではなくH.ガーフィンケルがエスノメソドロジーの研究の中で用いた手法である。また、この社会的性格の定義は、アドルノではなくE.フロムによるものである。

マクロ経済学

経済事情

財政学

経営学

政治学

社会学

社会事情

社会学	パーソナリティ論	2020年度 専門 No.45

C.H.クーリーが提唱した「鏡に映った自我」に関する記述として最も妥当なのはどれか。

1　「自我」と自己の本能的な衝動である「エス（イド）」を調整し、行動をコントロールする機能のことである。

2　人が他者との相互作用の中で、自分に対する他者の認識や評価を想像することを通して自我をつくり上げることである。

3　人の成長過程において、生得的な自我（I）が、様々な他者の役割を取得することを通して、社会に適合的な態度（me）を内在化することである。

4　恥の文化が支配する日本において、世論や嘲笑を恐れ、恥辱を回避しようとする意識のことである。

5　ある社会的地位に就いた人々が、その地位にふさわしい態度を内面化し、共通したパーソナリティを形成することである。

1 ✕ これは、S.フロイトの自我論に近い内容の記述である。ただし、フロイトの理論であれば、「超自我」と「エス（イド）」の間で、「自我」が両者を調整し、行動をコントロールする関係とされている。

2 ◯ クーリーは、人間は、他者との直接的で親密な接触の過程の中で、他者の反応を一種の鏡のようにして自分自身を認識し自我を形作っていくとして、他者の反応から得られるこの自我の社会的側面のことを「鏡に映った自我」と呼んだ。

3 ✕ これは、G.H.ミードの自我論に近い内容の記述である。ただし、「Ｉ」を生得的な自我とみるかどうかは解釈が分かれるところである。

4 ✕ これは、R.ベネディクトの日本文化論に関連する記述である。

5 ✕ これは、R.リントンが主張した「地位のパーソナリティ」に関する記述である。

マクロ経済学

経済事情

財政学

経営学

政治学

社会学

社会事情

社会学	メディア	2023年度 専門 No.45

メディアに関する研究についての記述として最も妥当なのはどれか。

1　P.ブルデューは、大統領の就任式など、祝祭的・セレモニー的な性格を持つ「メディア・イベント」が為政者の持つ支配的価値を過度に強調し人々の抑圧を招くことにより、社会の分断につながると考えた。

2　G.タルドは、人間がマスメディアの影響を受けて頭の中に描く環境のイメージを「擬似環境」と呼び、これを現実環境に比べて情報量が多く優れたものであると考え、現実環境について、擬似環境を目指して変化させるべきだとした。

3　M.マクルーハンは、人間の感覚器官や運動器官を外化したテクノロジー一般であるメディアそのものが、それが運ぶメッセージとは独立に、人間の経験や社会関係を構造化する力を持っていると考え、この力について「メディアはメッセージ」と言い表した。

4　M.マコームズとD.ショウは、ある争点に関する流動的な世論状況の下で、マスメディアが多数派の意見を意図的に報道しないことで、多数派の人々が沈黙を強いられる傾向があることを発見し、これを「沈黙の螺旋」モデルと名付けた。

5　P.F.ラザースフェルドは、選挙予測の世論調査などで、大衆が、劣勢だと予測された方でなく、優勢だと判明した方に味方して行動する傾向を発見し、マスメディアがもたらすこのような効果を「アンダードッグ（負け犬）効果」と呼んだ。

解　説　　　**正解　3**　　　TAC生の選択率 ▶ **65**%　　TAC生の正答率 ▶ **60**%

1　✕　まず、「メディア・イベント」に関する研究で知られているのは、ブルデューではなく、D.ダヤーンとE.カッツである。ただしダヤーンとカッツによれば、メディア・イベントはそれを視聴する人々に社会の基本的な価値を再確認させ、社会の連帯を強化する機能を持つ。

2　✕　まず、「擬似環境」について論じたのは、タルドではなくW.リップマンである。ただしリップマンは、擬似環境は現実環境に比べて情報量が少なく劣ったものであると考えており、「現実環境について」以降の記述も全く誤りである。

3　○　カナダのコミュニケーション理論家マクルーハンは、「地球村」（世界村、Global village）について論じた。

4　✕　まず、沈黙の螺旋モデルを提唱したのは、マコームズとショウではなく、E.ノエル＝ノイマンである。ただし、沈黙の螺旋モデルは、マスメディアでは自ずから多数派の意見が多く報道されることから、意図せざる結果として、少数派の人々が孤立を避けて沈黙を強いられる傾向があるというものである。

5　✕　まずこれは、アンダードッグ効果ではなくバンドワゴン効果に関する記述である。ただしこれは、選挙予測の世論調査ではなく選挙本番の投票行動に関する効果として知られている。なお、（以下を覚える必要は全くないが）社会科学者でバンドワゴン効果を最初に本格的に論じたのは、ラザースフェルドではなく、C.E.ロビンソンの1937年の論文「調査投票分野の最近の動向」とされる。

マクロ経済学

経済事情

財政学

経営学

政治学

社会学

社会事情

社会学 | 現代社会の理論

現代社会の理論に関する記述として最も妥当なのはどれか。

1　M.グラノヴェッターは、ボストン郊外に居住するホワイトカラー労働者を対象とする調査において、接触頻度の低い、「弱い紐帯」を活用した転職者の方が、そうでない者より職務満足度が高く、年収も増加したことを明らかにした。

2　A.シュッツは、近現代社会の権力関係の中で自由を存続させる方法を探り、古代ギリシア人らの思索が到達した「自己への配慮」という倫理的実践に比重を置くことに、その可能性を見いだした。

3　T.ピケティは、『アンチ・オイディプス』において、社会化過程の中で習得され、身に付いたものの見方、感じ方、振る舞い方などを持続的に生み出していく性向のことを「プラクティス」と呼んだ。

4　D.ライアンは、『21世紀の資本』において、イタリアの地域による制度パフォーマンスの研究の中で、成果の違いを生み出すものとして、社会関係資本という考え方を導入し、これを結束型と橋渡し型に分類した。

5　N.ルーマンは、『マクドナルド化する社会』において、オートノミー理論を導入した社会システム論を展開し、社会システムを、その構成要素である個人が新たな自己を継続的に生み出す自己言及的なシステムとして捉えた。

解説　　**正解　1**　　　TAC生の選択率　52%　　TAC生の正答率　27%

1 ○　グラノヴェッターは、集団間に弱い紐帯が存在することで、情報が流れやすくなり、誤解の解消に寄与することから、集団間の紛争や対立に歯止めがかけられていると指摘した。

　従来の通説では、強い紐帯こそが我々の日常生活に大きな影響を持ち、人間関係の形成にも重要だと考えられていた。しかし、強い紐帯だけだと閉じた関係の形成にとどまり、またその関係内での情報交換には繰り返しが多く、新規性に乏しくなる。他方で、弱い紐帯は、生活圏を共有せず価値観やライフスタイルが異なる他者との関係形成を可能にし、またその関係内での情報交換は新規性に富んだものとなる。このように、弱い紐帯は橋渡し機能を持つため、広範囲に渡る情報の普及・拡散や、コミュニティ同士の結合、転職情報の収集などにおいて重要な役割を果たすとされる。

2 ×　これは、M.フーコーに関する記述である。シュッツは、現象学的社会学を展開したことで知られている。

3 ×　『アンチ・オイディプス』は、フランスの哲学者G.ドゥルーズと精神分析家P‑F.ガタリの著作である。また、ここで説明されている概念は「プラクティス」ではなく「ハビトゥス」のことであり、これはP.ブルデューの概念である。ただし、「プラクティス」（フランス語で「プラティック」）もブルデューによって多用される概念であり、「ハビトゥス」によって生み出される半ば意識的・半ば無意識的なふるまいを指す語である。T.ピケティはフランスの経済学者で、長期的な分析に基づき資本主義が格差を生み出すことを指摘した著作『21世紀の資本』で知られている。

4 ×　上記のように、『21世紀の資本』はT.ピケティの著作である。また、「イタリアの地域による」以降の記述は、R.パットナムに関する記述である。カナダの社会学者D.ライアンは、監視社会論で知られている。

5 ×　『マクドナルド化する社会』は、アメリカの社会学者G.リッツァの著作である。また、それ以降の文章はルーマンの社会理論に近い内容になっているが、「オートノミー理論」ではなく「オートポイエーシス理論」である。また、この時期の社会システム論において、社会システムの構成要素は「個人」ではなく「コミュニケーション」である。

マクロ経済学

経済事情

財政学

経営学

政治学

社会学

社会事情

社会学　リーダーシップ

リーダーシップ研究に関する記述ア～エのうち、妥当なもののみを全て挙げているのはどれか。

ア　K.レヴィンは、形式的に正しい手続によって定められた法規を当事者が順守することによって成り立つ支配の類型を「カリスマ的支配」と呼んだ。また、カリスマは、「カリスマの日常化」の過程をたどって、その非日常的性格を永続的に発揮できるようになるとした。

イ　三隅二不二は、リーダー行動パターンを課題志向的な側面であるP機能（課題達成機能）と人間関係志向的な側面であるM機能（集団維持機能）の二次元で表したPM理論を提唱し、集団の生産性やメンバーの意欲・満足度において、最も効果的なリーダー行動パターンは、PM型であるとした。

ウ　F.E.フィードラーは、「専制型」、「民主型」、「放任型」の三つのリーダーシップ・スタイルの効果を検討する実験によって、「放任型」においては、集団の作業の質・量共に最も優れているのに対し、「民主型」においては、集団の作業の量のみが優れていることを明らかにした。

エ　R.J.ハウスは、リーダー行動を「構造づくり」型の行動と「配慮」型の行動の二つの側面で捉え、その効果は集団が取り組んでいる仕事の性質によって異なるとするパス－ゴール理論を提唱し、単純反復作業を中心とする定型的業務に従事する場合では、「配慮」型のリーダー行動が効果的であるとした。

1　ア、イ

2　ア、ウ

3　イ、ウ

4　イ、エ

5　ウ、エ

解説　　**正解　4**　　TAC生の選択率　**69**%　　TAC生の正答率　**65**%

　社会学でリーダーシップ研究が出題されるのは異例だが、アとウが誤りであることは明確なので、正解が導き出せる。

ア　✕　まず、「カリスマ的支配」を定式化したのは、レヴィンではなくM.ヴェーバーである。また、形式的に正しい手続きによって定められた法規を当事者が順守することによって成り立つ支配の類型は、「カリスマ的支配」ではなく「合法的支配」である。さらに「カリスマの日常化」とは、その非日常的な性格が失われていく過程を指す言葉である。

イ　◯　ここで「P」はperformanceまたはproductivityの頭文字、「M」はmaintenanceの頭文字である。

ウ　✕　リーダーシップ・スタイルを「専制型」、「民主型」、「放任型」に類型化して論じたのは、フィードラーではなくK.レヴィンらである。また彼らの調査によれば、集団の作業の質・量共に最も優れているのは「民主型」、集団の作業の量のみが優れているのは「専制型」、「放任型」は集団の作業の質・量ともに最も劣っている。

　それに対してフィードラーは、リーダーが持つ社会的性格を表すLPC得点と8つの集団状況における生産性との間に一定の対応関係を見いだし、コンティンジェンシー・モデルを提唱した人物である。

　ともあれ、このようなことを知らなくても、普通に考えれば「放任型」の下では生産性が高くなりにくいと推測できるだろう。あまりに自由放任だと仕事を一生懸命にやる要因に欠けてしまう。また「専制型」の下では、命令されてしぶしぶ仕事をやっているから質は低くなるし、本人が目の前にいるときには必死で働くが、いなければ手を抜くようになる。実際、レヴィンの実験でも、専制型ではリーダーがその場にいるかいないかで生産性が大きく変わることが見出された。

エ　◯　ハウスは、部下にとって課題が複雑で解決法も多様な場合には「構造づくり」型のリーダー行動が効果的であるとしており、集団を取り巻く状況によって適するリーダーシップは異なると捉えるコンティンジェンシー・モデルの一つとされる。

　以上の組合せにより、**4**が正解となる。

社会学	社会調査	2021年度 専門 No.44

社会調査に関する次の記述のうち、妥当なのはどれか。

1　統計調査において、母集団の全てを調査する全数調査と、一定数を抽出して調査する標本調査がある。全数調査は誤差が生じることはないが、標本調査に比べて多額の費用を必要とするため、現在、国が行う統計調査は全て標本調査により実施されている。

2　標本調査における標本の抽出方法には、有意抽出法と無作為抽出法がある。有意抽出法では、調査する側がある意図をもって標本を選ぶ。一方、無作為抽出法は、母集団からランダムに標本を抽出するため、あらかじめ抽出間隔を定めたり、属性ごとに分けて抽出したりしてはならない。

3　調査に用いる質問紙については、質問の言い回しや配列が結果に影響を与えることが知られている。例えば、一つの質問に二つの内容が入っているために回答しにくい質問は、ダブル・コンティンジェンシー質問と呼ばれる。

4　参与観察とは、観察者が被観察者の社会生活に参加して内側からその実態を観察する手法であり、多面的な見方から調査を行うことが可能である。参与観察においては、観察される事象が自然に常態的に行われるようにしなければならないため、調査者は必ず身分を隠して調査する必要があり、被観察者と物理的あるいは心理的に隔離されなければならない。

5　質的調査とは、量的調査との対比で用いられる用語である。モノグラフ法、ライフ・ヒストリー法等のように主に記述的な方法を用いて質的データを取り扱うが、そこで得られた質的データは、数量化され、量的データに変換されることがある。

解 説　　**正解 5**　　TAC生の選択率 **74%**　　TAC生の正答率 **40%**

1　**✕**　国が行う統計調査のうち、国勢調査は日本国内に常住する者すべてを対象とする全数調査である。また、国勢調査以外にも、日本国内の全ての事業所・企業を対象とする経済センサスや、全ての農林業経営体を対象とする農業センサス等の全数調査も実施されている。

2　**✕**　無作為抽出法では、スタート番号をランダムに決めた後はそこから一定間隔で抽出していく系統抽出法や、母集団を部分（層）に分けた上でそれぞれの内部で無作為抽出をする層化（層別）抽出法も用いられる。

3　**✕**　一つの質問に二つの内容が入っているために回答しにくい質問は、「ダブル・コンティンジェンシー（二重の依存性・不確定性）質問」ではなく、「ダブルバーレル（双筒式の、二つの樽が並んだ）質問」である。

4　**✕**　「調査者は必ず身分を隠して…隔離されなければならない」が丸ごと誤り。そもそも「物理的…に隔離」されていたら、テレビカメラでも設置しなければ対象を観察できない。参与観察法は、調査対象となる集団の一員（当事者の仲間）として長期間一緒に生活して観察する方法である。

5　**〇**　質的データを量的データに変換することによって失われる情報もあるが、統計的に処理しやすくなるというメリットもある。

我が国の労働等に関する次の記述のうち、最も妥当なのはどれか。

1　2020年の年初以降、新型コロナウイルス感染症の感染が拡大する中で、「緊急事態宣言」又は「まん延防止等重点措置」が繰り返し発出された。このような状況の下、総務省「労働力調査」による完全失業率（全国・季節調整値）は2020年末に7％を超え、その後も2021年末まで6％台を推移し、景気の大幅な悪化と停滞が見られた。

2　国等による障害者就労施設等からの物品等の調達の推進等に関する法律（障害者優先調達推進法）が2020年に施行された。同法において、障害者就労施設で就労する障害者や在宅で就労する障害者の自立の促進に資するため、国などの公的機関が物品やサービスを調達する際、障害者就労施設等が入札に参加した場合は、原則として障害者就労施設等から落札者を決定することとされた。

3　厚生労働省「毎月勤労統計調査」によると、現金給与総額（就業形態計・前年同月比）は、2020年4月にマイナスからプラスに転じたが、新型コロナウイルス感染症の感染拡大の影響を受けて、2020年7月にマイナスに転じて以降、2021年末にかけてマイナス幅（％）が拡大した。

4　長時間労働の是正について、2018年に労働基準法が改正され、事業場で使用者と労働者代表が同法第36条第1項に基づく労使協定を結ぶ場合に、法定労働時間を超えて労働者に行わせることが可能な時間外労働の限度を月60時間かつ年400時間とし、特別の事情の有無にかかわらずこれを超えることはできないこととされた。

5　副業・兼業の場合の労働時間管理及び健康管理等について、2020年に副業・兼業の促進に関するガイドラインが改定され、労働者の申告等による副業先での労働時間の把握や簡便な労働時間管理の方法を示すなど、ルールが明確化された。

解説　　**正解　5**　　TAC生の選択率　**65%**　　TAC生の正答率　**67%**

1　×　「7％を超え」と「6％台を推移」が誤り。月別の完全失業率は、最も高かった時でも2002年、2003年、2009年に記録した5.5％であり、6％台になったことは1度もない。2020年は1月の2.4％から10月の3.1％まで上昇したものの、2021年に入ってからは2022年末まで2％台を維持している。

2　×　まず、障害者優先調達推進法は2013年に施行されている。また、同法により、国などの公的機関は、施設等が物品・サービスを調達する際、障害者就労施設等から購入することが努力義務となっている。

3　×　現金給与総額（就業形態計・前年同月比）は、2020年4月にプラスからマイナスに転じたが、2021年3月にプラスに転じた（2020年4月に最初の緊急事態宣言が発出されたことから推測できるはず）。その後、2021年12月にいったんマイナスに転じたものの、2022年1月には再びプラスに転じており、以降は2023年4月まで、前年同月比プラスを続けている。

4　×　時間外労働の限度は、月45時間かつ年360時間までである。ただし、臨時的な特別の事情がある場合は、これを超えることができる。

5　○　このガイドラインは、副業・兼業を希望する者が年々増加傾向にある中、安心して副業・兼業に取り組むことができるよう、副業・兼業の場合における労働時間管理や健康管理等について示したものである。

マクロ経済学

経済事情

財政学

経営学

政治学

社会学

社会事情

社会事情 　労働環境

我が国の雇用等に関する次の記述のうち、妥当なのはどれか。

1 厚生労働省によると、新型コロナウイルス感染症の感染拡大の影響等により、2020年10月末の外国人労働者数は約172万人となり、前年同月末より大幅に減少した。在留資格別にみると、「身分に基づく在留資格」が最も多く、次いで「技能実習」、「資格外活動」が多い。国籍別にみると、フィリピンが最も多くなっている。

2 2020年には、正規雇用労働者数が前年差約35万人減の約3,529万人と減少した一方で、非正規雇用労働者数が前年差約75万人増の約2,090万人と大幅に増加した。男女別にみると、男性、女性ともに、非正規雇用労働者数は増加した一方で正規雇用労働者数は減少しており、男性の方がより減少者数が多い。

3 2020年2～3月に内閣官房が実施した調査*によると、我が国では副業としている者を含め、約250万人がフリーランスとして働いている。2021年3月に、「フリーランスとして安心して働ける環境を整備するためのガイドライン」が策定されたが、フリーランス向けの相談窓口の設置は、2022年3月末現在でいまだ行われていない。

4 新型コロナウイルス感染症の感染拡大を受け、雇用保険被保険者を雇用する事業主を対象とした緊急雇用安定助成金及び雇用保険被保険者ではない労働者を雇用する事業主を対象とした雇用調整助成金の支給が行われた。この特例措置によるこれらの助成金の受給に当たっては、休業等計画届の提出や、事業所設置後1年以上経過といった要件が設けられた。

5 2019年の有効求人倍率は、年平均で1.60倍と高水準を維持しており、完全失業率は年平均で2.4％と前年と同率の数字を維持していた。しかし、2020年には、新型コロナウイルス感染症の感染拡大の影響等により有効求人倍率、完全失業率ともに悪化し、有効求人倍率は年平均で1.18倍、完全失業率は年平均で2.8％となった。

＊「フリーランス実態調査」（調査期間：2020年2月10日～3月6日）

解 説　　**正解　5**　　　TAC生の選択率　**69%**　　TAC生の正答率　**61%**

1　✕　厚生労働省「外国人雇用状況」によれば、2020年10月末現在の外国人労働者数は約172万人で、前年同月末の約166万人から約4%増加して過去最多となった。また国籍別にみると、ベトナムが44.4万人と最も多く、次いで中国の41.9万人、フィリピンの18.5万人となっている。

2　✕　総務省「労働力調査（詳細集計）」によれば、2020年には正規雇用労働者数が前年差約35万人増の約3,529万人と増加した一方で、非正規雇用労働者数は前年差約75万人減の約2,090万人と11年ぶりに減少した。男女別にみると、男性、女性ともに、非正規雇用労働者数は減少した一方で正規雇用労働者数は増加しており、非正規雇用労働者数の減少者数、正規雇用労働者数の増加者数ともに女性の方が多い。

3　✕　まず、フリーランス向けの相談窓口として、2020年11月に「フリーランス・トラブル110番」が設置されている。この事業は、第二東京弁護士会が厚生労働省から委託を受け、厚生労働省のほか、内閣官房、公正取引委員会、中小企業庁と連携して実施するものである。また、内閣官房「フリーランス実態調査」の試算では、462万人（うち本業214万人、副業248万人）がフリーランスとして働いている。ただし、類似調査によるフリーランス数の試算は306〜472万人まで幅があり、この数値で正誤判断するのは難しい。

4　✕　まず、雇用保険被保険者を雇用する事業主を対象とするのは雇用調整助成金、雇用保険被保険者ではない労働者を雇用する事業主を対象とするのは緊急雇用安定助成金である。また、緊急対応期間中の特例として、助成金の受給にあたって計画届の提出は不要とされ、事業所設置後1年未満の事業主も対象とされている。

5　◯　2021年の有効求人倍率は1.13倍と前年からさらに悪化し、完全失業率は2.8%と横ばいとなった。

我が国の労働環境に関する記述A～Dのうち、妥当なもののみを挙げているのはどれか。

A 長時間労働の問題への対応が求められる中、平成30年に「働き方改革を推進するための関係法律の整備に関する法律」が成立した。これにより、労働基準法が改正され、時間外労働の上限規制が罰則付きで法律に規定された。

B 令和2年の新型コロナウイルスの感染拡大により、テレワークが注目されたが、内閣府の調査[1]によると、テレワークを経験した就業者の割合は、全国平均で5％台にとどまっている。この理由の一つとして、国からテレワーク導入のための支援が行われていなかったことが挙げられる。

C 令和元年に「女性の職業生活における活躍の推進に関する法律等の一部を改正する法律」が成立した。これにより、事業主は、セクシュアルハラスメント等と同様に、パワーハラスメントを防止するための雇用管理上の措置を講ずることが義務付けられた。

D 厚生労働省の調査[2]によると、平成30年度の育児休業取得率は、男性、女性ともに80％を超えている。男性の育児休業取得率は、近年の父親の育児休業取得を促進する各種の制度や取組により、平成20年度の1％台から大幅に増加している。

＊1 「新型コロナウイルス感染症の影響下における生活意識・行動の変化に関する調査」（調査期間：令和2年5月25日～6月5日）
＊2 「雇用均等基本調査」

1 A、C

2 A、D

3 B、C

4 B、D

5 C、D

マクロ経済学

経済事情

財政学

経営学

政治学

社会学

社会事情

解 説　　**正解　1**　　TAC生の選択率 **74%**　　TAC生の正答率 **84%**

A　**○**　従来、労働基準法の条文には時間外労働の上限が明記されていなかったが、2018（平成30）年の改正により、原則として1か月当たり45時間以内、1年当たり360時間以内の上限規制が設けられた。

B　**✕**　同調査によると、少しでもテレワークを経験した就業者の割合は34.6%となった。また、国を挙げてテレワーク導入のための支援策が実施されている。

C　**○**　2019（令和元）年に、女性の職業生活における活躍の推進等に関する法律とともに労働施策総合推進法が改正され、パワーハラスメントの法律上の定義が定められた。

D　**✕**　同調査によると、2018（平成30）年度の育児休業取得率は、女性は83.0%だが、男性は7.48%にとどまった。2008（平成20）年度の1.23%からは大幅に増加しているものの、女性との差は大きい。

以上の組合せにより、**1**が正解となる。

国税専門官（国税専門Ａ）問題文の出典について

本書掲載の現代文・英文等の問題文は、以下の著作物からの一部抜粋です。

National Geographic（原文）

TAC公務員講座（訳文）

p.64 "How fintech can promote financial inclusion - a new report on the opportunities and challenges," *Bank for International Settlements*, 2020/04/14 2)（原文）

TAC公務員講座（訳文）

p.66 Erica Jackson Curran, "Here's why planning a trip can help your mental health," *National Geographic*, 2020/05/15（原文）

TAC公務員講座（訳文）

■ 別　冊

No.1　猪木 武徳『経済社会の学び方 健全な懐疑の目を養う』中公新書

No.2　三木 清『哲学入門』岩波新書

No.3　赤羽 由起夫『「心の闇」を理解する意味はあるのか？』「現代思想」2022年7月号 青土社

No.4　福原 麟太郎『読書と或る人生』新潮選書

No.5　西原 博史『良心の自由と子どもたち』岩波新書

No.6　河合 隼雄『心理療法入門』岩波現代文庫

No.7　Phelan Chatterjee, "Ozone layer may be restored in decades, UN report says," *BBC*, 2023/01/10

No.8　David Berreby, "The robot revolution has arrived," *National Geographic*, 2020/08/18（原文）

TAC公務員講座（訳文）

No.9　Anthony Giddens, Philip W. Sutton, *Sociology 9th edition*, Polity 3)（原文）

TAC公務員講座（訳文）

No.10　April Rubin, "World Health Organization Warns Against Using Artificial Sweeteners," *The New York Times*, 2023/05/15 4)（原文）

TAC公務員講座（訳文）

著作権者の方へ

本書に掲載している現代文・英文の問題文について、弊社で調査した結果、著作権者が特定できないなどの理由により、承諾の可否を確認できていない問題があります。お手数をお掛けいたしますが、弊社出版部宛てにご連絡をいただけると幸いです。

読者特典 模範答案ダウンロードサービスのご案内

　本書には択一試験の問題・解答解説を収めていますが、読者特典として記述式試験の問題と模範答案をダウンロードするサービスをご利用いただけます。

　TAC出版書籍販売サイト「CYBER BOOK STORE」からダウンロードできますので、ぜひご利用ください（配信期限：2025年10月末日）。

ご利用の手順

① 　CYBER BOOK STORE（https://bookstore.tac-school.co.jp/）にアクセス

こちらのQRコードからアクセスできます

② 　「書籍連動ダウンロードサービス」の「公務員 地方上級・国家一般職（大卒程度)」から、該当ページをご利用ください

　　⇒ 　この際、次のパスワードをご入力ください

２０２６１１４２６

公務員試験

ねんどばん
2026年度版
こくぜいせんもんかん　かもくべつ　　　　　　べっかこもんだいしゅう　　こくぜいせんもん
国税専門官 科目別・テーマ別過去問題集（国税専門Ａ）

（2005年度版　2005年4月25日　初版 第1刷発行）

2024年11月15日　初　版　第1刷発行

編　著　者　　ＴＡＣ出版編集部
発　行　者　　多　田　敏　男
発　行　所　　TAC株式会社　出版事業部
　　　　　　　　　　　　　　　　（TAC出版）
　　　　　　　〒101-8383
　　　　　　　東京都千代田区神田三崎町3-2-18
　　　　　　　電　話　03（5276）9492（営業）
　　　　　　　FAX　03（5276）9674
　　　　　　　https://shuppan.tac-school.co.jp

組　　　版　　株式会社　グ　ラ　フ　ト
印　　　刷　　今　家　印　刷　株　式　会　社
製　　　本　　東　京　美　術　紙　工　協　業　組　合

© TAC 2024　　　Printed in Japan　　　　　　　　　　　　ISBN 978-4-300-11426-1
　　　　　　　　　　　　　　　　　　　　　　　　　　　　　N.D.C. 317

公務員講座のご案内

大卒レベルの公務員試験に強い！

2023年度 公務員試験

公務員講座生[1]
最終合格者延べ人数[2]

5,857名

※1 公務員講座生とは公務員試験対策講座において、目標年度に合格するために必要と考えられる、講義、演習、論文対策、面接対策等をパッケージ化したカリキュラムの受講生です。単科講座や公開模試のみの受講生は含まれておりません。
※2 同一の方が複数の試験種に合格している場合は、それぞれの試験種に最終合格者としてカウントしています。（実合格者数は3,093名です。）
＊2024年1月31日時点で、調査にご協力いただいた方の人数です。

国家公務員（大卒程度）	計 2,897名
地方公務員（大卒程度）	計 2,849名
国立大学法人等 大卒レベル試験	69名
独立行政法人 大卒レベル試験	15名
その他公務員	27名

TACの2023年度 〉 👑 合格実績 📢 合格の声　詳しくは ➡

2023年度 国家総合職試験

公務員講座生[1]

最終合格者数 233名

法律区分	42名	経済区分	24名
政治・国際区分	71名	教養区分[2]	54名
院卒/行政区分	19名	その他区分	23名

※1 公務員講座生とは公務員試験対策講座において、目標年度に合格するために必要と考えられる、講義、演習、論文対策、面接対策等をパッケージ化したカリキュラムの受講生です。単科講座や公開模試のみの受講生は含まれておりません。
※2 上記は2023年度目標の公務員講座最終合格者のほか、2024・2025年度目標公務員講座生の最終合格者54名が含まれています。
＊ 上記は2024年1月31日時点で調査にご協力いただいた方の人数です。

2023年度 外務省専門職試験

最終合格者総数60名のうち
50名がWセミナー講座生です。[1]

合格者占有率[2] 83.3%

外交官を目指すなら、実績のWセミナー

※1 Wセミナー講座生とは、公務員試験対策講座において、目標年度に合格するために必要と考えられる、講義、演習、論文対策、面接対策等をパッケージ化したカリキュラムの受講生です。各種オプション講座や公開模試など、単科講座のみの受講生は含まれておりません。また、Wセミナー講座生はそのボリュームから他校の講座生と掛け持ちすることは困難です。
※2 合格者占有率は「Wセミナー講座生（※1）最終合格者数」を、「外務省専門職採用試験の最終合格者総数」で除して算出しています。
＊ 上記は2023年10月9日時点で調査にご協力いただいた方の人数です。

WセミナーはTACのブランドです

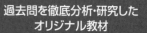

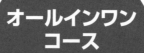

公務員講座のご案内

無料体験入学のご案内
3つの方法でTACの講義が体験できる!

教室で体験
迫力の生講義に出席　**予約不要!**　**最大3回連続出席OK!**

1. 校舎と日時を決めて、当日TACの校舎へ
TACでは各校舎で毎月体験入学の日程を設けています。

2. オリエンテーションに参加（体験入学1回目）
初回講義「オリエンテーション」にご参加ください。体験入学ご参加の際に個別にご相談をお受けいたします。

3. 講義に出席（体験入学2・3回目）
引き続き、各科目の講義をご受講いただけます。参加者には体験用テキストをプレゼントいたします。

● 最大3回連続無料体験講義の日程はTACホームページと公務員講座パンフレットでご覧いただけます。
● 体験入学はお申込み予定の校舎に限らず、お好きな校舎でご利用いただけます。
● 4回目の講義前までにご入会手続きをしていただければ、カリキュラム通りに受講することができます。

※地方上級・国家一般職以外の講座では、最大2回連続体験入学を実施しています。また、心理職・福祉職はTAC動画チャンネルで体験講義を配信しています。
※体験入学1回目や2回目の後でもご入会手続きは可能です。「TACで受講しよう!」と思われたお好きなタイミングで、ご入会いただけます。

ビデオで体験
校舎のビデオブースで体験視聴

全国のTAC校舎のビデオブースで、講義を無料でご視聴いただけます。（要予約）

TAC各校のビデオブースでお好きな講義を体験視聴できます。視聴前日までに視聴する校舎受付までお電話にてご予約をお願い致します。

ビデオブース利用時間　※日曜日は④の時間帯はありません。
① 9:30 〜 12:30　② 12:30 〜 15:30
③ 15:30 〜 18:30　④ 18:30 〜 21:30

※受講可能な曜日・時間帯は一部校舎により異なります。
※年末年始・夏期休業・その他特別な休業以外は、通常平日・土日祝祭日にご覧いただけます。
※予約時にご希望日とご希望時間帯を合わせてお申込みください。
※基本講義の中からお好きな科目をご視聴いただけます。（視聴できる科目は時期により異なります）
※TAC提携校での体験視聴につきましては、提携校各校へお問合せください。

Webで体験
スマートフォン・パソコンで講義を体験視聴

TACホームページの「TAC動画チャンネル」で無料体験講義を配信しています。時期に応じて多彩な講義がご覧いただけます。

| TAC ホームページ | **https://www.tac-school.co.jp/** |

※体験講義は教室講義の一部を抜粋したものになります。

TAC出版 書籍のご案内

TAC出版では、資格の学校TAC各講座の定評ある執筆陣による資格試験の参考書をはじめ、資格取得者の開業法や仕事術、実務書、ビジネス書、一般書などを発行しています!

TAC出版の書籍

*一部書籍は、早稲田経営出版のブランドにて刊行しております。

資格・検定試験の受験対策書籍

- 日商簿記検定
- 建設業経理士
- 全経簿記上級
- 税理士
- 公認会計士
- 社会保険労務士
- 中小企業診断士
- 証券アナリスト

- ファイナンシャルプランナー(FP)
- 証券外務員
- 貸金業務取扱主任者
- 不動産鑑定士
- 宅地建物取引士
- 賃貸不動産経営管理士
- マンション管理士
- 管理業務主任者

- 司法書士
- 行政書士
- 司法試験
- 弁理士
- 公務員試験(大卒程度・高卒者)
- 情報処理試験
- 介護福祉士
- ケアマネジャー
- 電験三種　ほか

実務書・ビジネス書

- 会計実務、税法、税務、経理
- 総務、労務、人事
- ビジネススキル、マナー、就職、自己啓発
- 資格取得者の開業法、仕事術、営業術

一般書・エンタメ書

- ファッション
- エッセイ、レシピ
- スポーツ
- 旅行ガイド (おとな旅プレミアム/旅コン)

公務員試験対策書籍のご案内

TAC出版の公務員試験対策書籍は、独学用、およびスクール学習の副教材として、各商品を取り揃えています。学習の各段階に対応していますので、あなたのステップに応じて、合格に向けてご活用ください!

INPUT

『みんなが欲しかった!
公務員 合格への
はじめの一歩』
A5判フルカラー
●本気でやさしい入門書
●公務員の "実際" をわかりやすく紹介したオリエンテーション
●学習内容がざっくりわかる入門講義

・数的処理（数的推理・判断推理・空間把握・資料解釈）
・法律科目（憲法・民法・行政法）
・経済科目（ミクロ経済学・マクロ経済学）

『みんなが欲しかった!
公務員 教科書&問題集』
A5判
●教科書と問題集が合体!
　でもセパレートできて学習に便利!
●「教科書」部分はフルカラー!
　見やすく、わかりやすく、楽しく学習!

・判断推理
・数的推理
・憲法
・民法
・行政法

『新・まるごと講義生中継』
A5判
TAC公務員講座講師
郷原 豊茂 ほか
●TACのわかりやすい生講義を誌上で!
●初学者の科目導入に最適!
●豊富な図表で、理解度アップ!

・郷原豊茂の憲法
・郷原豊茂の民法Ⅰ
・郷原豊茂の民法Ⅱ
・新谷一郎の行政法

『まるごと講義生中継』
A5判
TAC公務員講座講師
渕元 哲 ほか
●TACのわかりやすい生講義を誌上で!
●初学者の科目導入に最適!

・郷原豊茂の刑法
・渕元哲の政治学
・渕元哲の行政学
・ミクロ経済学
・マクロ経済学
・関野喬のパターンでわかる数的推理
・関野喬のパターンでわかる判断整理
・関野喬のパターンでわかる
　空間把握・資料解釈

要点まとめ

『一般知識
出るとこチェック』
四六判
●知識のチェックや直前期の暗記に最適!
●豊富な図表とチェックテストでスピード学習!

・政治・経済
・思想・文学・芸術
・日本史・世界史
・地理
・数学・物理・化学
・生物・地学

記述式対策

『公務員試験論文答案集
専門記述』
A5判
公務員試験研究会
●公務員試験（地方上級ほか）の専門記述を攻略するための問題集
●過去問と新作問題で出題が予想されるテーマを完全網羅!

・憲法〈第2版〉
・行政法

書籍の正誤に関するご確認とお問合せについて

書籍の記載内容に誤りではないかと思われる箇所がございましたら、以下の手順にてご確認とお問合せをしてくださいますよう、お願い申し上げます。

なお、正誤のお問合せ以外の**書籍内容に関する解説および受験指導など**は、一切行っておりません。

そのようなお問合せにつきましては、お答えいたしかねますので、あらかじめご了承ください。

1 「Cyber Book Store」にて正誤表を確認する

TAC出版書籍販売サイト「Cyber Book Store」の
トップページ内「正誤表」コーナーにて、正誤表をご確認ください。

CYBER TAC出版書籍販売サイト
BOOK STORE

URL:https://bookstore.tac-school.co.jp/

2 1の正誤表がない、あるいは正誤表に該当箇所の記載がない
⇒ 下記①、②のどちらかの方法で文書にて問合せをする

★ご注意ください★

お電話でのお問合せは、お受けいたしません。
①、②のどちらの方法でも、お問合せの際には、「お名前」とともに、
「対象の書籍名（○級・第○回対策も含む）およびその版数（第○版・○○年度版など）」
「お問合せ該当箇所の頁数と行数」
「誤りと思われる記載」
「正しいとお考えになる記載とその根拠」
を明記してください。
なお、回答までに1週間前後を要する場合もございます。あらかじめご了承ください。

① ウェブページ「Cyber Book Store」内の「お問合せフォーム」より問合せをする

【お問合せフォームアドレス】

https://bookstore.tac-school.co.jp/inquiry/

② メールにより問合せをする

【メール宛先　TAC出版】

syuppan-h@tac-school.co.jp

※**土日祝日はお問合せ対応をおこなっておりません。**
※**正誤のお問合せ対応は、該当書籍の改訂版刊行月末日までといたします。**

乱丁・落丁による交換は、該当書籍の改訂版刊行月末日までといたします。なお、書籍の在庫状況等により、お受けできない場合もございます。
また、各種本試験の実施の延期、中止を理由とした本書の返品はお受けいたしません。返金もいたしかねますので、あらかじめご了承くださいますようお願い申し上げます。

（2022年7月現在）

2024年度　問題

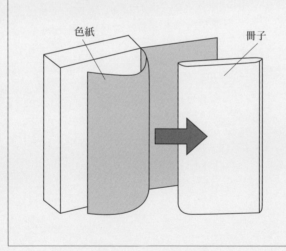

色紙　　　　　冊子

TAC出版

2024年度 基礎能力試験 問題

次の文の内容と合致するものとして最も妥当なのはどれか。

科学はすべてを直ちに解き明かしてくれるわけではない。断言できること、確率的・統計的にしか言えないこと、あるいは全く謎でしかないことなど、われわれの知識の確実性には様々なレベルがある。

30年以上も前のこと、著名な数学者H先生の講演会に行ったことがあった。「これからの教育と父親の役割」と題する講演で、先生のご両親の思い出と、数学の専門的研究が素人にも少し分かるように巧みに語られ、今もその中のいくつかのエピソードを思い出すことができるほど刺激に満ちた話であった。

講演の最後の方で、自然科学の分野における一つの大きな傾向として、「月と雲の時代」という譬えに触れられた。月には解析性があり、現在の位置と運動法則を把握すれば、すべてが予測できる。ところが雲には解析性がない。意外性に満ちており、2、3時間後のことさえ予想するのが難しい。これら二つのタイプの対象の研究が調和を保ちつつ共存するのが、自然科学における「月と雲の時代」なのだという。《中略》

論理だけで真実に迫るとみなされる自然科学においても、厳密な意味での正確な予測ができない研究対象が多く存在しているということにもっと気付いてもよさそうだ。われわれが身を置く現実の世界は、まさに雲のような不確かさに満ちている。ウィルスの正体が正確に把握できているわけではない。感染症がどのように広がるのかを正確に予測するのも至難の業である。多くの科学分析では、雲の形や動きを予想するときと同じように、強い仮定を置いて科学の手続きに沿った推論を行う。科学における知的探求の作法の基本は、このような「仮説と検定（実験）」という作業から成り立っているのだ。

「月と雲の時代」の譬えは、厳密な論理と実験の精神で裏付けられる自然科学の分野にも、実は完全な論理だけでは、表現も、証明も、予測もできない事象があることを教えてくれる。したがって、自然科学の問題の立て方と分析方法に似せようとする努力には「明晰さ」という点で大きなプラスの面があるが、同時に自然科学的な分析のフレームワークに乗せるために、数々の要素を削り落としてしまう点ではマイナス面がある。要するに、科学的分析の価値を十分に認めつつ、しかしそれを絶対視してはならないのだ。

1 科学への信頼の厚い現代では、科学が最終的に物事の真と偽、当否を確実かつ明晰に示せるということについては、疑いの余地のないものとして、広く一般に受け入れられている。

2 自然科学の分野では、解析性があるものを月、ないものを雲と呼んでおり、現在は、両者の分析方法を融合させた研究が数多く行われていることから、「月と雲の時代」と呼ばれている。

3 厳密さと正確さが求められる自然科学の分野における研究では、正確な予測ができない研究対象については、問題を限定し単純化して科学として厳密に議論するという手法が有効である。

4 学問には、数理的に論証できる性質の研究と、論証はできないが真実に迫ろうとする性質の研究とがあるが、前者の研究こそが学問の本質といえるものである。

5 自然科学的な厳密さを重視すると、分析のフレームワークに収めようとするあまり、数々の要素を削り落としてしまうことがあるので、これを絶対視してはならない。

次の文の内容と合致するものとして最も妥当なのはどれか。

　我々は経験によって環境に適応してゆく。環境に対する我々の適応は、本能的或いは反射的でない場合、「試みと過ち」の過程を通じて行なわれる。この試みと過ちの過程が経験というものである。経験するというのは単に受動的な態度でなく、試みては過ち、過っては試みることである。経験という言葉は何か過去のものを意味する如く理解され易く、既に行なわれたことの登録、先例に対する引き合わせが経験の本質であるかの如く信ぜられている。経験論の哲学も経験を「与えられた」もののように考えた。しかし経験は試みることとして未来に関係付けられている。試みるというのは自主的に、予見的に行なうことであって、かような経験には知性が、その自発性が予想される。自発的な知性がそこに働くのでなければ、試みるということはない。経験は試みることとして直接的でなく、すでに判断的であり、推論的であるとさえいい得るであろう。もちろん経験は単に思惟的でなく、却ってその本質において実験的である。すべての経験は実験である、ただ経験には科学における実験の如き方法的組織的なところが欠けており、従ってそれは偶然的である。実験が技術的であるように、経験もすでに技術的である。経験において、我々は試みては過つ、過つということはいわば経験の本性に属している。本能はそれ自身に関する限り過つことのないものであるが、経験においては過ちがある。しかもそこに経験の価値があるのであって、過つことによって我々の知識は本能の如く直接的なものでなく反省を経たものになってくる。誤謬の存在によって我々の知識は媒介されたものになるのである。試みと過ちの過程において我々は正しい知識、正しい適応の仕方を発明する。経験は発明的である。それが発明的であるということは、経験が主観的・客観的な過程であることを意味している。試みと過ちとは主体と客体とが相互に否定し合う関係であり、かような対立の統一として経験的知識は成立するのである。

1　我々が環境に適応していくためには、適応の過程で必ず過ちがなければならず、適応が本能的又は反射的である場合でもこの過ちにこそ経験の価値がある。

2　経験論の哲学では経験を「与えられた」もののように捉えているが、経験とは試みと過ちの過程であり、試みるという点で経験は自発的なものといえる。

3　「試みと過ち」のうち、反省を促すのは試みであり、経験の価値を高めるためには、過ちを伴わない試行を繰り返す必要がある。

4　試みの際の推論とその結果のずれが大きいほど、主体と客体とは相互に否定する関係が強くなり、このずれを客体の方向に修正し考えを統一することで高い経験値が得られる。

5　組織的に行なわれる科学の実験の手法を取り入れることで、偶発的事象からも経験的知識を成立させることができるようになる。

次の文の内容と合致するものとして最も妥当なのはどれか。

「心の闇」が多く語られた背景としては、格差・貧困問題に対する人びとの認知が2000年代半ばまで遅れたことによって、凶悪な少年犯罪が心の問題として社会問題化してしまったことが指摘できる。その歴史的な過程はつぎのとおりである。

まず、1980年代以降、心への関心が増大する心理主義化が進行した。心理主義化は、1970年代以降のポスト工業化による第三次産業の従事者の増大、雇用の流動化、消費や情報を通じた自己形成の比重の増大などを背景として、心への関心が増大することによって生じた。この心理主義化の進行により、教育の領域においても子どもの心への関心が高まったため、子どもの心の理解の重要性が強調されたり、さまざまな教育問題が子どもの心の問題として語られたりするようになったのである。

一方で、1990年代から凶悪犯罪への関心が増大した。90年代初頭は、バブル崩壊によって、戦後の日本社会を支えてきた企業、近代家族、学校教育の不安定化が大きく問題化した時期である。このような不安定化した社会状況は、逸脱者に対する人びとの排除的な反応を導くことになり、凶悪犯罪が大きく社会問題化することになったのである。

ここで重要な点は、先述のように、格差・貧困問題に対する人びとの認知が2000年代半ばまで遅れたことによって、凶悪な少年犯罪が心の問題として社会問題化してしまったことである。小熊英二によると、1970年代半ば以降、日本社会もポスト工業化にともなって雇用が不安定化し、格差・貧困は拡大してきた。それにもかかわらず、しばらくは当時の日本社会の諸条件によって、その問題が露呈せずにすんでいたのである。さらに、バブル崩壊によって日本社会の不安定化が問題化して以降も、社会の中核（都市部の大卒男性ホワイトカラー）にかかわる異常現象ばかりが注目され、周辺（女性、高卒、地方など）にかかわる構造変化の認識が遅れた。その結果、一般の人びとに格差・貧困問題が認知されたのは2000年代半ばになってしまったのである。

1 「心の闇」は格差・貧困問題を認知しない状況において多く語られた言葉であり、人びとによるその認知が遅れたことによって凶悪な少年犯罪が心の問題として社会問題化した。

2 1980年代以降、心に問題を抱える子どもが増加し、教育の領域において子どもの心の理解の重要性が強調されるようになったことにより、心理主義化が進行した。

3 1970年代以降のポスト工業化と90年代初頭のバブル崩壊によって社会状況が不安定化した結果、凶悪犯罪の件数が増加し、大きく社会問題化することとなった。

4 1990年代後半からの少年犯罪は「心の闇」が原因であったが、2000年代半ばから社会の構造が変化するにつれ、少年犯罪の原因は格差・貧困に移行した。

5 バブル崩壊によって社会の中核が異常現象を起こした結果、周辺にかかわる構造変化も連鎖して引き起こされてしまった。

次の文の内容と合致するものとして最も妥当なのはどれか。

　読書家とか、読書法とかいうことばがあり、読書の楽しみとか、読書の嗜みとかということを世間では言い、私もまた、疑うところもなくそういう言葉を使っている。そして、その読書という言葉では、読むことそれ自身が目的であり、その効果としては教養ということを期待しているのであって、精神的な快楽が伴うものである、物質的利用価値に直接転用することは邪道である、というような了解がいつのまにか成立しているようだ。そしてそういう読書を楽しんでいる人が読書家であるというのだが、しかし、どうしてそんな限定をしなければならないのであろう。物質的利用価値のために読むのがわるいのか、そんなのは読書といえないのか、どうしてそういう読書家を読書人として数えないのか。というと、どうもそれは、読書は心の糧であるというふうに、精神を豊かにするものを貴び、その反対の物質的利益を喜ぶのは、いやしいことだ、心の養いを持っていないものは下等だと考えることを我々人間は昔から教えられているからではないかと思う。

　物質的利益を伴わない快楽は純粋で高雅であるという考えは、おそらく、多くの物質的利益たとえば金銭上の損得に替算しうる知識は、とかく、純粋な心の喜びをもたらさない、というような、人間一般の経験から、生れたのであろう。そういう純粋なものは高雅であるという感じ方をわれわれは根強く持っている。すき透った水とか、晴れわたる青空とか、楽音とか、いうものは純粋で、何となしに、まざりもののある水や空や音などに比べて、清らかな快い感覚をもたらすという、生理的潔癖から来る思想かも知れない。

　いま私は、生理的潔癖から来る思想かも知れない、と書いたが、学者たちは純粋ということを、どう説明するのであろうと思い、私の持っている書棚に何かそれを扱っている本はないかしらと、あさり、たまたま誰かの本を発見してその本を耽読して（いまここを書きながら自分で思うには、なかなか純粋感の原理を説明した本などあるものではない、と苦笑しているのだが）わが知識を増して満足したとする。その限りにおいて、その書を楽しんでいる私は研究家であり読書家であるのだが、それは実は明日の学校での講義に必要な知識を準備しているのだということになると、私は、研究家ではあるけれども、読書家ではなくなってしまう。変な話だ。無目的に知識を得るための読書をするのでなくては読書家とはいえない。

　そんな窮屈な話はない。われわれは定義に従って本を読んでいるのではない。本を読むのが好きだから読むのだ。何故好きかというと知識がふえるのが嬉しいからだ、また、本の中には楽しいことや有益なことが沢山書いてあるからだ。そういうことを目指して読む人が読書家だといってはいけないのか、と反駁したくなる。

1 読書人は、読書家と同じように読むことそれ自体のみを目的としている人であるが、読書家とは異なり精神的な豊かさや教養を貴ぶ人である。

2 物質的利益を伴わない純粋な心の喜びは高雅であるという感じ方を我々は根強く持っており、それが読書という言葉の世間での使い方に関わっている。

3 生理的潔癖から来る思想は、人間一般の経験から生れたものであり、今後も我々人間が持ち続けるべき純粋な思想である。

4 研究家とは、読書で得た知識を物質的利用価値に直接転用する人であると学者たちによって定義されているが、その根拠を十分に書いた書はなかなか見つからないものである。

5 読書家は目的を持って読書をする人を邪道と批判する傾向にあるが、その批判には賛同できない。

次の　　　と　　　の文の間のA～Eを並べ替えて続けると意味の通った文章になるが、その順序として最も妥当なのはどれか。

いくら良心の自由が保障されていても、国家が「正しい」良心内容の判定を独占できるところでは、その保障に何の意味もない。

A　したがって、思想・良心の自由を考える際に、すでにできあがった「主義」を持つ成熟した者についてだけ考慮するのでは十分ではない。

B　これは、思想の自由に関しても当てはまる。

C　つまり、発達期に自由に自分なりの内容を持った良心を形成できるかどうかが、良心の自由がその名に値する形で存在するかどうかの試金石となる。

D　そして、国家が正しさの判定を独占するのは、国家が人格形成の過程で「正しい」良心内容に向けた教育を押しつける場合である。

E　そもそも、完成した思想・良心を揺るぎない形で持っている人などどこにもいないだろう。自分なりの政治的・道徳的な判断基準は常に未完成であり、明日には変わるかもしれない不安定さを背負い込みながら、成熟していく途上にある。

そう考えれば、大人も子どもも思想・良心形成の過程のどこかに立っているに過ぎない。

1　C→A→D→B→E

2　C→D→E→B→A

3　D→C→B→A→E

4　D→E→B→A→C

5　E→C→B→D→A

次の文の　　　　に当てはまるものとして最も妥当なのはどれか。

　心理療法の場面で、クライアントが倫理的葛藤に悩まされていることを訴えることは多い。たとえば、大学生が自分の進路を自分で決定しようとしているとき、親が反対したり、他の就職口を見つけてきたりする。ここで、子どもは自立するためには、親の意見など無視するべきである、とか、子どもは親の意志に従うべきである、とかいずれか一方の価値観に従うと答えはすぐに出るし、それによって忠告や助言を与えることになる。この際、時代精神の影響も大きい。今から百年前の日本でなら「親孝行」が重視されたであろうし、現在であれば「自立」をとることになろう。治療者は現在の時代精神や、文化的状況などをよく知っている必要はあるが、根本的には、本人の判断に従うのがいいであろう。と言ってもすぐに答えを出すのではなく、　　　　　　　　　　　　　　　　　が必要である。これが心理療法において非常に大切なことではなかろうか。

　単純にAかBかという選択をするのではなく、どちらを選ぶにしろ、それに伴って生じる他人のこころの痛みについて、どれだけの配慮ができるかが大切になってくる。理念的に、どちらかが「正しい」と決めた人は、自分が「正しい」ことをしていると考え、他人のことなど考えなくなってしまう。

　あるいは、倫理的葛藤に耐えて、いろいろ方向を探索していると、二者択一的ではない、思いがけない解決法が生じてきたりする。このことを心理療法家はよく体験してきているので、倫理的葛藤を保持する力が強いのである。

1　その葛藤に耐えつつ、両方の場合についてよく検討すること

2　まずはクライアントの葛藤を傾聴しつつ、「自立」について検討すること

3　現在の時代精神に合わせて「自立」をとった上で、共に葛藤を抱えること

4　本人の判断を尊重しつつ、文化的状況に合わせた方法を勧めること

5　「親孝行」と「自立」の両方をとり入れた方法を探索すること

次の文の内容と合致するものとして最も妥当なのはどれか。

本問は都合により掲載できません。

（注）*1 Chlorofluorocarbons（CFCs）：クロロフルオロカーボン類、フロン

*2 stratospheric aerosol injection：成層圏エアロゾル注入

1 20世紀後半にオゾン層が破壊され、DNAを破壊する紫外線が地表に届くようになり、がんなどの病気のリスクが急激に上昇し、人間の平均寿命が低下したという事実が確認された。

2 1970年、オゾンホールを科学者らが発見し、その２年後には世界46か国が有害化学物質を即時禁止するという「モントリオール議定書」が採択された。

3 国連、米国、EUが共同製作した報告書では、有害化学物質の廃止を推進する現在の取組が継続されれば、場所によって時期は異なるものの、オゾン層はオゾンホールが出現する前の値まで回復すると述べられている。

4 オゾン層の破壊は気候変動の主な原因であり、オゾン層を保護することは地球温暖化対策において非常に効果的であったと国連、米国、EUが共同製作した報告書では強調されている。

5 環境危機の回避を目的とした各国の迅速な行動がオゾン層の保護に効果的であるという研究結果が得られたことを踏まえ、将来にわたってオゾン層の改善が保証されているという各国の見解が報告された。

次の文の内容と合致するものとして最も妥当なのはどれか。

Robots now deliver food in Milton Keynes, England, tote supplies in a Dallas hospital, disinfect patients' rooms in China and Europe, and wander parks in Singapore, nagging pedestrians to maintain social distance.

This past spring, in the middle of a global economic collapse, the robotmakers I'd contacted in 2019, when I started working on this article, said they were getting more, not fewer, inquiries from potential customers. The pandemic has made more people realize that "automation is going to be a part of work," Ready-Campbell told me in May. "The driver of that had been efficiency and productivity, but now there's this other layer to it, which is health and safety."

Even before the COVID crisis added its impetus*, technological trends were accelerating the creation of robots that could fan out into our lives. Mechanical parts got lighter, cheaper, and sturdier. Electronics packed more computing power into smaller packages. Breakthroughs let engineers put powerful data-crunching tools into robot bodies. Better digital communications let them keep some robot "brains" in a computer elsewhere — or connect a simple robot to hundreds of others, letting them share a collective intelligence, like a beehive's.

The workplace of the near future "will be an ecosystem of humans and robots working together to maximize efficiency," said Ahti Heinla, co-founder of the Skype internet-call platform, now co-founder and chief technology officer of Starship Technologies, whose six-wheeled, self-driving delivery robots are rolling around Milton Keynes and other cities in Europe and the United States.

"We've gotten used to having machine intelligence that we can carry around with us," said Manuela Veloso, an AI roboticist at Carnegie Mellon University in Pittsburgh. She held up her smartphone. "Now we're going to have to get used to intelligence that has a body and moves around without us."

（注）＊ impetus：勢い

1 英国や中国の都市では、ソーシャルディスタンスを確保するため、封鎖した公園などを見回るロボットの実用化が進められている。

2 新型コロナウイルス感染症の蔓延により、それまで効率性や生産性の面から技術開発が進んでいたロボット産業が打撃を受け、製造業の技術革新は一時的に停滞した。

3 強力なデータ処理ツールがロボットに搭載されたことや、デジタル通信技術の向上などにより、別の場所にあるコンピュータにロボットの「頭脳」の役割をさせることが可能になった。

4 近未来の職場では、人間の仕事の多くがロボットに取って代わられることで生産性が向上する一方、人間が行う仕事は賃金が低く抑えられると、Ahti Heinla氏は予測している。

5 カーネギーメロン大学は、スマートフォンと連携した6輪走行の自動配達ロボットを開発し、近い将来実用化する予定である。

次の 　　 の文の後に、ア～オを並べ替えて続けると意味の通った文章になるが、その順序として最も妥当なのはどれか。

Wikström argues that the digital music revolution is characterized by three central features: connectivity, music as a service and amateur production. First, while the 'old' music industry was centred on corporate control of music to maximize revenue, the new digital business is about connectivity — the links between producers and audience.

ア　This means the new industry is high in connectivity but low in producer control.

イ　As soon as music is uploaded onto the web it becomes freely available, thus reducing its commercial value, but people may still be prepared to pay for the services that help them to find what they want in vast online archives.

ウ　Second, the old industry was based on sales of physical products such as vinyl records*, cassettes and CDs, but the digital industry shifts to the provision of access to music services.

エ　The internet has enabled everyone in the producer-audience network to upload music, not merely passively to receive it.

オ　Third, music audiences today can become amateur producers, creatively remixing their favourite professionally recorded music and publishing online.

（注）＊ vinyl record：レコード（ビニール盤、アナログレコード）

1　ア→ウ→オ→イ→エ

2　イ→エ→ウ→オ→ア

3　ウ→エ→オ→ア→イ

4　エ→ア→ウ→イ→オ

5　エ→ウ→ア→オ→イ

次の文の　　　に当てはまるものとして最も妥当なのはどれか。

The World Health Organization warned this month against using artificial sweeteners to control body weight or reduce the risk of noncommunicable diseases, saying that long-term use is not effective and could pose health risks.

These alternatives to sugar, when consumed long term, do not serve to reduce body fat in either adults or children, the W.H.O. said in a recommendation, adding that continued consumption could increase the risk of Type 2 diabetes[*1], cardiovascular[*2] diseases and mortality in adults.

"The recommendation applies to all people except individuals with pre-existing diabetes and includes all synthetic and naturally occurring or modified nonnutritive sweeteners that are not classified as sugars found in manufactured foods and beverages, or sold on their own to be added to foods and beverages by consumers," the W.H.O. said.

The W.H.O. recommendation is based on a review of available evidence, the agency said, and is part of a set of guidelines for healthy diets being rolled out.

Some examples of the sweeteners include aspartame, saccharin, sucralose and stevia. The W.H.O.'s announcement contradicts previous studies that have said _____ _____.

（注）[*1] diabetes：糖尿病　　[*2] cardiovascular：心臓血管の

1　most of these sweeteners are not naturally occurring

2　these sweeteners don't offer any health benefits but also do not cause harm

3　polyphenol is recommended for consumption because of its nutritional value

4　a half of the patients with diabetes consume these sweeteners on a daily basis

5　the alternatives to sugar and fat are not effective to reduce the risk of diseases

　公園に設置された遊具について次のことが分かっているとき、論理的に確実にいえるのはどれか。

○　砂場又はすべり台がある公園には、ぶらんこがある。

○　鉄棒がある公園には、ジャングルジムがない。

○　ジャングルジムがある公園には、すべり台がある。

○　鉄棒がない公園には、砂場がない。

1　砂場がある公園には、ジャングルジムがない。

2　すべり台がある公園には、鉄棒がある。

3　ぶらんこがない公園には、鉄棒がない。

4　すべり台がない公園には、砂場がある。

5　鉄棒がない公園には、ジャングルジムがある。

 ある学校の生徒数25人のクラスについて、A、B、Cの三つの係への参加状況を調べたところ、次のことが分かった。このとき、確実にいえるのはどれか。

 ただし、この三つの係にはこのクラス以外の生徒は参加していないものとする。

○　このクラスの生徒は、必ずA、B、Cのうち一つ以上の係に参加しているが、A、B、C全ての係に参加している者はいない。

○　A係とB係の両方に参加している生徒の人数、B係とC係の両方に参加している生徒の人数、C係とA係の両方に参加している生徒の人数は、いずれも同じである。

○　B係の人数はC係の人数より7人多く、C係の人数はA係の人数より3人多い。

○　A係、B係、C係の合計人数は、34人である。

1　A係だけに参加している生徒はいない。

2　A係とC係の合計人数は、B係の人数よりも多い。

3　A係とB係の両方に参加している生徒の人数は、C係だけに参加している生徒の人数よりも多い。

4　B係だけに参加している生徒の人数は、B係に参加していない生徒の人数よりも多い。

5　C係に参加している生徒のうち8人が、A係かB係のいずれかに参加している。

　図Ⅰのように7席が配置されている部屋で、A～Fの6人が午前と午後に、ある講座を受講した。午前と午後の間の休憩時間に、何人かが午前とは異なる席に座り、午後の講座を受講した。6人がそれぞれ午前と午後に座った位置について次のことが分かっているとき、確実にいえるのはどれか。

　ただし、前後の席及び隣の席とは、図Ⅱに示すとおりとする。

【午前】
○　AはBの隣に座っていた。
○　Dの前にCが座っていた。
○　Eは後列の真ん中に座っていた。
○　前列に空席があった。

【午後】
○　Aは午前と異なる列に座っていた。
○　Bの前にEが座っていた。
○　CはFの隣に座っていた。
○　2人が午前と同じ席に座っていた。

図Ⅰ

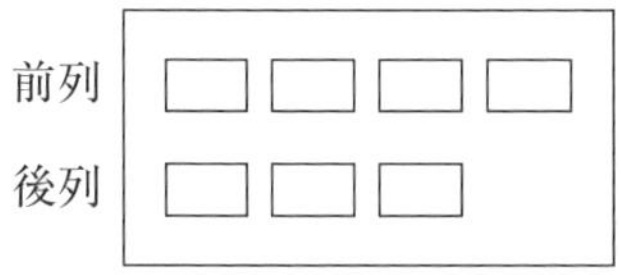

図Ⅱ 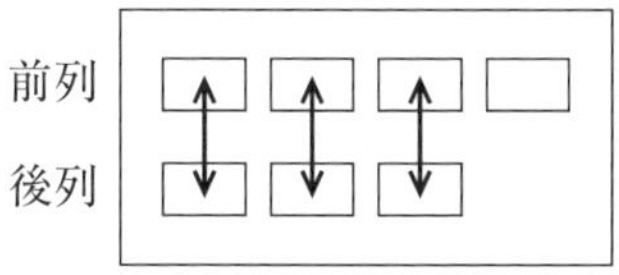　前後の席 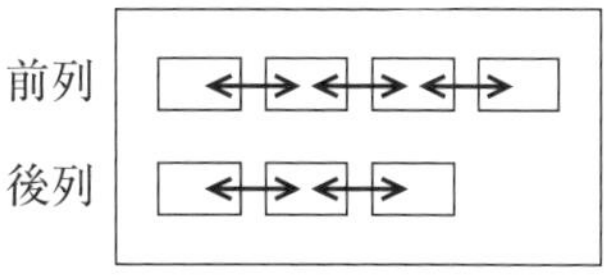　隣の席

1　午前に、CはAの隣に座っていた。

2　午後に、後列に空席があった。

3　午後に、Dの隣に空席があった。

4　午後に、AはBの隣に座っていた。

5　Fは、午前と午後、同じ席に座っていた。

　ある本屋では、A〜Dの4人の学生がアルバイトをしている。ある週の月曜日から金曜日の5日間のA〜Dの勤務状況について次のことが分かっているとき、確実にいえるのはどれか。

○　月曜日と水曜日はそれぞれ2人、火曜日と木曜日はそれぞれ1人が勤務した。

○　Aは3日勤務したが、連続して勤務した日はなかった。

○　Bは2日間連続して勤務したが、それ以外の勤務はなかった。

○　CとDは同じ日に勤務しなかった。

○　Dは水曜日と金曜日に勤務し、それ以外に1日勤務した。また、2日間連続して勤務したが、3日間連続して勤務しなかった。

1　AとDは同じ日に勤務しなかった。

2　Bは火曜日に勤務した。

3　Cは1日だけ勤務した。

4　2日だけ勤務した学生は2人だった。

5　金曜日に勤務した学生は2人だった。

A～Eの5人が、○×式の6題（問1～問6）のテストを受けた。このテストは、1題ごとに正解が1点、不正解は0点として、6題の合計が点数であり、満点は6点となる。

各問題の正答は、表のとおりであり、A～Eは全ての問題を解答した。

	問1	問2	問3	問4	問5	問6
正答	×	○	×	×	○	×

テストの結果について、次のことが分かっているとき、確実にいえるのはどれか。

○　AとEは、お互いの答えが一致した問題は一つもなかったが、点数は同じであった。
○　点数が最も高かったのはBで、その点数は5点であった。
○　Bが×と答えた問題に、Eも全て×と答えた。
○　DはAよりも点数が高く、問4はDとAは共に不正解であった。
○　6題のテストの5人の点数の合計は15点であった。
○　問1は1人しか正解しなかった。

1　Aは問5が正解だった。

2　Bは問6が不正解だった。

3　Cが×と答えた問題に、Aも全て×と答えた。

4　Dの点数は3点であった。

5　Eが×と答えた問題は3題であった。

19

　ある教室では、A〜Iの9人が3人ずつの班ア、イ、ウに分かれ、グループワークを行った。このグループワークは第1部から第3部までの3部構成であり、表に示すように、1部ごとに班のメンバーが変更された。また、全体を通して、9人とも、同じ班になったことがある人と再度同じ班になることはなかった。

　ここで、第1部から第3部まで、FとGは同じ班にならなかったことが分かっているとき、第3部での班について確実にいえるのはどれか。

	班ア			班イ			班ウ		
第1部	A	B	C	D	E	F	G	H	I
第2部	A	D	G	B	E	H	C	F	I
第3部	A			B			C		

1　BとGは同じ班である。

2　CとDは同じ班である。

3　DとHは同じ班である。

4　EとIは同じ班である。

5　FとHは同じ班である。

　図Ⅰの直方体の一部を切り取ってできた立体を、二つの矢印で示すように正面及び背面からそれぞれ見ると、図Ⅱのように見える。このとき、この立体の見取図として最も妥当なのは次のうちではどれか。

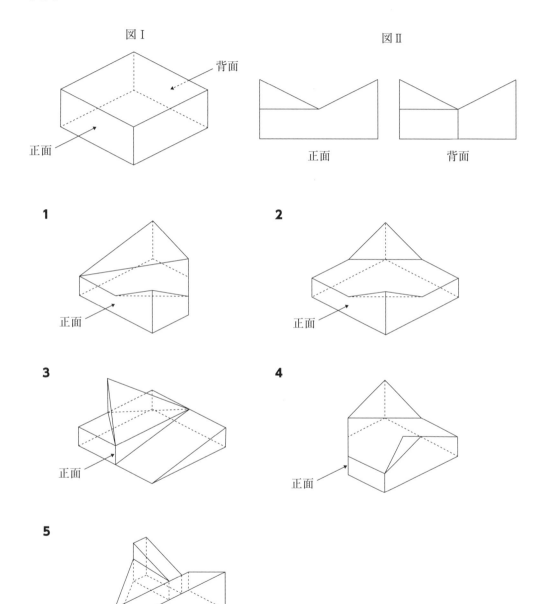

図Ⅰ

背面

正面

図Ⅱ

正面　　　　　背面

1

正面

2

正面

3

正面

4

正面

5

正面

　赤のボールを2個、緑のボールを1個持っているAと、赤のボールを1個、青のボールを2個持っているBが、それぞれボールを1個ずつ出し合って、その色で勝ち負けを決める。赤は緑に、緑は青に、青は赤に勝つこととする。このとき、B が勝つ確率はいくらか。

　ただし、ボールは無作為に出すこととし、2人とも同じ色のボールを出したときは、残りのボールから1個ずつ出し合って勝負を続けることとする。また、1回勝負が付いた時点で終了し、その後ボールを出し合うことはないものとする。

1　$\dfrac{1}{3}$

2　$\dfrac{4}{9}$

3　$\dfrac{5}{9}$

4　$\dfrac{2}{3}$

5　$\dfrac{7}{9}$

　流れの速さが一定の川があり、この川の上流地点Aから下流地点Bまで、船で川を下る。この船の静水時の速さは分速120mであり、Aを出発して30分後にBに到着する予定であった。

　しかし、Aを出発して15分後、故障により船のエンジンが停止し、その間船は川に流されて進んだ。故障から20分後にエンジンの修理が完了し、再び元の速さで航行を開始したところ、船が実際にBに到着したのはAを出発して45分後であった。

　このとき、この川の流れの速さはいくらか。

1　分速20m

2　分速25m

3　分速30m

4　分速35m

5　分速40m

図のような直角三角形ABCの三つの頂点を中心として等しい半径の扇形を描いたとき、斜線部の面積はいくらか。

なお、頂点Aを中心とする扇形と頂点Cを中心とする扇形は辺AC上で接しているものとする。

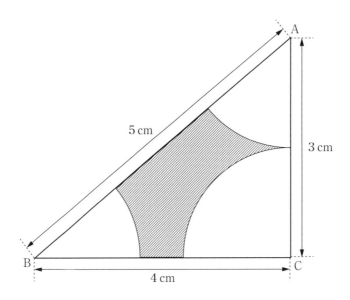

1　$6 - \dfrac{3}{2}\pi\,\mathrm{cm}^2$

2　$6 - \dfrac{9}{8}\pi\,\mathrm{cm}^2$

3　$6 - \dfrac{4}{9}\pi\,\mathrm{cm}^2$

4　$\dfrac{4}{9}\pi\,\mathrm{cm}^2$

5　$\dfrac{9}{4}\pi\,\mathrm{cm}^2$

　A～Eの5人が、それぞれ最大100点獲得できるゲームに参加した。5人の得点について次のことが分かっているとき、Aの得点からEの得点を引いた点は何点か。

　ただし、得点は正の整数である。

○　Bの得点は、Aの得点のちょうど$\frac{1}{5}$であった。

○　Cの得点は、Aの得点のちょうど$\frac{3}{8}$であった。

○　Dの得点は、Aの得点のちょうど$\frac{5}{4}$であった。

○　Eの得点は、B、C、Dの得点の合計から11点を引いたもののちょうど$\frac{1}{3}$であった。

1　15点

2　20点

3　25点

4　30点

5　35点

表は、我が国における2008年、2014年及び2020年の三つの調査年における年齢階級別の医師及び薬剤師の人数を示したものである。これから確実にいえることとして最も妥当なのはどれか。

（単位：人）

職種	年齢階級	2008年	2014年	2020年
医師	全体	286,699	311,205	339,623
	29歳以下	26,261	26,548	31,855
	30〜39歳	66,993	66,780	68,329
	40〜49歳	71,179	70,388	69,793
	50〜59歳	60,894	71,276	70,747
	60〜69歳	30,178	45,648	60,462
	70歳以上	31,194	30,565	38,437
薬剤師	全体	267,751	288,151	321,982
	29歳以下	50,214	38,763	39,980
	30〜39歳	68,068	73,470	82,378
	40〜49歳	61,662	68,511	73,305
	50〜59歳	51,277	59,849	63,575
	60〜69歳	23,424	33,998	44,162
	70歳以上	13,106	13,560	18,582

1　29歳以下について、医師の人数が薬剤師の人数の70％を下回るのは、調査年では2008年のみである。

2　薬剤師について、全体の人数に占める30〜39歳の人数の割合が30％を上回っている調査年がある。

3　2020年について、全体の人数に占める60〜69歳の人数の割合は、医師と薬剤師のいずれも20％を下回っている。

4　医師の人数について、2014年に対する2020年の増加率が30％を上回っている年齢階級は、60〜69歳及び70歳以上のみである。

5　薬剤師の人数について、全ての年齢階級で、2020年は2008年と比較して増加している。

MEMO

図は、ある地域の住民を対象に、2017〜2021年の5年間の植樹イベントへの参加の有無を調査し、その回答を「参加した者」の数と「参加しなかった者」の数として、パターン化したものである。この図から確実にいえることとして最も妥当なのはどれか。

ただし、この5年間に住民の移動はなく、住民全員が参加の有無の調査に回答したものとする。

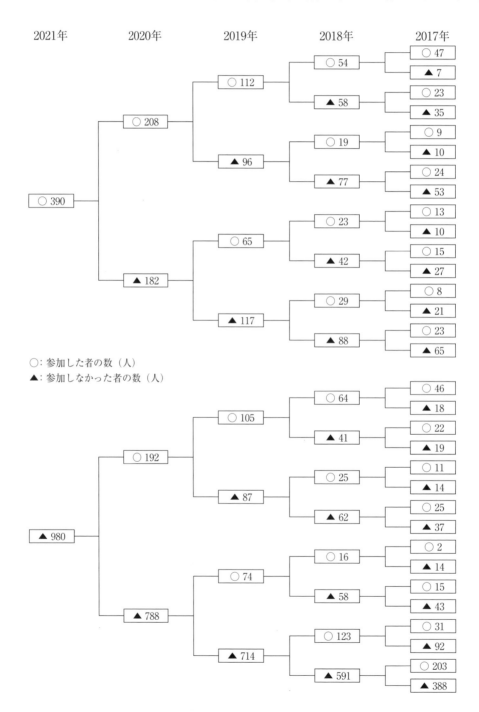

○：参加した者の数（人）
▲：参加しなかった者の数（人）

1 2018〜2021年のうち、前年よりも参加した者が減少したのは、2021年のみである。

2 2017〜2021年のうち、少なくとも1回参加したことのある者の数は、調査に回答した者の合計の半数を下回っている。

3 2017年から3年間連続して参加した者の数は、2019年から3年間連続して参加した者の数を超えている。

4 2017年に参加した者のうち、2021年にも参加した者は150人を超えている。

5 2017年以降で、2019年に初めて参加した者は300人を超えている。

表は、ある年におけるＸ市、Ｙ市、Ｚ市の各市役所を中心とする50km圏（各市役所から50kmの圏内）における距離帯別の人口の構成比を、図は、同年におけるこれら三つの市の50km圏の人口が全国人口に占める割合を、それぞれ示したものである。これらから確実にいえることとして最も妥当なのはどれか。なお、Ｘ市、Ｙ市、Ｚ市の50km圏は、互いに重なっていないものとする。

表　Ｘ市、Ｙ市、Ｚ市の50km圏における距離帯別の人口の構成比（％）

各市役所から の距離帯	Ｘ市の50km圏	Ｙ市の50km圏	Ｚ市の50km圏
0〜10km	9.7	23.2	24.4
10〜20km	27.6	23.6	25.2
20〜30km	24.3	17.7	19.7
30〜40km	22.6	20.0	23.2
40〜50km	15.8	15.5	7.5

図　Ｘ市、Ｙ市、Ｚ市の50km圏の人口が全国人口に占める割合

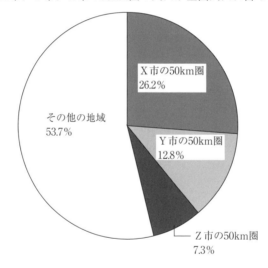

1　Ｘ市、Ｙ市、Ｚ市の10km圏（各市役所から10kmの圏内）の人口の合計は、全国人口の10％より多い。

2　Ｘ市、Ｙ市、Ｚ市のいずれにおいても、50km圏の人口のうち、30km圏（各市役所から30kmの圏内）の人口が占める割合は65％を下回っている。

3　Ｘ市の10km圏（Ｘ市役所から10kmの圏内）の人口密度は、Ｙ市の10km圏（Ｙ市役所から10kmの圏内）の人口密度より高い。

4　Ｘ市の20km圏（Ｘ市役所から20kmの圏内）の人口は、Ｚ市の30km圏（Ｚ市役所から30kmの圏内）の人口の３倍より多い。

5　Ｘ市の30km圏（Ｘ市役所から30kmの圏内）の人口は、全国人口の20％より少ない。

近年の宇宙開発などに関する記述として最も妥当なのはどれか。

1 米国が主導する国際的な月探査計画「アルテミス計画」では、月面着陸も予定されている。計画未参加の我が国は、日本人宇宙飛行士の月面着陸を目指して2030年までの参加を検討している。また、2022年、米航空宇宙局（NASA）は、同計画に使用する新型ロケットの打上げを米国西部のフロリダ州にある発射場で行った。この一帯は、プレーリーと呼ばれる高原で標高が高いため、打上げに必要なロケットの燃料を節約することができる。

2 中国は、独自の宇宙ステーションを完成させており、また、2022年の宇宙ロケットの打上げ回数は約10回で、打上げには主に内モンゴル自治区内にある発射場が使用された。この発射場は、ツンドラ気候に属するタクラマカン砂漠にあり晴天の日が多いため、悪天候により打上げが延期されることが少ない。

3 地球周回軌道上に存在する現在使用されていない人工物のことをスペースデブリといい、2023年末時点で、大きさが1cm以上のスペースデブリが1,000個程度存在する。スペースデブリは、専用の衛星などを利用して地球に落とすことで定期的に取り除かれており、気温が約1,000℃の成層圏まで落下すると、高温により燃え尽きる。

4 2024年、我が国は、H3ロケットの試験機2号機を種子島の発射場から打ち上げることに成功した。地球は西から東に自転しており赤道に近づくほどロケットが強い遠心力を受けるため、東向きに打ち上げる場合、我が国の中では比較的低緯度に位置している同島は打上げに有利である。なお、同島は、戦国時代にポルトガル人から鉄砲が伝来した地であることで知られている。

5 2022年のロシアの宇宙ロケットの打上げ回数は、約20回で同年では世界最多であった。打上げには、主にカザフスタンにある発射場が使用された。カザフスタンは、南欧にある国で、かつては、ローマ帝国の絹と中国の陶磁器をやり取りする、シルク＝ロード（絹の道）と呼ばれる交易路の一部が周辺地域を通っていた。

我が国の経済や財政をめぐる最近の動向などに関する記述として最も妥当なのはどれか。

1　国際通貨基金（IMF）によると、令和4（2022）年の我が国の名目GDPは、ドルベースで同年にインドに抜かれ、中国、米国、ドイツ、インドに次ぐ第5位となった。我が国では、1950年代から1970年代にかけての高度経済成長期には、名目GDP成長率が年平均5％前後となったが、第1次石油危機以降は、令和4（2022）年度に至るまで、名目GDP成長率は全ての年度において3％を下回っている。

2　国際情勢の複雑化、社会経済構造の変化等により安全保障の裾野が経済分野に急速に拡大する中、令和4（2022）年、経済安全保障推進法が成立し、安全保障の確保に関する経済施策として、重要物資の安定的な供給の確保に関する制度、特許出願の非公開制度等が措置された。なお、特許権は、特許法に基づき、特許登録を受けた発明に係る物や方法の生産・使用・譲渡等を排他的・独占的に成し得る権利で、我が国では、特許権の存続期間は、原則、出願から20年である。

3　令和4年度一般会計当初予算のうち、社会保障関係費は、当初予算の約4割を占める国債費に次いで高い割合となっている。我が国の社会保障制度のうち、社会保険制度の一つとして整備されている年金保険は、自営業者に対して国民年金と厚生年金を支給し、民間企業雇用者に対しては厚生年金のみを支給する制度となっている。

4　令和5（2023）年7月分の全国消費者物価指数のうち、「生鮮食品を除く食料」の指数は、異常気象の影響で米国などでの農産物の不作により輸入農産物価格が上昇したことを受けて、前年同月比で30％を超える上昇率となった。一方、我が国の食料自給率は、農産物の輸入自由化、農業人口の減少などによって、近年減少傾向にあり、令和2（2020）年のカロリーベースの総合食料自給率は約70％で、フランス、ドイツと同水準となっている。

5　ふるさと納税制度は、納税者が税制を通じてふるさとへ貢献する仕組みとして2000年代に導入された。令和4（2022）年4月、地方自治体の返礼品の調達費用に関する条件が緩和されたことを受けて、同年度のふるさと納税受入額の全国合計は過去最大の約1,000億円となった。地方税制については、2010年代に、地方財政の改善のために三位一体の改革が行われ、国税から地方税への税源移譲、地方交付税交付金や補助金の増額が行われた。

宗教とそれを取り巻く最近の動きに関する記述として最も妥当なのはどれか。

1 仏教は、中国・朝鮮・日本へ広がった上座部仏教と、タイやミャンマーなどへ広がった大乗仏教に大きく分かれる。チベット仏教は、上座部仏教の一派として独自の仏教を形成し、チベット人のほか、多くのウイグル人からも信仰されている。チベット仏教の最高指導者であるダライ・ラマ14世は、中国のチベット自治区に居住し、中国政府に対してチベットの分離独立を要求する運動をおこした。

2 キリスト教は、ユダヤ教を母胎として成立した宗教である。イエスの発言と行動は旧約聖書に記されており、後にペテロやパウロによって新約聖書として改められた。現在、キリスト教は、カトリック、プロテスタント、正教会に大きく分かれている。ロシア正教会のキリル総主教は、2023年、ロシアのウクライナ侵攻に反対する声明を発表し、和平を呼び掛けている。

3 イスラム教は、救世主ムハンマドが創始した宗教で、ユダヤ教やキリスト教の神を否定し、唯一絶対の神アッラーへの信仰を説く一神教である。2023年、アフガニスタンでは、イスラム原理主義武装組織のタリバンが首都バグダッドを制圧し、暫定政権を樹立した。これを受けて、米国のバイデン政権は、予定していたアフガニスタンの駐留米軍の撤退を取り消し、同国北部での駐留の継続を決定した。

4 インドは、第二次世界大戦後、イスラム教徒が多数を占めるインドと、ヒンドゥー教徒が多数を占めるパキスタンに分かれて独立した経緯があり、現在、イスラム教はインド国民の約過半数に信仰されているが、シク（シーク）教、ヒンドゥー教、キリスト教など多くの宗教も信仰されている。そのため、インドのモディ首相の所属政党は、あらゆる宗教に寛容な姿勢を取っている。

5 我が国では、古代の人々は万物に精霊が宿るとするアニミズムの信仰を持っていた。現在は、伝統的な民族宗教である神道のほか、他国から伝来した仏教、キリスト教など多種多様の宗教文化が混在している。我が国の宗教に関する行政事務は、文部科学省の外局である文化庁が担っており、2023年、同庁は一部の課を除き京都に移転したが、移転予定であった宗教に関する行政事務を担当する課の職員は当面東京に残ることとなった。

資源・エネルギーをめぐる最近の動きなどに関する記述として最も妥当なのはどれか。

1 令和5（2023）年、中国は、レアメタルのうち、ガリウムとヨウ素の関連品目について輸出を許可制とする輸出規制を開始した。ガリウムとヨウ素は共に、絶対温度（K）でみると300K（27℃）程度の温度で超電導（超伝導）を示す物質で、超電導磁石を利用した磁気浮上式鉄道（超電導リニア）の運行には欠かせないレアメタルであり、我が国では輸入先の多角化を進めている。

2 リチウムイオン電池は、電気自動車のバッテリーなどに利用される蓄電池で、原材料のリチウムは、鉱石のボーキサイトから製造される。リチウムの製造過程で多量の黒鉛（グラファイト）の混合が必要なため、製造コストは、黒鉛の原材料の石炭価格と連動する形で、令和5（2023）年に高騰した。なお、リチウム元素は、価電子の数が1で一価の陰イオンになりやすいという特徴をもつ。

3 令和5（2023）年、我が国の金の小売価格は、1グラム当たり1万円を超える金額を記録した。金のドル建て価格が高水準である上、外国為替市場での円安・ドル高基調が国内の金価格を押し上げた。金は、展性が大きい金属で、極めて薄い箔をつくることが可能なため、金箔として装飾素材などに利用されてきた。例えば、室町時代に足利義満が建立した金閣（鹿苑寺金閣）には金箔が貼られている。

4 令和5（2023）年、我が国のレギュラーガソリンの小売価格が、一時、全国平均で1リットル当たり200円を超えた。このため、政府は、同年10月に、ガソリン税の一部を軽減する「トリガー条項」を発動して、価格の引下げを図った。「トリガー条項」の発動は、2000年代のサブプライム・ローン問題の影響による小売価格の高騰時以来2度目となった。なお、ガソリンは原油を分留して製造され、その留出温度は約500℃で、灯油や軽油より高い。

5 我が国は、エネルギー基本計画で、令和12（2030）年には温室効果ガス排出量を平成25（2013）年比で16%削減することを目指し、その一環としてカーボンニュートラルな燃料であるバイオエタノールの利用を推進している。その原材料には、世界で最も生産量が多い穀物である小麦が使用され、我が国では、主にウクライナ産小麦を使用してきたが入手困難になり、令和5（2023）年はタイ産小麦の使用が最も多くなった。

最近の社会情勢などに関する記述として最も妥当なのはどれか。

1 我が国は、1950年代に採択された「難民の地位に関する条約」に加盟しており、加盟国は難民を保護して社会福祉などの面で自国民と同等の待遇を与える義務がある。また、2023年、我が国は、同条約上の難民に該当しない紛争避難民などを「補完的保護対象者」（いわゆる「準難民」）として認定し受け入れる制度を施行し、ウクライナなどからの避難民を想定して安定的な支援を行うこととした。

2 2023年9月の訪日外国人客数は400万人を超え、新型コロナウイルス感染症の感染拡大前の2019年9月の訪日外国人客数の約2倍となった。一方、人気観光地ではエコツーリズムの急増による地元住民の生活への影響が懸念されている。エコツーリズムとは、農山村に出掛け、その自然、文化、現地の人との交流を楽しむ滞在型の余暇活動のことをいう。

3 2023年9月、モロッコ南部の沿岸部で大規模な津波が発生し、10万人を超える死傷者が出たほか、住宅などの多くの建物が倒壊した。モロッコは、地中海沿岸に位置するイスラム教国で、10世紀頃にはササン朝がおこった。モロッコの首都グラナダには、イスラム文化に特有のアラベスク文様の装飾が施されたアルハンブラ宮殿がある。

4 2023年10月、パレスチナ暫定自治区のヨルダン川西岸地区を実効支配するイスラム過激派組織「IS（イスラム国）」がイスラエルを攻撃した。これに対してイスラエル側も空爆などで応酬し、双方に多数の犠牲者が出た。なお、1990年代のバルフォア宣言では、イスラエルとパレスチナ解放機構（PLO）がお互いの存在を承認し、パレスチナ暫定自治政府が発足した。

5 我が国では、低賃金など待遇への不満から失踪する外国人技能実習生が相次いだことから、2023年11月、外務省及び経済産業省は、2021年のベトナムに続き、失踪者が多いカンボジアからの新たな実習生の受入れを停止した。なお、カンボジアでは、12世紀にマラッカ王国が建国され、世界最大のヒンドゥー教建築のボロブドゥール寺院が建設された。

　ある店は、新商品のアイスクリームを開発し、事前に販売数を予測した上で、1～6月まで販売した。表計算ソフトウェアを使って表Ⅰのシートを作成し、セル範囲B2～G2に月ごとの実際の販売数を、セル範囲B3～G3に月ごとの予測販売数を入力した。

　ここで、各月の実際の販売数と予測販売数の差を調べることとしたが、その差は正と負の両方の数字があることから、<u>差の絶対値の最大値</u>を求めるため、最大値を求める関数（MAX関数）と最小値を求める関数（MIN関数）を使うこととし、次の①、②、③の作業を行い、表ⅠのセルB6に差の絶対値の最大値を表示させた。このとき、セルB6に入力した計算式として最も妥当なのは、次のうちではどれか。

　ただし、使用する表計算ソフトウェアの説明は表Ⅱのとおりである。

作業
①セルB4に計算式（B2－B3）を入力する。
②セルB4をセル範囲C4～G4に複写する。
③セルB6に計算式を入力する。

表Ⅰ

	A	B	C	D	E	F	G
1	月	1	2	3	4	5	6
2	実際の販売数	60	90	140	170	180	250
3	予測販売数	71	88	120	198	203	225
4	実際の販売数と予測販売数の差	－11	2	20	－28	－23	25
5							
6	差の絶対値の最大値						

セルB6

表Ⅱ

用語	説明
セル	表を作成するときの基本となるマス目。その中に値や計算式を入力する（計算式を入力する場合は、計算結果の値を表示する。）。シート内のセルの位置は、列名に行番号を付けたセル番地で表現される。例えば、セルB5は列Bの5行目のセルを指す。
セル範囲	開始のセル番地～終了のセル番地という形で指定する。例えば、セル範囲B2～G2は、2行目の列Bから列Gまでの範囲を指す。
複写	セルやセル範囲の参照を含む計算式を複写した場合、相対的な位置関係を保つように、参照する列、行が変更される。
MAX（セル範囲）	セル範囲に含まれる数値のうち、最大の数値を返す。
MAX（数値1，数値2）	数値1と数値2のうち、大きい方の数値を返す。
MIN（セル範囲）	セル範囲に含まれる数値のうち、最小の数値を返す。
MIN（数値1，数値2）	数値1と数値2のうち、小さい方の数値を返す。

1　$-\text{MAX}(\text{MAX}(\text{B4} \sim \text{G4}),\ \text{MIN}(\text{B4} \sim \text{G4}))$

2　$\text{MAX}(\text{MAX}(\text{B4} \sim \text{G4}),\ -\text{MIN}(\text{B4} \sim \text{G4}))$

3　$\text{MAX}(\text{MAX}(\text{B4} \sim \text{G4}),\ \text{MIN}(\text{B4} \sim \text{G4}))$

4　$-\text{MIN}(\text{MAX}(\text{B4} \sim \text{G4}),\ -\text{MIN}(\text{B4} \sim \text{G4}))$

5　$\text{MIN}(\text{MAX}(\text{B4} \sim \text{G4}),\ \text{MIN}(\text{B4} \sim \text{G4}))$

2024年度　専門試験　問題

代理に関するア〜オの記述のうち、妥当なもののみを挙げているのはどれか。ただし、争いのあるものは判例の見解による。

ア　権限の定めのない代理人は、財産の現状を維持・保全する保存行為をすることはできるが、代理の目的である物又は権利の性質を変えない範囲内においても、その利用又は改良を目的とする行為をすることはできない。

イ　代理人が相手方に対してした意思表示の効力が、ある事情を知っていたこと又は知らなかったことにつき過失があったことによって影響を受けるべき場合には、その事実の有無は、原則として、代理人を基準として決する。

ウ　無権代理人の責任の要件と表見代理の要件が共に存在する場合においては、表見代理の相手方は、表見代理の主張をしないで無権代理人の責任を問うことはできない。

エ　民法第110条（権限外の行為の表見代理）が適用されるには、代理人に付与された私法上の法律行為をなすについての代理権の内容と権限外の行為が同種・同質ないし関連するものである必要がある。

オ　無権代理行為の相手方が、本人に対し、相当の期間を定めて、その期間内に追認をするかどうかを確答すべき旨の催告をしたにもかかわらず、本人がその期間内に確答をしなかったときは、追認を拒絶したものとみなされる。

1　ア、イ

2　ア、ウ

3　イ、オ

4　ウ、エ

5　エ、オ

占有に関するア～オの記述のうち、妥当なもののみを挙げているのはどれか。

ア 無主物である動産につき、所有の意思をもって占有した者は、その動産の所有権を取得する。

イ 占有を侵奪された際に提起することができる占有回収の訴えの権利行使期間は、侵奪されたことを知った時から1年以内である。

ウ 占有者が、占有物の所持を奪われても、占有回収の訴えを提起したときは、占有権は消滅しない。

エ 占有者は、真の所有者に対しては、占有の訴えを提起することができない。

オ 占有者は、民法第186条第1項の規定に基づき、占有の事実の立証によって、善意・無過失で、平穏かつ公然と占有していることが推定される。

1 ア、ウ

2 ア、オ

3 イ、エ

4 ウ、エ

5 エ、オ

動産質権に関するア～オの記述のうち、妥当なもののみを挙げているのはどれか。

ア　動産質権の設定は、債権者にその目的物を引き渡すことによって、その効力を生ずるところ、この引渡しには、占有改定は含まれない。

イ　動産質権者が質物を留置している限り、その被担保債権が時効により消滅することはない。

ウ　動産質権者は、質物の占有を奪われたときは、占有を奪った者に対し、質権に基づく返還請求を行うことができる。

エ　主物に動産質権が設定された場合、質権の効力は主物にのみ及び、主物とともに引き渡された従物には及ばない。

オ　動産質権者は、その権利の存続期間内において、自己の責任で、質物について、転質をすることができる。

1　ア、イ

2　ア、オ

3　イ、ウ

4　ウ、エ

5　エ、オ

　債務不履行及び不法行為に関するア〜オの記述のうち、妥当なもののみを挙げているのはどれか。ただし、争いのあるものは判例の見解による。

ア　損害賠償請求について、遅延損害金の起算日は、債務不履行及び不法行為のいずれも損害が発生した時点である。

イ　国は、国家公務員に対し、国が公務遂行のために設置すべき場所、施設若しくは器具等の設置管理又は国家公務員が国若しくは上司の指示の下に遂行する公務の管理に当たって、安全配慮義務を負う。

ウ　安全配慮義務違反を理由とする人の生命又は身体の侵害による損害賠償請求権の消滅時効は、権利を行使することができる時から10年である。

エ　不法行為又は安全配慮義務の不履行により死亡した者の遺族は、その固有の慰謝料請求権について、不法行為に基づくものは有するが、安全配慮義務の不履行に基づくものは有しない。

オ　自衛隊員Ａが道路交通法上当然に負うべきものとされる通常の注意義務を怠ったことにより運転中の車両が対向車と衝突し、その衝撃で、同乗を命じられていた自衛隊員Ｂが死亡した場合、国の安全配慮義務違反に基づく損害賠償請求が認められる。

1　ア、ウ

2　ア、オ

3　イ、エ

4　イ、オ

5　エ、オ

委任に関するア～オの記述のうち、妥当なもののみを挙げているのはどれか。

ア　受任者は、委任事務を処理するため自己に過失なく損害を受けたときは、委任者に過失がなくても、委任者に対し、その損害の賠償を請求することができる。

イ　受任者は、委任事務を処理するに当たって受け取った金銭その他の物を委任者に引き渡さなければならないが、その収取した果実については、この限りでない。

ウ　委任事務を処理するについて費用を要するときは、委任者は、受任者の請求により、その前払をしなければならない。

エ　委任は、各当事者がいつでもその解除をすることができるため、委任の解除をした者が解除を理由に損害賠償責任を負うことはない。

オ　委任の解除には、賃貸借の解除の効力を規定する民法第620条の規定が準用されないため、遡及効が認められている。

1　ア、ウ

2　ア、オ

3　イ、エ

4　イ、オ

5　ウ、エ

相続に関する次の記述のうち、最も妥当なのはどれか。

1　相続人は、被相続人の死亡時にその財産を当然かつ包括的に承継する者であるため、権利能力を有していることが必要であり、相続開始時に胎児であった者は、その後生きて生まれたとしても相続権はない。

2　被相続人に配偶者がいる場合、配偶者は常に相続人となるが、血族相続人は順位に従って相続人となる。例えば、被相続人に配偶者・親・兄弟・子がいる場合、被相続人の親と子は配偶者と同順位で相続人となるが、被相続人の兄弟は後順位のため、相続人とならない。

3　被相続人の兄弟姉妹が相続人となる場合において、その兄弟姉妹が相続の開始以前に死亡したときは、その者の子がこれを代襲して相続人となる。

4　共同相続人中に、被相続人の財産の増加について特別の寄与をした者がある場合に、その寄与を考慮し、この者に特別に与えられる額を遺留分という。

5　遺産分割において、他の共同相続人があるときは、共同相続人は遺産の分割前にその相続分を他の共同相続人に対して譲渡することができるが、第三者に対して譲渡することはできない。

株式会社の設立に関する次の記述のうち、最も妥当なのはどれか。

1 会社は、その定款が公証人の認証を受けたときに成立する。

2 定款の絶対的記載事項を欠く会社の設立は無効であるため、無効の一般原則に従い、いつ何人によっても、その設立の無効を主張することができる。

3 資本充実の原則から、現物出資を行うためには、必ず裁判所に検査役の選任の申立てをしなければならない。

4 定款に記載することができる事項は法定されているため、絶対的記載事項及び相対的記載事項以外の事項を定款に記載することはできない。

5 発起人は、会社の設立について、その任務懈怠から会社に生じた損害を賠償する責任を負い、この責任は、総株主の同意がなければ、免除することができない。

株主総会に関する次の記述のうち、最も妥当なのはどれか。

1　株主総会において、株主が会社の承諾を得ずに代理人により議決権を行使することは認められていない。

2　株主総会の決議事項は、株主全員の書面による同意があったとしても、株主総会を開催せずに決議があったものとみなすことは認められていない。

3　会社は、株主総会の招集の決定に際し、株主総会に出席しない株主に書面による議決権行使を認めることができる。公開会社は、この書面による議決権行使が義務付けられており、公開会社以外の会社は、株主数にかかわらず、書面による議決権行使は義務付けられていない。

4　株主総会の特別決議は、定足数を定款によって引き下げることができるが、議決権を行使することができる株主の議決権の3分の1未満にすることはできない。

5　株主総会の議長は、株主総会の秩序を維持し、議事を整理する。また、議長の選任については、あらかじめ定款で議長を定めることはできず、株主総会の決議によって行うこととされている。

企業会計原則における一般原則に関する次の記述のうち、最も妥当なのはどれか。

1 明瞭性の原則とは、ある項目が性質や金額の大小から見て重要性が乏しいと判断される場合には、理論的に厳格な会計処理や表示の方法によらず、事務上の経済性を優先させた簡便な方法を採用することが是認されるというもので、一般原則の頂点に位置する最高規範として、企業会計原則の最初に位置付けられている。

2 継続性の原則は、一つの会計事実について二つ以上の会計処理の原則や手続の選択適用が認められている場合に、企業が一旦採用した会計処理の原則や手続を毎期継続して適用することを要求するものである。この原則は財務諸表の期間比較を可能にするためのものである。

3 保守主義の原則とは、企業の財政に有利な影響を及ぼす可能性がある場合には、これに備えて適当に健全な会計処理をしなければならないとする原則である。この原則に従えば、保有中の商品の時価が低下した場合には評価額を時価まで切り下げて評価損を計上し、時価が上昇した場合には評価益を計上しなければならない。

4 真実性の原則とは、企業会計は企業の財政状態及び経営成績に関して、真実な報告を提供するものでなければならないとする原則である。この原則がいう真実とは絶対的な真実を意味しており、財務諸表には経営者の個人的判断は含まれない。

5 企業が作成する財務諸表は目的別に表示形式が異なることはいかなる場合も認められず、財務諸表の作成の基礎となる会計記録は単一であることが要求されている。これは、単一性の原則により、財務諸表の形式的及び実質的な一元性が要求されているためである。

減価償却や固定資産に関する次の記述のうち、最も妥当なのはどれか。

1 減価償却とは、資産の取得原価を一定の方法により、耐用年数にわたって配分することで、用役の消費分を費用化する手続である。減価償却費は資金の流出を伴わない費用項目であるため、減価償却の実施により、企業内にはそれに対応する額の資金が留保されることになる。これを減価償却の自己金融効果（自己金融作用）という。

2 減価償却の計算方法としては、定額法と定率法の二つが一般的であるが、定額法は期首の未償却残高に毎期一定の償却率を掛け、その額を減価償却費として計上する方法である。定額法は定率法に比べて、資産を使い始めた初期の年度ほど大きな減価償却費が計上される。

3 有形固定資産に関して行われる支出には、当該固定資産の原価に算入されて資産となる収益的支出と、固定資産の原価とせず、支出年度の費用として取り扱われる資本的支出がある。例えば、固定資産の使用開始後に行われる支出のうち、耐用年数を延長させることを目的とした改良のための支出は収益的支出とされる。

4 無形固定資産とは、物理的な形態を持たないが、1年を超える長期にわたって利用される資産項目をいう。これには、借地権、特許権などの法律上の権利、企業の買収に伴って計上されるのれんなどが含まれるが、コンピュータのソフトウェア制作費は一切含まれない。また、原則としてのれんは、のれんとして資産計上された金額を、10年以内のその効果の及ぶ期間で、定額法その他の合理的な方法により償却する。

5 創立費とは、会社が成立した後、営業を開始するまでの間に、開業準備のために支出した土地・建物の賃借料、広告宣伝費、使用人給料、電気・ガス・水道料などの諸費用である。創立費を繰延資産として計上する場合には、会社成立後5年以内のその効果の及ぶ期間にわたって、定率法により償却しなければならない。

有価証券に関する次の記述のうち、最も妥当なのはどれか。

1 有価証券は、保有目的によって「売買目的有価証券」「満期保有目的の債券」「国債証券・地方債証券」「その他有価証券」の四つに分類される。このうち、時価で貸借対照表に計上するのは、どの企業にとっても時価に等しい価値を有しており、いつでも市場で換金することができる「売買目的有価証券」のみである。

2 購入した有価証券の取得価額は、購入代価に証券会社へ支払う仲介手数料等の付随費用を加算して決定する。また、既に保有しているものと同じ銘柄の有価証券を異なる価額で取得した場合は、平均原価法などにより、単位当たりの新たな取得原価を算定し、売却時にはそれを用いて損益を計算する。

3 貸借対照表における有価証券の表示についてみると、売買目的有価証券は固定資産に区分される一方で、満期保有目的の債券は、満期の到来期限にかかわらず、その全てが流動資産に区分される。

4 有価証券の減損処理（減損会計）とは、発行会社の財政状態の悪化により、市場価格のない株式の実質価額が著しく低下した場合のみ、評価損を当期の損益計算書に計上しなければならないことをいう。ここでいう実質価額の著しい低下とは、金融商品会計に関する実務指針において、取得原価に比べて25％の低下とされている。

5 潜在株式とは、新株予約権や配当優先株式を発行している場合に、権利行使を受けて増加し得る株式のことである。株式数の増加等を考慮して再計算した1株当たりの利益額が再計算前の1株当たり当期純利益の額を上回るとき、潜在株式が希薄化効果を持つという。

純資産に関する次の記述のうち、最も妥当なのはどれか。

1 純資産のうち、資本準備金には、資本の払込みの際に資本金としなかった部分を積み立てることができるが、払込金額の4分の1を超えない金額しか積み立てることができない。また、減資の際には、減少する資本金が、株主に返還される会社の資産額や計算上で相殺される累積損失の額を上回る場合、その差額は資本準備金にのみ積み立てることができる。

2 会社法における期末の剰余金は、期末の株主資本のうち、その他資本剰余金とその他利益剰余金を合わせたものに等しい。剰余金は、株主へ配当を行うことができるとされているが、最大でも年に2回しか配当することができない。また、株主への配当による企業資産の社外流出が生じた場合は、配当額の4分の1の額を利益準備金又は資本準備金に積み立てる必要がある。

3 株主資本等変動計算書は、貸借対照表に期末残高を表示した項目のうち、株主資本についてのみを、当期首残高、当期変動額及び当期末残高に区分して表示した財務諸表である。このうち、当期変動額は、新株発行や剰余金の配当などの変動事由ごとに区分する必要はない。

4 純資産のうち、評価・換算差額等には、期末にその他有価証券を時価評価する場合に用いるその他有価証券評価差額金や新株予約権が含まれる。その他有価証券評価差額金を計上した場合の翌期首の会計処理については、元の帳簿価額を復元しない切り放し方式のみが認められており、その他有価証券評価差額金は翌期首には用いられない。

5 会社が一旦発行した自社の株式を取得して保有しているとき、この株式を自己株式という。自己株式の取得は、株主総会の決議を経て、分配可能額の範囲内で行うのであれば、可能である。また、期末に保有する自己株式は、純資産の部の株主資本の末尾に自己株式として一括して控除する形式で表示することとされている。

持分法に関するA～Dの記述のうち、妥当なもののみを挙げているのはどれか。

A　非連結子会社とは、関連会社のうち、親会社による支配が一時的である、あるいは連結することにより利害関係者の判断を著しく誤らせるなどの理由で連結の範囲に含まれないものをいう。例えば、親会社と業種が異なる子会社は、連結すると利害関係者の判断を著しく誤らせるため、非連結子会社に該当し、原則として持分法適用会社となる。

B　関連会社とは、企業（子会社を含む）が、出資、人事、資金、技術、取引等の関係を通じて、財務及び営業又は事業の方針の決定に対して重要な影響を与えることができるような子会社以外の他の企業をいう。例えば、子会社でない企業の議決権の20%を自己の計算において所有している場合には、その企業は関連会社に該当し、原則として持分法適用会社となる。

C　持分法を適用する被投資会社の各期の損益額が判明する都度、投資会社の連結財務諸表において、その損益額に持株比率を乗じた額だけ投資株式の評価額を増減するとともに、持分法による投資損益として投資会社の利益計算に含める。持分法による投資損益は、連結損益計算書において、営業外収益又は営業外費用の区分に表示される。

D　子会社等の業績を財務諸表に反映させるに当たって、連結は財務諸表全体を親会社と合算して修正消去する、いわば純額法の手続であるのに対して、持分法は被投資会社の損益に対する持分相当額だけを財務諸表に反映させる、いわば総額法の手続である。このことから、持分法は完全連結といわれる。

1　A、B

2　A、C

3　B、C

4　B、D

5　C、D

財務諸表に関する次の記述のうち、最も妥当なのはどれか。

1 財務会計は、企業活動を計数的に測定し、その結果を財務諸表を通して利害関係者に伝達することを目的としており、外部報告会計とも呼ばれる。利害関係者には、出資者のほか、債権者や従業員、仕入先・顧客等の取引先、政府機関などが含まれる。

2 損益計算書は、出資者が最も必要としている情報である一定時点における企業の財政状態を表している。そのため、会社法上、貸借対照表は必ずしも報告の義務がないのに対して、損益計算書は全ての株式会社に報告が義務付けられている。

3 損益計算書は、最初に売上高を記載し、それに順次項目を加減しながら、上から下へと表示していく勘定式で記載しなければならない。一方、貸借対照表は勘定式で記載することは少なく、紙面を左右に二分し、複式簿記の原理に従い、資産を借方側、負債と純資産を貸方側に対照表示して作成する報告式で記載することが多い。

4 貸借対照表において、資産は固定資産、流動資産、当座資産の三つの項目に分けられる。固定資産と流動資産の分類については、1年以内に回収される資産を流動資産とする1年基準を先に適用し、この基準で分類できない資産については正常営業循環基準を適用する。

5 キャッシュ・フロー計算書は、企業の営む活動の種類に応じて、企業の収入・支出に関する情報を記載した書類である。「財務活動によるキャッシュ・フロー」の区分には、固定資産への資本的支出や中古設備を売却したときの収入などを記載する。また、「財務活動によるキャッシュ・フロー」の区分の作成と表示の方法には直接法と間接法があるが、大部分の企業は間接法を採用している。

損益計算書に関する次の記述のうち、最も妥当なのはどれか。

1 売上高と売上原価は、商製品を媒介として個別的・直接的に対応している。販売した商品にかかる実際の原価は、商品の物理的な流れに即して売上原価としなければならないが、工場で働く従業員の人件費は、製品との対応関係が不明確であるため、売上原価に含めてはならない。

2 売上高と販売費及び一般管理費は、会計期間を媒介として期間的・間接的に対応している。支払利息は発生した期の販売費及び一般管理費としなければならないが、研究開発費は特定の会計期間の売上高との対応関係が不明確であるため、販売費及び一般管理費に含めてはならない。

3 財務会計上の費用と課税所得計算上の損金は必ず一致するが、財務会計上の収益と課税所得計算上の益金は必ずしも一致しない。税効果会計は、そのような永久差異が生じた場合に、法人税等の額に法人税等調整額を加減することで、売上高と税金費用を合理的に対応させることを目的とする手続である。

4 経常利益は、営業利益に営業外収益と営業外費用を加減して算出される。経常利益は、正常な企業活動により生じた収益と費用から算出されるため、企業の正常な収益力を表す業績指標として用いられる。

5 税引前当期純利益は、経常利益に特別利益と特別損失を加減して算出される。特別利益と特別損失は、営業活動に付随する当期の金融活動から生じた損益であるため、税引前当期純利益は、企業活動全体の業績を示す当期業績主義の利益といわれる。

次の取引に関するA社の仕訳として最も妥当なのはどれか。

1 A社はB社から商品50,000円を仕入れ、代金は消費税5,000円とともに小切手を振り出して支払った。なお、A社は消費税を税抜方式で記帳している。

| （借）仕　　　　　入 | 50,000 | （貸）当 座 預 金 | 55,000 |
| 租 税 公 課 | 5,000 | | |

2 A社はC社から商品100,000円を仕入れ、代金は掛けとした。

| （借）仕　　　　　入 | 100,000 | （貸）未　払　金 | 100,000 |

3 3月末日のA社決算に当たり、貸倒引当金を設定する。売掛金残高1,000,000円に対して、3％の貸倒れを見積もった。

| （借）貸倒引当金繰入 | 30,000 | （貸）貸 倒 引 当 金 | 30,000 |

4 3月末日のA社決算に当たり、賞与引当金を設定する。来る6月末日に支払う予定の賞与額を6,000,000円と見積もった。なお、A社の規程では年2回（6月と12月）、賞与が支給されることになっており、6月賞与は12～5月、12月賞与は6～11月を支給対象期間としている。

| （借）賞与引当金繰入 | 6,000,000 | （貸）賞 与 引 当 金 | 6,000,000 |

5 3月末日のA社決算に当たり、保険料の前払分を月割計算で計上する。A社は毎年10月1日に、向こう1年分の自動車保険料120,000円を一括して支払っている。

| （借）前 払 保 険 料 | 120,000 | （貸）保　　険　　料 | 120,000 |

知る権利や表現の自由に関するア～オの記述のうち、妥当なもののみを挙げているのはどれか。ただし、争いのあるものは判例の見解による。

ア　様々な意見、知識、情報の伝達の媒体である新聞紙等の閲読の自由が憲法上保障されるべきことは、思想及び良心の自由の不可侵を定めた憲法第19条の規定や、表現の自由を保障した憲法第21条の規定の趣旨、目的から、いわばその派生原理として当然に導かれるものである。

イ　表現の自由は、単に表現の送り手の自由だけでなく、表現の受け手の自由をも含むものであり、この表現の受け手の自由が知る権利として捉えられている。知る権利は、国家に対して積極的に情報の公開を要求する請求権的性格を有しており、直接憲法第21条第1項を根拠にして政府情報の開示を請求することができると一般に解されている。

ウ　公立図書館の職員が、閲覧に供されている図書を、著作者の思想や信条を理由とするなど不公正な取扱いによって廃棄することは、その著作者の思想、意見等を公衆に伝達する利益を不当に損なうものとはいえない。

エ　報道機関による事実の報道の自由は、思想の表明の自由と並んで憲法第21条の保障の下にあり、報道機関の報道が正しい内容を持つためには、報道の自由とともに、報道のための取材の自由についても、同条の精神に照らし十分尊重に値する。

オ　裁判の公開が制度として保障されていることに伴い、傍聴人が法廷においてメモを取ることも報道機関による取材の自由と同様に憲法第21条の精神に照らして尊重される。したがって、司法記者クラブ所属の報道機関の記者に法廷でメモを取ることを許可しながら、一般の傍聴者にはこれを禁止することは、合理性を欠き、違法である。

1　ア、ウ

2　ア、エ

3　イ、ウ

4　イ、オ

5　エ、オ

人身の自由に関する次の記述のうち、判例に照らし、最も妥当なのはどれか。

1　憲法第31条の定める法定手続の保障は、直接には刑事手続に関するものであり、行政手続については同条の保障は及ばない。一方で、行政手続については、行政処分の相手方に事前の告知、弁解、防御の機会を与えることが法定されていなければならない。

2　迅速な裁判を受ける権利を保障する憲法第37条第1項はいわゆるプログラム規定であり、個々の刑事事件について、審理の著しい遅延により被告人の当該権利が害されたと認められる場合でも、これに対処すべき法律上の具体的規定があるときに限り審理を打ち切ることができる。

3　酒気を帯びて車両の運転をするおそれがあるとして警察官が運転者に求める呼気検査は、運転者の供述を得ようとするものであるため、これを拒否した者を処罰する道路交通法上の規定は、自己に不利益な供述を強要されないとする憲法第38条第1項の規定に違反する。

4　憲法第35条は第33条の場合を除外しているが、現行犯の場合に関して、法律が司法官憲によらずまた司法官憲の発した令状によらずにその犯行の現場で捜索・押収等をすることができると規定することは、憲法第35条に違反する。

5　第三者の所有物を没収する場合において、その所有者に対して何ら告知、弁解、防御の機会を与えることなく、その所有権を奪うことは、著しく不合理であって、憲法上認められていない。そのような手続について旧関税法や刑事訴訟法等は何ら定めがないので、旧関税法により第三者の所有物を没収することは、憲法第29条や第31条に違反する。

地方自治に関する次の記述のうち、最も妥当なのはどれか。

1　地方公共団体の条例制定権は法律の範囲内で認められるものであり、地方公共団体は法律の委任がなければ条例を制定することができないと一般に解されている。

2　ある事項について国の法令中にこれを規律する明文の規定がない場合には、当該事項については、地方公共団体がその地方の実情に応じて別段の規制を施すことを容認する趣旨であると解されるから、当該事項について規律を設ける条例の規定は、国の法令に違反することはないとするのが判例である。

3　憲法は、地方公共団体の課税権の具体的内容について規定していないから、地方公共団体がその区域内における当該地方公共団体の役務の提供等を受ける個人又は法人に対して国とは別途に課税権の主体となることは、憲法上予定されていないとするのが判例である。

4　一の地方公共団体のみに適用される特別法は、法律の定めるところにより、その地方公共団体の住民の投票において、その過半数の同意を得なければ、国会はこれを制定することができない。もっとも、特定の地方公共団体を優遇する立法は、これに該当しないと一般に解されている。

5　憲法第93条第2項における「地方公共団体」といい得るためには、単に法律で地方公共団体として取り扱われているというだけでは足らず、沿革的に見ても、また現実の行政においても、相当程度の自主立法権、自主行政権、自主財政権等地方自治の基本的権能を付与された地域団体であることが必要であるが、事実上住民が経済的文化的に密接な共同生活を営み、共同体意識をもっているという社会的基盤が存在することまでは必要ではないとするのが判例である。

行政手続法が定める申請に対する処分に関するア〜オの記述のうち、妥当なもののみを挙げているのはどれか。

ア　行政庁は、申請者の求めに応じ、当該申請に係る審査の進行状況及び当該申請に対する処分の時期の見通しを遅滞なく示す法的義務を負う。

イ　行政庁は、申請により求められた許認可等を拒否する処分を書面でする場合、申請者に対し、当該処分の理由を書面により示さなければならない。

ウ　行政庁が行う処分については、個別の判断が必要で画一的な基準を定めることが合理的でない場合もあることから、申請に対する処分の審査基準の作成及び公表は努力義務となっている。

エ　行政庁は、申請がその事務所に到達してから当該申請に対する処分をするまでに通常要すべき標準的な期間を定めたときは、適当な方法により公にしておかなければならない。

オ　行政庁は、申請がその事務所に到達したときは遅滞なく当該申請の審査を開始しなければならないが、法令に定められた申請の形式上の要件に適合しない申請については、応答をする必要はない。

1　ア、ウ

2　ア、オ

3　イ、エ

4　イ、オ

5　ウ、エ

行政事件訴訟法が定める義務付け訴訟に関する次の記述のうち、最も妥当なのはどれか。

1 行政庁に対し一定の処分を求める旨の法令に基づく申請を行った場合で、その処分をすべきであるにもかかわらずこれがされないときに提起する義務付け訴訟は、一定の処分がされないことにより重大な損害が生じるおそれがある場合に限り、提起することができる。

2 行政庁に対し一定の処分を求める旨の法令に基づく申請を行った場合で、その処分をすべきであるにもかかわらず、当該申請に対し相当の期間内に何らの処分がされないときに義務付け訴訟を提起するには、当該処分に係る不作為の違法確認訴訟を併合提起しなければならない。

3 行政庁に対し一定の処分を求める旨の法令に基づく申請を行った場合で、その処分をすべきであるにもかかわらずこれがされないときに提起する義務付け訴訟は、行政庁が一定の処分をすべき旨を命ずることを求めるにつき法律上の利益を有する者に限り、提起することができる。

4 行政庁に対し一定の処分を求める旨の法令に基づく申請を行った場合で、その処分をすべきであるにもかかわらずこれがされないときに提起する義務付け訴訟の判決は、第三者に対しても効力を有する。

5 行政庁に対し一定の処分を求める旨の法令に基づく申請を行い、当該申請を棄却する処分がされた場合、当該棄却処分の取消訴訟又は無効等確認訴訟を提起することが可能であるから、義務付け訴訟を提起することはできない。

　国家賠償法に関するア〜オの記述のうち、判例に照らし、妥当なもののみを挙げているのはどれか。

ア　厚生大臣（当時）による特定の医薬品の日本薬局方への収載・製造の承認の行為は、その時点における医学的、薬学的知見の下で、当該医薬品がその副作用を考慮してもなお有用性を肯定し得るときは、国家賠償法第１条第１項の適用上違法ではない。

イ　刑事事件において無罪の判決が確定した場合、判決時と捜査、公訴の提起・追行時で特に事情を異にする特別の場合を除き、当該刑事事件についてされた逮捕、勾留及び公訴の提起・追行は、直ちに国家賠償法第１条第１項の規定にいう違法の評価を受ける。

ウ　裁判官がした争訟の裁判が、上訴等の訴訟法上の救済方法によって是正されるべき瑕疵が存在したまま確定した場合には、国は、特別の事情があるときを除き、国家賠償法第１条第１項の規定にいう違法な行為があったものとして損害賠償責任を免れることができない。

エ　河川の管理は、道路等の管理とは異なり、本来的に災害発生の危険性をはらむ河川を対象として開始されるのであるから、道路その他の営造物の管理の場合と比較して、財政的、技術的、社会的制約が大きいことは否定できないが、河川の通常有すべき安全性は社会通念に照らして判断されるから、人口密集地域を流域とするいわゆる都市河川の管理については、他の同規模の河川と比較して高度の安全性が要求される。

オ　点字ブロック等の新たに開発された視力障害者用の安全設備を旧国鉄の駅のホームに設置しなかったことをもって当該駅のホームが通常有すべき安全性を欠くか否かを判断するに当たっては、その安全設備が視力障害者の事故防止に有効なものとして、その素材、形状及び敷設方法等において相当程度標準化されて全国ないし当該地域における道路及び駅のホーム等に普及しているかどうか等の諸般の事情を総合考慮する必要がある。

1　ア、ウ

2　ア、オ

3　イ、エ

4　イ、オ

5　ウ、エ

　今期にのみ所得500を得て、その所得を今期と来期に全て支出する個人の効用関数が以下のように与えられる。

　　$u = C_1 C_2$　（u：効用水準、C_1：今期の支出額、C_2：来期の支出額）

ただし、個人は効用を最大化するものとする。

　また、今期の貯蓄には利子が付き、当初の利子率は10％とする。利子率が20％に上昇したとき、今期の支出額C_1の変化として最も妥当なのはどれか。

1　100増加する

2　50増加する

3　変化しない

4　50減少する

5　100減少する

ある財を生産する企業Aと企業Bによって支配されている複占市場を考える。企業Aの費用関数 C_A と企業Bの費用関数 C_B は以下のように与えられる。

$$C_A = \frac{1}{6}q_A{}^2$$
$$C_B = \frac{1}{2}q_B{}^2$$

（q_A：企業Aの生産量、q_B：企業Bの生産量）

また、この財の市場の需要関数は以下のように与えられる。

$Q = 90 - P$　（Q：需要量、P：価格）

このとき、クールノー均衡における企業Bの生産量 q_B として最も妥当なのはどれか。

1　10

2　20

3　30

4　40

5　50

ある国のマクロ経済モデルが以下のように与えられる。

$Y = C + I + G$　（Y：国民所得、C：消費、I：投資、G：政府支出）

$C = 30 + 0.4(Y - T)$　（T：税収）

$I = 100 - 6r$　（r：利子率）

$L = 290 + 0.5Y - 20r$　（L：実質貨幣需要）

$\dfrac{M}{p} = 340$　（M：名目貨幣供給、p：物価水準）

$G = 100$

$T = 50$

この国の均衡国民所得水準として最も妥当なのはどれか。

1　100

2　200

3　300

4　400

5　500

資本移動が完全である小国開放経済の下で、マンデル＝フレミング・モデルにおける財政政策や金融政策の効果について、下図を用いて考える。これに関する次の記述のうち、最も妥当なのはどれか。

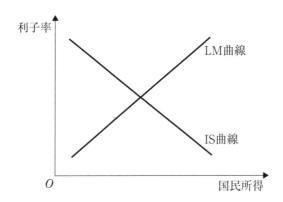

1 変動相場制の下で拡張的な財政政策が行われた場合、IS曲線が左方にシフトする。これにより利子率が低下し、自国の為替レートが減価するものの、LM曲線はシフトしないため、新しい均衡点における国民所得の水準は当初の水準よりも小さくなる。

2 変動相場制の下で緩和的な金融政策が行われた場合、LM曲線が右方にシフトする。これにより利子率が低下し、自国の為替レートが減価する圧力がかかるものの、中央銀行が為替レートを元の水準に維持するために緊縮的な金融政策を行うため、LM曲線が左方にシフトする。よって、新しい均衡点における国民所得の水準は当初の水準と同じになる。

3 変動相場制の下で緩和的な金融政策が行われた場合、LM曲線が右方にシフトする。これにより利子率が低下し、自国の為替レートが減価するものの、IS曲線はシフトしないため、新しい均衡点における国民所得の水準は当初の水準よりも大きくなる。

4 固定相場制の下で拡張的な財政政策が行われた場合、IS曲線が右方にシフトする。これにより利子率が上昇し、自国の為替レートが増価する圧力がかかるものの、中央銀行が為替レートを元の水準に維持するために緩和的な金融政策を行うため、LM曲線が右方にシフトする。よって、新しい均衡点における国民所得の水準は当初の水準よりも大きくなる。

5 固定相場制の下で緩和的な金融政策が行われた場合、LM曲線が右方にシフトする。これにより利子率が低下し、自国の為替レートが減価するものの、為替レートの減価に伴って純輸出が減少し、IS曲線が左方にシフトするため、新しい均衡点における国民所得の水準は当初の水準と同じになる。

我が国の経済の状況に関するA～Dの記述のうち、妥当なもののみを挙げているのはどれか。

A　内閣府「国民経済計算」によると、2022年度の実質GDP成長率は2021年度と比較して低下しているものの、プラスを維持している。また、2022年度の実質GDPに対する需要項目別の寄与についてみると、国内需要の寄与がプラスとなっている一方で、財貨・サービスの純輸出の寄与がマイナスとなっている。

B　内閣府「国民経済計算」によると、2022年度の国内家計最終消費支出の実質成長率は2021年度と比較して低下している。また、この成長率を形態別（耐久財、半耐久財、非耐久財、サービス）にみると、耐久財、半耐久財の成長率がプラスとなっている一方で、非耐久財、サービスの成長率がマイナスとなっている。

C　財務省「国際収支状況」によると、新型コロナウイルス感染症の感染拡大に伴う水際対策が緩和され、訪日外客数が回復した影響により、2022年の1月から12月にかけて、サービス収支が黒字で推移している。一方、同期間において、貿易収支や第一次所得収支が赤字で推移していることにより、2022年の年間の経常収支は赤字となっている。

D　総務省「住民基本台帳に基づく人口、人口動態及び世帯数」によると、2023年1月1日現在の日本人住民と外国人住民を合わせた全国の人口は、2022年1月1日と比較して減少し、約1億2500万人となっている。このうち、65歳以上の人口が占める割合は25％を超えている。

1　A、B

2　A、C

3　A、D

4　B、C

5　C、D

インドの経済の状況に関する次の記述のうち、最も妥当なのはどれか。

1　インドの人口は2021年時点で約11億人であり、中国に次いで世界第2位である。また、名目GDPの規模についてみると、近年高成長を持続した結果、2022年時点で世界第10位となっており、中国の6割程度である。

2　2022年度の実質GDP成長率についてみると、2021年度と比較すると低下したものの、5％を上回っている。また、当該成長率の項目別寄与度についてみると、民間消費や総固定資本形成がプラスの寄与となっている。

3　就業構造についてみると、2020年では、名目GDPの約4割を占める農業に就業人口の約7割が従事している。また、同年において、名目GDPに占める製造業の割合はサービス業のそれを大きく上回っている。

4　経常収支について2010〜2022年でみると、ほぼ毎年黒字となっており、黒字幅も拡大傾向で推移している。これは、貿易収支が毎年若干の赤字傾向であるものの、海外のインド人からインド本国への送金等である第一次所得収支が毎年大幅な黒字であることによるものである。

5　インドはアジア諸国を中心に多くの貿易協定を結んでいる。2019年にインドが締結・発効した地域的な包括的経済連携（RCEP）協定には、日本、アメリカ合衆国、中国、シンガポールなどが参加しており、参加国のGDPの合計は2019年時点で世界のGDPの5割強を占めている。

財政理論に関するA〜Dの記述のうち、妥当なもののみを挙げているのはどれか。

A　政府の経済活動である財政に期待される役割として、一般に「資源配分機能」、「資産再分配機能」、「経済安定化機能」の三つが挙げられる。市場の失敗が生じているような場合には、政府の「経済安定化機能」により、市場の失敗は是正される。

B　外部性とは、ある経済主体から別の経済主体へ便益や損害を与える現象であり、便益を与える現象を「外部経済」、損害を与える現象を「外部不経済」という。また、外部性を内部化することができる租税としてピグー税が挙げられる。

C　超過負担（死荷重）とは、完全競争市場均衡において得られる総余剰と比べた場合の失った余剰の大きさである。ある財に税を課す場合を考えると、超過負担は、課税しなかったときに本来得られたはずの余剰である。

D　ラムゼイルールにおいては、各財の需要が相互に独立である場合、各財の税率は各財の需要の価格弾力性に比例して決めることが望ましいとされ、価格弾力性の高い奢侈財に高税率を課し、価格弾力性の低い必需品に低税率を課すのが良いとされている。

1　A、B

2　A、C

3　A、D

4　B、C

5　C、D

公共財に関するA〜Dの記述のうち、妥当なもののみを挙げているのはどれか。

A　公共財には、消費の排除不可能性と消費の非競合性という二つの特徴がある。消費の排除不可能性とは、受益に見合った負担をしないからといって、その人を財やサービスの消費から排除できないことを意味する。また、消費の非競合性とは、ある人が消費することによって、他の人の消費が減ってしまうことはないことを意味する。

B　公共財のうち、立法や司法、警察・消防、外交等のように、その便益が国全体に及ぶような公共財を純粋公共財という。これに対して、港湾や下水道のように、その便益が一部の地域にしか及ばないものは公共財に当たらない。

C　公共財の最適供給条件は、「社会を構成する各人にとっての公共財の限界便益の和が、公共財の限界費用に等しくなること」である。これを、公共財の最適供給に関するサミュエルソンの公式という。

D　リンダール均衡は、最初に各消費者に公共財の需要水準を申告させ、政府がそれに基づいて各消費者の分担率を決定することで求められる。リンダール均衡においては、家計が偽りの選好を報告するインセンティブがないため、パレート最適となり、フリーライダー問題は生じない。

1　A、B

2　A、C

3　A、D

4　B、C

5　C、D

我が国の財政制度に関するA～Dの記述のうち、妥当なもののみを挙げているのはどれか。

A　会計年度独立の原則とは、ある会計年度の歳出は当該年度の歳入で賄わなければならないとするものである。ただし、この原則には例外が存在し、そのうち繰越明許費とは、工事、製造その他の事業で、着工より完成まで複数の会計年度を要するものについて、必要経費の見積総額と毎年度の支出見込額を定め、あらかじめ国会の議決を経て、数年度にわたって支出するものである。

B　本予算の執行の過程において、経済情勢の変化や天災地変等により、当初の予算どおりに執行することが不適当になった場合など、必要やむを得ないときに国会の議決を経て当初の本予算の内容を変更する補正予算を編成することがある。補正予算は、一会計年度に複数回編成することができる。

C　地方財政健全化法は、地方公共団体の財政状況を統一的な指標で明らかにし、財政の健全化や再生が必要な場合に迅速な対応をとるために2010年代半ばに成立した。健全化判断比率とは、実質赤字比率と連結実質赤字比率の二つの比率であり、これら二つの比率が共に早期健全化基準以上となり、財政の健全化を図る必要がある場合に限り、「財政健全化計画」を定めなければならない。

D　財政力指数とは、地方公共団体の財政力の強弱を示す指標であり、基準財政収入額を基準財政需要額で除した値の過去3年間の平均値である。この数値が高いほど、普通交付税算定上の留保財源が大きいことになり、財源に余裕があることを示している。

1　A、B

2　A、C

3　A、D

4　B、C

5　B、D

我が国の公債に関する次の記述のうち、最も妥当なのはどれか。

1 特例国債（赤字国債）は、1965年度補正予算以降、社会保障関係費や人件費などの経常的支出に充てるために、2023年度現在まで毎年度発行されている。財政法第4条第1項において、国債発行は原則的に禁止されているが、同項ただし書において、特例国債は例外的に発行が認められている。

2 復興債は、「東日本大震災からの復興のための施策を実施するために必要な財源の確保に関する特別措置法」に基づき、2011年度から2020年度まで発行されていた国債であり、現在は発行されていない。

3 財投債は、財政融資資金において運用の財源に充てるために発行され、その発行収入金は一般会計の歳入の一部となる。また、その償還や利払いについては建設国債と同様、主として将来の租税を償還財源としている。

4 地方債は、地方公共団体が財政上必要とする資金を外部から調達することによって負担する債務であり、その履行が一会計年度を超えて行われるものである。その発行に際しては、原則として、都道府県及び指定都市にあっては総務大臣、市町村にあっては都道府県知事と協議を行うことが必要とされている。

5 建設国債の償還については、借換債を含め、全体として60年で償還し終えるという、いわゆる「60年償還ルール」の考え方が採られており、これは脱炭素成長型経済構造移行債（GX経済移行債）についても同様である。一方で、特例国債（赤字国債）については、「60年償還ルール」の考え方は採られていない。

我が国の財政の状況に関する次の記述のうち、最も妥当なのはどれか。

1 一般会計当初予算の主要経費について、1990年度と2023年度の額を比較すると、公共事業関係費や文教及び科学振興費については大きな変化は見られないが、社会保障関係費については 3 倍以上、国債費については1.5倍以上となっている。

2 一般会計当初予算の歳入のうち、税収（租税及び印紙収入）についてみると、特例国債の発行額が毎年度10兆円を超えていた1990年代前半には40兆円前後で推移していたが、その後は2000年代半ばまで増加傾向であった。また、2010年代の税収は、35〜40兆円程度で推移していた。

3 国・地方の基礎的財政収支（プライマリーバランス）の対GDP比についてみると、1990年代から2000年代前半にかけては黒字が継続していたが、2000年代後半のリーマンショック後は赤字に転じ、それ以降は2020年度時点まで赤字の比率がほぼ一貫して上昇している。

4 債務残高の対GDP比を一般政府ベースでみると、2000年代前半はG7諸国の中ではイタリアに次いで 2 番目に高い水準であったが、リーマンショック後の2009年にはイタリアよりも高くなった。2021年の当該比率は150％程度となっている。

5 社会保障負担額の国民所得に対する比率である国民負担率についてみると、2020年度時点で65％程度となっている。また、社会保障負担額に租税負担額を加えた額の国民所得に対する比率は「潜在的な国民負担率」と呼ばれており、2020年度時点では90％を超えている。

我が国の税に関する次の記述のうち、最も妥当なのはどれか。

1 　租税の分類の方法には様々なものがあるが、それを徴収する主体によって国税と地方税に分類される。この分類の方法によると、所得税、法人税、固定資産税などは国税に分類され、住民税、相続税、酒税、とん税などは地方税に分類される。

2 　消費税は1990年代後半に導入され、その後、税率が段階的に引き上げられ、2015年には現行の10％となった。消費税は、土地の譲渡や中学校・高等学校の授業料を含め、ほとんどの財貨・サービスの販売・提供が課税対象となっている。

3 　所得税は、給与所得、事業所得、雑所得などの合計額である課税所得に税率を乗じ、それから配偶者控除などを差し引いて算定される。所得税の税率には超過累進税率が適用されており、現行では10～70％の12段階となっている。

4 　法人の税負担の割合は法人実効税率と呼ばれており、法人税率と地方法人税率の合計である。我が国の法人実効税率は現行では約50％であり、米国やフランスの水準よりも約15％ポイント高い水準である。

5 　令和5年度の一般会計当初予算における税収は約70兆円となっており、令和4年度のそれを上回っている。また、令和5年度の一般会計当初予算における税収のうち、消費税は約23兆円であり、所得税や法人税よりも大きい。

経営組織に関する次の記述のうち、最も妥当なのはどれか。

1 E.H.シャインは、『組織文化とリーダーシップ』において、組織文化は、服装などの目に見える人工物（文物）、組織の方針として標榜されている価値観、組織内で当たり前とされている基本的仮定の三つのレベルに分けられるとした。

2 P.ローレンスとJ.ローシュはコンティンジェンシー理論の立場から、高業績の企業は、組織内の分化が高度に進んでいるとした。一方で、こうした企業は、統合が進んでいない傾向にあること、問題が発生してもそれが表面化せず、問題解決に時間が掛かるといった弱点があることを明らかにした。

3 事業部制組織は、製品や地域ごとに事業部を設け、その下に各機能を持った部署が所属する組織形態である。事業部制組織では、事業部内で各機能間の調整がしやすいというメリットがある。一方で、一事業部内の各製品の成果を把握することが難しい、事業全体を眺められる視野の広さを持った管理者が育ちにくいといったデメリットがある。

4 O.E.ウィリアムソンは、組織が他の組織に対してどれだけ資源を依存しているかという点から組織の行動を考える資源依存理論を提唱し、他の組織への依存度が高い資源を取引特殊的資産と定義付けた。また、資源依存度が高いほど組織の行動が制限されやすくなり、その対処法として、合併などによる相互依存性の吸収は効果がある一方で、協定の締結などによる協調といった手段は効果がないとした。

5 マトリックス組織とは、メンバーが機能部門長と事業部長の両方を上司として持つ組織形態であり、事業部制組織の前身である。この組織形態では、機能別の専門性の確保と、製品や地域といった市場ごとの対応の両方が可能であり、事業部長の方が権限が強いことから、責任の所在も明確である。

動機付けに関する次の記述のうち、最も妥当なのはどれか。

1　F.ハーズバーグは、仕事への満足要因を動機付け要因、仕事への不満足要因を衛生要因とした。このうち、衛生要因には、「達成」「昇進」が見いだされ、衛生要因が満たされると仕事へのモチベーションが高まるとした。

2　D.C.マクレランドは、仕事に関わる人の欲求の中には、達成欲求、権力欲求、親和欲求があるとした。このうち、権力欲求とは、強さを手に入れ、周囲の人に影響力を及ぼし、コントロールしたいという欲求である。

3　A.H.マズローは、人間の欲求を生理的欲求、安全欲求、社会的欲求、自己実現欲求、承認欲求の5階層に分けた。このうち、承認欲求とは、自分が社会に必要とされている、どこかの集団に所属しているという感覚を満たそうとする欲求であり、5階層の中では最も上位にある。

4　C.P.アルダーファは、V.ブルームの唱えた説を部分的に修正してERG理論を唱えた。アルダーファは、組織の経営と発展は人間の主要な欲求が源泉になっていると主張して、その欲求を生存欲求、階級欲求、成長欲求の3段階に分けた。また、最上位にある成長欲求は、一定程度満たされると満足されるものとしている。

5　E.L.デシは、人のモチベーションは、その人が仕事に投入したインプットと仕事から得たアウトプットを掛け合わせたものを他者と比べることで発生するという公平理論を唱えた。公平理論では、人は不公平さを感じると、アウトプットである経験を下げるとされている。

経営戦略に関する次の記述のうち、最も妥当なのはどれか。

1 H.I.アンゾフは、企業の成長戦略について、事業を市場と製品によって分類し、成長ベクトルと呼ばれる理論を提唱した。この理論によると、企業が既存の製品を新しい市場で販売し、成長していこうとする戦略は市場浸透戦略と呼ばれ、企業が新しい製品で新しい市場を開拓する戦略は製品開発戦略と呼ばれる。

2 R.P.ルメルトらが分類した事業の多角化のタイプのうち、最大の売上高を持つ事業がその企業の売上高のほとんどを占めているような企業は関連型と呼ばれる。さらに、関連型は集約型と拡散型の2種類に分類されるが、拡散型とは、事業分野間の関連が網の目状に緊密にあり、少数の種類の経営資源を様々な分野で共通利用するような多角化のタイプである。

3 経験効果とは、小さな規模で作られた事業の方が、大きな規模で作られた事業に比べて平均費用が低くなるという効果である。企業が経験効果による優位性を確保するためには、低いマーケットシェアを維持して、限られた生産量のみを生産することが必要とされる。

4 M.E.ポーターは、企業の基本戦略として、創発的戦略、差別化戦略、集中戦略の三つを提唱した。このうち、差別化戦略とは、市場を細分化することにより顧客ターゲットの範囲を狭くし、業界の特定分野に焦点を当てることにより競争優位を構築する戦略である。

5 SWOT分析とは、企業が戦略策定のために、強み（Strength）、弱み（Weakness）、機会（Opportunity）、脅威（Threat）を分析するものである。このうち、強みと弱みの分析では企業内部を、機会と脅威の分析では企業を取り巻く外部環境を分析対象としており、この分析によって企業は競争優位を確保しようとする。

製品開発に関する次の記述のうち、最も妥当なのはどれか。

1 製品ライフサイクル（プロダクト・ライフサイクル）においては、製品やサービスが市場に投入されてから廃止されるまでの寿命が示されている。ここで、製品やサービスの段階は、開発期、成熟期、衰退期の三つに分けられ、成熟期は市場成長率が高いとされている。

2 製品がコモディティ化すると、企業が提供する製品やサービスが、他の製品やサービスに比べて画期的なものになり、顧客を引き付けることとなる。そのため、製品がコモディティ化した際には、企業が、他の製品やサービスに比べて高い価格を設定しても、顧客が離れることはない。

3 国際会計基準審議会などの公的な機関によって定められ、国際的な拘束力を持つ標準規格のことをデファクト・スタンダードという。デファクト・スタンダードの地位を得たとしても、企業は市場シェアを独占することはできず、市場における競争後の事実上の標準規格であるデジュール・スタンダードの地位を獲得することが企業の業績にとって重要となる。

4 スイッチング・コストとは、顧客がこれまで購入していた製品やサービスから他の製品やサービスに乗り換える際に生じるコストのことを指す。このコストには、乗換時に発生する金銭的なコストのみならず、心理的なコストも含まれる。

5 委託を受けた企業が、委託側の企業のブランドで製品の企画・設計から製品開発・生産まで行うことをOEMという。OEMによって生産された製品を販売する際には、委託側の企業は、委託を受けた企業のブランドで販売することとなる。

資金管理に関するA～Dの記述のうち、妥当なもののみを挙げているのはどれか。

A　資金調達の方法としては、負債による調達があり、そのうち、銀行などの金融機関から資金を借り入れることを直接金融という。高度経済成長期の日本企業においては、緊急資金の調達に向いている直接金融を中心として資金調達が行われていた。

B　株式会社においては、企業の経営者がプリンシパル、株主がエージェントと分類される。プリンシパル・エージェント理論においては、経営者は常に株主のために投資利益を最大化するように行動するとされており、そのために発生するコストはエージェンシー・コストと呼ばれる。

C　企業が、株主に企業の利益を分配しないで、企業の内部にとどめておくことを内部留保という。内部留保は、将来的に再投資する資金として使用する可能性を持っており、企業内部における資金調達とされている。

D　ベンチャーキャピタルとは、不確実性の高い状況における新企業創造によって大きなキャピタルゲインを得ることを目的とした直接投資を行う企業、あるいは資金そのものを示す。ベンチャーキャピタルは、銀行などの金融機関からの融資などでは十分な資金が得られないベンチャー企業にとって、資金不足を解決するために有効な手段の一つとされている。

1　A、B

2　A、C

3　A、D

4　B、C

5　C、D

現代企業に関する次の記述のうち、最も妥当なのはどれか。

1 株式会社の特徴の一つとして組織内の機関分化が挙げられ、全ての株式会社は、取締役のほか、監査役と会計監査人を置くことが義務付けられている。また、取締役会設置会社においては、株主総会が代表取締役を選任し、取締役会が代表取締役の業務執行を監視・監督している。

2 コーポレート・ガバナンスとは、会社経営者が経営者以外の従業員を監視することで会社経営の適法性を確保することを指す概念である。旧来、日本企業の取締役会は社内取締役が多数を占め、業務執行担当者に対する監視機能が働かなかったため、全ての企業を対象として、取締役の過半数を社外取締役とすることが義務付けられるようになった。

3 企業が外部から新たに資源や能力を獲得するための方法の一つとしてM＆Aが挙げられる。M＆Aの形態としては、同業種の企業間で行われる水平型M＆Aや、自社チャネルの川上方向や川下方向に行われる垂直型M＆Aといった形態が挙げられる。

4 我が国におけるCSRは、かつては社会貢献を重視した企業の社会的責任として考えられていたが、相次ぐ企業の不祥事の結果、法令遵守のみに着目した企業の社会的責任として捉えられるようになった。また、投資家が、投資に際して、株価の上昇可能性だけでなく、企業のCSR活動も考慮して銘柄選択を行うことをISO投資という。

5 タックス・ヘイブンとは、所得に対して全く課税しないか、著しく低い税率による課税をする国や地域をいう。我が国においては、OECDのBEPSプロジェクトの基本的な考え方に基づき、平成29年に初めてタックス・ヘイブン対策税制が導入され、タックス・ヘイブンに子会社を置く全ての企業に対して罰則が科されることとなった。

政治思想に関する次の記述のうち、最も妥当なのはどれか。

1 N.マキアヴェリは、『君主論』において、統治者は愛されるより恐れられるべきであり、「狐の狡猾さとライオンの獰猛さ」を持って行動すべきであると主張した。また、外国人を主体とする傭兵制度に依存する当時のフィレンツェの軍制の改革を訴え、強力な自国の市民から成る軍隊の創設が必要であるとした。

2 H.アレントは、人間の営みを「労働」「余暇」「活動」の三つに分けるとともに、個人とは何らかの共同体に属し、その共通の価値や目的を自己のアイデンティティの重要な構成要素とする「位置付けられた自己」であるとした。

3 J.ロールズは、人間の本性は幸福の実現のうちにあり、政治が目的とするのは社会全体の利益を最大化することであると主張した。『正義論』では、格差原理を提唱し、私的所有をはじめとする個人の権利を尊重すべきだとし、国家は暴力・窃盗・詐欺・契約破棄からの国民の保護といった限定的な機能を果たせばよいという最小国家論に基づき、福祉国家的な再分配を批判した。

4 R.ノージックは、『アナーキー・国家・ユートピア』において、人々が、自分の社会的地位、経済状況、能力の程度、性格の特性、価値観等について一切の知識を持たない「無知のヴェール」の状態で社会的なルールを作ろうとすると想定した。社会的・経済的不平等の問題に関しては、最も不利な立場にある人の期待便益を最大化するように取り決められているべきであると主張した。

5 M.サンデルは、コミュニタリアニズムを主張し、個人を他者や環境から独立した自立的な存在とした。「理想的発話状況」と呼ばれる理性的なコミュニケーションを通して形成された合意だけが、普遍的に適用可能な法規範を根拠付け、支配の正統性になるとした。

政治体制・制度に関する次の記述のうち、最も妥当なのはどれか。

1 S.ハンチントンは、民主化は波のように諸国に普及してきており、現在の民主化は20世紀後半に反政府運動が各地に広まったいわゆる「アラブの春」から始まったとし、これを「第3の波」と呼んだ。

2 J.リンスは、全体主義と民主主義の中間に位置する政治体制を権威主義体制として概念化し、権威主義体制では国民に対して高度な政治的動員が行われ、国民が支配政党やそのリーダーに無関心であることは許されないと主張した。

3 全体主義は、自由主義を積極的に否定するものであり、市民はこれを憎悪するため民主的な政治体制からは生まれないものとされている。全体主義体制には、イタリアのファシストやドイツのナチスが該当し、スターリン体制はこれに該当しない。

4 A.レイプハルトは、民主主義の在り方を「多数決型」と「コンセンサス型」の二つに分類し、民主政治の質については、民主化や女性の政治代表といった諸点において「コンセンサス型」に有利な面があるとした。

5 S.リプセットは、社会の経済発展が進むと、民主主義も進展するという近代化論を批判し、伝統的な社会から工業化社会へ発展するという単線的な発展段階説は先進国中心の理論であるとして、経済発展と民主主義への移行に関係はないと主張した。

選挙制度に関する次の記述のうち、最も妥当なのはどれか。

1 比例代表制における議席配分方式の一つであるドント式は、各党の得票数を奇数（1、3、5…）で割っていき、その商の多い順に議席を配分していくものであり、我が国では参議院議員選挙においてのみ導入されている。

2 我が国の衆議院議員総選挙においては、小選挙区選挙と比例代表選挙に重複立候補することができ、重複立候補者については名簿の同一順位にすることが可能である。その場合は、小選挙区におけるその候補の得票数の、最多得票者の得票数に対する割合である「惜敗率」によって順位が決まる。

3 米国の大統領選挙は、各州の有権者が一般投票において大統領を選出するという直接選挙の形態を採用しており、第1回投票で過半数を獲得する候補者が出なかった場合には、上位2名による決選投票を行い、この得票が多い候補者が当選する。

4 ドイツ連邦議会では、小選挙区における得票数が過半数に達していなくても最も多い得票を得た候補者が選ばれる相対多数による多数代表制で選出され、これは第三党以下には不利な選挙制度であることから、連邦議会のほか連邦参議院においても第三党は議席を持っていない。

5 選挙制度は、選挙区の面積や有権者数に着目して、小選挙区制、大選挙区制に分類され、大選挙区制は一票の価値が低く、相対的に死票が多い選挙制度であるといわれる。我が国の選挙では、小選挙区比例代表並立制が採用されている。

次は、N.ルーマンの理論に関する記述であるが、A、B、Cに当てはまるものの組合せとして最も妥当なのはどれか。

N.ルーマンは、生物学の用語で、生体システムが、その構成要素のネットワークを通して、構成要素を継続的に再生産している事態を指す　A　という概念を、自身の社会理論に導入した。

そして、社会は、その構成要素である　B　が次々と接続していく自己準拠的（自己言及的）な過程を通じて形成されるとする　C　を展開した。

	A	B	C
1	オートポイエーシス	コミュニケーション	文化的再生産論
2	オートポイエーシス	コミュニケーション	社会システム論
3	オートポイエーシス	行為	文化的再生産論
4	ホメオスタシス	コミュニケーション	文化的再生産論
5	ホメオスタシス	行為	社会システム論

組織や社会に関する理論についての記述ア～エのうち、妥当なもののみを挙げているのはどれか。

ア　P.ブルデューは、大衆社会論を展開するに当たって、「エリートへの接近可能性」と「非エリートの操縦可能性」という要因を抽出し、それぞれの高低の組合せによって四つの社会類型を設定した。このうち、これら二つの要因がいずれも低い類型を「大衆社会」とした。

イ　M.ヴェーバーは、民主主義の実現を目指す社会主義政党を研究対象とし、国家が民主主義、社会主義、共産主義のいずれであるかを問わず、集団や組織は多数者による少数者の支配を必然とするという「寡頭制の鉄則」を唱えた。

ウ　G.E.メイヨーらは、ホーソン工場で行われた一連の研究を通じて、インフォーマル・グループの意義を見いだし、作業能率や生産性は、人間関係や各作業者の労働意欲などと密接な関係があることを明らかにした。

エ　C.W.ミルズは、国家的影響を及ぼすような決定に参与しているエリート集団である「パワー・エリート」について、政治・経済・軍事という三つの制度的秩序の頂点に立って支配的地位を占めている人々であると特徴付けた。

1　ア、イ

2　ア、ウ

3　ア、エ

4　イ、エ

5　ウ、エ

我が国の労働に関する次の記述のうち、最も妥当なのはどれか。

1 トラックドライバー等の自動車運転の業務については、働き方改革関連法（働き方改革を推進するための関係法律の整備に関する法律）により、2023年4月から時間外労働の上限規制が適用されており、臨時的な特別の事情がある場合の時間外労働時間の限度が年720時間となるなど、自動車運転者の長時間労働の是正に向けた取組が進められている。

2 キャッシュレス決済の普及や送金サービスの多様化が進む中で、資金移動業者の口座への資金移動を賃金受取に活用するニーズも一定程度見られることも踏まえ、使用者が、労働者の同意を得た場合に、一定の要件を満たすものとして厚生労働大臣の指定を受けた資金移動業者の口座への資金移動により賃金を支払うこと（いわゆる賃金のデジタル払い）を可能とする制度が2023年4月から施行された。

3 我が国の最低賃金制度は、労働者の生活の安定や労働力の質的向上、事業の公正な競争の確保に資することなどを目的として、賃金の最低額を定め、使用者に対してその金額以上の賃金を労働者に支払う努力義務を課すものである。2023年度の地域別最低賃金は、全国加重平均で対前年度31円引上げの961円となり、過去最高を記録した。

4 労働施策総合推進法（労働施策の総合的な推進並びに労働者の雇用の安定及び職業生活の充実等に関する法律）は、職場において行われる①優越的な関係を背景とした言動、②業務上必要かつ相当な範囲を超えた言動、③労働者の就業環境を害する言動、のうちいずれかを満たすものを職場におけるパワーハラスメントとしており、事業主に防止措置を講じる努力義務を課している。

5 厚生労働省の「障害者雇用状況の集計結果」によると、2022年6月1日現在の民間企業における身体障害者、知的障害者、精神障害者の雇用障害者数は約61.4万人と、19年連続で過去最高を更新しており、特に身体障害者の雇用者数が対前年比で11.9％増加している。また、法定雇用率を達成した企業の割合が7割を超えるなど、障害者雇用の状況は一層進展している。

2024年度 解答解説

〈冊子ご利用時の注意〉

　この色紙を残したまま、ていねいに抜き取り、ご利用ください。

　また、抜き取りの際の損傷についてのお取替えはご遠慮願います。

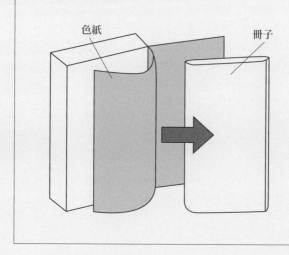

色紙　　　　　冊子

TAC出版

2024年度　基礎能力試験　解答解説

1 ×　筆者は第1段落で、科学（知識）の確実性に「様々なレベルがある」こと、第5段落で、「科学的分析の価値を十分認めつつ、しかしそれを絶対視してはならない」ことなどを主張している。この選択肢にある「科学が最終的に…広く一般に受け入れられている」ということには、筆者は触れていない。

2 ×　第3段落では、解析性があるものの研究と解析性がないものの研究の二つが「調和を保ちつつ共存する」ことが「月と雲の時代」だとされている。一方この選択肢では、解析性があるものとないものの分析方法を「融合させた研究が数多く行われている」ことが「月と雲の時代」だとされており、本文と食い違う。

3 ×　「正確な予測ができない研究対象」について、第4段落では「強い過程を置いて科学の手続きに沿った推論を行う」などと述べられているのみである。この選択肢では、「正確な予測ができない研究対象」に対して「問題を限定し…議論するという手法が有効」とされているが、それにあたる記述は本文にない。

4 ×　1の解説で見たように、筆者は、科学には「様々なレベル」があり、「科学的分析の価値を十分認めつつ、しかしそれを絶対視してはならない」などと主張している。この選択肢のような、「数理的に論証できる」研究と「論証はできないが真実に迫ろうとする」研究のどちらが本質かという比較には、本文では触れられていない。

5 ○　選択肢前半の「自然科学的な厳密さを重視すると、…数々の要素を削り落としてしまうことがある」は、第5段落の「したがって、自然科学の問題の立て方と分析方法に似せようとする努力には…マイナス面がある」をまとめた記述になっている。また、選択肢後半の「これを絶対視してはならない」も、同段落の「それを絶対視してはならないのだ」と同義である。

1 ×　本文前半では、環境に対する適応は「本能的或いは反射的でない場合、『試みと過ち』の過程を通じて行なわれ」、「この試みと過ちの過程が経験」だとされている。この選択肢では「適応が本能的又は反射的である場合でもこの過ちにこそ経験の価値がある」ということが述べられているが、そうした記述は本文にない。

2 ○　選択肢前半の「経験論の哲学では経験を『与えられた』もののように捉えている」は、本文前半の「経験論の哲学も経験を『与えられた』もののように考えた」と同義。選択肢後半の「経験とは試みと過ちの過程であり、…自発的なものといえる」も、本文前半の「この試みと過ちの過程が経験というものである」と「試みるというのは…かような経験には知性が、その自発性が予想される」をまとめた記述である。

3 ×　本文後半では、過つことが「いわば経験の本性」であり、「過つことによって我々の知識は…反省を経たものになってくる」とされている。一方この選択肢では、「反省を促すのは試み」で、「過ちを伴わない試行」の繰り返しが「経験の価値を高める」と述べられており、本文と食い違う。

4 ×　「推論」については、本文中盤で「経験は試みることとして直接的でなく、…推論的である

とさえいい得るであろう」と述べられているのみである。この選択肢にある「試みの際の推論とその結果のずれ」や、その修正によって得られる「高い経験値」などについては、本文では言及されていない。

5　✕　「科学の実験」に関しては、本文中盤で「ただ経験には科学における実験の如き方法的組織的なところが欠けており」とされているのみである。本文では、この選択肢のような「組織的に行なわれる科学の実験の手法」によって「偶発的事象からも経験的知識を成立させることができるようになる」ということが述べられているわけではない。

No.3　正解　1　TAC生の正答率　76%

1　〇　選択肢前半の「『心の闇』は…多く語られた言葉であり」は、第1段落の「『心の闇』が多く語られた背景としては、…指摘できる」をまとめた記述になっている。また、選択肢後半の「人びとによるその認知が遅れたことによって…社会問題化した」も、第4段落の「ここで重要な点は、…人びとの認知が2000年代半ばまで遅れたことによって、…社会問題化してしまったことである」と合致する。

2　✕　第2段落では、1980年代以降に「心理主義化が進行した」ことで「さまざまな教育問題が子どもの心の問題として語られたりするようになった」と述べられている。一方この選択肢では、「心に問題を抱える子どもが増加し、…重要性が強調されるようになった」ことで「心理主義化が進行した」とされており、本文とは因果関係が逆になっている。

3　✕　この選択肢では、凶悪犯罪の「件数」の増加と「社会問題化」が挙げられている。一方本文では、第3段落のように、1990年代から「企業、近代家族、学校教育」などの社会状況が不安定化し「凶悪犯罪が大きく社会問題化することになった」とはされているものの、犯罪の「件数」についての記述はない。

4　✕　第4段落にあるように、筆者は「格差・貧困問題に対する人びとの認知が2000年代半ばまで遅れたことによって、…社会的問題化してしまった」、露呈はしていなかったものの「1970年代半ば以降」からすでに「格差・貧困は拡大してきた」と主張している。筆者はこの選択肢のように、少年犯罪の原因が「移行した」ということを述べているのではない。

5　✕　第4段落では、バブル崩壊以降も「社会の中核」についての「異常現象ばかりが注目され」、「周辺」についての「構造変化の認識が遅れた」と述べられている。この選択肢では、バブル崩壊で「社会の中核が異常現象を起こした結果、周辺にかかわる構造変化」も連鎖的に生じたとされているが、本文にはそうした記述はない。

No.4　正解　2　TAC生の正答率　64%

1　✕　筆者は第1段落などにおいて、教養を期待し、精神的快楽を伴う読書を楽しむ人こそが「読書家」だとする風潮に疑問を呈している。この選択肢では、「読書家」とは違って「精神的な豊かさや教養を貴ぶ人」のことを「読書人」だとしているが、筆者はそうした「読書家」と「読書人」の違いには触れていない。

2　〇　第1段落では、世間でいう「読書」とは「読むことそれ自身が目的」で「物質的利用価値」

を目的にしているのではないこと、第2段落では「物質的利益を伴わない快楽は純粋で高雅であるという考え」を「われわれは根強く持っている」ことが述べられている。この選択肢は、そうした記述をまとめた内容として妥当である。

3 ✕ 「生理的潔癖」について、第2段落では「純粋なものは高雅であるという感じ方」は「生理的潔癖から来る思想」かも知れないなどということが述べられているのみである。この選択肢では「生理的潔癖」は「人間が持ち続けるべき純粋な思想」とされているが、そうした記述は本文にない。

4 ✕ 第3段落では、「明日の学校での講義に必要な知識」の準備のために本を読んだ場合、「研究者ではあるけれども、読書家ではなくなってしまう」ことなどが述べられているのみである。この選択肢では、「研究家」とは「学者たちによって定義」されたもので、しかしその根拠を書いた書は「なかなか見つからない」とされているが、そうした内容は本文にない。

5 ✕ 第4段落に「楽しいことや有益なこと」（＝「物理的利用価値」）を目的に本を読む人を「読書家だといってはいけないのか、と反駁したくなる」とあるように、筆者は「読書家」の区分を批判してはいるが、「読書家は目的を持って読書をする人を邪道と批判する傾向にある」というこの選択肢のようなことには全く触れていない。

No.5　正解 **3**　

　Cは「つまり」で始まっているので、C以前には「発達期」の良心の形成に関する文が入ることになる。**1**と**2**は冒頭の文→Cという順になっているが、冒頭の文では「発達期」にあたることは説明されていないため、話のつながりが不自然である。

　4にはE→Bがある。Bには「これは、思想の自由に関しても当てはまる」とあるため、Bの前には「思想」以外のことについて述べた文が入ると考えられる。Eでは、「そもそも、完成した思想・良心を」というように「思想」のことについて説明されているため、Bの前に入れるのは妥当ではない。

　5にはD→Aがある。Aは「したがって」で始まっているため、Aの直前には「思想・良心の自由を考える際に、…成熟した者についてだけ考慮するのでは十分ではない」ことの理由を述べた文が入ることになる。Dは「国家が正しさの判定を独占する」ことについての文で、「思想・良心の自由を考える際に、…成熟した者についてだけ考慮するのでは十分ではない」ことの理由にはなっていない。

　3は、国家が「正しい」良心内容の判定を独占できる場合、良心の自由の保障には意味がない（冒頭の文）→そして、人格形成の過程で国家が「正しい」良心内容の教育を押しつける場合、国家が正しさの判定を独占する（D）→つまり、発達期（人格形成の過程）において自由に良心形成できるかどうかが重要だ（C）→これは思想の自由にも当てはまる（B）→したがって、思想や良心の自由を考える際には、できあがった「主義」を持つ者だけを考慮するのでは不十分だ（A）→そもそも、思想や良心は成熟途上のものだ（E）→そう考えれば、大人も子どもも思想・良心形成の途中にいる（最後の文）というように、自然な流れになる。

　以上のように、D→C→B→A→E、すなわち**3**が最も妥当である。

正解　1　

1　〇　第2段落〜第3段落では、「単純にAかBかという選択をするのではなく、どちらを選ぶにしろ、それに伴って生じる他人のこころの痛み」に配慮するのが大切であること、「倫理的葛藤に耐えて、いろいろ方向を探索していると」解決法が生じることなどが述べられている。この選択肢は、そうした内容をまとめた記述として妥当である。

2　✕　空欄の直前では、現在の時代精神は「自立」であり、そうした「現在の時代精神や、文化的状況など」を知っておく必要はあるが、「根本的には、本人の判断に従うのがいい」、と言っても「すぐに答えを出すのでは」ないと述べられている。一方この選択肢では「『自立』について検討する」とされており、空欄直前の判断基準とは異なる。

3　✕　2の解説で見たように、筆者は「根本的には、本人の判断に従うのがいい」が「すぐに答えを出すのでは」ないとしている。しかしこの選択肢は「現在の時代精神に合わせて『自立』をとった上で」という内容になっており、筆者の主張とは異なる行動である。

4　✕　2の解説で見たように、筆者は「現在の時代精神や、文化的状況など」を知っておく必要はあるが、「根本的には、本人の判断に従うのがいい」としている。この選択肢を空欄に入れると、「本人の判断を尊重しつつ、文化的状況に合わせた方法を勧めること」が必要だとなり、筆者の判断基準とは食い違ってしまう。

5　✕　1の解説で見たように、筆者は「単純にAかBかという選択をするのではなく、…どれだけの配慮ができるかが大切」であることや、「倫理的葛藤に耐えて、…思いがけない解決法が生じてきたりする」ことを述べてはいるが、この選択肢のような「両方をとり入れた方法を探索すること」については言及していない。

正解　3　

1　✕　オゾン層が20世紀後半（1970年代）に破壊され始めたという記述は第2段落に認められる。しかし、紫外線の到達などについては、その懸念が第1段落に記されるのみであり、事実として述べられてはいない。

2　✕　科学者らがオゾンホールを発見したのは1985年と第2段落にある。また、その2年後にモントリオール議定書で46か国が約束したのは、有害化学物質の段階的削減である。

3　〇　第3段落の記述に合致する。

4　✕　第4段落にオゾン層の破壊は気候変動の主な原因でないと記されているし、また、第4、第5段落からは、オゾン層保護が温暖化対策に対して「非常に」効果的だったとまでは述べていないことがわかる。

5　✕　前半の記述は第5段落に合致するが、「オゾン層の改善が保証されている」という記述は同段落に矛盾する。

［訳　文］

本訳文は都合により掲載できません。

[語　句]

ozone layer：オゾン層　　harmful chemical：有害物質　　radiation：放射線

deplete：激減させる　　Antarctic：南極の　　current：現在の　　maintain：維持する

Arctic：北極の　　climate change：気候変動　　hail：歓迎する　　sulphur dioxide：二酸化硫黄

No.8　　正解　3　　TAC生の正答率　83%

1　×　第1段落で述べられている公園を見回るロボットは、「英国や中国の都市」ではなく、シンガポールの事例である。

2　×　第2段落に、コロナ禍ではロボット製造業者の見込み客が増加していたとの旨が記されており、本文に合致しない。

3　〇　第3段落の内容に合致する。

4　×　第4段落に記されるアハティ・ハインラ氏の言葉と合致しない。

5　×　第4段落に記される通り、6輪走行の自動配達ロボットを開発したのはスターシップ・テク

ノロジーズであって、カーネギーメロン大学ではない。

[訳　文]

　ロボットは現在、イギリスのミルトン・ケインズで食品を配達し、ダラスの病院で物資を運び、中国と欧州で患者の病室を消毒し、シンガポールでは公園を歩き回って歩行者にソーシャルディスタンスを保つよううるさく伝えている。

　この春、世界的な経済崩壊のただ中、本記事を書き始めた2019年に私がコンタクトを取ったロボット製造業者らは、見込み客からの問い合わせは減るどころか増えていると述べた。パンデミックによって「自動化は仕事の一部になる」と認識する人が増えたと、５月にレディ・キャンベルが私に語った。「その原動力はこれまで効率性と生産性だったが、今は別の層があり、それが健康と安全だ」と。

　コロナ禍が勢いを増すずっと前から、技術のトレンドは、私たちの生活に大きく広がるロボットの創造を加速させていた。機械部品はより軽く、より安く、より頑丈になった。電子工学は、より小さな端末により大きな演算能力を詰め込んだ。画期的な技術革新により、エンジニアらは強力なデータ処理ツールをロボットに搭載できるようになった。より優れたデジタル通信により、ロボットの「頭脳」を別の場所にあるコンピューターに保存できるようになり、あるいは、単純なロボットを何百もの他のロボットに接続し、蜂の巣のような集合知を共有したりできるようにもなった。

　近未来の職場は、「人間とロボットが協働して効率性を最大化するエコシステムになるだろう」と、インターネット通話プラットフォーム「スカイプ」の共同創業者で、現スターシップ・テクノロジーズ共同創業者兼最高技術責任者（CTO）であるアハティ・ハインラは言う。スターシップ・テクノロジーズは、その６輪走行の自動配達ロボットがミルトン・キーンズや他の欧米諸都市を走り回っている企業である。

　「私たちは、持ち運び可能な機械の知能を所有することに慣れてしまっている」と、ピッツバーグにあるカーネギーメロン大学のAIロボット研究者マヌエラ・ヴェローゾは言う。彼女はスマートフォンを掲げた。「これからは、身体を持っていて、私たちなしでも動き回る知能に慣れなければならない」。

[語　句]

tote：運ぶ、携帯する　　　disinfect：消毒する　　　nag：うるさく言う、小言を言う
pedestrian：歩行者　　　inquiry：問い合わせ　　　efficiency：効率性　　　accelerate：加速させる
collective intelligence：集合知　　　maximize：最大化する　　　get used to ...：…に慣れる

No.9　　**正解　4**　　　　　　　　　　　　　　　TAC生の正答率　**36%**

　枠内第１文の記述より、デジタル音楽革命の特徴として、①接続性（connectivity）、②一つのサービスとしての音楽（music as a service）、および③アマチュア制作（amateur production）という三者が列挙されていることを把握する。そのうえで、ア～オを含めた全文章が、第一に（First）、第二に（Second）、第三に（Third）という副詞をもって論理展開されていることを確認、さらに「First」から始まる枠内第２文が、古い音楽産業とデジタル音楽ビジネスとの対比のもとに、①接続性（＝生産者と聴衆の結びつき）について述べていることを理解する。以上を踏まえ、大きな流れとして、①、②、③の各項目について述べた文章のグループが順番に展開されることを予想する。

　アは、接続性と生産者によるコントロールについて述べられており、①のグループであると判断できる。これにより、アは、②の最初の文となるはずのウより前にあることがわかる。こうして**2、**

3、**5**は消去される。さらに、アの冒頭の「This」に該当する内容が枠内文には見出されず、「生産者と聴衆のネットワーク内にあるすべての人が、単に受動的に音楽を受け取るだけでなく、それをアップロードできるようになった」ことを述べるエの内容を受けていると考えれば合理的である点からエ→アの流れを確定、さらに、現在の音楽サービスのあり方について述べたイは、②のグループに入ると考えられる点からウ→イの流れを確定する。以上により、**4**を正解として導くことができる。

［訳　文］

> 　ヴィクストレムは、デジタル音楽革命には三つの中心的特徴があると主張する。接続性、ひとつのサービスとしての音楽、そして、アマチュア制作である。第一に、「古い」音楽産業は、収益を最大化するための、企業による音楽のコントロールが中心であったのに対し、新しいデジタルビジネスは、接続性、すなわち生産者と聴衆の結びつきを中心としている。

エ　インターネットによって、生産者と聴衆のネットワーク内にあるすべての人が、単に受動的に音楽を受け取るだけでなく、それをアップロードできるようになった。

ア　このことは、同新産業が、接続性は高いが生産者のコントロールは低いということを意味する。

ウ　第二に、旧来の産業はレコード、カセット、CDといった物理的な商品の販売に基づいていたが、デジタル産業は音楽サービスへのアクセス提供へとシフトしている。

イ　音楽がウェブ上にアップロードされるとすぐに、それは自由に入手できるようになり、商業的価値は下がるが、それでも人々は、膨大なオンライン・アーカイブの中から欲しいものを見つけるためのサービスにはお金を払う用意があるかもしれない。

オ　第三に、今日の音楽視聴者はアマチュア・プロデューサーとなり、プロが録音したお気に入りの音楽を創造的にリミックスし、オンラインで発表することができる。

［語　句］

argue：主張する、議論する　　corporate：企業の　　revenue：収益　　available：入手可能な
commercial：商業上の　　vast：莫大な

No.10　　正解　2　　　　　　　　　　TAC生の正答率　22%

　本文の内容は、人工甘味料の長期摂取によるリスク等についてWHOから警告があったとするものだが、空欄を含む文「The W.H.O's announcement contradicts previous studies that have said ...」から、その警告と矛盾する事柄が空欄に入ることが分かる。この観点から選択肢の正誤を考えると以下の通り。

1　×　これまでの研究が「天然由来ではない」という内容だとすると、それと矛盾するWHOの発表は「天然由来である」という内容だということになり、本文で示された内容と異なってしまう。本文の内容と論点がずれているので妥当ではない。

2　○　「害もない」と従来WHOが述べていたとすれば、本文の内容に矛盾することになるため、本肢は正しい。

3　×　「ポリフェノール」については本文でまったく言及されていない。

4 × 本文の内容と矛盾するものでない。

5 × 「脂肪の代替品」についての記述は本文にはない。

[訳 文]

　世界保健機関は今月、体重をコントロールし、非伝染性疾患のリスクを軽減する目的で人工甘味料を使用することに警告を発し、その長期的使用に効果はなく、健康上のリスクを引き起こす可能性があると述べた。

　WHOは勧告の中で、これら砂糖の代替品は、長期的に摂取した場合、大人でも子供でも体脂肪を減らす役には立たないと述べ、さらに、その継続的な摂取は、２型糖尿病、心血管疾患、および成人の死亡リスクを増加させる可能性があると付け加えた。

　「この勧告は、糖尿病の持病がある人を除くすべての人に適用され、かつ、合成、天然あるいは改変されたすべての非栄養性甘味料のうち、既製の飲食品中に含まれている糖類に分類されないもの、あるいは消費者が飲食品に添加するために単独で販売されているものを対象として含む」と、WHOは述べた。

　WHOの勧告は入手可能な証拠の調査に基づいており、健康的な食生活に向けて展開されている一連のガイドラインの一部である、とWHOは述べた。

　甘味料の例には、アスパルテーム、サッカリン、スクラロース、ステビアが含まれる。WHOの発表は、＿＿＿＿＿＿＿＿＿＿＿＿と述べてきた、これまでの研究と矛盾するものである。

1 これらの甘味料のほとんどは天然由来ではない

2 これらの甘味料は健康上の利点はないが、害もない

3 ポリフェノールはその栄養価の高さゆえ、摂取が推奨されている

4 糖尿病患者の半数が日常的にこれらの甘味料を摂取している

5 砂糖と脂肪の代替品は、病気のリスクを減らすのに効果がない

[語 句]

World Health Organization：世界保健機関　　artificial sweetener：人工甘味料
disease：病気　　pose：引き起こす　　alternative：代替品　　mortality：死亡率
synthetic：合成の　　contradict：矛盾する

No.11　　**正解　1**　　　　TAC生の正答率　**84%**

　与えられた４つの命題を記号化すると、次の(1)〜(4)になる。また、(1)は並列化しておき、これらと、(1)の並列化した命題及び、(2)〜(4)について、対偶をとると下表のようになる。

	命題		対偶
(1)	砂場∨すべり台→ぶらんこ		$\overline{ぶらんこ}$→$\overline{砂場}$∧$\overline{すべり台}$
	並列化	砂場→ぶらんこ …①	$\overline{ぶらんこ}$→$\overline{砂場}$ …⑥
		すべり台→ぶらんこ …②	$\overline{ぶらんこ}$→$\overline{すべり台}$ …⑦
(2)	鉄棒→$\overline{ジャングルジム}$ …③		ジャングルジム→$\overline{鉄棒}$ …⑧
(3)	ジャングルジム→すべり台 …④		$\overline{すべり台}$→$\overline{ジャングルジム}$ …⑨
(4)	$\overline{鉄棒}$→$\overline{砂場}$ …⑤		砂場→鉄棒 …⑩

上の命題①～⑤及びその対偶⑥～⑩に三段論法を用いて各選択肢を検討する。

1　〇　「砂場→$\overline{ジャングルジム}$」が確実にいえるかどうかだが、⑩と③をつなげると確実にいえる。

2　✕　「すべり台→鉄棒」が確実にいえるかどうかだが、「すべり台」からスタートする命題は②しかなく、さらに②の結論である「ぶらんこ」からさらにつながる命題がないので、「すべり台→鉄棒」は確実にはいえない。

3　✕　「$\overline{ぶらんこ}$→$\overline{鉄棒}$」が確実にいえるかどうかである。「$\overline{ぶらんこ}$」からスタートする命題は⑥、⑦があり、⑥の場合、「$\overline{砂場}$」で終わるが、「$\overline{砂場}$」からさらにつながる命題はなく、⑦の場合、⑨をつなげると「$\overline{ジャングルジム}$」で終わるが、ここからつながる命題はない。よって、「$\overline{ぶ}$らんこ→$\overline{鉄棒}$」は確実にはいえない。

4　✕　「すべり台→砂場」が確実にいえるかどうかであるが、「砂場」で終わる命題はなく、確実にはいえない。

5　✕　「$\overline{鉄棒}$→ジャングルジム」が確実にいえるかどうかであるが、「ジャングルジム」で終わる命題はなく、確実にはいえない。

No.12　正解　4　TAC生の正答率 58%

　1つ目の条件より、A、B、Cの3つの係に1つも参加していない生徒はおらず、3つとも参加している生徒もいない。また、2つ目の条件より、A係とB係、B係とC係、C係とA係に参加している生徒の人数はいずれも同じなので、これをx［人］とおく。さらに、A係だけに参加している生徒の人数をy［人］とおき、ベン図に書き込むと、図1のようになる。

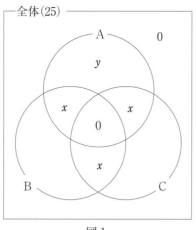

図1

　A係に参加している生徒の人数は$y+2x$［人］であり、3つ目の条件から、C係の人数はA係の人数より3人多いので$y+2x+3$［人］と表せ、B係の人数はC係の人数より7人多いので$y+2x+3+7=y+2x+10$［人］と表せる。したがって、C係だけの人数は$y+3$［人］、B係だけの人数は$y+10$［人］である（図2）。

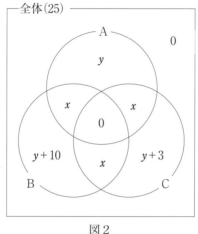

図2

　4つ目の条件より、A係、B係、C係の合計人数は、$(y+2x)+(y+2x+3)+(y+2x+10)=34 \Leftrightarrow 6x+3y=21 \Leftrightarrow 2x+y=7$…①が成り立つ。また、全体の生徒数が25人より、$3x+3y+13=25 \Leftrightarrow x+y=4$…②が成り立つ。①、②を連立すれば、$x=3$、$y=1$となり、図3となる。

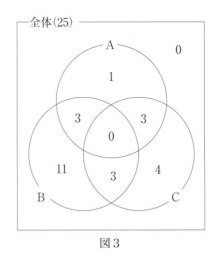

図3

図3を用いて、各選択肢を検討していく。

1 ✕ A係だけに参加している生徒は1人いる。

2 ✕ A係の人数は0+3+3+1=7［人］、B係の人数は0+3+3+11=17［人］、C係の人数は0+3+3+4=10［人］おり、A係とC係の合計人数は7+10=17［人］となり、B係の人数より多くはない。

3 ✕ A係とB係の両方に参加している人数は3人であり、C係だけに参加している生徒の人数4人より多くはない。

4 ◯ B係だけに参加している生徒の人数は11人おり、B係に参加していない生徒である3+1+4=8［人］よりも多い。

5 ✕ C係に参加している生徒のうち、A係かB係のいずれかに参加している生徒は3+3=6［人］であり、8人ではない。

No.13   正解 4   TAC生の正答率 **64%**

午前の座席を考える。

2つ目と3つ目の条件より、次の場合が考えられる。

(i)

C		
D	E	

(ii)

		C	
	E	D	

1つ目の条件より、隣り合うA、Bを前列に入れる方法は、次の場合がある。

(i)

C	A/B	B/A	
D	E		

(ii)

A/B	B/A	C	
	E	D	

12

C		A/B	B/A
D	E		

4つ目の条件にある、前列の空席も考慮すれば、考えられる午前の座席は次の場合である。

（ⅰ）－1

C	A/B	B/A	空
D	E	F	

（ⅱ）

A/B	B/A	C	空
F	E	D	

（ⅰ）－2

C	空	A/B	B/A
D	E	F	

続いて、午後の座席を考える。

2つ目の条件と、午前の座席より、BとEの午後の座席は午前とは異なり、1つ目の条件よりAの午後の座席も午前とは異なる。また、3つ目の条件と午前の座席より、CとFの一方の午後の座席は午前とは異なる。したがって、4つ目の条件にある午前と午後で同じ座席に座っていた2人はC、Fの一方とDである。3つ目の条件も考慮すれば、午後の座席は、次の場合がある。ただし、午前の座席の（ⅰ）の場合が（ⅲ）と（ⅴ）に、（ⅱ）の場合が（ⅳ）と（ⅵ）に対応する。

（ⅲ）

C	F		
D			

（ⅴ）

D	C	F	

（ⅳ）

	F/	C	/F
		D	

（ⅳ）

F	C	D	

（ⅴ）、（ⅵ）は2つ目の条件を満たすBとEが配置できず不適である。このとき、2つ目の条件を満足するB、Eの配置は次の場合がある。

（ⅲ）

C	F	E	
D		B	

（ⅳ）－1

E	F	C	
B		D	

（ⅳ）－2

E		C	F
B		D	

（ⅳ）－3

	E	C	F
	B	D	

残る、Aと空席を配置すると次の通りである。ただし、1つ目の条件より、Aは前列に配置できないことに注意する。

(iii)

C	F	E	空
D	A	B	

(iv)− 1

E	F	C	空
B	A	D	

(iv)− 2

E	空	C	F
B	A	D	

(iv)− 3

空	E	C	F
A	B	D	

以上より、正解は**4**である。

No.14　　正解　3

シフト表（○×表）を書いて考える。

2つ目の条件より、月曜日〜金曜日の5日中3日を連続しないで勤務する曜日は、月曜日、水曜日、金曜日しかありえず、この3日がAの勤務した曜日である。また、5つ目の条件ではDの勤務した曜日は水曜日と金曜日であり、3日連続して勤務しなかったので、Dは木曜日に勤務していない。よって、Dは月曜日にも勤務しておらず、火曜日と水曜日に連続して勤務している。これらのことと1つ目の条件を反映すると、次の表1になる。

表1	月	火	水	木	金	勤務日数
A	○	×	○	×	○	3
B						
C						
D	×	○	○	×	○	3
人数	2	1	2	1		

表1と4つ目の条件より、Cは火曜日、水曜日、金曜日に勤務していない。さらに、表1より、BとCは火曜日と水曜日に勤務していない。ここまでを表1に反映すると、表2になる。

表2	月	火	水	木	金	勤務日数
A	○	×	○	×	○	3
B		×	×			
C		×	×		×	
D	×	○	○	×	○	3
人数	2	1	2	1		

表2と3つ目の条件より、Bの連続した2日間の勤務する曜日は木曜日と金曜日である。したがって、月曜日にBは勤務しておらず、月曜日のA以外に勤務した1人は残るCである。また、木曜日にCは勤務していない（表3）。

14

表3	月	火	水	木	金	勤務日数
A	○	×	○	×	○	3
B	×	×	×	○	○	2
C	○	×	×	×	×	1
D	×	○	○	×	○	3
人数	2	1	2	1	3	9

よって、表3より正解は**3**である。

No.15　正解　1　　　　　　　　　　　　TAC生の正答率　48%

1つ目の条件より、6つの問において、AとEのどちらか一方のみが必ず正解しているので、AとEの点数の合計は6点であり、点数は同じであったことから、AとEの点数はいずれも3点である。このことから、6つ目の条件より、問1の正解者はAまたはEであり、B、C、Dはいずれも問1は不正解であることがわかる。したがって、2つ目の条件より、Bは問2～問6は正解していることがわかる。これらのことと4つ目の条件の後半、5つ目の条件を表に整理すると表1のようになる。

表1	問1	問2	問3	問4	問5	問6	点数
A				○			3
B	○	○	×	×	○	×	5
C	○						
D	○			○			
E							3
正答	×	○	×	×	○	×	15

4つ目の条件の前半より、Dの点数は4点以上であるが、表1より、Dは6問中2問が不正解である。よってDの点数は4点となり、問2、3、5、6は正解していることがわかる（表2）。

表2	問1	問2	問3	問4	問5	問6	点数
A				○			3
B	○	○	×	×	○	×	5
C	○						
D	○	○	×	○	○	×	4
E							3
正答	×	○	×	×	○	×	15

5つ目の条件より、Cの得点は15−（3+5+4+3）=0［点］であることがわかる。また、3つ目の条件より、Eは問3、4、6で「×」と答え3点となり、残りの問ではAが正解する（表3）。

表3	問1	問2	問3	問4	問5	問6	点数
A	×	○	○	○	○	○	3
B	○	○	×	×	○	×	5
C	○	×	○	○	×	○	0
D	○	○	×	○	○	×	4
E	○	×	×	×	×	×	3
正答	×	○	×	×	○	×	15

よって、正解は**1**である。

No.16　　正解　**5**

　問題本文の条件で「FとGは同じ班にはならなかった」とあり、第2部でGはAと同じ班に、FはCと同じ班になっているので、第3部ではBの班に①Fが入る、②Gが入る、③FとGともに入らないの3通りで場合分けすると、第3部でのFとGの分かれ方は次のようになる（表1）。

表1	班ア		班イ		班ウ	
①	A		B	F	C	G
②	A	F	B	G	C	
③	A	F	B		C	G

　残る、D、E、H、Iの各班への入り方について考える。Dは第1部よりFと同じ班にはなれず、第2部よりA、Gと同じ班にはなれないので、①の場合はDが入れず不適である。②の場合は班ウにのみ、③の場合は班イにのみ入ることができる（表2）。

表2	班ア		班イ		班ウ	
②	A	F	B	G	C	D
④	A	F	B	D	C	G

　続いて、Eの各班への入り方については、第1部よりD、Fと同じ班にはなれず、第2部よりB、Hと同じ班にはなれないので、②の場合はEが入れず不適である。③の場合は班ウにのみ入ることができる（表3）。

表3	班ア		班イ		班ウ		
③	A	F	B	D	C	G	E

　最後に、H、Iの各班の入り方については、第1部よりHはG、Iと同じ班にはなれず、第2部よりB、Eと同じ班にはなれないので、班アにのみ入り、Iは残る班イに入れても、第1部及び第2部のメンバーと同じ班にはなっておらず、すべての条件を満足する（表4）。

表4	班ア			班イ			班ウ		
③	A	F	H	B	D	I	C	G	E

　よって、表4より正解は**5**である。

　説明のために、下図のように正面図、背面図の部位を①、②とする。また、各選択肢における正面側及び背面側の部位①、②に着眼し、矛盾する点が存在する選択肢を消去して、正解肢を絞り込んでいく。

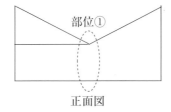

部位①

正面図

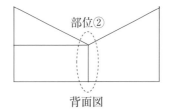

部位②

背面図

　正面図の部位①には縦の線分が存在せず、背面図の部位②には縦の線分が存在する。**3**、**4**、**5**には部位①が存在するので矛盾する。また、**2**の背面側には部位②に縦の線分が存在しえないので矛盾する。

　よって、消去法より正解は**1**である。

　Aが赤、緑を出す確率はそれぞれ$\frac{2}{3}$、$\frac{1}{3}$であり、Bが赤、青を出す確率はそれぞれ$\frac{1}{3}$、$\frac{2}{3}$である。

　1回目にボールを出し合うとき、Aが赤、Bも赤を出す確率は$\frac{2}{3} \times \frac{1}{3} = \frac{2}{9}$であり、Aが赤、Bが青を出す確率は$\frac{2}{3} \times \frac{2}{3} = \frac{4}{9}$である。同様に、Aが緑、Bが赤を出す確率は$\frac{1}{3} \times \frac{1}{3} = \frac{1}{9}$であり、Bが青を出す確率は$\frac{1}{3} \times \frac{2}{3} = \frac{2}{9}$である。Bが勝つ、負ける、引き分けるをそれぞれ○、×、△として、以上をまとめると、表1になる。

表1	Bが赤を出す	Bが青を出す	合計
Aが赤を出す	$\frac{2}{9}$　△	$\frac{4}{9}$　○	$\frac{2}{3}$
Aが緑を出す	$\frac{1}{9}$　○	$\frac{2}{9}$　×	$\frac{1}{3}$
合計	$\frac{1}{3}$	$\frac{1}{3}$	1

　1回目でBが勝つのは、$\frac{4}{9} + \frac{1}{9} = \frac{5}{9}$である。

　2回目にもつれ込むのは、1回目が引き分けのときである。この場合、1回目ですでにAとBは赤を1個ずつ出し合っているため、持っているボールは、Aが赤のボール1個、緑のボール1個であり、Bが青のボール2個である。しだがって、Aが赤、緑を出す確率はそれぞれ$\frac{1}{2}$、$\frac{1}{2}$であり、Bが青を出す確率は1である。2回目も1回目と同じように確率を計算し、勝敗を整理すると次の表2のようになる。

表2	Bが青を出す		合計
Aが赤を出す	$\frac{1}{2}$	○	$\frac{1}{2}$
Aが緑を出す	$\frac{1}{2}$	×	$\frac{1}{2}$
合計	1		1

1回目で引き分けて2回目にBが勝つのは$\frac{2}{9}\times\frac{1}{2}=\frac{1}{9}$である。

以上より、Bが勝つのは、1回目でBが勝つか、1回目で引き分けて2回目にBが勝つときであり、$\frac{5}{9}+\frac{1}{9}=\frac{6}{9}=\frac{2}{3}$である。

よって、正解は**4**である。

No.19　　正解　**5**　　　　　TAC生の正答率　58%

川の流れの速さをx[m/分]とおく。

エンジンが正常なとき、船が川を下る速さは$120+x$[m/分]であり、$45-20=25$[分間]は正常に進んでいたので、この間に進む距離は$(120+x)\times25$[m]である。また、エンジンが故障中の20分間は、川の流れの速さのみで進んでいたので、この間に進む距離は$x\times20$[m]である。したがって、AB間の距離は$(120+x)\times25+x\times20$[m]である。一方、通常はAB間を30分間で下っており、このときの船が川を下る速さは$120+x$[m/分]であるから、AB間の距離は$(120+x)\times30$[m]である。

よって、AB間の距離について、$(120+x)\times25+x\times20=(120+x)\times30$が成り立つ。移項して、$x\times20=(120+x)\times5$より、整理すると$15x=600$となり、$x=40$[m/分]となる。

よって、正解は**5**である。

No.20　　正解　**2**　　　　　TAC生の正答率　60%

斜線部の面積を求めるには直角三角形ABCの面積から3つの扇形の面積を引けばよい。

まず、直角三角形ABCの面積は$\frac{1}{2}\times4\times3=6$[cm²]である。

次に3つの扇形の面積の和Sを求める。頂点Aを中心とする扇形と頂点Cを中心とする扇形が直角三角形ABCの辺AC上で接しており、扇形の半径はすべて等しいので、半径はAC＝3[cm]の半分の長さである$\frac{3}{2}$cmである。また、頂点A、B、Cを中心とする扇形の中心角をそれぞれa、b、cとおくと、$S=\pi\times\left(\frac{3}{2}\right)^2\times\frac{a+b+c}{360°}$[cm²]となるが、$a$、$b$、$c$は直角三角形ABCの内角でもあり、その和は180°なので、$S=\pi\times\left(\frac{3}{2}\right)^2\times\frac{180°}{360°}=\frac{9}{8}\pi$[cm²]である。

よって、斜線部の面積は$6-\frac{9}{8}\pi$[cm²]であるので、正解は**2**である。

No.21　　正解　**5**　　　　　TAC生の正答率　49%

Aの得点をx[点]とすると、1つ目～3つ目の条件より、Bの得点＝$\frac{1}{5}x$[点]、Cの得点＝$\frac{3}{8}x$[点]、

Dの得点$=\dfrac{5}{4}x$［点］と表せ、4つ目の条件より、Eの得点$=\left\{\left(\dfrac{1}{5}x+\dfrac{3}{8}x+\dfrac{5}{4}x\right)-11\right\}\times\dfrac{1}{3}=\left(\dfrac{73}{40}x-11\right)$

$\times\dfrac{1}{3}$と表せる。

Eの得点の式中にある$\dfrac{73}{40}x$は、B、C、Dの得点の合計であり、これは自然数なので、xは40の倍数である。また、得点は正の整数であることと、100点満点であることを考慮すると、xは40または80である。

$x=40$のとき、Eの得点$=\left(\dfrac{73}{40}\times40-11\right)\times\dfrac{1}{3}=\dfrac{62}{3}$［点］で自然数にならないが、$x=80$のとき、Eの得点$=\left(\dfrac{73}{40}\times80-11\right)\times\dfrac{1}{3}=45$［点］で自然数になる。

以上より、Aの得点は80点、Bの得点は$\dfrac{1}{5}\times80=16$［点］、Cの得点は$\dfrac{3}{8}\times80=30$［点］、Dの得点は$\dfrac{5}{4}\times80=100$［点］、Eの得点は45点となる。

よって、Aの得点からEの得点を引いた得点は$80-45=35$［点］となるので、正解は**5**である。

No.22　正解　3　TAC生の正答率　84%

1 ×　29歳以下について、2014年をみると、医師の人数が26,548人に対し、薬剤師の人数の70%は$38,763\times70\%=27,134.1$［人］であり、医師の人数が薬剤師の人数の70%を下回る。よって、29歳以下について、医師の人数が薬剤師の人数の70%を下回るのは、2008年のみではない。

2 ×　薬剤師について、全体の人数に占める30〜39歳の人数の割合は2008年、2014年、2020年でそれぞれ$\dfrac{68,068}{267,751}$、$\dfrac{73,470}{288,151}$、$\dfrac{82,378}{321,982}$である。$\dfrac{68,068}{267,751}$について、$267,751\times30\%=80,325.3$は分子の68,068より大きいので30%を上回っておらず、$\dfrac{73,470}{288,151}$についても、$288,151\times30\%=86,445.3$は分子の73,470より大きいので30%を上回っておらず、$\dfrac{82,378}{321,982}$についても、$321,982\times30\%=96,594.6$は分子の82,378より大きいので30%を上回っていない。よって、薬剤師について、全体の人数に占める30〜39歳の人数の割合が30%を上回っている調査年はない。

3 〇　2020年について、全体の人数に占める60〜69歳の人数の割合は、医師が$\dfrac{60,462}{339,623}$であり、薬剤師が$\dfrac{44,162}{321,982}$である。$\dfrac{60,462}{339,623}$について、分子の60,462は$339,623\times20\%=67,924.6$を下回っており、$\dfrac{44,162}{321,982}$について、分子の44,162は$321,982\times20\%=64,396.4$を下回っている。よって、2020年について、全体の人数に占める60〜69歳の人数の割合は、医師と薬剤師のいずれも20%を下回っている。

4 ×　医師の人数について、2014年に対する2020年の増加人数は、70歳以上では$38,437-30,565=7,872$［人］であり、2014年の$30,565\times30\%=9,169.5$［人］より小さい。よって、医師の人数について、70歳以上では2014年に対する2020年の増加率が30%を上回ってはいない。

5 ×　薬剤師の人数について、29歳以下では、2020年の39,980人は2008年の50,214人を下回っている。よって、すべての年齢階級で、2020年は2008年と比較して増加しているとはいえない。

説明のため、図の2017年の列にある一番上の ◯ 47 から一番下にある ▲ 338 に分類された住民をそれぞれ①～㉜とする。また、調査に回答した者の合計は390＋980＝1,370［人］である。

1 ✕ 2018年の参加した者の数を、図の2018年の列にある◯の一番上から一番下まで、つまり、54、19、23、…、16、123まで8つ見ていくと、54＜47＋23＝①＋③、19＜9＋24＝⑤＋⑦、23＜13＋15＝⑨＋⑪、…、16＜2＋15＝㉕＋㉗、123＜31＋203＝㉙＋㉛が成り立つので、2018年の参加した者の数＝54＋19＋23＋…＋16＋123＜①＋③＋⑤＋⑦＋⑨＋⑪＋…＋㉕＋㉗＋㉙＋㉛＝2017年の参加した者の数が成り立つ。よって、2018年は2017年に対し参加した者の数が減少しており、参加した者の数が減少したのは2021年のみではない。

2 ✕ 2017～2021年のうち一度も参加しなかったのは㉜の388人である。よって、少なくとも1回参加したことのある者の数は、1,370－388＝982［人］であり、調査に回答した者の合計である1,370人の半数を下回ってはいない。

3 ✕ 2017年から3年連続で参加した者の数は、①＋⑨＋⑰＋㉕＝47＋13＋46＋2＝108［人］であり、2019年から3年連続で参加した者の数は、図の2019年の列の一番上にある112［人］である。よって、2017年から3年連続で参加した者の数は、2019年から3年連続で参加した者の数を超えてはいない。

4 ◯ 2017年に参加した者のうち、2021年にも参加した者の数は、①＋③＋⑤＋⑦＋⑨＋⑪＋⑬＋⑮＝47＋23＋9＋24＋13＋15＋8＋23＝162［人］おり、150人を超えている。

5 ✕ 2017年以降で、2019年に初めて参加した者の数は、④＋⑫＋⑳＋㉘＝35＋27＋19＋43＝124［人］であり、300人を超えていない。

以下では、全国人口を100として、人口を計算していく。このとき、図（円グラフ）より、X市の50km圏の人口は26.2、Y市の50km圏の人口は12.8、Z市の50km圏の人口は7.3である。

1 ✕ X市、Y市、Z市の10km圏の人口はそれぞれ26.2×9.7％、12.8×23.2％、7.3×24.4％であり、その合計は26.2×9.7％＋12.8×23.2％＋7.3×24.4％である。この値は多く見積もっても、30×10％＋16×25％＋8×25％＝3＋4＋2＝9であり、全国人口の10％である100×10％＝10より少ない。

2 ✕ Z市の50km圏の人口のうち、30km圏の人口が占める割合は24.4＋25.2＋19.7＝69.3％であり、65％を下回っていない。

3 ✕ X市の10km圏の人口密度がY市の10km圏の人口密度より高いとは、面積の等しい10km圏どうしの比較なので、X市の10km圏の人口がY市の10km圏の人口より多いことと同じである。X市の10km圏の人口は26.2×9.7％＝26.2×10％－26.2×0.3％＝2.62－0.0786≒2.54であり、Y市の10km圏の人口は12.8×23.2％＝12.8×25％－12.8×1.8％≒3.2－0.23≒2.97であるから、X市の10km圏の人口はY市の10km圏の人口より多くはない。

4 ✕　X市の20km圏の人口は26.2×（9.7％＋27.6％）＝26.2×37.3％、Z市の30km圏の人口の３倍は7.3×（24.4％＋25.2％＋19.7％）×３＝21.9×69.3％である。26.2×37.3％＜27.0×40％＝10.8より、21.9×69.3％は10.8より小さい。また、21.9×69.3％＞20.0×60％＝12より、21.9×69.3％は12より大きい。よって、X市の20km圏の人口はZ市の30km圏の人口の３倍より多くはない。

5 ◯　X市の30km圏の人口は26.2×（9.7％＋27.6％＋24.3％）＝26.2×61.6％であり、この値は多く見積もっても30×62％＝18.6であり、全国人口の20％である100×20％＝20より少ない。

No.25　正解　4　TAC生の正答率 58％

1 ✕　まず、「計画未参加」が誤り。日本は、アルテミス計画の合意当初から参加している。また、フロリダ州は米国南東部に位置する。さらに、プレーリーはフロリダ州ではなく米国中央部に位置する平原で、標高はあまり高くない。

2 ✕　まず、2022年の中国の宇宙ロケットの打上げ回数は64回で、米国（78回）に次いで２番目となっている。また、内モンゴル自治区にある砂漠はゴビ砂漠である。タクラマカン砂漠は新疆ウイグル自治区に位置し、砂漠気候に属する。

3 ✕　まず、2023年末時点で、大きさが１cm以上のスペースデブリは100万個と推定されている。また、スペースデブリ除去専用の人工衛星は実証実験の段階であり、本格的には運用されていない。さらに、成層圏界面の温度は地表付近よりも低く０℃前後である。成層圏まで落下したスペースデブリが燃え尽きるのは、大気自体の温度が高温だからではなく、超高速で大気に突入することでスペースデブリ前面に圧縮された部分の空気の分子同士が衝突して超高温状態になるからである。

4 ◯　種子島宇宙センターは、総面積約970万平方メートルにもおよぶ日本最大のロケット発射場である。

5 ✕　まず、2022年の国別のロケット打上げ回数は、米国（78回）、中国（64回）、ロシア（21回）の順となっている。また、カザフスタンは、南欧ではなく中央アジアに位置する。さらにシルク＝ロードにおいて、その名称の由来となったシルク（絹）は陶磁器とともに中国からローマなどに送られていた。

No.26　正解　2　TAC生の正答率 63％

1 ✕　まず、2022年時点で名目GDPが最も大きいのは米国であり、次いで中国、日本、ドイツ、インドの順となっていた。ただし、2023年にはドイツに逆転されて日本が第４位となり、2024年にはインドにも逆転されて日本が第５位になる可能性がある。また、高度経済成長期の名目GDP成長率は、なべ底景気の1958年度以外はすべて10％を超えていた。さらに、第一次石油危機以降も1974〜1979年度までは一貫して10％を超えており、３％を下回るようになったのはバブル崩壊後の1992年度からである。

2 ◯　経済安全保障推進法の関連法として、重要経済安保情報の指定、日本の安全保障の確保に資する活動を行う事業者への重要経済安保情報の提供、重要経済安保情報の取扱者の制限その他の必要な事項を定めた「重要経済安保情報の保護及び活用に関する法律」が2024年５月に成立してい

る。

3 × まず、令和4年度一般会計当初予算のうち、最も多いのは社会保障関係費（全体の33.7％）であり、次いで国債費（同22.6％）となっている。また、原則として、公的年金保険は、自営業者に対して国民年金のみを支給し、民間企業雇用者に対しては国民年金と厚生年金を支給する制度になっている。

4 × まず、2023年7月分の全国消費者物価指数のうち「生鮮食品を除く食料」の指数の上昇率は前年同月比で9.2％であり、2023年度中に10％を超えた月はない。また、2022年にはロシアによるウクライナ侵攻の影響もあり農産物価格は世界的に上昇したが、2023年は低下傾向で推移した。さらに、2020年の日本のカロリーベースの総合食料自給率は37％で、フランス（117％）、ドイツ（84％）を下回っている。

5 × まず、ふるさと納税制度における地方自治体の返礼品の調達費用に関する条件は、2022年4月には変更されていない。2019年6月には「返礼品の返礼割合を3割以下とすること」として条件が厳格化されたが、ふるさと納税受入額の全国合計はほぼ一貫して増加しており、2022年度には過去最大の9,654億円となった。また、三位一体の改革は2000年代（2004～2006年）に行われており、地方交付税交付金や補助金は減額されている。

No.27　　**正解　5**　　　　　　　　　　　TAC生の正答率　**39％**

1 × 上座部仏教と大乗仏教が広がった地域が逆である。中国・朝鮮・日本へ広がったのが大乗仏教であり、スリランカからタイやミャンマー、さらにはカンボジアやラオスなど東南アジアに広がったのが上座部仏教である。また、ウイグル人が信仰しているのはイスラム教である。そして、ダライ・ラマ14世はチベット自治区にはおらず、1959年の亡命以来インドに居住している。

2 × イエスの発言や行動が、ペテロやパウロなどイエスの弟子によってまとめられたのが新約聖書である。旧約聖書は、創造主である神（ヤハウェ）による天地創造の物語から始まり、イエスが誕生する前までの時代を叙述したものなどで構成される。この聖書の「旧約」、「新約」という考え方はキリスト教のものである。ユダヤ教ではイエス・キリストを救世主として認めておらず未だ救世主は到来していないと考えており、そのため、「旧約聖書」は、現在でもユダヤ教唯一の「聖書」である。また、ロシア正教会のキリル総主教はロシアのウクライナ侵攻を支持しており、選択肢にあるような声明を発表したことはない。

3 × ムハンマド（モハメッド）は救世主ではなく、神の言葉を預かり人々に伝える者としての意味である預言者と呼ばれている。また、イスラム教では先行して誕生したユダヤ教やキリスト教を確証するものとされ、イスラム教のアッラーはユダヤ教のヤハウェやキリスト教の神と同じとされる。そしてムハンマドはそれまでのノアやモーセ、イエス・キリストなどの一連の預言者の中で、ムハンマドが最後の、そして、最も優れた預言者とされる。そうしたこともあり、イスラム教では彼以後の預言者は一切認められていない。また、アフガニスタンでイスラム原理主義武装勢力のタリバンは2021年に首都カブールを制圧したので、この点でも誤りである。なお、バグダッドはイラクの首都である。さらに、この事態を受けて米国バイデン政権がアフガニスタンからの駐留米軍の撤退を取り消した事実もなく、2021年8月をもって米軍はアフガニスタンから撤退している。

4 × インドとパキスタンの多数派を占める宗教が逆である。インドはヒンドゥー教が、パキスタ

ンはイスラム教が多数を占める。また、モディ首相はヒンドゥー至上主義を取っており、ヒンドゥー教以外の宗教、特にイスラム教を敵視する政策をとっている。

5　○　部署としての宗教課は京都に移転しているが、旧統一教会問題への対応などを考慮し職員は東京に残ることになった。他には文化資源活用課も、国が世界遺産登録をめざす新潟県の佐渡金銀山遺跡の対応のために、担当職員を東京に置いている。また、著作権や文化芸術振興などを担う4つの課は、他の省庁や関係団体との連携が多いとの理由で京都には移転せずに東京に残っている。

No.28　正解　3　　TAC生の正答率　67%

1　×　まず、ヨウ素はレアメタルに該当しない。2023年に中国が輸出規制を開始したのは、ガリウムとゲルマニウムである。また、27℃程度の温度で超伝導を示す物質は単体では存在せず、本試験が実施された2024年5月時点で、化合物でも発見されていない。リニア中央新幹線では高温超伝導磁石を使用するとしているが、それでもマイナス255℃程度まで冷却する必要がある。

2　×　まず、ボーキサイトから製造されるのは、リチウムではなくアルミニウムである。また、リチウムの製造過程でも（高純度）アルミニウムの製造過程でも黒鉛は混合しない（アルミニウムを強化した複合材料にする際に黒鉛を混合することはある）。また、石炭価格は、2022年にはロシアによるウクライナ侵攻などにより高騰したものの、2023年には下落している。さらに、リチウム元素は一価の陽イオンになりやすいという特徴を持つ。

3　○　金の小売価格の上昇傾向は2024年に入っても変わらず、1万3,000円を超える水準となった。

4　×　まず、日本国内のレギュラーガソリンの小売価格について、現在の方式で調査を実施している1990年以降、全国平均で1リットル当たり200円を超えたことは一度もない（最高値を記録した2023年9月4日でも186.5円）。また、本試験が実施された2024年5月時点まで、トリガー条項は一度も発動されていない。ガソリン税におけるトリガー条項とは、ガソリンの平均小売価格が一定額を上回った際にガソリン税の特例部分の徴収をストップするという条項であり、2010年度の税制改正で導入された。ただし、2011年に発生した東日本大震災の復興財源確保のために発動が凍結されており、現在に至っている。さらに、サブプライム・ローン問題などにより生じたリーマンショックの影響により、2008年後半にはレギュラーガソリンの小売価格は急落している。そして、ガソリンは沸点が低く低温で蒸発する性質があり、その留出温度は35〜180℃で、灯油（170〜250℃）や軽油（240〜350℃）より低い。

5　×　まず、日本は、2030年には温室効果ガス排出量を2013年比で46%削減することを目指している。また、2020年現在、バイオエタノールの製造原料は、サトウキビとトウモロコシが大半を占めている。さらに、世界で最も生産量が多い穀物は、小麦ではなくトウモロコシである。そして、日本に輸入される小麦はアメリカ産、カナダ産、オーストラリア産で占められており、ウクライナ産はほぼ輸入されていない。最後に、タイの気候は小麦の生産に適しておらず、ほとんど生産されていない。

No.29　正解　1　　TAC生の正答率　42%

1　○　「難民の地位に関する条約」は1951年に採択されており、1967年に採択された「難民の地位

に関する議定書」と合わせて広義の「難民条約」と呼ばれる。日本は1981年に前者に、1982年に後者に加入している。

2 ✕ まず、2023年9月の訪日外国人客数は218万人であり、2019年9月の227万人を下回っている。そもそも訪日外国人客数は過去最大だった2019年でも年間で3,188万人であり、単月で400万人超というのは多すぎる（400×12＝4800）。また、第2文は、エコツーリズムではなくグリーンツーリズムに関する記述である。両者は似ているが、エコツーリズムは、地域ぐるみで自然環境や歴史文化等、地域固有の魅力を観光客に伝えることにより、その価値や大切さが理解され、保全に繋がっていくことを目指した仕組みであり、地元住民の生活に影響が出るような人数は受け入れない。

3 ✕ まず、2023年9月に多くの死傷者を出した地震はモロッコ中部の内陸部を震源地としており、津波は発生していない。また、ササン朝は3〜7世紀にイラン高原とメソポタミア（現在のイランとイラク）を支配した王朝であり、最大版図でも現在のモロッコまでは到達していない。さらに、グラナダはスペインの都市であり、モロッコの首都はラバトである。

4 ✕ まず、2023年10月以降、多数の犠牲者を出す事態の直接のきっかけとなったのは、パレスチナ暫定自治区のうちガザ地区を実効支配するハマスによる攻撃である。ヨルダン川西岸地区の多くはイスラエルの軍事支配下に置かれており、自治区の範囲はファタハが統治している。また、バルフォア宣言は、1917年にイギリスがユダヤ人に対してパレスチナにユダヤ人の国家を建設することを認めた宣言である。パレスチナ暫定自治政府は、1993年のオスロ合意（パレスチナ暫定自治合意）により発足した。

5 ✕ まず、外国人技能実習生を所管しているのは、外務省及び経済産業省ではなく、法務省の外局である出入国在留管理庁である。また、マラッカ王国は14世紀にマラッカ海峡を挟むマレー半島とスマトラ半島にまたがる地域（現在のマレーシア、インドネシア、シンガポール）に成立した国家である。さらに、ボロブドゥール寺院は、8世紀にジャワ島中部（現在のインドネシア）に建設された仏教寺院である。12世紀にカンボジアに建設された世界最大のヒンドゥー教建築は、アンコールワットである。

No.30 　**正解　2**　　　TAC生の正答率 **46%**

　実際の販売数と予測販売数の差はB4〜G4にある−11、2、20、−28、−23、25で、この6つの中から絶対値の最大を求める。まず、MAX(B4〜G4)で6つの中の最大値である25を返す。次に、MIN(B4〜G4)で6つの中の最小値である−28を返すが、絶対値は負の数を−1倍して正の数にするので、−MIN(B4〜G4)とし−(−28)＝28を返す。求める値は25と28のうち大きい方であるから、MAX(25, 28)、つまり、MAX(MAX(B4〜G4), −MIN(B4〜G4))となる。

　よって、正解は**2**である。

2024年度 専門試験 解答解説

正解　3　　　　　　　　　　　　　　　TAC生の正答率 **64%**

ア　✕　「その利用又は改良を目的とする行為をすることはできない」という部分が妥当でない。権限の定めのない代理人は、①保存行為、又は、②代理の目的である物又は権利の性質を変えない範囲内において、その利用又は改良を目的とする行為、のいずれかをする権限を有する（103条）。

イ　○　条文により妥当である。代理人が相手方に対してした意思表示の効力が、①意思の不存在、②錯誤、③詐欺、④強迫、⑤ある事情を知っていたこともしくは知らなかったことにつき過失があったこと、によって影響を受けるべき場合、その事実の有無は、代理人について決するものとする（101条1項、代理行為の瑕疵）。本記述は⑤について言及しているので妥当である。

ウ　✕　「表見代理の主張をしないで無権代理人の責任を問うことはできない」という部分が妥当でない。判例は、無権代理人の責任の要件と表見代理の要件がともに存在する場合においても、表見代理の主張をすると否とは相手方の自由であると解すべきであるから、相手方は、表見代理の主張をしないで、直ちに無権代理人に対し民法117条の責任（無権代理人の責任）を問うことができるとしている（最判昭62.7.7）。

エ　✕　「同種・同質ないし関連するものである必要がある」という部分が妥当でない。判例は、民法110条の表見代理（権限外の行為の表見代理）が成立するために必要とされる基本代理権は、私法上の行為についての代理権であることを要するが（最判昭39.4.2）、代理権を有する者がした権限外の行為が基本代理権と何らの関係がなくてもよいとしている（大判昭5.2.12）。

オ　○　条文により妥当である。民法113条（無権代理）の場合において、相手方は、本人に対し、相当の期間を定めて、その期間内に追認をするかどうかを確答すべき旨の催告をすることができる（114条前段）。この場合において、本人がその期間内に確答をしないときは、追認を拒絶したものとみなす（114条後段）。

　以上より、妥当なものはイ、オであり、正解は**3**となる。

正解　1　　　　　　　　　　　　　　　TAC生の正答率 **45%**

ア　○　条文により妥当である。所有者のない動産は、所有の意思をもって占有することによって、その所有権を取得する（239条1項）。なお、所有者のない不動産は、国庫に帰属する（239条2項）。

イ　✕　「侵奪されたことを知った時から」という部分が妥当でない。占有者がその占有を奪われたときは、占有回収の訴えにより、その物の返還及び損害の賠償を請求することができる（200条1項）。そして、占有回収の訴えの提訴期間は、占有を奪われた時から1年以内である（201条3項）。

ウ　○　条文により妥当である。占有権（自己占有）は、占有者が占有の意思を放棄したとき、または占有物の所持を喪失することで消滅する（203条本文）。ただし、占有者が占有回収の訴えを提起したときは、占有権は消滅しない（203条ただし書）。

エ　✕　全体が妥当でない。占有権とは、物を事実上支配している状態（占有）を法的に保護する権利であり、占有の訴え（197条前段）は、占有者の物に対する事実上の支配を回復する権利である。したがって、占有が侵害等されているのであれば、その相手が真の所有者であっても占有の訴えを

提起することができる（202条2項参照）。

オ　✕　「・無過失」という部分が妥当でない。民法186条1項は、占有者は、所有の意思をもって、善意で、平穏に、かつ、公然と占有をするものと推定すると規定しており、占有の事実の立証により占有者の善意、平穏かつ公然な占有は推定されるが、無過失は推定されない。

以上より、妥当なものはア、ウであり、正解は**1**となる。

No.3　正解　2　TAC生の正答率　75%

ア　◯　条文により妥当である。質権の設定は、債権者にその目的物を引き渡すことによって、その効力を生ずる（344条）。もっとも、占有改定（183条）は、ここにいう「引渡し」には含まれない。質権者は、質権設定者に、自己に代わって質物の占有をさせることができないからである（345条、質権設定者による代理占有の禁止）。

イ　✕　「その被担保債権が時効により消滅することはない」という部分が妥当でない。質権の行使は、債権の消滅時効の進行を妨げない（350条、300条）。したがって、動産質権者が質物を留置していても、その被担保債権が時効により消滅することがある。

ウ　✕　「質権に基づく返還請求を行うことができる」という部分が妥当でない。動産質権者は、質物の占有を奪われたときは、占有回収の訴え（200条）によってのみ、その質物を回復することができる（353条）。したがって、質権に基づく返還請求を行うことはできない。

エ　✕　「のみ及び、主物とともに引き渡された従物には及ばない」という部分が妥当でない。従物は主物の処分に従う（87条2項）ところ、ここにいう「処分」には質権の設定も含まれる。したがって、主物に動産質権が設定された場合は、主物だけでなく主物とともに引き渡された従物にも質権の効力が及ぶ。

オ　◯　条文により妥当である。質権者は、その権利の存続期間内において、自己の責任で、質物について、転質をすることができる（348条前段、責任転質）。なお、責任転質をした場合、転質をしたことによって生じた損失については、不可抗力によるものであっても責任を負う（348条後段）。

以上より、妥当なものはア、オであり、正解は**2**となる。

No.4　正解　3　TAC生の正答率　12%

ア　✕　「債務不履行及び不法行為のいずれも損害が発生した時点である」という部分が妥当でない。遅延損害金の起算日は、履行遅滞にある債務の種類により異なる（412条参照）。この点に関し判例は、安全配慮義務違反を理由とする債務不履行に基づく損害賠償債務について、同債務は期限の定めのない債務であり、民法412条3項により、債権者は履行の請求（催告）を受けた時から遅滞に陥るとしている（最判昭55.12.18）。したがって、債務不履行における遅延損害金の起算日は、必ずしも損害が発生した時点の翌日とはいえない。これに対して、判例は、不法行為に基づく損害賠償債務は、催告を要することなく損害の発生と同時に遅滞に陥るとしており（最判昭37.9.4）、不法行為の場合における遅延損害金の起算日は不法行為のあった日（損害が発生した時点）となる。

イ　◯　判例により妥当である。判例は、安全配慮義務は、ある法律関係に基づいて特別な社会的接

触の関係に入った当事者間において、当該法律関係の付随義務として当事者の一方又は双方が相手方に対して信義則上負う義務として一般的に認められるべきものであって、国と公務員との間においても別異に解すべき論拠はないとして、本記述のように判示している（最判昭50.2.25）。

ウ　✕　「10年」という部分が妥当でない。人の生命又は身体の侵害による債務不履行に基づく損害賠償請求権の消滅時効期間は、①債権者が権利を行使することができることを知った時から5年、又は②権利を行使することができる時から20年である（166条1項、167条）。

エ　〇　判例・条文により妥当である。不法行為により死亡した者の遺族は、固有の慰謝料請求権を有する（711条）。これに対して、安全配慮義務違反により死亡した者の遺族について、判例は、死亡した者（被用者）と使用者のような雇用契約又はそれに準ずる法律関係にないことを理由に、固有の慰謝料請求権を取得しないとしている（最判昭55.12.18）。

オ　✕　「国の安全配慮義務違反に基づく損害賠償請求が認められる」という部分が妥当でない。本記述と同様の事案において判例は、運転者において道路交通法その他の法令に基づいて当然に負うべきものとされる通常の注意義務は、国の負う安全配慮義務の内容に含まれるものではなく、また、安全配慮義務の履行補助者（本記述のA）が車両にみずから運転者として乗車する場合であっても、履行補助者に運転者としての運転上の注意義務違反があったからといって、国の安全配慮義務違反があったものとすることはできないとしている（最判昭58.5.27）。

以上より、妥当なものはイ、エであり、正解は**3**となる。

No.5　正解　1　　TAC生の正答率　71%

ア　〇　条文により妥当である。受任者は、委任事務を処理するため自己に過失なく損害を受けたときは、委任者に対し、その賠償を請求することができる（損害賠償請求権、650条3項）。この損害賠償請求権を行使するにあたって、委任者に過失があるか否かは問わない。

イ　✕　「その収取した果実については、この限りでない」という部分が妥当でない。受任者は、委任事務を処理するに当たって受け取った金銭その他の物を委任者に引き渡さなければならない（受取物引渡しの義務、646条1項前段）。さらに、その（受任者の）収取した果実についても、受取物引渡しの義務が発生する（646条1項後段）。

ウ　〇　条文により妥当である。委任事務を処理するについて費用を要する場合、委任者は、受任者の請求により、その前払をしなければならない（649条、費用前払義務）。この費用前払義務は、受任者が請求したときに発生する。

エ　✕　「解除を理由に損害賠償責任を負うことはない」という部分が妥当でない。委任は、各当事者が、いつでもその解除をすることができる（651条1項）。もっとも、委任の解除をした者は、やむを得ない事由があったときを除き、①相手方に不利な時期に委任を解除した場合、又は、②委任者が受任者の利益（専ら報酬を得ることによるものを除く）をも目的とする委任を解除した場合には、相手方の損害を賠償しなければならない（651条2項）。したがって、委任の解除をした者が解除を理由に損害賠償責任を負うことがある。

オ　✕　「準用されないため、遡及効が認められている」という部分が妥当でない。民法620条の規定は、委任について準用する（652条）。したがって、委任の解除をした場合には、その解除は、将来

に向かってのみその効力を生ずる（将来効）。

以上より、妥当なものはア、ウであり、正解は**1**となる。

No.6 　**正解　3** 　　　　　　TAC生の正答率 **62%**

1 **✕** 「その後生きて生まれたとしても相続権はない」という部分が妥当でない。胎児は、相続については、死体で生まれた場合を除いて、既に生まれたものとみなす（886条）。胎児としての存在が明らかである以上、生きて生まれた時に相続権を認めることが公平にかなうからである。

2 **✕** 「被相続人の親と子は配偶者と同順位で相続人となるが」という部分が妥当でない。配偶者は常に相続人となる（890条）。そして、血族における相続順位は、第一順位が被相続人の子（887条1項）、第二順位が親などの被相続人と親等が一番近い直系尊属（889条1項1号）、第三順位が被相続人の兄弟姉妹（889条1項2号）であり、第一順位の者がいない場合に第二順位の者が、第一・第二順位の者がいない場合に第三順位の者が相続人となる（889条1項柱書）。本記述では、子がいるので、親と兄弟は相続人とならない。

3 **〇** 条文により妥当である。本来相続人となるべき者（被代襲者）が既に死亡等により相続ができない場合に、その者に代わって、その者の直系卑属（代襲者）が被相続人を相続することを代襲相続という。被相続人の兄弟姉妹が相続人となる場合においても代襲相続が認められており、兄弟姉妹が相続開始前に死亡していたときは、兄弟姉妹の子が代襲して相続人となる（889条2項、887条2項）。

4 **✕** 「遺留分」という部分が妥当でない。共同相続人のうち、被相続人の財産の維持・増加について特別の寄与をした者がある場合に、その寄与を考慮してその者に特別に与えられる額は寄与分である（904条の2第1項）。遺留分とは、兄弟姉妹以外の相続人に留保されている相続財産の割合であり（1042条）、これによって一定の財産を取得することが保障されている。

5 **✕** 「第三者に対して譲渡することはできない」という部分が妥当でない。相続人が数人ある場合、相続財産はその共有に属するところ（898条1項）、判例は、共同相続人が分割前の遺産を共同所有する法律関係は、民法249条以下に規定する「共有」とその性質を異にするものではないとしている（最判昭30.5.31）。したがって、共同相続人は遺産分割の前であっても、自己の相続分を第三者に対して譲渡することができる。

No.7 　**正解　5** 　　　　　　TAC生の正答率 **34%**

1 **✕** 全体が妥当でない。株式会社は、その本店の所在地において設立の登記をすることによって成立する（会社法49条）。したがって、株式会社が成立するのは、定款が公証人の認証を受けたときではなく、設立の登記をしたときである。

2 **✕** 「無効の一般原則に従い、いつ何人によっても、その設立の無効を主張することができる」という部分が妥当でない。定款の絶対的記載事項を欠く株式会社の設立は無効である。しかし、株式会社の設立の無効を主張するためには、会社の成立日から2年以内に、設立の無効の訴えを提起しなければならない（会社法828条1項1号）。また、株式会社について設立の無効の訴えを提起す

ることができるのは、設立する株式会社の株主等（株主、取締役、監査役、執行役、清算人）に限られる（同法828条2項1号）。

3 ✕ 「必ず裁判所に検査役の選任の申立てをしなければならない」という部分が妥当でない。現物出資（会社法28条1号）を行うためには、裁判所に検査役の選任の申立てをしなければならないのを原則とする（同法33条1項）。ただし、会社法33条10項各号に掲げる場合には、例外的に検査役の選任の申立てが不要となる。例えば、現物出資に係る財産について定款に記載され、又は記録された価額の総額が500万円を超えない場合が挙げられる（同法33条10項1号）。

4 ✕ 「絶対的記載事項及び相対的記載事項以外の事項を定款に記載することはできない」という部分が妥当でない。定款に記載することができる事項は、①定款に必ず記載しなければならず、記載しなければ定款自体が無効となる絶対的記載事項（会社法27条）、②定款に記載しなくても、定款自体の効力は有効であるが、定款に記載しないと効力を生じない相対的記載事項（同法28条、29条）、③絶対的記載事項及び相対的記載事項以外の事項で、会社法の規定に反しない限りで定款に記載することができる任意的記載事項（同法29条）である。

5 ◯ 条文により妥当である。発起人、設立時取締役又は設立時監査役は、株式会社の設立についてその任務を怠った（任務懈怠）ときは、当該株式会社に対し、これによって生じた損害を賠償する責任を負う（会社法53条1項）。そして、会社法53条1項の規定により発起人、設立時取締役又は設立時監査役の負う責任は、総株主の同意がなければ、免除することができない（同法55条）。

No.8 正解 4 TAC生の正答率 48%

1 ✕ 「認められていない」という部分が妥当でない。株主は、代理人によってその議決権を行使することができる（会社法310条1項前段）。この場合、株主又は代理人は、会社に代理権を証明する書面を提出しなければならないが（同法310条1項後段）、会社の承諾は不要である。

2 ✕ 「株主総会を開催せずに決議があったものとみなすことは認められていない」という部分が妥当でない。取締役又は株主が株主総会の決議事項について提案をした場合、議決権を行使することができる株主の全員が書面（電磁的記録も可）により同意の意思表示をしたときは、当該提案を可決する旨の株主総会の決議があったものとみなす（会社法319条1項）。

3 ✕ 「公開会社は、この書面による議決権行使が義務付けられており、公開会社以外の会社は、株主数にかかわらず、書面による議決権行使は義務付けられていない」という部分が妥当でない。会社は、株主総会に出席しない株主に対して、書面による議決権行使を認めることができる（会社法298条1項3号）。書面による議決権行使は、公開会社であるかそれ以外の会社であるかにかかわらず、原則として、議決権を有する株主数が1,000人以上の会社に義務付けられている（同法298条2項本文）。

4 ◯ 条文により妥当である。株主総会の特別決議における定足数は、議決権を行使することができる株主の議決権の過半数を有する株主の出席である。定足数は、定款によって引き下げることができるが、議決権を行使することができる株主の議決権の3分の1未満にすることはできない（会社法309条2項前段）。

5 ✕ 「あらかじめ定款で議長を定めることはできず、株主総会の決議によって行うこととされて

いる」という部分が妥当でない。会社法の規定に違反しない事項であれば、定款に規定することができる（会社法29条、任意的記載事項）。したがって、議長の選任について、あらかじめ定款で議長を定めておくことも可能であり、定款の定めがない場合に株主総会の決議によって定めることとなる。

No.9　　正解　2　　TAC生の正答率　64%

1　✕　明瞭性の原則とは、企業会計は、財務諸表によって、利害関係者に対し必要な会計事実を明瞭に表示し、企業の状況に関する判断を誤らせないようにしなければならない、とする原則である。本選択肢の記述は概ね重要性の原則に関するものである。また、一般原則の最高規範は真実性の原則である。

2　○

3　✕　保守主義の原則とは、企業の財政に不利な影響を及ぼす可能性がある場合には、これに備えて適当に健全な会計処理をしなければならない、とする原則である。また、保守主義の原則によれば、時価が低下した場合に評価損は計上するが、時価が上昇した場合に評価益は計上しない。

4　✕　本選択肢前半部分の記述は正しい。しかし、真実性の原則の真実とは、絶対的真実ではなく相対的真実であり、財務諸表には経営者の個人的判断が含まれることがある。

5　✕　単一性の原則では、実質的な一元性は要求されるが、形式的な一元性は要求されておらず、財務諸表が目的別に表示形式が異なることは認められている。

No.10　　正解　1　　TAC生の正答率　57%

1　○

2　✕　定額法は毎期均等額の減価償却費を計上する方法である。また、定額法は定率法に比べて、資産を使い始めた初期の年度ほど小さな減価償却費が計上される。

3　✕　固定資産の原価に算入されるのは資本的支出であり、支出年度の費用として取り扱われるのは収益的支出である。また、耐用年数を延長させることを目的とした改良のための支出は資本的支出である。

4　✕　コンピュータのソフトウェア制作費のうち一部は、ソフトウェアとして無形固定資産に計上される。また、のれんは原則として20年以内の定額法で償却される。

5　✕　本選択肢にある、「会社が成立した後、営業を開始するまでの間に、開業準備のために支出した土地・建物の賃借料、広告宣伝費、使用人給料、電気・ガス・水道料などの諸費用」は創立費ではなく開業費である。創立費や開業費を繰延資産として計上する場合には、会社成立後または開業後5年以内に定額法により償却しなければならない。

No.11　　正解　2　　TAC生の正答率　57%

1　✕　有価証券は保有目的によって「売買目的有価証券」、「満期保有目的の債券」、「子会社株式・

関連会社株式」、「その他有価証券」の四つに分類される。売買目的有価証券だけでなく、その他有価証券も貸借対照表に時価で計上する。

2 ○

3 × 売買目的有価証券及び決算日から1年以内に満期の到来する社債その他の債券は流動資産となる。

4 × 有価証券の減損処理は、市場価格のない株式の実質価額が著しく低下した場合に計上する実価法だけでなく、強制評価減もある。強制評価減とは、満期保有目的の債券、子会社株式及び関連会社株式並びにその他有価証券のうち、市場価格のない株式等以外のものについて時価が著しく下落した時は、回復する見込みがあると認められる場合を除き時価まで切り下げる会計処理である。また、時価や実質価額の著しい低下とは、取得原価に比べて50％程度以上の低下とされている。

5 × 潜在株式とは、その保有者が普通株式を取得することができる権利若しくは普通株式への転換請求権又はこれらに準じる権利が付された証券又は契約をいい、例えば、新株予約権や新株予約権付社債などのワラントや転換証券が含まれる。潜在株式により生じる株式数の増加等を考慮して再計算した1株当たりの利益額（潜在株式調整後1株当たり当期純利益）が再計算前の1株当たり当期純利益の額を下回るとき、潜在株式が希薄化効果を持つという。

No.12　正解　5　TAC生の正答率　56%

1 × 資本準備金には、増資などの資本の払込みの際に資本金としなかった部分を積み立てることができるが、払込金額の2分の1を超えない金額しか積み立てることができない。また、減資の際に、減少する資本金が株式の消却や欠損填補等に要した金額を超える額は、資本金及び資本準備金減少差益として「その他資本剰余金」となる。

2 × 会社法における期末の剰余金は、その他資本剰余金とその他利益剰余金の合計であり、剰余金が株主に配当できるという前半の記述は正しい。しかし、剰余金の配当は、年に2回しか配当することができないわけではない。また、株主への配当による企業資産の社外流出が生じた場合は、準備金の合計が資本金の4分の1に達するまで、配当額の10分の1の額を利益準備金（その他利益剰余金からの配当の場合）又は資本準備金（その他資本剰余金からの配当の場合）に積み立てる必要がある。

3 × 株主資本等変動計算書は、株主資本だけでなく評価・換算差額等、新株予約権といった株主資本以外の項目の増減を表示する。株主資本の項目の当期における変動は、変動事由ごとに記載し、株主資本以外の項目の当期における変動は、原則として純額で記載する。

4 × 評価・換算差額等には、その他有価証券評価差額金は含まれるが新株予約権は含まれない。その他有価証券評価差額金の会計処理は、洗い替え方式のみが認められている。

5 ○

No.13　正解　3　TAC生の正答率　40%

A × 非連結子会社とは、子会社のうち、親会社による支配が一時的である、あるいは連結するこ

とにより利害関係者の判断を著しく誤らせるなどの理由で連結の範囲に含まれないものをいう。なお、親会社と業種が異なる子会社というだけの理由で、非連結子会社に該当するわけではない。

B ○

C ○

D ✕　連結法はいわば総額法の手続きであるのに対して、持分法はいわば純額法の手続きである。持分法は、一行連結といわれる。

No.14　　**正解　1**　　TAC生の正答率　46%

1 ○

2　✕　損益計算書は一定期間における企業の経営成績を表している。貸借対照表、損益計算書ともに会社法では報告が義務付けられている。

3　✕　損益計算書において、最初に売上高を記載し、それに順次項目を加減しながら、上から下へと表示していくのは勘定式ではなく報告式である。一方、貸借対照表は紙面を左右に二分し、複式簿記の原理に従い、資産を借方側、負債と純資産を貸方側に対照表示して作成する勘定式で記載することが多い。

4　✕　貸借対照表で資産は流動資産、固定資産、繰延資産の三つに区分される。流動資産と固定資産の分類については、まず正常営業循環基準を適用し、そこから外れたものに対して1年基準を適用する。

5　✕　固定資産の売却などの収入は、財務活動ではなく、「投資活動によるキャッシュ・フロー」である。また、直接法と間接法の区分があるのは「営業活動によるキャッシュ・フロー」である。

No.15　　**正解　4**　　TAC生の正答率　57%

1　✕　前半部分の記述は概ね正しい。工場で働く従業員の人件費は製品の製造原価となり、結果として売上原価に含められる。

2　✕　前半部分の記述は概ね正しい。しかし、支払利息は販売費及び一般管理費ではなく営業外費用である。また、研究開発費は、通常は、販売費及び一般管理費に含められる。

3　✕　財務会計上の費用・収益と課税所得計算上の損金・益金は必ず一致するとはいえない。また、税効果会計は、永久差異ではなく一時差異に対して適用される。

4 ○

5　✕　税引前当期純利益は、経常利益に特別利益と特別損失を加減して算出される、という前半部分の記述は正しい。しかし、特別利益と特別損失は臨時損益である。金融活動から生じた損益は営業外収益又は営業外費用となる。なお、当期業績主義の利益は特別損益項目を含まない経常利益であり、税引前当期純利益は特別損益を含むため、どちらかといえば包括主義の利益である。

正解　3

1　×　正しい仕訳は以下のとおりである。

（借）	仕	入	50,000	（貸）	当 座 預 金	55,000
	仮 払 消 費 税		5,000			

2　×　正しい仕訳は以下のとおりである。

（借）	仕	入	100,000	（貸）	買 掛 金	100,000

3　○　正しい仕訳である。

4　×　正しい仕訳は以下のとおりである。

（借）	賞与引当金繰入	4,000,000	（貸）	賞 与 引 当 金	4,000,000

（＊）6,000,000 × 4 か月 ÷ 6 か月 = 4,000,000

5　×　正しい仕訳は以下のとおりである。

（借）	前 払 保 険 料	60,000	（貸）	保 険 料	60,000

（＊）120,000 × 6 か月 ÷ 12か月 = 60,000

正解　2

ア　**○**　判例により妥当である。判例は、各人が、自由に、さまざまな意見、知識、情報に接し、これを摂取する機会をもつことは、必要なところであるとする。そのうえで、これらの意見、知識、情報の伝達の媒体である新聞紙、図書等の閲読の自由が憲法上保障されるべきことは、思想及び良心の自由の不可侵を定めた憲法19条の規定や、表現の自由を保障した憲法21条の規定の趣旨、目的から、いわばその派生原理として当然に導かれるところであるとしている（最大判昭58.6.22、よど号ハイジャック新聞記事抹消事件）。

イ　**×**　「直接憲法第21条第１項を根拠にして政府情報の開示を請求することができると一般に解されている」という部分が妥当でない。表現の自由は、表現の送り手の自由だけでなく、表現の受け手の自由も含んでおり、表現の受け手の自由が知る権利であって、知る権利は憲法21条１項で保障されると解されている。知る権利には、情報の受領について国家からの干渉を受けないという自由権的性格だけでなく、国家に対して積極的に情報の公開を要求するという請求権的性格（社会権的性格）も有している。もっとも、請求権的性格の知る権利は抽象的権利であるため、直接憲法21条１項を根拠にして政府情報の開示を請求することはできず、具体的権利となるためには、請求権者の資格、公開される政府情報の範囲、公開の手続及び要件、救済方法等を規定する法律の根拠が必要であると解されている。

ウ　**×**　「不当に損なうものとはいえない」という部分が妥当でない。判例は、公立図書館の図書館職員が閲覧に供されている図書を著作者の思想や信条を理由とするなど不公正な取扱いによって廃棄することは、当該著作者が著作物によってその思想、意見等を公衆に伝達する利益を不当に損なうものといわなければならないとしている（最判平17.7.14、船橋市西図書館事件）。

エ　**○**　判例により妥当である。判例は、報道機関の報道は、民主主義社会において、国民が国政に関与するにつき、重要な判断の資料を提供し、国民の「知る権利」に奉仕するものであるから、思

想の表明の自由とならんで、事実の報道の自由は、表現の自由を規定した憲法21条の保障のもとにあることはいうまでもないとする。また、このような報道機関の報道が正しい内容をもつためには、報道の自由とともに、報道のための取材の自由も、憲法21条の精神に照らし、十分尊重に値するものといわなければならないとしている（最大決昭44.11.26、博多駅事件）。

オ　×　「報道機関による取材の自由と同様に」、「合理性を欠き、違法である」という部分が妥当でない。判例は、筆記行為の自由は、憲法21条１項の規定の精神に照らして尊重されるべきであって、裁判の公開が制度として保障されていることに伴い、傍聴人が法廷においてメモを取ることは、その見聞する裁判を認識、記憶するためになされるものである限り、尊重に値し、故なく妨げられてはならないとする。しかし、報道の公共性、ひいては報道のための取材の自由に対する配慮に基づき、司法記者クラブ所属の報道機関の記者に対してのみ法廷においてメモを取ることを許可することも、合理性を欠く措置ということはできないとしている（最大判平1.3.8、レペタ事件）。判例は、取材の自由は「十分尊重に値する」（記述エ解説を参照）のに対し、法廷でメモを取ることは「尊重に値する」としており、表現に差異がある。

以上より、妥当なものはア、エであり、正解は **2** となる。

No.18　正解　5　TAC生の選択率　98%　TAC生の正答率　78%

1　×　「行政手続については同条の保障は及ばない」、「法定されていなければならない」という部分が妥当でない。判例は、憲法31条の定める法定手続の保障は、直接には刑事手続に関するものであるが、行政手続についてはそれが刑事手続でないとの理由のみで、その全てが当然に憲法31条の保障の枠外にあると判断することは相当でないとしている。しかしながら、憲法31条による保障が及ぶと解すべき場合であっても、一般に行政手続は刑事手続とその性質においておのずから差異があり、また、行政目的に応じて多種多様であるから、行政処分の相手方に事前の告知、弁解、防御の機会を与えるかどうかは、行政処分により制限を受ける権利利益の内容、性質、制限の程度、行政処分によって達成しようとする公益の内容、程度、緊急性等を総合較量して決定されるべきものであって、常に必ずそのような機会を与えることを必要とすべきものではないとしている（最大判平4.7.1、成田新法事件）。

2　×　「憲法第37条第１項はいわゆるプログラム規定であり」、「これに対処すべき法律上の具体的規定があるときに限り審理を打ち切ることができる」という部分が妥当でない。判例は、憲法37条１項の保障する迅速な裁判を受ける権利は、単に迅速な裁判を一般的に保障するために必要な立法上および司法行政上の措置をとるべきことを要請するにとどまらず、さらに個々の刑事事件について、現実に憲法37条１項の保障に明らかに反し、審理の著しい遅延の結果、迅速な裁判を受ける被告人の権利が害せられたと認められる異常な事態が生じた場合には、これに対処すべき具体的規定がなくても、もはや当該被告人に対する手続の続行を許さず、その審理を打ち切るという非常救済手段がとられるべきことをも認めている趣旨の規定であるとしている（最大判昭47.12.20、高田事件）。

3　×　「運転者の供述を得ようとするものであるため」、「違反する」という部分が妥当でない。判例は、道路交通法の規定による警察官の呼気検査は、酒気を帯びて車両等を運転することの防止を目的として運転者らから呼気を採取してアルコール保有の程度を調査するものであって、その供述を得ようとするものではないから、これを拒否した者を処罰する道路交通法上の規定は憲法38条１

項に違反しないとしている（最判平9.1.30）。

4 ✕ 「憲法第35条に違反する」という部分が妥当でない。判例は、憲法33条は現行犯の場合にあっては憲法33条所定の令状なくして逮捕されてもいわゆる不逮捕の保障には係りないことを規定しているのであるから、憲法35条の保障もまた現行犯の場合には及ばないものといわざるを得ないとする。そして、少くとも現行犯の場合に関する限り、法律が司法官憲によらずまた司法官憲の発した令状によらずその犯行の現場において捜索、押収等をなし得べきことを規定していても、立法政策上の当否の問題に過ぎないのであり、憲法35条違反の問題を生ずる余地はないとしている（最大判昭30.4.27）。

5 ◯ 判例により妥当である。判例は、第三者の所有物を没収する場合において、その没収に関して当該所有者に対し、何ら告知、弁解、防禦の機会を与えることなく、その所有権を奪うことは、著しく不合理であって、憲法の容認しないところであるといわなければならないとする。そして、旧関税法や刑事訴訟法その他の法令も、所有者である第三者に対し、何ら告知、弁解、防禦の機会を与える手続に関する規定を設けていないことから、旧関税法の規定により第三者の所有物を没収することは、憲法29条や31条に違反するとしている（最大判昭37.11.28、第三者所有物没収事件）。

No.19 　　**正解　4**　　　TAC生の選択率 **98%**　　TAC生の正答率 **39%**

1 ✕ 「法律の委任がなければ条例を制定することができないと一般に解されている」という部分が妥当でない。地方公共団体の条例制定権は法律の範囲内で認められる（94条）。もっとも、財産権の制限（29条2項）及び課税（84条）については、憲法上の「法律」に条例が含まれ、法律の委任がなくても条例を制定することができると解されている。条例は地方議会という民主的基盤に立った機関が制定するもので、実質的には法律と差異がないからである。なお、罰則（31条）については、条例で罰則を制定するためには法律の委任が必要であるが、法律の委任が相当な程度に具体的であり、限定されておれば足りるとするのが判例である（最大判昭37.5.30、大阪市売春取締条例事件）。

2 ✕ 「地方公共団体がその地方の実情に応じて別段の規制を施すことを容認する趣旨であると解されるから、当該事項について規律を設ける条例の規定は、国の法令に違反することはないとするのが判例である」という部分が妥当でない。ある事項について国の法令中にこれを規律する明文の規定がない場合でも、当該法令全体からみて、その規定の欠如が特に当該事項についていかなる規制をも施すことなく放置すべきものとする趣旨であると解されるときは、これについて規律を設ける条例の規定は国の法令に違反することとなりうるとしている（最大判昭50.9.10、徳島市公安条例事件）。

3 ✕ 「憲法上予定されていないとするのが判例である」という部分が妥当でない。判例は、憲法は、普通地方公共団体の課税権の具体的内容について規定しておらず、普通地方公共団体は、地方自治の本旨に従い、その財産を管理し、事務を処理し、及び行政を執行する権能を有するものであり（92条、94条）、さらに、地方自治の本旨に従ってこれらを行うためにはその財源を自ら調達する権能を有することが必要であることからすると、普通地方公共団体は、地方自治の不可欠の要素として、その区域内における当該普通地方公共団体の役務の提供等を受ける個人又は法人に対して国とは別途に課税権の主体となることが憲法上予定されているとしている（最判平25.3.21、神奈川県臨時特例企業税事件）。

4 〇 条文・通説により妥当である。憲法95条は、「一の地方公共団体のみに適用される特別法は、法律の定めるところにより、その地方公共団体の住民の投票においてその過半数の同意を得なければ、国会は、これを制定することができない。」と規定する。ここにいう「一の地方公共団体のみに適用される特別法」（地方自治特別法）とは、特定の地方公共団体の組織、運営又は権能について他の地方公共団体とは異なる定めをする立法を意味し、特定の地方公共団体を優遇する立法は地方自治特別法に該当しないと解されている。

5 ✕ 「事実上住民が経済的文化的に密接な共同生活を営み、共同体意識をもっているという社会的基盤が存在することまでは必要ではないとするのが判例である」という部分が妥当でない。判例は、憲法93条2項における「地方公共団体」といい得るためには、単に法律で地方公共団体として取り扱われているということだけでは足らず、事実上住民が経済的文化的に密接な共同生活を営み、共同体意識をもっているという社会的基盤が存在し、沿革的にみても、また現実の行政の上においても、相当程度の自主立法権、自主行政権、自主財政権等地方自治の基本的権能を附与された地域団体であることを必要とするものというべきであるとしている（最大判昭38.3.27、特別区長公選制廃止事件）。

No.20 　**正解 3**　　TAC生の選択率 **98%**　TAC生の正答率 **84%**

ア ✕ 「遅滞なく示す法的義務を負う」という部分が妥当でない。行政庁は、申請者の求めに応じ、当該申請に係る審査の進行状況及び当該申請に対する処分の時期の見通しを示すよう努めなければならない（行政手続法9条1項、情報の提供）。したがって、情報の提供は努力義務にとどめられている。

イ 〇 条文により妥当である。行政庁は、申請により求められた許認可等を拒否する処分をする場合は、申請者に対し、同時に、当該処分の理由を示さなければならず（行政手続法8条1項本文）、当該処分を書面でするときは、当該処分の理由は、書面により示さなければならない（同法8条2項）。

ウ ✕ 全体が妥当でない。行政庁は、審査基準を定めるものとする（行政手続法5条1項）とともに、審査基準を定めるに当たっては、許認可等の性質に照らしてできる限り具体的なものとしなければならない（同法5条2項）。また、行政庁は、行政上特別の支障があるときを除き、法令により申請の提出先とされている機関の事務所における備付けその他の適当な方法により審査基準を公にしておかなければならない（同法5条3項）。したがって、申請に対する処分の審査基準の作成及び公にしておくことは法的義務である。

エ 〇 条文により妥当である。行政庁は、標準処理期間（申請がその事務所に到達してから当該申請に対する処分をするまでに通常要すべき標準的な期間）を定めるよう努めるとともに、これを定めたときは、これらの当該申請の提出先とされている機関の事務所における備付けその他の適当な方法により公にしておかなければならない（行政手続法6条）。したがって、標準処理期間の設定は努力義務であるが、設定した標準処理期間を公にすることは法的義務である。

オ ✕ 「応答をする必要はない」という部分が妥当でない。行政庁は、申請がその事務所に到達したときは遅滞なく当該申請の審査を開始しなければならず、かつ、法令に定められた申請の形式上の要件（例えば、申請書の記載事項に不備がないこと、申請書に必要な書類が添付されているこ

と、申請をすることができる期間内にされたものであること）に適合しない申請については、速やかに、申請者に対し相当の期間を定めて当該申請の補正を求め、又は当該申請により求められた許認可等を拒否しなければならない（行政手続法7条）。したがって、形式上の要件に適合しない申請については、行政庁は、補正の求め又は許認可等の拒否をする形で応答をする必要がある。

以上より、妥当なものはイ、エであり、正解は**3**となる。

No.21　　**正解　2**　　

1　×　「一定の処分がされないことにより重大な損害が生じるおそれがある場合に限り、提起することができる」という部分が妥当でない。義務付け訴訟は、法令に基づく申請を前提としない非申請型義務付け訴訟（行政事件訴訟法3条6項1号）と、法令に基づく申請がされたことを前提とする申請型義務付け訴訟（同法3条6項2号）に分けられ、それぞれ訴訟要件が異なる。非申請型義務付け訴訟では、一定の処分がされないことにより重大な損害が生じるおそれがあることが訴訟要件の1つとなるが（同法37条の2第1項）、本記述の申請型義務付け訴訟においては、このような訴訟要件はない（同法37条の3参照）。

2　○　条文により妥当である。申請型義務付け訴訟は、申請について不作為があった場合（行政事件訴訟法37条の3第1項1号、不作為型）と、申請を却下又は棄却する拒否処分があった場合（同法37条の3第1項2号、拒否処分型）に分けられる。このうち不作為型の申請型義務付け訴訟においては、不作為の違法確認訴訟（同法3条5項）を併合提起することが訴訟要件とされている（同法37条の3第3項1号）。当該義務付け訴訟が、申請に対する行政庁の不作為を争うという点において、不作為の違法確認訴訟と機能分担をする関係にあるためである。

3　×　「行政庁が一定の処分をすべき旨を命ずることを求めるにつき法律上の利益を有する者に限り、提起することができる」という部分が妥当でない。申請型義務付け訴訟においては、法令に基づく申請をした者であることが訴訟要件となる（行政事件訴訟法37条の3第2項）。行政庁が一定の処分をすべき旨を命ずることを求めるにつき法律上の利益を有する者であることが訴訟要件となるのは、非申請型義務付け訴訟の場合である（同法37条の2第3項）。

4　×　「第三者に対しても効力を有する」という部分が妥当でない。非申請型・申請型を問わず、義務付け訴訟の判決について、第三者効は生じない。取消訴訟に関する規定の準用を規定した行政事件訴訟法38条が、第三者効（同法32条）を準用していないためである。

5　×　「当該棄却処分の取消訴訟又は無効等確認訴訟を提起することが可能であるから、義務付け訴訟を提起することはできない」という部分が妥当でない。拒否処分型の申請型義務付け訴訟においては、拒否処分に対する取消訴訟又は無効確認訴訟を併合提起することが訴訟要件とされている（行政事件訴訟法37条の3第3項2号）。そのため、むしろ拒否処分に対する取消訴訟や無効等確認訴訟を提起することが可能でないと、義務付け訴訟を提起することができない。拒否処分型の申請型義務付け訴訟は、拒否処分の取消し又は無効が訴えにより確定しても、拒否処分の効果が否定されるだけで、申請それ自体が当然に認容されるわけではないことから認められた訴訟類型であるため、その訴えの提起には取消訴訟や無効等確認訴訟の存在が必要だからである。

ア ○ 判例により妥当である。判例は、厚生大臣（当時）が特定の医薬品を日本薬局方に収載し、又はその製造の承認をした場合において、その時点における医学的、薬学的知見の下で、当該医薬品がその副作用を考慮してもなお有用性を肯定し得るときは、厚生大臣の薬局方収載等の行為は、国家賠償法1条1項の適用上違法の評価を受けることはないとしている（最判平7.6.23、クロロキン訴訟）。

イ × 全体が妥当でない。判例は、無罪の刑事判決が確定したというだけで直ちに当該刑事事件についてされた逮捕、勾留及び公訴の提起・追行が違法となるものではないとしている（最判昭53.10.20）。その根拠として、逮捕・勾留については、その時点において犯罪の嫌疑について相当な理由があり、かつ、必要性が認められるかぎりは適法であること、公訴の提起及び追行については、公訴の提起及び追行時における各種の証拠資料を総合勘案して合理的な判断過程により有罪と認められる嫌疑があれば足りることを指摘している。

ウ × 「特別の事情があるときを除き、国家賠償法第1条第1項の規定にいう違法な行為があったものとして損害賠償責任を免れることができない」という部分が妥当でない。前訴において上訴せずに敗訴が確定した者が、前訴裁判官が違法な判決を言い渡したとして国家賠償請求訴訟を提起した事案において、判例は、裁判官がした争訟の裁判に上訴等の訴訟法上の救済方法によって是正されるべき瑕疵が存在したとしても、これによって当然に国家賠償法1条1項の規定にいう違法な行為があったものとして国の損害賠償責任の問題が生ずるわけのものではなく、当該責任が肯定されるためには、当該裁判官が違法又は不当な目的をもって裁判をしたなど、裁判官がその付与された権限の趣旨に明らかに背いてこれを行使したものと認めうるような特別の事情があることを必要とするとしている（最判昭57.3.12）。したがって、国は前記のような特別の事情があるときを除き、損害賠償責任を免れる。

エ × 「他の同規模の河川と比較して高度の安全性が要求される」という部分が妥当でない。判例は、未改修河川又は改修の不十分な河川の管理の瑕疵の有無は、過去に発生した水害の規模、発生の頻度、発生原因、被害の性質、降雨状況、流域の地形その他の自然的条件、土地の利用状況その他の社会的条件、改修を要する緊急性の有無及びその程度等諸般の事情を総合的に考慮し、財政的、技術的及び社会的諸制約のもとでの同種・同規模の河川の管理の一般水準及び社会通念に照らして是認しうる安全性を備えていると認められるかどうかを基準として判断すべきであるとする。そのうえで、この理は、人口密集地域を流域とするいわゆる都市河川の管理についても、上記の特質及び諸制約が存すること自体には異なるところがないのであるから、一般的にはひとしく妥当するものというべきであるとしている（最判昭59.1.26、大東水害訴訟）。

オ ○ 判例により妥当である。判例は、点字ブロック等のように、新たに開発された視力障害者用の安全設備を駅のホームに設置しなかったことをもって当該駅のホームが通常有すべき安全性を欠くか否かを判断するにあたっては、その安全設備が、視力障害者の事故防止に有効なものとして、その素材、形状及び敷設方法等において相当程度標準化されて全国的ないし当該地域における道路及び駅のホーム等に普及しているかどうか、当該駅のホームにおける構造又は視力障害者の利用度との関係から予測される視力障害者の事故の発生の危険性の程度、右事故を未然に防止するため右安全設備を設置する必要性の程度及び右安全設備の設置の困難性の有無等の諸般の事情を総合考慮することを要するとしている（最判昭61.3.25）。

以上より、妥当なものはア、オであり、正解は**2**となる。

No.23　正解　3　　TAC生の選択率 77%　TAC生の正答率 66%

　2期間にわたる予算制約（生涯予算制約）の下、効用を最大化する今期の支出額を求める。今期の予算制約は、貯蓄をSとして、

$$C_1 + S = 500 \;\rightarrow\; S = 500 - C_1 \qquad \cdots\cdots(1)$$

で、来期の予算制約は、利子率をrとして、

$$C_2 = (1+r)S \qquad \cdots\cdots(2)$$

で表される。(1)を(2)に代入し変形すると、2期間にわたる予算制約は、

$$C_2 = (1+r)\underbrace{(500 - C_1)}_{(1)S} \;\rightarrow\; C_1 + \frac{C_2}{1+r} = 500$$

となる。来期の所得がゼロの場合、右辺は利子率に関係なく今期の所得に一致する。

　この予算制約の下、効用を最大化するが、与えられた効用関数はコブ＝ダグラス型だから、最適な今期の消費額は利子率の大きさに依存せず、

$$C_1 = \frac{1}{2} \times 500 = 250$$

で一定である。

No.24　正解　2　　TAC生の選択率 77%　TAC生の正答率 76%

　$Q = q_A + q_B$として、企業は互いに他の生産量を所与として利潤を最大化する。需要関数および費用関数から、企業A、Bの利潤最大化条件はそれぞれ次の通りである（限界収入と限界費用の一致）。

$$90 - (2q_A + q_B) = \frac{1}{3}q_A \;\rightarrow\; q_B = 90 - \frac{7}{3}q_A \qquad \cdots\cdots(1)$$

$$90 - (q_A + 2q_B) = q_B \;\rightarrow\; q_A = 90 - 3q_B \qquad \cdots\cdots(2)$$

(1)に(2)を代入してq_Bを求めると、

$$q_B = 90 - \frac{7}{3}\underbrace{(90 - 3q_B)}_{(2)q_A} \;\rightarrow\; q_B = 20$$

No.25　正解　3　　TAC生の選択率 77%　TAC生の正答率 93%

　与件より、財市場が均衡するとき、

$$\left.\begin{array}{l} Y = C + I + G \\ C = 30 + 0.4(Y - T) \\ I = 100 - 6r \\ G = 100 \\ T = 50 \end{array}\right\} \rightarrow r = 35 - 0.1Y \qquad \cdots\cdots(1)$$

が成り立つ。同様に、貨幣市場が均衡するとき、

$$\left.\begin{array}{l} L = \dfrac{M}{p} \\ L = 290 + 0.5Y - 20r \\ \dfrac{M}{p} = 340 \end{array}\right\} \rightarrow 0.1Y - 4r = 10 \qquad \cdots\cdots(2)$$

が成り立つ。(1)を(2)に代入して、IS−LM均衡における国民所得を求めると、

$$0.1Y - 4 \times \underbrace{(35 - 0.1Y)}_{(1)r} = 10 \ \rightarrow \ Y = 300$$

No.26　　**正解　4**　　TAC生の選択率 **77%**　　TAC生の正答率 **69%**

1　×　拡張的な財政政策は、IS曲線を右方にシフトさせる。

2　×　変動相場制であれば、中央銀行が為替レートを元の水準に維持するために金融政策を行うことはない。

3　×　自国の為替レートが減価すると純輸出が増加するため、IS曲線が右方にシフトする。

4　○

5　×　固定相場制において、自国の為替レートに減価圧力がかかると中央銀行が為替レートを元の水準に維持するために緊縮的な金融政策を行うため、LM曲線が左方にシフトする。

No.27　　**正解　3**　　TAC生の選択率 **77%**　　TAC生の正答率 **49%**

A　○　消去法で残ればよい。

B　×　コロナ禍から経済活動が正常化に向かっている2021年度から2022年度にサービス消費がマイナスとしていることに違和感を覚えよう。

C　×　第一次所得収支が赤字であるとする部分に誤りがあると判断できるようにしておこう。近年の経常収支は第一次所得収支の黒字で他の収支の赤字を相殺して黒字を確保している。

D　○　消去法で残ればよい。

No.28　　**正解　2**　　TAC生の選択率 **77%**　　TAC生の正答率 **32%**

1　×　インドの名目GDPが世界第10位としているところに違和感を覚えよう。2022年では第5位となっている。

2　○

3　×　インドの第1次産業（農業・林業・漁業）の名目GDP比は約2割となっており、一方でサービス業のそれは約5割を占める。よって、名目GDP比で製造業がサービス業よりも上回っているとしている記述は誤りとなる。

4　×　インドの経常収支は慢性的に赤字である。

5　×　RCEP（地域的な包括的経済連携協定）にインドは参加していない。

A ✕ 財政の三機能の一つは「資産再配分機能」ではなく「所得再分配機能」である。また、市場の失敗を是正するのは「資源配分機能」である。

B ◯

C ◯

D ✕ これは逆弾力性命題とも呼ばれ、一定の税収に対して経済全体の超過負担を小さくするために、価格弾力性の高い財には低税率を、価格弾力性の低い財には高税率を課すものである。

A ◯

B ✕ 公共財の便益が一部の地域に限定される場合、これを地方公共財というが、地方公共財は準公共財に分類される（部分的な競合性、部分的な排除性を持つものやクラブ財とみなせるものがある）。なお、便益の範囲が国全体に及ぶ場合は非競合性と非排除性を持つことになるので、純粋公共財となる。

C ◯

D ✕ リンダール・メカニズムにはフリーライダーを防ぐ仕組みがないから、リンダール均衡においても家計（消費者）が選好を偽るインセンティブが存在する。

A ✕ 繰越明許費の説明が誤り。この記述は継続費に関するものである。

B ◯

C ✕ 記述Aが誤りで記述BとDが正しいと判断し、消去法で誤りであると判断できれば良い。ちなみに地方財政健全化法は平成21（2008）年4月に全面施行された。また、健全化判断比率は実質赤字比率、連結実質赤字比率、実質公債費比率、将来負担比率の4つであるが覚える必要はない。

D ◯

1 ✕ 特例公債（赤字国債）が1965年度補正予算以降、2023年度まで毎年度発行されているとしているのが誤り。

2 ✕ 復興債は令和7（2025）年度まで発行される予定となっている。

3 ✕ 財投債は財政投融資の財源として発行されるものであるため、償還の財源は各投融資先からの返済資金が充てられることから、租税を原資として償還財源とするとしていることが誤り。

4 〇

5 ✕　特例国債（赤字国債）の償還は「60年償還ルール」の適用を受ける。他の記述は判断できなくてよい。ちなみに、復興債や財投債、脱炭素成長型経済構造移行債（GX経済移行債）の償還は「60年償還ルール」の適用はされていない。

No.33	正解　**1**	TAC生の選択率 **84%**	TAC生の正答率 **49%**

1 〇　消去法で選択できればよい。

2 ✕　特例国債（赤字国債）が発行されていないのが平成2〜5（1990〜1993）年度の4年間のみであることがわかれば、誤りであると判断できる。

3 ✕　平成25（2013）年8月に掲げられた基礎的財政収支対GDP比を平成27（2015）年度までに平成22（2010）年度比で半減させるという財政健全化目標は達成されたことを想起すれば、令和2（2020）年度まで赤字の比率が一貫して上昇しているという記述に違和感を覚えるであろう。

4 ✕　近年の日本の債務残高対GDP比は200%を超える水準となっている。他は判断できなくてよい。

5 ✕　各比率の定義が誤り。社会保障負担額の国民所得に対する比率を社会保障負担率という。社会保障負担額に租税負担額を加えた額の国民所得に対する比率を国民負担率という。ちなみに2020年の潜在的国民負担率が90%を超えているという記述にも違和感を覚えよう。

No.34	正解　**5**	TAC生の選択率 **84%**	TAC生の正答率 **81%**

1 ✕　固定資産税は市町村税（地方税）であり、相続税、酒税、とん税は国税である。

2 ✕　消費税が導入されたのは平成元（1989）年4月からである。また、消費税率（国税＋地方税）が10%となったのは令和元（2019）年10月からである。他は判断できなくてよい。

3 ✕　所得税の最高税率は45%である。他は判断できなくてよい。

4 ✕　法人実効税率（国税＋地方税）は約30%となっている。近年、産業の空洞化や海外企業の国内誘致のために実効税率を他国並みに引き下げてきた傾向にあることを想起すれば誤りであることに気付けるはずである。

5 〇　消去法で判断できればよい。

No.35	正解　**1**	TAC生の選択率 **53%**	TAC生の正答率 **56%**

1 〇　組織文化の研究で有名なシャインは、組織文化を記述のように目に見える人工物、価値観（価値）、基本的仮定（根本的前提）の3つのレベルに分類した。

2 ✕　コンティンジェンシー理論（条件適合理論）による研究を行ったローレンスとローシュは、市場や技術などの環境変化が激しい「ダイナミックな環境」にある企業では組織内の分化が進行す

るが、高業績の企業には組織内の統合が見られ、発生した問題の解決を行うことができていると主張した。

3 ✕ 事業部制組織では、事業部内の製品の成果は利益として容易に把握できる。利益は当該製品の売上の金額から要した費用の金額を差し引いて計上される。事業部制組織には、製品の価格設定や材料の選択などの権限が与えられているため、利益責任をもったプロフィット・センターとされる。

4 ✕ まず、資源依存理論を提唱したのは、J.フェッファーとG.R.サランシックである。また、「効果がない」も誤り。彼らによると資源依存による脆弱性を回避するには、他の組織を合併するだけでなく、他の組織との協定締結などによる協調も効果的である。ウィリアムソンは、取引費用（取引コスト）の観点から、取引特殊的資産の有無に注目して、組織間関係を考察した。

5 ✕ まず、マトリックス組織は、事業部制組織の前身ではなく事業部制組織の問題点を回避するために作られた組織形態である。事業部制組織は1930年代に登場したが、マトリックス組織は1960年代に登場した。また、「事業部長の方が権限が強いことから、責任の所在も明確である」も誤り。マトリックス組織では複数の上司が存在するので、責任の所在が不明瞭になるという問題点が存在する。

No.36 **正解 2** TAC生の選択率 **53%** TAC生の正答率 **74%**

1 ✕ ハーズバーグの類型では、「達成」、「昇進」は、動機付け要因に分類される。また、仕事へのモチベーションを高めるには動機付け要因が満たされる必要がある。

2 ◯ マクレランドは、金銭などではなく、困難な課題を達成したときの満足感などを求めることを達成欲求と呼んで、そのメカニズムなどを示した。

3 ✕ マズローは人間の欲求を5層に分けたが、その4つ目は尊厳欲求、最上位となる5つ目が自己実現欲求である。

4 ✕ アルダーファのERG理論は、期待理論と呼ばれるブルームの所説の修正ではなく、マズローの欲求5段階説を修正したものである。また、ERG理論では、人間の欲求は生存欲求（Existence）と成長欲求（Growth）に加えて、階級ではなく人間関係などに関わる関係欲求（Relatedness）に分類され、この3つのどれかが最上位ということはない。

5 ✕ デシが唱えたのは「内発的動機付け論」である。記述にある公平理論（衡平理論）を唱えたのは、デシではなく、J.S.アダムズである。

No.37 **正解 5** TAC生の選択率 **53%** TAC生の正答率 **93%**

1 ✕ アンゾフの成長ベクトルでは、既存の製品を新しい市場で販売する戦略は市場開拓戦略、市場浸透戦略は既存の市場で既存の製品を販売する戦略である。また、新しい製品で新しい市場を開拓する戦略は多角化戦略である。

2 ✕ ルメルトの分類では、最大の売上高を持つ事業がその企業の売上の大部分を占める企業は多角化していない単一事業型となる。また、本業と関連する事業に多角化した企業は抑制型と連鎖型

に分類され、経営資源を共通利用する企業は抑制型に分類される。

3 ✕ 経験効果とは、事業が大規模化して生産量が増加すると平均費用が低下することを指す。そのため企業は、マーケットシェアを拡大するなどして生産量を増やしたほうが、経験効果による優位性を確保できる。なお、経験効果は、製品ライフサイクル論（プロダクト・ライフサイクル論）の前提となる概念である。

4 ✕ ポーターは競争戦略を、コスト・リーダーシップ戦略（低コスト戦略）、差別化戦略、集中戦略の３つに分類した。また、市場を細分化して特定分野に焦点を当てる戦略は、差別化戦略ではなく、集中戦略である。なお、創発的戦略とは、現場で相互作用が起きることで事後的にできた戦略を指し、H.ミンツバーグが提唱した概念である。

5 ◯ SWOT分析は、K.R.アンドリュースがハーバード・ビジネススクールで提唱した手法が精緻化されたものである。

No.38　　**正解 4**　　TAC生の選択率 **53%**　　TAC生の正答率 **86%**

1 ✕ 製品ライフサイクルは、開発期（導入期）、成長期、成熟期、衰退期の４つに分けるのが一般的である。このうち、市場成長率が最も高いのは成長期である。

2 ✕ その製品やサービスが日用品となり、品質の差によって顧客を引き付けることができず、競争において価格のみが重視されるようになるのが、コモディティ化である。そのような商品では、高価格を設定すれば、顧客は離れていくと考えられる。

3 ✕ 公的な機関によって定められた標準規格がデジュール・スタンダード、市場における競争後の事実上の標準規格がデファクト・スタンダードである。デファクト・スタンダードの地位を得た企業は、市場を独占することが可能である。

4 ◯ スイッチング・コストには、それまで購入していなかった製品の操作法に慣れるのに要する手間などの心理的なコストも含まれる。

5 ✕ OEM（Original Equipment Manufacturer）は「相手先ブランド生産」と訳され、OEMによって製品を販売する際には、委託を受けて生産した企業のブランドではなく、委託側の企業のブランドで販売される。また、委託を受けた企業が、生産だけでなく、製品開発まで行う場合は、ODM（Original Design Manufacturer）と呼ばれる。

No.39　　**正解 5**　　TAC生の選択率 **53%**　　TAC生の正答率 **66%**

A ✕ 銀行などの金融機関からの借り入れ（融資）など、負債による資金調達は間接金融に分類される。一方、株式発行などによる資金調達は直接金融に分類される。高度経済成長期の日本企業はメインバンクと呼ばれる銀行からの借り入れによって資金調達を行っており、間接金融が中心だった。

B ✕ まず、プリンシパル・エージェント理論において、株主はプリンシパル（本人）、経営者はエージェント（代理人）である。また、「常に…最大化するように行動する」も誤り。経営者は株主の投資利益を最大化するために行動するとは限らず、そのためにエージェンシー・コストが発生

する。

C **O** 内部留保とは、企業が獲得した利益のうち、配当などの形で株主に分配せずに企業内部に留めている資金である。貸借対照表では、純資産のうち株式発行によって調達した資本金を除いたものとして表されている。

D **O** ベンチャーキャピタルとは、不確実性が高い状況で作られたベンチャー企業に出資するなど直接金融の形で資金を提供する金融機関、あるいはその資金を指す。出資先の企業が、生じた利益を配当などの形で出資者に配分した場合、出資者はキャピタルゲインを得たことになる。

以上から、**5**が正解となる。

No.40 　**正解　3**　　TAC生の選択率　**53%**　　TAC生の正答率　**88%**

1　× 　会社法の規定では、監査役や会計監査人の設置は、全ての株式会社の義務ではない。また、取締役を選任するのは株主総会だが、取締役会設置会社では取締役会が代表取締役を選任すると規定されている。

2　× 　コーポレート・ガバナンスとは、会社経営の適法性の確保のため、株主が経営者を監視することを意味する。また、日本企業では社内取締役が多数を占めることが問題になっており社外取締役を増やすための取組みは行われているが、取締役会の過半数を社内取締役とする義務付けは行われていない。

3　**O** 　M&Aは企業の合併・買収を指し、人材や技術などの経営資源を獲得するための方法の一つである。同業種の企業間で行われるものは水平的M&A、製造業者が川上にあたる部品供給者や川下にあたる販売業者に対して行うものは垂直的M&Aである。

4　× 　CSRは企業の社会的責任を指す。このうち法令遵守に注目した責任をコンプライアンスというが、今日ではCSRは法令遵守よりも広範囲の責任として捉えられている。また、企業のCSR活動を考慮した株式投資は、SRI（社会的責任投資）という。

5　× 　タックス・ヘイブンに対処するため、国際機関OECD（経済協力開発機構）のBEPS（税源浸食と利益移転）プロジェクトの基本的な考え方に基づいて、法人税率の下限が定められたが、日本ではタックス・ヘイブンに子会社を置く企業に対する罰則は科されていない。

No.41 　**正解　1**　　TAC生の選択率　**67%**　　TAC生の正答率　**74%**

1　**O** 　マキアヴェリは、君主の使命は国家の維持にあり、この目的のためならば、反道徳的な方策を選択することも躊躇すべきではないと考えている。このような考え方は「国家理性」と呼ばれる。

2　× 　まず「余暇」が誤り。アレントは人間の営みを労働、仕事、活動の三つに分け、このうち活動は自由な市民のあいだでの相互行為であり、真に政治的な営為であるとした。また、「個人とは何らかの」以降は、コミュニタリアン（共同体主義者）のサンデルの説明である。

3　× 　まず第1文は、ロールズではなくベンサムについての説明である。ロールズは、ベンサムら

の功利主義を批判し、自らの正義論を展開した。さらに、第2文「私的所有を」以降はノージックについての説明である。ノージックは、最小国家以上の機能を有する国家を拡張国家と呼び、福祉国家的な性格を有するロールズの正義論を批判した。

4 ✕ 「人々が」以降は、ノージックではなくロールズについての説明である。ロールズは、人々は無知のヴェールに覆われた原初状態において正義の二原理を選択すると説明した。

5 ✕ まず、第1文後半が誤り。**2**の説明にあるように、サンデルは、個人は他者や環境から独立した自立的な存在ではなく、何らかの共同体に属して自己のアイデンティティを形成する存在だと主張しており、「個人を他者や環境から独立した自立的な存在」とするようなリベラリズムの考え方を「負荷なき自己」と呼び批判している。また、第2文はハーバーマスについての説明である。

No.42	正解 4	TAC生の選択率 67%	TAC生の正答率 40%

1 ✕ 「『アラブの春』から始まった」が誤り。いわゆる「アラブの春」とは2010年から2012年にかけてアラブ世界で広がった民主化運動を指し、ハンチントン（1927〜2008）が亡くなった後に発生している。それに対して、ハンチントンのいう第3の波は、1974年にポルトガルのリスボンから始まったとされ、その後、ギリシア、スペインといった南欧諸国をはじめ、ラテン・アメリカ、アジア、アフリカ、さらに東欧諸国にまで押し寄せたとされる。

2 ✕ 「国民に対して高度な政治的動員が行われ」が誤り。これは権威主義体制ではなく全体主義体制の特徴である。リンスによれば、全体主義体制が積極的な政治的動員を行うのに対して、権威主義体制は政治的動員が不在である点が特徴のひとつであるとされる。

3 ✕ まず、「民主的な政治体制からは生まれない」が誤り。例えば、全体主義の一例とされるドイツのナチズムはワイマール憲法下の民主的な体制のなかから出現した。また、スターリン時代の共産主義体制も全体主義の一例とされるため、第2文後半も誤り。

4 ◯ レイプハルトは、多数派の意思にしたがって政府が運営される多数決型に対して、コンセンサス型は、できるだけ多くの国民の声を政府の運営に反映させようという点に特徴があるとした。

5 ✕ リプセットは、社会の経済発展が進むと、民主主義も進展するという近代化論を主張した人物である。それに対して、後の学者たちは記述のように近代化論を批判した。

No.43	正解 2	TAC生の選択率 67%	TAC生の正答率 78%

1 ✕ まず、「参議院議員選挙においてのみ導入」が誤り。日本では、衆参両院の選挙でドント式が採用されている。また、「奇数…で割っていき」も誤り。ドント式は得票数を整数（自然数）で割っていく方式であり、奇数で割っていくのはサンラグ式である。

2 ◯ なお、重複立候補できるのは衆議院議員選挙のみであり、参議院議員選挙ではできない。

3 ✕ まず、「直接選挙の形態を採用」が誤り。アメリカ大統領選挙は、有権者が直接大統領候補者に投票するのではなく、大統領選挙人に投票し、選挙人が大統領候補者に投票するという間接選挙のかたちを採っている。また、「第1回投票で…」以降は、絶対多数2回投票制の説明であり、アメリカ大統領選挙では採用されていない。絶対多数2回投票制を採用している代表国はフランス

である。

4 ✕ まず、「小選挙区における…多数代表制度で選出」が誤り。ドイツの連邦議会で採用されて
いる選挙制度は、小選挙区比例代表併用制である。また、「連邦議会のほか連邦参議院においても
第三党は議席を持っていない」も誤り。まず、ドイツの政党システムは穏健な多党制であり、連立
政権が常態化していることからも分かるように、第三党も議席を有している。さらに、連邦参議院
はそもそも州政府によって任命された議員が派遣されているため（選挙で選出されていないため）、
この点も誤り。

5 ✕ まず、「選挙区の面積や有権者数に着目して」が誤り。小選挙区と大選挙区の分類は、一つ
の選挙区から何人当選可能であるかという定数を基準とした分類である。また、「大選挙区制は一
票の価値が低く、相対的に死票が多い」という点も誤り。死票が多いのは、定数1である小選挙区
の特徴である。なお、小選挙区比例代表並立制が採用されているのは衆議院議員選挙のみであり、
参議院議員選挙では異なる。

No.44　　**正解　2**　　　TAC生の選択率 **67%**　　TAC生の正答率 **47%**

A 「オートポイエーシス」が該当する。ホメオスタシス（恒常性維持）とは、生物などにおいて、
外界の環境や内部の変化に対して、生命維持に必要な生理的な機能を正常に保とうとする機構のこ
とであり、ルーマン以前から生物学で用いられていた用語で、パーソンズの社会システム論などで
もこの概念が採り入れられている。

B 「コミュニケーション」が該当する。当初、ルーマンは社会システムの構成要素を「行為」であ
ると考えて理論化していたが、オートポイエーシス（自己産出）の概念を取り入れてからは、社会
システムの構成要素を「コミュニケーション」に変更している。

C 「社会システム論」が該当する。そもそも問題文の1行目で「生体システム」と書かれているの
だから、ルーマンのことを全く知らなくても「社会システム論」の方が妥当だろうと推測できるだ
ろう。「文化的再生産論」は、P.ブルデューの立場として知られる。

以上の組合せにより、**2**が正解となる。

No.45　　**正解　5**　　　TAC生の選択率 **67%**　　TAC生の正答率 **89%**

ア ✕ これは、P.ブルデューではなくW.コーンハウザーの大衆社会の類型に関する記述である。
ただし、第2文は誤りで、二つの要因がいずれも低い類型は共同体社会である（大衆社会は、いず
れも高い類型となる）。

イ ✕ これは、M.ヴェーバーではなくR.ミヘルスの理論に関する記述である。ただし、「寡頭制の
鉄則」とは、「多数者による少数者の支配を必然とする」という主張ではなく、「少数者による多数
者の支配を必然とする」という主張である。「寡頭制」という言葉の意味を知っていれば、逆であ
ることに気づけるだろう。

ウ 〇 メーヨーらのホーソン実験は、社会学のみならず、経営学や行政学でも出題される内容であ
る。

エ　〇　ミルズのパワー・エリート論は、社会学のみならず、政治学でも出題される内容である。

　以上の組合せにより、**5**が正解となる。

No.46　　**正解　2**　　TAC生の選択率 **67%**　　TAC生の正答率 **49%**

1　✕　まず、自動車運転の業務について、時間外労働の上限規制が適用されたのは2024年4月からである。また、自動車運転の業務において、①時間外労働の上限は原則として月45時間・年360時間以内、②臨時的な特別の事情があって労使が合意する場合（特別条項）では年960時間以内となった。

2　〇　ただし、賃金のデジタル払いといっても、現金化できないポイントや暗号資産での賃金支払は認められていない。

3　✕　まず、「努力義務」が誤り。使用者は、最低賃金の適用を受ける労働者に対し、その最低賃金額以上の賃金を支払わなければならない（義務）。また、第2文は2022年度に関する記述である。2023年度の地域別最低賃金は、全国加重平均で対前年度43円引上げの1004円となり、過去最高を記録した。

4　✕　まず、「いずれかを満たすもの」が誤り。同法における「職場におけるパワーハラスメント」とは、①から③までの3つの要素を全て満たすものをいう。また、「努力義務」も誤り。同法では、事業主に防止措置を講じる「義務」を課している。

5　✕　まず、2021年6月1日から2022年6月1日にかけて最も増加しているのは精神障害者（11.9％増）であり、次いで知的障害者（4.1％増）で、身体障害者は0.4％減少している。また、法定雇用率を達成した企業の割合は48.3％にとどまった。